D1437575

Prénom : ADOLF
Nom : HITLER

WERNER MASER

Prénom : ADOLF
Nom : HITLER

PLON

Ce livre a paru en langue allemande sous le titre :

LEGENDE MITHOS WIRKLICHKEIT.

Traduit par Pierre KAMNITZER.

Pour les citations de *Mein Kampf*, traduction intégrale
de J. Gaudefroy-Demombynes et A. Calmettes,
Nouvelles Editions Latines, s.d.

La loi du 11 mars 1957 n'autorisant, aux termes des alinéas 2 et 3 de l'article 41,
d'une part, que les « copies ou reproductions strictement réservées à l'usage privé du
copiste et non destinées à une utilisation collective » et, d'autre part, que les analyses et
les courtes citations dans un but d'exemple et d'illustration, « toute représentation ou
reproduction intégrale, ou partielle, faite sans le consentement de l'auteur ou de ses ayants
droits ou ayants cause, est illicite » (alinéa premier de l'article 40).

Cette représentation ou reproduction, par quelque procédé que ce soit, constituerait
donc une contrefaçon sanctionnée par les articles 425 et suivants du Code Pénal.

© 1971 *by Bechtle Verlag, München und Esslingen* et librairie Plon,
1973, pour la traduction française.

D'innombrables livres ont été écrits sur Adolf Hitler. Rien que sur la Seconde Guerre mondiale, on a répertorié, il y a dix ans déjà, quelque 50 000 titres dignes d'intérêt. Les biographies *d'Hitler sont plus clairsemées. Trop de faits de sa vie passaient pour peu sûrs, trop peu pour prouvés. Aussi, les biographes d'Hitler ont-ils laissé dans l'ombre certains épisodes de son existence ou les ont — en fonction de leur optique propre — agrémentés de détails fantaisistes ; d'autres se sont contentés de présenter les événements connus d'une manière inédite et « intéressante ». La documentation des « Archives fédérales » à Coblence et les documents dont disposaient la plupart des historiens ne suffisaient pas à combler les lacunes. Les autres sources sont rares. Quelques-unes, telles les notes des médecins d'Hitler, étaient considérées comme inaccessibles ou perdues. On ignorait l'existence des documents détenus par la famille. L'entourage d'Hitler s'entourait de silence — parfois pour des raisons compréhensibles —, remarque qui s'applique aussi à ses parents, sœurs, demi-frère et demi-sœurs, cousins et cousines, neveux et nièces, bien qu'ils fussent particulièrement bien placés pour éclairer l'historien. Après la publication de mes ouvrages* Die Frühgeschichte der N.S.D.A.P. Hitlers Weg bis 1924 *(1965) et* Hitlers Mein Kampf *(1966), certaines sources se mirent à couler comme par enchantement : des témoins importants se présentèrent, des camarades d'école d'Hitler, des amis de jeunesse, des camarades de guerre, des* **Kampfgenossen**

(compagnons de combat), adversaires et ennemis, parents et héritiers, tous détenteurs de textes posthumes et de documents. On a trouvé au grenier d'un des cousins d'Hitler, complètement négligée par la famille, une partie des documents que les historiens et les biographes avaient cherchés en vain pendant cinquante ans. Ainsi, on a pu utiliser pour la première fois des lettres et des notes autographes d'Hitler, ainsi que les carnets et écrits — considérés comme perdus — des médecins l'ayant traité. Dès lors, il est possible de retracer la vie d'Hitler, de l'origine jusqu'à la fin. Dans mon exposé, j'ai supprimé les faits par trop connus, j'en ai rappelé d'autres en passant, pour approfondir seulement ceux qui permettent de brosser un portrait nouveau du personnage.

Munich, le 15 septembre 1971
Dr Werner Maser

CHAPITRE PREMIER

GENEALOGIE ET FAMILLE

Le 20 avril 1889 naquit à 18 h 30 à Braunau, dans l'auberge *Zum Pommer*, à la veille de Pâques, un garçon, fils du ménage Aloïs et Klara Hitler ; ce fut une journée sombre, le thermomètre marquait 7° au-dessus de zéro, le taux d'humidité de l'air était de 89 p. 100. Deux jours plus tard, le lundi de Pâques à 3 h 15 — au théâtre régional de Linz, la ville voisine, le rideau venait de se lever pour l'opérette de Millöker, *Das verwunschene Schloss* (le château enchanté) dont l'air *A bisserl Lieb und a bisserl Treu* (un peu d'amour et un peu de fidélité) jouissait d'une grande popularité en Autriche —, le curé catholique de Braunau, Ignaz Probst, lui donna en baptême le nom d'Adolf. La sage-femme, Franziska Pointecker, et Johanna Pölzl, une sœur célibataire de Klara Hitler, virent les premières l'être chétif, aux cheveux foncés, aux yeux étonnamment bleus, qui devait attirer plus tard les regards de tous ses contemporains. Après une carrière sans exemple, il mit lui-même fin à ses jours le 30 avril 1945, après avoir ordonné à ses fidèles de brûler son cadavre *. Aucun médecin, aucun prêtre ne se trouvait à ses côtés pendant les dernières minutes de sa vie, aucune personne de son entourage n'aurait pu identifier son corps au moment de son inhumation.

Dans le registre des baptêmes de la paroisse catholique de Braunau, sur la couverture duquel on lit : « Tomus XIX, 30.6.1881 à 1891 [1] », figurent deux inscriptions dues à deux prêtres catholiques appartenant à des générations différentes. La pre-

_____

* *Cf.* p. 410 : son corps a disparu sans laisser de traces.

mière, parfaitement conforme aux usages, révèle la naissance
et le baptême d'Adolf Hitler, la seconde, faite bien plus tard,
consigne bien tardivement sa mort. Voilà ce que nous apprend
ce registre * :

« Adolf Hitler, né le 20-4-1889 à six heures et demie, baptisé
le 22-4 à quatre heures moins le quart par Ignaz Probst, domi-
cilé au faubourg 219 (depuis peu 19) ; enfant légitime, catholique.
Père : Aloïs Hitler, douanier impérial et royal. Mère : Clara, fille
de Johann Pölzl, agriculteur à Spital en Basse-Autriche, et de
Johanna, née Hitler, fille légitime.

« Parrains : Johann et Johanna Prinz, particuliers à
Vienne III, Löwengasse 28 ; *horum levavit* : Johanna Pölzl, sœur
de la mère de l'enfant ; sage-femme : Franziska Pointecker.

« Aux termes du certificat de baptême de la paroisse de
Döllersheim, daté du 7-6-1876, portant la signature de M. Joseph
Zahnschirm, curé, Aloïs Hitler, né le 7-6-1837, est le fils légitime
de Georg Hitler, domicilié à Spital, et de Maria Anna, son
épouse, fille légitime de Johann Schicklgruber, agriculteur à
Strones, et de son épouse Theresia, née Pfeisinger, tous de
confession catholique.

« Aloïs Hitler, né à Strones 3, fut baptisé le jour anniversaire
de M. Ignaz Rueskuefer, curé, en présence de Johann Trummelschlager et de son épouse Josefa, parrains. Marié une première
fois à Anna, née Glassl-Hörer, décédée le 6-4-1883, ici même. Une
seconde fois à Franziska à Matzelberger, le 22-5-1883 — Registre
des Mariages, T. XIII à Ranshofen 268. Une troisième fois à
Clara Pölzl, le 7-1-1885 — 1ᵉʳ Registre des mariages, T. XIII,
p. 68 ; p. 281. »

Même si Adolf Hitler avait été un catholique comme mille
autres, l'attestation de la date de sa mort par les autorités ecclésiastiques et un additif sur les origines de son père n'auraient
pas manqué de soulever quelques questions délicates.

Adolf Hitler mit fin à ses jours le 30 avril 1945. Douze ans
plus tard, le 11 janvier 1957, Johann Ludwig, doyen et curé de la
ville de Braunau, compléta ainsi les indications du vieux registre
des baptêmes de sa paroisse : « Par décision du tribunal d'instance ** de Berchtesgaden du 25 octobre 1956, II 48/52 déclaré
mort *in fid. publ.* Paroisse de Braunau, fait le 11-1-1957. Johann
Ludwig. »

---

* Les mots complétés l'ont été par l'auteur.
** Le terme allemand de *Amtgericht* n'ayant pas d'équivalent en
français, « tribunal d'instance » ne saurait être qu'une traduction approximative (N.d.T.).

Le 17 février 1960, le tribunal d'instance de Munich établissait sous le numéro 2994/5 « un certificat d'héritier sur la succession d'Adolf Hitler », après la mort du chancelier du Reich Adolf Hitler, survenue le 30-4-1945 à Berlin, compte tenu du testament et de la répudiation à la suite de la disparition de l'héritier par préciput, le NSDAP [*2], en faveur de Paula Hitler, sœur unique du défunt, qui mourut le 1er juin 1960 sans avoir obtenu son héritage, à savoir le tiers des biens d'Hitler [3] : « Ce serait mon plus cher désir, avait-elle écrit le 10 janvier 1960, d'entrer enfin en possession du certificat d'héritière qui me permettrait de m'installer dans un appartement sain et ensoleillé ; ainsi le restant de ma vie pourrait s'éclairer de ce rayon de bonheur que j'ai attendu en vain jusqu'ici [4]. » Ainsi se réalisait ce qu'Hitler avait déclaré dès avant la Deuxième Guerre mondiale à son neveu Patrick Hitler : « Personne ne devra profiter de ce que je m'appelle Hitler [5] ».

La demi-sœur d'Adolf Hitler, Angela, et son demi-frère, Aloïs, étaient morts tous deux : Angela le 30 octobre 1949, Aloïs le 20 mai 1956.

Quelques personnes bien informées qualifiaient déjà d' « obscures » les origines d'Hitler à l'époque où il se présentait publiquement comme l'homme d'un parti dont le programme exigeait de chaque Allemand une ascendance **allemande de plusieurs** générations. Les registres paroissiaux de Braunau mentionnent Aloïs Hitler et Klara Hitler, née Pölzl, comme ses parents [6], ce qui correspond aux faits. Mais déjà la génération précédente était marquée d'une tache : le père d'Adolf Hitler était un enfant naturel, ce qu'il resta juridiquement jusqu'à sa trente-neuvième année. Les indications du registre des baptêmes catholique de la ville de Braunau ne sont que partiellement exactes [7].

En dépit de tous les efforts de nombreux historiens, généalogistes et biographes d'Hitler, on n'a jamais pu établir avec certitude l'identité du grand-père paternel d'Adolf Hitler [8]. Les affirmations et hypothèses avancées à ce sujet citent le nom du baron viennois Rothschild, le Juif Frankenberger de Graz, un membre de la famille Ottenstein originaire du district de Waldviertel en Basse-Autriche. Quelques biographes étaient cependant convaincus que le grand-père officiel d'Adolf Hitler, le garçon meunier Johann Georg Hiedler, n'était pas le père du père d'Adolf Hitler. On savait du père d'Adolf Hitler, né en 1837, qu'il portait depuis 1876 seulement le nom d'Hitler. On ignorait

---

* NSDAP : Nationalsozialistische Deutsche Arbeiterpartei (Parti ouvrier national-socialiste allemand).

totalement ce que cachait ce changement de patronyme. On était aussi peu renseigné sur la grand-mère d'Adolf Hitler, Maria Anna Schicklgruber.

Au début des années vingt, quand la carrière politique d'Hitler marquait les premiers succès retentissants qui devaient orienter toute son évolution future, ses adversaires les plus ingénieux soulevèrent la question de ses origines : ils le sommèrent publiquement de révéler l'identité du grand-père de l' « apôtre de la pureté germanique » et de dire s'il n'avait pas, d'aventure, des ancêtres juifs *.

Il va sans dire que ceux que repoussait et excédait l'antisémitisme fanatique d'Hitler cherchaient des preuves à l'appui de leur thèse que le père d'Hitler était lui-même d'ascendance juive. Comme ces preuves faisaient défaut, on avait recours à toutes sortes de légendes et d'histoires. Hitler lui-même n'a fourni dans *Mein Kampf* que des indications vagues et sommaires sur ses parents et leur ascendance. Lui qui, dans la ligne du programme du N.S.D.A.P. [9], exigeait de tout Allemand qu'il dressât la liste de ses ancêtres — ce qui, en cas d'alliances juives, entraînait pour l'intéressé des conséquences tragiques — n'a jamais révélé sa propre généalogie. Parlant de son ascendance, il a simplement affirmé que son père, douanier autrichien, avait été un « fonctionnaire dévoué de l'Etat » et « le fils d'un pauvre petit exploitant agricole » [10], qu'il avait « aimé » [11] sa mère, épouse dévouée de son mari, toujours prête au sacrifice et au renoncement. Tout le reste est du verbiage [12] destiné à nourrir sa légende et à servir la propagande nationale-socialiste.

Hitler, qui avait une connaissance approfondie de l'Histoire, de l'histoire des idées et de la mythologie grecques et latines, des divinités et héros antiques ainsi que de la Bible — et plus spécialement du Nouveau Testament ** — avait pris l'habitude, surtout à l'époque de la Deuxième Guerre mondiale, d'évoquer

---

* En été 1921, peu avant l'accession d'Hitler à la direction du parti (fin juillet), quand il se fit présenter par Hermann Esser comme « le Führer », (*Cf.* Maser, *Die Frühgeschichte der NSDAP*, p. 270 et suiv.), les dirigeants du NSDAP, de l'entourage d'Hitler, chuchotaient qu'Hitler était d'origine juive. Un des premiers membres du NSDAP, Ernst Ehrensperger (livret de membre n° 923) rédigea un tract que la *Münchner Post* reproduisit avec un commentaire de dix lignes. Le tract disait entre autres : « Il croit (Hitler) le moment venu de porter, par ordre de ses obscurs mandataires, la discorde et la confusion dans nos rangs et de promouvoir ainsi les intérêts de la juiverie et de ses suppôts... et comment mène-t-il ce combat ? Comme un vrai Juif. » (Maser, *Die Frühgeschichte der NSDAP*, p. 271). Entre juillet et décembre 1921, nombreux étaient ceux qui, à Munich, affirmaient qu'Hitler était Juif.

** *Cf.* aussi p. 168 et suiv.

devant ses fidèles certaines coïncidences susceptibles d'éveiller des résonances se rapportant à ce domaine : quand il parlait de lui-même, de ses ancêtres, de ses origines sociales, il les situait toujours dans un cadre « historique » se prêtant à toutes sortes de manipulations *. Depuis la fin de 1921 **, il a systématiquement mythifié et obscurci ses origines en espérant qu'il serait considéré sans la moindre référence à ses parents et grands-parents, comme un « envoyé » de l'Histoire, comme une incarnation des désirs — selon lui parfaitement légitimes — du peuple allemand. Car il partageait avec beaucoup de divinités et de héros grecs d'être issu d'unions consanguines ***. Les parallèles que les personnalités en vue ne cessaient d'établir entre lui et certaines grandes figures historiques dont la gloire était essentiellement littéraire étaient destinés à appuyer efficacement ces efforts.

A partir du 30 janvier 1933, jour de la « prise du pouvoir », les discussions publiques sur la famille du Führer s'arrêtèrent à l'intérieur des frontières du Reich allemand ****. Mais, en secret, on continuait de répandre des bruits et de prétendus « documents » sur les origines juives d'Hitler. Ainsi, on faisait circuler déjà en octobre 1933 un article du *Daily Mirror* du 14 octobre 1933, avec la photo d'une pierre tombale portant à côté d'une inscription en hébreu le nom d' « Adolf Hitler » *****. Des journalistes doués d'imagination avaient appris qu'au cimetière juif de Bucarest se trouvait dans la 7e rangée de la 18e section un tombeau (n° 9) avec cette inscription [13]. De là à affirmer que la tombe renfermait les restes de l'aïeul du Führer et chancelier du Reich, Adolf Hitler, il n'y avait qu'un pas qui fut vite franchi. *Forward*, revue juive américaine, et *Haynt*, journal juif polonais, se firent l'écho du *Daily Mirror* et affirmèrent qu'il s'agissait bien de la « tombe de l'aïeul du chancelier antisémite allemand » [14].

---

* S'il est vrai qu'Hitler exprimait parfois le désir de ne pas se voir attribuer les dons et pouvoirs surnaturels des personnages mythologiques de l'antiquité grecque et latine, il n'a jamais rien fait pour mettre un terme aux initiatives embarrassantes à force d'être bruyantes de Hess, Goebbels et Himmler visant à l'investir d'attributs de ce genre.
** *Cf.* aussi p. 17 et 22.
*** *Cf. Infra*, tableau Incestes p. 29.
**** La biographie d'Hitler, bien connue de Konrad Heiden qui a exercé une influence déterminante sur toute une génération d'historiens et de biographes et qui évoque l'éventualité d'une ascendance juive d'Hitler, a été publiée à Zurich. *Cf.* les indications s'y rapportant dans cette biographie.
***** *Cf.* aussi p. 23 et suiv.

Le fait que ce Juif de Bucarest, né — aux termes du certificat de décès et de l'épitaphe — en 1832, mort en 1892 et enterré aux frais de l'association juive « Filantropia » se soit appelé de son nom juif Avraham Eyliyohn et n'ait été que de cinq ans l'aîné d'Adolf Hitler père (il ne pouvait donc être son grand-père), n'a embarrassé ni les inventeurs de cette « histoire » ni ceux qui l'ont crue ou voulu croire. Les Juifs du nom d'Hitler — nom assez répandu dans les pays d'Europe orientale — vivaient dans la crainte et la perplexité. Quelques-uns, tel Abraham Hitler, originaire de Sosnowiec en Pologne, changèrent de nom [15].

Il va sans dire que les dirigeants nationaux-socialistes étaient au courant de ces « révélations ». C'est ainsi que la *Gauschulungsbeauftragte* (chargée de l'éducation politique) du groupe des femmes NS du « *gau* (district) Weser-Ems » transmettait le 19-9-1934 à l'Office d'Education Politique (*Reichsschulungsamt*) du N.S.D.A.P. l'article du *Daily Mirror* avec la remarque qu'il « pourrait présenter quelque intérêt pour les archives du Parti » [16]. Une certaine inquiétude s'empara d'hommes puissants et influents comme Heinrich Himmler et Joseph Goebbels qui tentèrent de résoudre le problème dans le cadre de leurs intérêts personnels, avec les moyens et les possibilités dont ils disposaient. Himmler, qui commença de bonne heure à se préoccuper de l'avenir en constituant un « dossier secret du Führer » [17] dont il comptait se servir un jour * — ce qu'il fit effectivement quand il voulut s'emparer d'Hitler à l'aide des SS et proposer son aide aux Alliés dans une guerre contre l'Union Soviétique ** — chargea la Gestapo, le 4 août 1942, d'entreprendre des recherches sur « les origines d'Hitler ». Les renseignements recueillis en Autriche à ce sujet ne pesaient pas lourd ***. Le 14 octobre 1942, la Gestapo communiqua au « Reichsführer SS », sous le sceau du secret, des précisions aussi peu importantes que la constatation que le père d'Adolf Hitler

---

* *Cf.* aussi p. 28 et suiv. Une partie de ce document a été publié sur la page de titre de la revue hebdomadaire *Der Spiegel* 31/67.

** D'après le « journal » non publié de l'ambassadeur d'Allemagne à Madrid. Le document fait partie des archives des éditions Bechtle. *Cf.* la notice du *Speigel* 31/67, p. 42. Voir aussi Besymenski, *Der Tod des Adolf Hitler*, p. 37.

*** Les rapports écrits des enquêteurs d'Himmler qui n'étaient pas au courant des intentions de leur chef (déposition d'un chef SS haut placé qui veut garder l'anonymat) prouvent qu'ils n'ont opéré qu'à Braunau où ils ont pu consulter avec l'autorisation expresse d'Himmler le registre des baptêmes qui, à cette époque, n'était plus à la disposition du public. Rapport de M. Johann Ludwig, curé de Braunau (mars 1967).

s'était marié trois fois et qu'il avait dû solliciter pour son troisième mariage d'où était issu Adolf, une « dispense de l'Eglise », les époux étant parents du deuxième et troisième degré *.

Dix-huit mois après la mort d'Adolf Hitler, un fait nouveau vint alimenter les soupçons anciens et fournir quelques arguments valables à des historiens et biographes pouvant passer pour sérieux. En effet, Hans Frank, gouverneur général d'Hitler en Pologne (de 1939 à 1945), déclara le 31 août 1946 dans sa déclaration finale devant le Tribunal International de Nuremberg « qu'il n'entendait pas laisser dans l'ombre des fautes cachées » [18]. Peu avant, il avait rédigé dans sa cellule avec l'aide « décisive » d'un père franciscain, aumônier militaire américain, du nom de Sixtus O'Connor, un texte [19] qui, depuis 1954, posait une énigme insoluble à tous les historiens s'étant penchés sur le cas d'Hitler. L'ancien député du Reichstag (1930) et conseiller juridique du catholique Adolf Hitler, qui s'était converti à Nuremberg au catholicisme romain, avait remis au Révérend une liasse de papiers que celui-ci devait déposer dans les archives d'un couvent. C'est dans ce document que se trouve le récit suivant : « Un jour, probablement vers la fin de 1930, je fus convoqué par Hitler... Il me dit en exhibant une lettre, qu'il s'agissait là d'une « abominable tentative de chantage sur ses origines » (i.e. les origines d'Hitler), perpétrée par un de ses parents, personnage ignoble... Si mes souvenirs sont exacts, la personne en cause était le fils de son demi-frère Aloïs (issu du deuxième mariage du père d'Hitler), qui indiquait en termes voilés « qu'étant donné certaines allégations de la presse il serait sans doute préférable que certaines circonstances de l'histoire de notre famille ne fussent pas divulguées ». Les « allégations de la presse » auxquelles la lettre faisait allusion, se rapportaient à une « prétendue ascendance juive » d'Hitler qui le qualifiait peu pour le rôle d'antisémite militant. Elles étaient toutefois formulées en termes si généraux qu'il était inutile de donner suite à l'affaire. Bientôt, elles furent oubliées dans le brouhaha de la bataille. Mais de telles allusions émanant de la famille même d'Hitler n'en étaient pas moins inquiétantes. J'ai donc entrepris des recherches discrètes, en plein accord avec Hitler. En explorant les sources les plus diverses, j'ai pu établir les faits suivants : le père d'Hitler était le fils illégitime d'une cuisinière — employée dans une maison de Graz — du nom de Schicklgruber, originaire de Leonding, près de

---

* Cf. aussi p. 33.

Linz. Il porta donc, selon la loi qui confère à un enfant illégitime le nom de la mère, jusqu'aux environs de sa quatorzième année le nom de Schicklgruber. Quand la mère (la grand-mère d'Adolf Hitler) épousa un certain Hitler, l'enfant illégitime (le père d'Adolf Hitler) fut reconnu par un acte judiciaire « par mariage subséquent ». Jusqu'ici, rien de particulier, rien d'inhabituel. Ce qui est extrêmement curieux, c'est le fait suivant : cette cuisinière du nom de Schicklgruber, la grand-mère d'Adolf Hitler, était employée par un ménage juif du nom de Frankenberger quand elle mit au monde son enfant... Et le nommé Frankenberger a payé pour élever son fils — alors âgé de dix-neuf ans — depuis sa naissance jusqu'à l'âge de quatorze ans. Il existe aussi un échange de lettres entre le ménage Frankenberger et la grand-mère d'Hitler, dont le ton général indiquerait que toutes les personnes concernées savaient que l'enfant illégitime de Maria Anna Schicklgruber avait été procréé dans des circonstances obligeant les Frankenberger à verser une pension. Ces lettres se trouvèrent pendant des années en possession d'une personne apparentée à Adolf Hitler par les Raubal, vivant à Wetzeldorf près de Graz... Je dirai donc qu'il n'est pas absolument impossible que le père d'Hitler fût un demi-Juif issu de rapports extra-conjugaux entre Mlle Schicklgruber et ce Juif de Graz. Dans cette hypothèse, Hitler aurait été Juif à vingt-cinq pour cent [20]. »

Les « révélations » de Frank ont impressionné toute une génération de biographes d'Hitler et donné lieu à des suppositions fantaisistes. Il est cependant peu probable que la carrière d'Hitler comme chef de parti eût pris une brusque fin si la version de Frank avait été rendue publique dès 1940, en dépit du fait que les Juifs et « descendants de Juifs » ne pouvaient, aux termes du programme du N.S.D.A.P., être « citoyens allemands » (art. 4) et n'étaient admis en Allemagne qu'à titre d' « hôtes » (art. 5) ; il leur était en outre interdit de revêtir une charge publique « de quelque genre que ce soit, dans le Reich, dans un Land ou dans une commune » (art. 6). Quand le biographe populaire d'Hitler Konrad Heiden, fils lui-même d'une mère juive, mentionnait dans ses livres très remarqués — parus entre 1932 et 1936 — quelques documents militant en faveur de la thèse d'une origine juive d'Hitler, rien ne se produisit.

Franz Jetzinger, prêtre catholique réduit à l'état laïc, écrivain animé d'ambitions politiques, affirme dans son livre instructif mais peu précis *Hitlers Jugend, Phantasien, Lügen und die Wahrheit*, que *Paris-Soir* aurait publié le 5 août 1939, un

article portant la signature d'un neveu d'Hitler, Patrick, dans lequel ce dernier affirmerait que son oncle était bien le petit-fils d'un Juif de Graz du nom de Frankenreither [21].

Paris-Soir n'existe plus ; l'article en question n'a nulle part été reproduit. Très peu de biographes d'Hitler l'ont eu sous les yeux ; c'est ce qui explique les rapports fantaisistes. Ceux qui en font état le citent toujours de seconde main *. Il n'en reste pas moins qu'il passe, depuis les « révélations » de Jetzinger, pour une source d'informations authentique ; en réalité, tout ce qu'on a dit de cet article n'a pas le moindre rapport avec la vérité. Il est exclu que Jetzinger ait eu entre les mains le numéro de *Paris-Soir* qu'il indique comme référence.

L'article de Patrick Hitler, qui couvre deux pages du *Paris-Soir* du 5 août 1939 et qui est accompagné de six illustrations, ne cite ni Frankenberger ni Frankenreither ; le nom d'Anna Schicklgruber, la grand-mère d'Adolf Hitler, n'y figure pas non plus. On n'y trouve pas la moindre allusion à d'éventuels ancêtres juifs d'Adolf Hitler. L'article ne fait que confirmer ce que tous les proches d'Hitler ont unanimement déclaré : que Patrick Hitler, fils du demi-frère d'Hitler, Aloïs, et d'une Anglaise, était un paresseux et un embusqué qui cherchait à tirer profit du fait qu'Adolf Hitler était son oncle. Il avoue dans ce même article qu'il a réclamé à plusieurs reprises des subsides à Hitler et qu'il ne comprenait pas la réponse irritée de celui-ci : « Personne ne doit tirer profit de ses liens de parenté... Je suis incapable d'aider tous ceux qui, par hasard, portent le même nom que moi ! » L'auteur de l'article ajoute : « Bien qu'il eût suffi d'un signe de lui pour que les poches de ses proches parents se remplissent. » Les remarques de Patrick Hitler sur le sens des liens familiaux et les origines de son oncle Adolf sont assez révélatrices. Il avait, à l'insu d'Hitler, accordé des interviews à des journaux anglais sur son oncle déjà célèbre auquel, à cette époque, il vouait encore une grande vénération ; Hitler, mis au courant de l'activité de son neveu, lui aurait reproché, au cours d'une visite, d'avoir porté à la connaissance du public des affaires de famille et fait du tort à sa carrière (à la carrière d'Adolf Hitler) : « Avec quel soin, aurait déclaré Adolf Hitler, ai-je caché mes affaires personnelles à la presse ! Ces gens-là n'ont pas besoin de savoir qui je suis. Mes origines et celles de ma famille ne les regardent en rien... Dans mon livre (*Mein*

---

* Très peu d'auteurs s'entourent d'autant de précautions que Bradley F. Smith (p. 158) : « Cet article est introuvable ; on dit qu'il contient des allusions aux origines d'Hitler. »

Kampf) je n'ai pas révélé un mot de tout cela. Et voilà qu'on découvre mon neveu ! On fait des recherches, on envoie des limiers explorer les traces de mon passé ! » Pour se débarrasser de son neveu paresseux, Hitler lui avait lancé, en présence de son demi-frère, qu'il n'y avait aucun lien de parenté entre eux, ce que le père de Patrick (le demi-frère d'Adolf) savait fort bien ; car Aloïs Hitler a simplement été adopté par le père d'Adolf Hitler. Le jeune Anglais d'origine allemande, qui s'enorgueillissait « d'être un parent du grand chef d'Etat » n'en abandonna pas pour autant la partie. En 1933, il entreprit des recherches en Autriche qui aboutirent à la constatation suivante : « Aucun doute n'est permis, je suis le neveu d'Adolf Hitler. » En octobre 1933, il se rendit une fois de plus à Berlin pour informer Hitler des résultats de son « enquête ». Jusqu'en hiver 1938, les rapports entre l'oncle et le neveu ne subirent guère de changement. Il y eut plusieurs rencontres entre Adolf et Patrick Hitler qui cherchait la compagnie de Russes distingués, de barons et de comtes. Hitler invita plusieurs fois à sa table ce fils importun de son demi-frère, qui le harcelait de demandes d'argent, il le présenta aux dirigeants du N.S.D.A.P. et à d'autres invités à Berchtesgaden ; il essaya de l'aider sur le plan professionnel et lui glissa de temps en temps de petites sommes d'argent (une fois 100 marks, une fois 500 marks) selon le propre aveu de Patrick. En hiver 1938, Patrick Hitler quitta définitivement l'Allemagne parce que son oncle lui avait enjoint d'un ton énergique de se mettre enfin au travail, ce qui répugnait à Patrick : « On m'a proposé un salaire mensuel de 125 marks, raconte-t-il, salaire de famine, trop peu pour vivre, trop pour mourir... finalement on m'a casé dans une banque. Mais je me trouvais dans l'impossibilité d'envoyer de l'argent à ma mère (qui vivait en Angleterre — N. d. A.). Les lois allemandes ne le permettaient pas... Pour finir, j'ai écrit à Hitler... Il me disait : « Je n'ai aucune qualité pour t'accorder des privilèges... »[22]. »

Il n'a jamais été question de « chantage » comme le prétend Frank. L'article de Patrick Hitler dans *Paris-Soir* le prouve *. Le propos attribué par son neveu à Adolf Hitler que son demi-frère Aloïs n'était pas le fils de son père (c'est-à-dire d'Adolf)

---

* L'affirmation qu'un échange de lettres s'étendant sur plusieurs années entre Maria Anna Schicklgruber et une famille Frankenberger (*Cf*. Frank, p. 330 et s.) aurait eu lieu et que ces lettres auraient été conservées par une personne apparentée à Hitler par la famille Raubal, est qualifiée d'« invention » par celle-ci. Ce fait m'a été confirmé dans plusieurs entretiens personnels (à partir de mai 1967) avec Léo Raubal.

est, vu de l'extérieur, moins absurde qu'il ne le parut à l'époque
à Patrick Hitler ; car Aloïs Hitler, le père de Patrick, affirme
dans une lettre du 10 avril 1953, adressée au curé de Braunau :
« Je suis né à Vienne le 13-1-1882 hors mariage, baptisé le même
jour dans la paroisse Saint-Othmer III/2 à Vienne, reconnu le
13-8-1882 (enreg. sous le n° 276 [23].) »

Sans se soucier de la vérité historique, Jetzinger insinue
qu'Hitler aurait fait détruire, en juin 1937, le village de Döllersheim, lieu de baptême de son père, parce qu'on y conservait
des documents compromettants sur ses origines. Emporté par
son imagination, Jetzinger écrit : « Döllersheim et les communes
environnantes (y compris Strones où Aloïs Hitler naquit en
juin 1937 — *N. d. A.*) n'existent plus ! La localité a été transformée en champ de manœuvres ; toute la région, jadis contrée
florissante et fertile, n'est plus qu'un lieu de désolation ; partout,
la mort vous guette sous forme d'obus non éclatés, les anciens
habitants sont dispersés à travers le pays. Pendant quelques
années, Hitler pouvait savourer son triomphe d'avoir fait sauter
et aplatir par des bulldozers la maison de naissance de son
père et la tombe de sa grand-mère. Il est peu probable que
des raisons militaires aient présidé au choix de cette région
d'autant que l'ordre de l'estimation du terrain avait été donné
aux services du cadastre d'Allentsteig et de Weitra à la mi-mai
1938, à peine deux mois après l'occupation de l'Autriche... Tout
semble indiquer que l'arrêt de mort lancé contre Döllersheim
émanait d'Hitler lui-même qui était animé d'une haine implacable contre son père dont le père avait été peut-être Juif [24]. »

Indépendamment du fait que la région de Döllersheim n'a
jamais été « une contrée florissante et fertile », mais une terre
ingrate et argileuse, d'un accès difficile au printemps et à l'automne, il n'est pas vrai que les localités aient été transformées
dès 1938 en champ de manœuvres. Nous lisons dans la « liste
des communes d'Autriche » [25] avec référence expresse à l'édition
spéciale du *Verordnungsund Amtblattes* (« Journal officiel ») [26]
pour le « *Gau* Nierderdonau » : « Avec effet du premier avril 1941,
les communes et parties de communes désignées ci-dessous ont
été déclarées « Champ de manœuvres Döllersheim » par un décret
de l'ancien gouverneur du Reich de Niederdonau [27]. » Jusqu'en
1945, les maisons isolées et les fermes du champ de manœuvres
Döllersheim, à proximité du camp militaire du Kaufholz, près
de Neunz, dans les localités achetées par la « Deutsche Siedlungs-
gesellschaft » pour le compte de la Wehrmatcht, ne subirent que
peu de dégâts [28]. En 1945, après la mort d'Hitler, les habitants

des environs enlevèrent les objets et matériaux récupérables en vue de les utiliser pour des constructions nouvelles et des réparations. La région fut définitivement dévastée par les Soviétiques qui occupèrent le pays jusqu'en 1955 et déportèrent en U.R.S.S. quelques parents mâles d'Adolf Hitler, dont la ressemblance physique avec le Führer était parfois frappante mais qui, paysans frustes et d'un niveau intellectuel peu brillant, n'avaient jamais tiré profit, entre 1938 et 1945, de leurs liens de parenté avec Hitler [29]. L'absurdité des affirmations de Jetzinger ressort déjà du fait que, peu après l'Anschluss, la tombe de Maria Anna Schicklgruber fut dotée d'une pierre commémorative surmontée d'une croix, sur laquelle on pouvait lire : « Ci-gît la grand-mère du Führer — Maria A. Hitler, née Schicklgruber » [30]. Les enfants des écoles et les Jeunesses Hitlériennes avaient l'habitude de venir se recueillir devant cette tombe qui était toujours très bien entretenue [31].

Avant la réinstallation de la population de Döllersdorf et de Strones dans d'autres régions [32], comme par exemple à Krenglbach en Haute-Autriche où on relogea aussi la famille Sillip, alliée à Hitler, tous les registres d'église, tous les documents d'état civil, tous les dossiers judiciaires avaient été évacués conformément aux instructions. L'acte de baptême d'Adolf Hitler n'a jamais quitté Braunau-sur-Inn ; l'acte de baptême de son père Aloïs Schicklgruber (depuis 1876, Hitler) fut d'abord déposé aux archives régionales de Basse-Autriche, à Vienne, et plus tard à Rastenfeld, petit village près de l'ancienne paroisse de Döllersheim.

L'affirmation souvent avancée que les inscriptions du registre des baptêmes auraient été modifiées ou maquillées après 1938 ou que des pages en auraient été retirées est également fausse *. La seule « modification » survenue est l'additif mentionné plus haut sur la mort d'Hitler [33].

Hitler ne s'est jamais opposé à la publication de documents sur Döllersheim et ses environs. Bien au contraire. En 1941 paraissait aux éditions « Sudetendeutsche Verlags und Druckerei GmbH » à Eger (Cheb) un livre luxueux sur la région de Döllersheim, intitulé *Die alte Heimat. Beschreibung des Waldviertels um Döllersheim*. Le livre évoque les localités de la région de Döllersheim, leur histoire, en tenant compte — photos à l'appui — des ancêtres d'Hitler, notamment des Schicklgruber et des

---

* Communication écrite du 13-9-67 de Mme Elfriede Binder, secrétaire de Theodor Fabian (cf. note 32). *Cf.* aussi la généalogie détaillée dans ce livre.

Hiedler. A cette époque, il n'était plus possible d'identifier la maison où naquit Aloïs Hitler en 1837. « On a souvent essayé, lisons-nous dans ce livre, qui s'étend longuement sur la tombe de la « grand-mère du Führer », d'identifier les maisons des Schicklgruber. Entreprise rendue difficile par le fait qu'au moment de l'établissement des nouveaux livres fonciers après la suppression de la justice seigneuriale (*Patrimonialgericht*) (en 1848 — *N. d. A.*) la plupart des fermes de la région ont changé de nom. Des registres portant les anciens numéros de cadastre de ces fermes n'ont jamais existé ou ont disparu [34]. »

Hitler ne se souciait plus, après son engagement politique de septembre 1919, de ses parents du Waldviertel * (région de Basse-Autriche — *N. d. T.*) qui fut affublé de 1938 à 1945 du nom de *Ahnengau* (district des ancêtres) [35]. Les tantes, oncles, cousins, cousines, neveux et nièces de Spital n'ont plus revu Hitler depuis sa dernière permission du 10 au 27 septembre 1918, pendant la Première Guerre mondiale. Si Hitler évitait ses parents, ce n'était pas parce qu'il les jugeait « trop peu distingués », mais parce qu'il craignait d'être harcelé de demandes de privilèges et de faveurs ** or, il reprochait justement à Napoléon Iᵉʳ son « attachement à sa famille » [36] qu'il considérait comme une grave erreur politique ***.

---

* C'est à Spital qu'il s'était fait soigner après avoir quitté pour cause de maladie la *Realschule* (à peu près : cours élémentaire complémentaire) (Résultats d'une enquête de la « *Landesamtsdirektion* » (direction de l'administration régionale) autrichienne du 12 mars 1932, pr. II - 1110/i ; Archives de Basse-Autriche, Vienne - Communication orale de M. Anton Schmidt, à Spital, en août 1969. *Cf.* aussi p. 55. Selon des notes manuscrites sur le registre matricule du 3ᵉ Rég. d'Inf. de rés. 16 (page 50, n° 718, rayé et remplacé par le n° 1062) Hitler avait même fait figurer son oncle, Anton Schmidt, de Spital, « propriétaire de ferme » dans la colonne réservée au « prénom et nom de famille de l'épouse ». Hitler a séjourné à Spital en 1905-1906 (maladie), en 1908 (villégiature), en 1917 (permission du 30-9 au 17-10) et en 1918 (permission du 10 au 27-9).

** Très peu de membres de sa famille pouvaient l'approcher : sa sœur Paula, sa demi-sœur Angela et les enfants de celle-ci, Leo et Geli, pendant un certain temps aussi le fils de son demi-frère Aloïs, Patrick Hitler. Si l'on fait abstraction de ce dernier, ils ne lui ont jamais demandé aucune faveur. Il « aimait » Geli (*Cf.* p. 301 et suiv.), il sympathisait avec Leo. Contrairement à ses habitudes, il proposa après Stalingrad d'échanger le lieutenant du Génie Raubal contre le fils de Staline, Jacob, mais Staline refusa l'offre. Svetlana, la fille de Staline, écrivit en 1967 (*Cf.* Svetlana Allilujewa, *20 Briefe an eine Freund*, Vienne 1967, p. 232) : « Pendant l'hiver 1943/44, après la victoire de Stalingrad, mon père me dit au cours d'une de nos entrevues de plus en plus rares : « Les Allemands ont offert d'échanger Iacha (diminutif d'affection de Jacob) contre un des leurs... Dois-je accepter ce marchandage ? Non, la guerre c'est la guerre ! » Le personnage en question était Leo Raubal, ce que Svetlana ignorait. Leo Raubal a eu connaissance de l'incident seulement après la guerre, par l'auteur.

*** *Cf.* aussi ch. V.

Parmi tous les lieux de son enfance et de sa jeunesse, c'est au seul petit village de Leonding près de Linz (si l'on fait abstraction de Linz) qu'Hitler témoignait un certain attachement ; c'est au cimetière catholique de Leonding, devant la porte de l'ancienne maison de ses parents, que se trouvait la tombe de son père et celle de sa mère. Hitler visita ce village — dont il nous a laissé des descriptions lyriques — non seulement en 1938 mais à deux autres occasions [37]. En 1938, il passa même la nuit à Leonding [38]. Une carte postale qui le montrait rêveur devant la tombe de ses parents répandit la nouvelle aux quatre coins du monde. Aux autres localités, il ne témoignait, même en secret, pas le moindre intérêt. Lorsqu'il passa en mars 1938, après l'occupation de l'Autriche par les troupes allemandes, par Braunau, il refusa même de visiter sa maison natale. Il ne s'est jamais rendu à Strones, près de Döllersheim, lieu de naissance de la mère de son père ; c'est là qu'elle avait épousé Georg Hiedler, c'est là qu'elle mourut et qu'elle fut enterrée. Hitler ne tenait pas non plus à ce qu'on lui exposât par le détail son arbre généalogique et les ramifications de sa parenté *. On aurait tort d'expliquer son attitude négative à l'égard de Strones, village natal de son père, à l'égard de Maria Anna Schickelgruber par un manque d'intérêt ou d'information. Bien au contraire, son indifférence apparente était sans doute motivée par les entretiens qu'il avait eus en septembre 1918 avec ses parents de Spital [39]. Ce qui ne l'empêchait pas de parler à ses intimes assez souvent de sa mère ; quant au souvenir de son père et de Johann Nepomuk Hüttler, il ne les évoquait que rarement ; et même alors le nom de ce dernier n'était pas prononcé.

La ville de Graz et la famille Frankenberger, mise en cause en 1946 par Hans Frank, se trouvaient, surtout depuis le procès de Nuremberg, au centre de toutes les recherches sur les origines de la famille Schicklgruber. On comprend donc les efforts des administrations municipales ainsi que de quelques historiens et historiens amateurs de Graz, efforts dont les résultats furent maigres. Le bourgmestre de Graz déclara : « La thèse selon laquelle l'enfant illégitime de Maria Anna Schicklgruber avait pour père un habitant de Graz du nom de Frankenberger a évidemment préoccupé aussi les édiles de Graz qui ont lancé plusieurs enquêtes... On a fouillé les archives de Graz, capitale

---

* *Cf.* p. 18.

régionale, à la recherche de documents révélateurs, mais sans grand succès *. »

Pour confirmer les thèses de Frank (et les déductions qu'il en tire) il faudrait prouver : qu'un Juif du nom de Frankenberger a effectivement vécu à Graz en 1836 ; qu'une « personne apparentée à Hitler par les Raubal » était établie en 1930 à Wetzelsdorf, près de Graz ; que la grand-mère d'Hitler, Maria Anna Schicklgruber, a été employée de maison à Graz, en 1836.

Or, tout cela ne peut être prouvé. Mieux, il est impossible de prouver seulement qu'il *existait* au XIXᵉ siècle des Juifs allemands portant le nom de Frankenberger [40]. En 1935, Gerhard Kessler ne trouva pas un seul personnage de ce nom (en tenant compte de toutes les altérations qu'il aurait pu subir au cours du XIXᵉ siècle). Il faut rappeler aussi qu'au temps de la justice seigneuriale, il n'était pas d'usage, en Autriche, d'obliger le père d'un enfant illégitime à verser une pension. Quand la paternité était établie, le père se contentait en général de payer les frais des « couches » ; souvent, il accueillait les bâtards dans son propre ménage **. Parfois, ils recevaient la même part de l'héritage paternel que les enfants légitimes (*Eheleiblich*) ***. C'est ainsi que nous lisons dans un testament autographe du 13 janvier 1848 que les enfants... « extraconjugaux » devaient, selon la volonté du défunt, hériter [41].

Aucun des Frankenberger ayant vécu à Graz ne peut être tenu pour le père d'Aloïs Schicklgruber. Un certain Frankenberger (Aloïs), dont une lettre manuscrite du 20 avril 1920 adressée au curé de Sulzbach-sur-Inn fournit des renseignements exhaus-

---

* Communication écrite du bourgmestre de Graz, Gustav Scherbaum, du 17-2-1967. L'étude intitulée *Hitlers dunkler Punkt in Graz*, parue en 1970 dans le cadre de la « Chronique historique de la ville de Graz » (nº 2, p. 7-30), ne présente que peu d'intérêt sur le plan scientifique. L'auteur (Anton Adalbert Klein) ne connaît de toute évidence qu'une infime fraction des documents essentiels, il ignore les détails et liens de causalité, et traite de problèmes sans le moindre rapport avec le titre de son étude. L'ambition et le désir de se rendre intéressant par des « révélations sensationnelles » ont égaré de nombreux auteurs. C'est ainsi, par exemple, que l'historien américain Robert Weit du William College a affirmé à la Conférence annuelle de la société d'histoire américaine à San Francisco qu'il tenait de source certaine (sur laquelle il ne fournit aucune précision) qu'Adolf Hitler pensait que son grand-père a pu être juif (Rapport de I. Shmulevitch dans *Vorwärts*. Communication de Robert M.W. Kempner qui reçut ce rapport le 2-12-1966). Tout porte à croire que la source de Weit n'était autre que le texte de Frank cité ci-dessus.

** Ces faits et usages sont attestés par de nombreux documents conservés aux Archives de Basse-Autriche à Vienne.

*** On déduisait en général de l'héritage les frais des « couches » si le père ne les avait pas remboursés.

tifs sur sa personne et ses origines *, était plus jeune que le père d'Adolf Hitler. Né le 10-7-1854 à Sulzbach, il était, selon les registres paroissiaux de cette même localité, le fils illégitime d'une certaine Maria Frankenberger originaire d'Engertsham **. Les duplicata des registres de la communauté culturelle israélite de Graz (1864-1938) ne comportent pas de Frankenberger ; les duplicata des registres de naissance des autres communautés religieuses des années 1838 à 1900 ignorent également ce nom ; il fait défaut aussi sur les registres paroissiaux des communes rattachées à la ville de Graz en 1938. Il ne figure pas non plus sur la liste des habitants de l'agglomération urbaine de Graz, ni sur les fichiers du bureau de déclaration domiciliaire de 1936, ni sur les listes des recensement de 1910, 1890 et de 1880.

Il n'y eut pas, entre le xvᵉ siècle et la décennie suivant la mort de Maria Anna Schicklgruber, un seul Juif établi à Graz. En effet, depuis le traité du 19 mars 1496, conclu entre l'empereur Maximilien Iᵉʳ et les villes de Styrie, les Juifs en furent expulsés avec effet au 6 janvier 1497 ; en contrepartie, les villes styriennes [42] devaient verser à l'empereur, à titre de dédommagement, une somme unique de 38 000 florins. Ce n'est que sous Joseph II, en 1781, qu'on accorda aux Juifs le droit de pénétrer, à la mi-carême et à la fête de Saint-Egide, dans le duché de Styrie, et de prendre part, contre le paiement d'un droit, aux foires de Graz, Klagenfurt, Laibach et Linz : ces foires duraient de trois à quatre semaines ***. Mais dès le 9 septembre 1783, les droits des Juifs furent de nouveau limités, ce qui se traduisait

---

* Documents appartenant à la paroisse catholique de Sulzbach (1967). Dans les registres des baptêmes se trouve (à partir de 1741) un Johann Nepomuk Frankenberger qui vécut du 15-5-1796 au 8-3-1866. Si la version de Franck était authentique, lui ou son père (marié en 1791 selon le rite catholique) Blasius Frankenberger serait susceptible d'être le père de l'enfant de Maria Anna Schicklgruber. D'après les documents de l'administration communale de Sulzbach, la famille Frankenberger s'est éteinte le 3-5-1952 (à Heigerding en Bavière). Le dernier descendant de la famille était Andreas Frankenberger (né le 22-4-1886, mort le 3-5-1952).

** Selon une information de la Direction de la Police municipale, aucune personne portant ce nom n'est actuellement domiciliée à Graz. Un certain Georg Frankenberger (né le 9-12-1912 à Merano) qui y avait vécu, s'est installé à Zeltweg, un autre Frankenberger (Richard, né le 18-7-1947 à Hohenegg) s'est en 1966 engagé dans l'armée à Zeltweg (Autriche). Lettre à la direction de la Police (1967).

*** On pourrait donc imaginer qu'un Frankenberger venu d'ailleurs pour participer à la Foire de septembre (Saint-Egide) de Graz y aurait rencontré Maria Anna Schicklgruber. Aloïs Schicklgruber (Hitler) naquit le 7 juin 1837. Le « mariage » de septembre pourrait donc faire figure d'indice ; mais il s'agit là d'une vue de l'esprit. Maria Anna Schicklgruber ne vivait pas à Graz. Rien n'indique qu'elle s'y soit rendue.

notamment par les décrets discriminatoires de 1797, 1819, 1823 et 1828. Les Juifs qui se rendaient pour quelques jours ou quelques semaines aux foires de Graz étaient pour la plupart originaires de Hongrie occidentale, de Güssing, Schleining, Rechnitz et Olsnitz, quelques-uns de Moravie *. Cette situation ne changea pas jusqu'au début des années soixante du XIXᵉ siècle.

Même si le grand-père d'Adolf Hitler avait été — comme Frank semble le suggérer — un Frankenberger, il n'aurait pu y avoir, à Graz **, aucune relation entre ce dernier et Maria Anna Schicklgruber, car en 1836 celle-ci n'était pas employée à Graz et aucun Frankenberger n'y vivait à cette époque. Maria Anna Schicklgruber ne figure ni sur le « registre des domestiques » ni dans le « livre des citoyens »[43].

Jetzinger fait en 1956 la constatation suivante, qui est contraire aux faits : « Selon les déclarations de William Patrick Hitler dans *Paris-Soir...* l'employeur de Graz s'appelait Leopold Frankenreither ***. » Un homme de ce patronyme, boucher et charcutier de son état, vivait effectivement à Graz en 1836. Agé alors de quarante-deux ans, il était originaire de Stadtberg, près de Passau ; ses parents, le cordonnier Josef Frankenreither de Stadtberg et son épouse, Margaretha Frankenreither, née Schieferin de Tiefenbach, figurent au registre paroissial de Tiefenbach[44]. Indépendamment du fait que cette version est également fondée sur l'hypothèse nullement prouvée que Maria Anna Schicklgruber habitait en 1836 à Graz, on n'a pas connaissance de rapports entre elle et ce (ou un autre) Frankenreither.

Aloïs Schicklgruber, le père d'Adolf Hitler, avait trente-neuf ans, quand il signa pour la première fois du nom d' « Hit-

---

* A la suite des guerres napoléoniennes, il y eut, pendant quelque temps, à Graz, des fournisseurs aux armées juifs entretenant des relations commerciales avec des négociants juifs de Munich, Augsbourg, Stuttgart et Amsterdam.

** Comme il n'y avait à Graz et dans le district de Waldviertel en Basse-Autriche en 1836/37 aucun Frankenberger, on pourrait concevoir qu'un homme d'un patronyme d'une sonorité rappelant le nom de Frankenberger, installé dans la région de Döllersheim/Strones, ait pu être le partenaire de M.A. Schicklgruber. Dans les archives du tribunal du *Kreis* de Krems (Basse-Autriche) figure une famille Fraberger (t. 7) dont les membres masculins s'étaient signalés entre 1830 et 1845 par leur rudesse, leur agressivité, leur humeur querelleuse. L'un d'eux, Anton Fraberger, fut même, en 1834, frappé d'une « interdiction de séjour » par décision du tribunal (arch. Krems, n° 115, vol. 4, n° 72) de Krems, ville située à 25 km environ de Strones, village natal de Maria-Anna Schicklgruber. Il n'existe aucune indication sur d'éventuelles relations entre M.A. Schicklgruber et un membre de la famille Fraberger.

*** Jetzinger, p. 38. Il n'y a pas trace d'une telle information dans *Paris-Soir.*

ler », mais c'est à l'âge de quarante ans qu'il se détacha définitivement de la famille Schicklgruber pour devenir un « Hitler ».
Les raisons de cette légitimation tardive, de ce changement de
patronyme, ainsi que la date des événements qui s'y rapportent
échappaient jusqu'ici à notre connaissance. Selon les recherches entreprises en 1932 par une administration régionale autrichienne (*Landesamtsdirecktion*), Aloïs Schicklgruber reçut, en
1842, le nom d'Hitler [45]. Karl Friedrich von Frank, qui publia au
printemps 1932 le premier arbre généalogique d'Hitler [46], était
persuadé même après 1945 qu'Aloïs Hitler avait été légitimé avant
1857 (probablement en 1851). Il déclara en effet, en 1967 : « Il
ne serait... pas plausible que Johann Georg Hiedler n'eût pas
seulement reconnu sa paternité mais encore « demandé » l'inscription de son nom si l'éventualité d'une autre paternité pouvait être envisagée [47]. » Hans Frank affirma, peu avant son
exécution, que la légitimation eut lieu aux environs de 1851 [48].
Aloïs Hitler, demi-frère d'Adolf Hitler, né hors mariage à Vienne,
le 13 janvier 1882, reconnu par le père d'Adolf Hitler le
13 août 1883 [49], adressa le 10 avril 1953 une lettre au curé catholique de Braunau-sur-Inn : « Je suis le fils aîné du (futur)...
douanier Aloïs Hitler, né comme enfant illégitime le 17-6-1837 à
Strones n° 13, et dont le nom Aloïs Schicklgruber fut changé
en Hitler après sa reconnaissance « par mariage subséquent,
survenu le 6 janvier 1877 »... * »

C'est cette date qu'indique déjà en 1937 Rudolf Koppensteiner, auteur de la généalogie du Führer. « Aloïs, déclara-t-il, fut
légitimé « par mariage subséquent » et son nom changé en
« Hitler » sur les registres d'état civil le 6 janvier 1877 [50] **. »
Allan Bullock déclarait en 1953, dans sa biographie d'Hitler,
considérée naguère comme fort importante : « Le vieillard âgé
alors de quatre-vingt-quatre ans... (Johann Georg Hiedler —
N. d. A.) se présenta le 6 juin 1876 devant un notaire ... Weitra
et attesta ... en présence de témoins, qu'il était le père de l'enfant
illégitime Aloïs Schiklgruber dont il avait épousé plus tard la
mère [51]. » Les affirmations de Bullock — celles de 1953 autant
que celles de 1967 — sont imprécises et inexactes ; la même
remarque s'applique à la version de William Lawrence Shirer
qui répète à peu près textuellement en 1963 ce que Bullock
avait affirmé en 1953 [52]. Les dates avancées prouvent d'ailleurs
à elles seules que la plupart de ces affirmations n'ont que peu

---

* *Cf.* p. 20 et p. 45 et suiv.
** *Ibid.*

de rapports avec la réalité. Il est en effet facile de démontrer qu'Aloïs Schicklgruber portait encore ce nom en 1874 car c'est le 21 septembre 1874 qu'il apposa le nom de « Schicklgruber » au registre des mariages de Braunau où il avait assisté comme témoin au mariage de l'Inspecteur supérieur des Finances autrichien Karl Fischer [53].

L'affirmation de Dietrich Bracher (1969) qu'Aloïs Schicklgruber aurait « obtenu ... sa légitimation tardive par une manipulation illégale de son oncle par un second mariage, grâce au concours d'un curé de village crédule », est contraire à la vérité [54]. Il est vrai que les conditions requises par la loi pour ce genre d'actes officiels — la présentation d'une déclaration authentifiée de Johann Georg Hiedler [55] ou sa présence personnelle [56] — n'étaient pas remplies ; mais l'acte d'état civil établi par le curé fut reconnu par les autorités de l'Etat. On peut prouver que la capitainerie du district de Mistelbach fut immédiatement informée de la légitimation, qu'elle engagea un échange de lettres à ce sujet avec l'Administration des finances de Braunau, qu'elle s'enquit auprès du Secrétariat épiscopal de Saint-Pölten et auprès de l'Administration centrale de Vienne de la légalité de la procédure et obtint un avis de confirmation. Nous lisons dans une lettre adressée à l'Administration centrale de Vienne, le 8 octobre 1876 : « ... transmettons la question posée le 6 septembre 1876 par la Direction des Finances impériale et royale de Braunau de savoir si le douanier « Aloïs Schicklgruber » est autorisé à porter le nom d' « Aloïs Hitler » [57]. » L'administration centrale soumit cette lettre le 16 octobre, accompagnée d'une note, à l'évêché de Saint-Pölten. La note réclamait des preuves de la légitimation et demandait « ... si celle-ci a été opérée par le curé du lieu légalement, en conformité du décret de monsieur le ministre de l'Intérieur du 12 septembre 1868 ... » [58] ; l'évêché répondit une dizaine de jours plus tard. Dans la lettre portant la date du 25 novembre et la signature de l'évêque Matthaeus Joseph, adressée à l'Administration centrale de Vienne, nous lisons entre autres : «Répondant à votre note très honorée ... l'évêché s'empresse de vous faire savoir très humblement, que l'enregistrement de la légitimation d'Aloïs Schicklgruber, né le 7 juin 1837, fils des époux Georg Hitler et Maria Anna Hitler, née Schicklgruber, a été porté sur le registre des baptêmes de la paroisse de Döllersheim par le curé du lieu ... légalement, en conformité du décret de monsieur le ministre de l'Intérieur du 12 septembre 1868 [59] ... dans le cadre de sa compétence. » L'Administration centrale ayant communiqué, le 25 novembre,

à l'évêché de Saint-Pölten qu'Aloïs Schicklgruber avait le droit, par suite de la légitimation faite légalement [60] par le curé de Döllersheim ... « dans le cadre de sa compétence » de s'appeler dorénavant Aloïs Hitler, la capitainerie du district (*Bezirkshaupt-mannschaft*) de Mistelbach, fit, le 30 novembre, la déclaration suivante : « Aux termes de la note de l'évêché de Saint-Pölten du 25 novembre 1876 ... fut accompli la (légitimation) ... (suit une phrase biffée par quelqu'un d'autre. Elle a été remplacée par une autre phrase plus simple du même contenu) : En raison de cet acte de légitimation, le douanier impérial et royal Aloïs Schicklgruber est autorisé à porter dorénavant le patronyme de son père, « Hitler » [60]. » L'affaire était ainsi terminée pour Aloïs Hitler. En effet, lorsque la capitainerie du district de Mistelbach demanda, le 8 décembre, à l'Administration centrale de Vienne, si le nom d'Aloïs Schicklgruber devait être remplacé, sur tous les documents officiels, par celui d'Aloïs Hitler, celle-ci répondit le 27 décembre : « Retour à l'envoyeur avec la notification que la question déjà posée dans le rapport du 8 décembre 1876 est devenue sans objet du fait de la réponse transmise le 30 novembre 1876 ... [60] »

A cette époque, Aloïs avait cessé depuis six mois de s'appeler Schicklgruber. Déjà, en juin 1876, le curé catholique de Braunau avait appris par son confrère de Döllersheim qu'Aloïs Schicklgruber s'appelait dorénavant Hitler [61]. Ce n'est nullement le fait du hasard ou d'une erreur d'écriture si Aloïs Schicklgruber, qui avait alors trente-neuf ans, ne prit pas le nom de l'homme que sa mère avait épousé en 1842 et qui figurait sur les bans de l'église de Döllersheim les 17 et 24 avril ainsi que le 9 mai 1842. Johann Nepomuk Hüttler obtint en effet par la ruse ou la persuasion que le desservant de la paroisse, l'abbé Josef Zahnschirm, qui venait d'être nommé à Döllersheim (en 1876), inscrivît au registre paroissial le nom d' « Hitler ». Le nom du père fut également orthographié « Georg Hitler » et non « Georg Hiedler » *. Comme les témoins ne savaient ni lire ni écrire, ils ne furent pas à même de corriger les inscriptions du curé. Si Johann Nepomuk avait prononcé le nom de son frère de la façon dont celui-ci l'avait prononcé pendant toute sa vie, à

---

* L'inscription faite au registre des baptêmes, non datée et non signée par Zahnschirm, spécifie que Georg Hitler, figurant en qualité de père, personne bien connue des témoins soussignés, avait reconnu d'être le père de l'enfant d'Anna Schicklgruber, désigné comme tel par cette dernière, et qu'il avait demandé que son nom soit porté au registre des baptêmes de la paroisse, ce qu'attestent les soussignés, Josef Rommeder, témoin, Johann Breiteneder..., Engelbert Paukh... ».

Relations consanguines dans la famille d'Hitler

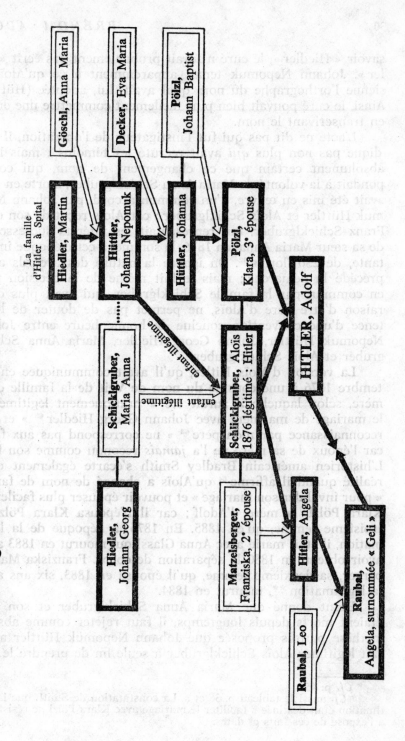

savoir « Hiedler », le curé n'aurait probablement pas écrit « Hitler ». Johann Nepomuk tenait apparemment à ce qu'Aloïs fît sienne l'orthographe du nom qu'il avait, lui, adoptée (Hüttler). Ainsi, le curé pouvait bien plus facilement commettre une erreur en transcrivant le nom.

L'acte ne dit pas qui fut l'instigateur de l'opération, il n'indique pas non plus *qui* avait recruté les témoins : mais il est absolument certain que ce changement de nom, qui correspondait à la volonté de Maria Anna Schicklgruber, morte en 1847, avait été mis en œuvre, d'un commun accord, par Johann Nepomuk Hüttler et Aloïs Schiklgruber ; car Aloïs reçut de son oncle Franz Schicklgruber, qui représentait les intérêts successoraux de sa sœur Maria Anna, en 1876, la somme, à cette époque importante, de 230 florins [62]. On ignore la nature des accords ayant précédé la démarche ; mais le fait même de la décision prise en commun par la famille Schicklgruber, qui avait plus d'une raison d'être fière d'Aloïs, ne permet pas de douter de l'existence d'une convention conclue de bonne heure entre Johann Nepomuk Hüttler, John Georg Hiedler, Maria Anna Schicklgruber et Aloïs Schicklgruber.

La version d'Aloïs Hitler, qu'il avait communiquée en septembre 1876 à une cousine du nom de Veit de la famille de sa mère, selon laquelle il aurait été « pratiquement légitimé par le mariage de ma mère avec Johann Georg Hiedler [63] » et « la reconnaissance par mon père [63] » ne correspond pas aux faits ; car l'époux de sa mère ne l'a *jamais* reconnu comme son fils *. L'historien américain Bradley Smith s'écarte également de la réalité quand il affirme [64] qu'Aloïs a changé de nom de famille « pour invalider son mariage » et pouvoir épouser plus facilement Klara Pölzl, la mère d'Adolf ; car il n'épousa Klara Pölzl, sa troisième femme, qu'en 1885. En 1876, à l'époque de la légitimation, il était marié avec Anna Glassl qui mourut en 1883 après avoir obtenu en 1880 la séparation de corps. Franziska Matzelsberger, sa deuxième femme, qu'il épousa en 1883, six ans après la légitimation **, mourut en 1884.

Etant donné que Maria Anna Schicklgruber et son mari étaient morts depuis longtemps, il faut rejeter comme absurde la thèse parfois proposée que Johann Nepomuk Hüttler aurait fait légitimer Aloïs Schicklgruber à seule fin de prendre le nom

---

* *Cf.* p. 45.
** *Cf.* aussi le tableau p. 36 et s. La constatation de Smith que la légitimation était destinée à faciliter le mariage avec Klara Pölzl ne résiste pas à l'exposé de ces faits et dates.

d' « Hitler » [65]. L'idée qu'Aloïs Schicklgruber ait cherché la légitimation parce qu'il aurait mal supporté, en sa qualité de fonctionnaire catholique, la « tare de sa naissance illégitime » est
également erronée. Toute sa carrière montre que cette hypothèse
ne tient pas debout. Aloïs avait, d'autre part, des vues très larges
en matière de morale, ce que prouve son attitude envers sa première et sa deuxième femme, ainsi que l'existence du fils de
Franziska Matzelsberger, Aloïs, qu'il reconnut en 1883 *.

Le problème des mobiles de la légitimation tardive d'Aloïs
Schicklgruber est étroitement lié à celui de l'identité de son
père. Quelques généalogistes et biographes ont émis l'hypothèse
que le père d'Adolf Hitler était le fils de Trummelschlager, agriculteur à Strones ; car c'est dans la maison de celui-ci — et
non chez ses parents — que Maria Anna Schicklgruber donna
le jour à son fils, que Trummelschlager a tenu sur les fonts
baptismaux. Nous lisons chez Görlitz : « Aloïs Schicklgruber-
Hitler fut confié en bas âge au frère de Johann Georg... Ce frère
était-il le père de l'enfant de Maria Anna ... ou bien ce rôle
échut-il à Trummelschlager, agriculteur à Strones, auprès duquel
la vieille fille s'était réfugiée par peur du monde ? [66] » On se
demande si Koppensteiner ne songeait pas à la même hypothèse
quand il écrivait en 1937 : « ... on peut en conclure que la mère
de l'enfant était employée par le parrain [67]. » Ce n'est pourtant
pas certain. Jetzinger dit à ce sujet : « ... vers 1837, Maria Anna,
âgée alors de quarante et un ans ... retourna, enceinte, dans son
village natal. Son père, estimant qu'elle lui avait fait honte, lui
interdit l'accès de l'appartement dont elle devait hériter, ainsi
que de la maison de ses parents. Elle finit par trouver refuge
chez un petit exploitant du nom de Trummelschlager [68]. »

Il n'y a ni preuves ni indices valables militant en faveur
de la paternité hypothétique de Trummelschlager, parrain illettré
de l'enfant, qui, sur le registre des baptêmes, apposa une croix
aux lieu et place de sa signature [69]. Il n'a rien laissé à Aloïs ni
à Maria Anna Schicklgruber. La naissance de l'enfant dans sa
maison s'explique très facilement : le 21 octobre 1817, les parents
de la mère, Johann et Theresia Schicklgruber, avaient vendu
leur ferme et leur maison à leur fils Josef (frère de Maria Anna)
pour la forte somme de 3 000 florins. Le contrat de vente spécifie
dans le chapitre des obligations incombant à l'acheteur (livraison
gratuite de farine, de paille, de pommes de terre, obligation

---

* *Cf.* p. 26.

faite à l'acheteur de prêter main-forte et de mettre des attelages
à la disposition des vendeurs, etc.) : « Les vendeurs disposeront
de leur vivant d'un appartement gratuit et d'une « chambrette »
devant être maintenue en bon état dans la bâtisse à construire
en commun par l'acheteur et le vendeur [70]. » La mère de Maria
Anna étant morte en novembre 1821, Johann Schicklgruber vivait
donc, à l'époque de l'accouchement, depuis seize ans dans la
« chambrette » (Strones 22) ; son fils Josef exploitait la ferme
achetée à son père (Strones nº 1) que ce dernier avait lui-
même acquise (selon les documents manuscrits des archives du
tribunal régional d'Allentsteig [71]) en 1789, avec 19 3/4 arpents
(*Joch*) de champs, pâturages, jardins et du mobilier pour la
somme de 250 florins, de son père Jakob Schicklgruber (qui, pour
sa part, avait acheté déjà avant son mariage une maison au
comte de Waldrech). Il n'y avait pas de place dans la « chambrette » d'un veuf pour une femme de quarante-deux ans et
son enfant illégitime ; le ménage du frère et de la belle-sœur de
Maria Anna ne disposait pas non plus de la place nécessaire.

L'affirmation que Maria Anna Schicklgruber n'a jamais mis
les pieds à Strones jusqu'à l'accouchement est une invention qui
se fonde sur les dires de Frank.

En s'appuyant sur les documents et déclarations non publiés
des parents d'Hitler, on est aujourd'hui à même d'identifier
le grand-père paternel d'Adolf Hitler avec une probabilité confi-
nant à la certitude. Sur la foi de ces documents, Adolf Hitler
est le fruit de pratiques consanguines : tout semble indiquer
que Johann Nepomuk Hüttler, frère du grand-père officiel d'Hitler, Johann Georg Hiedler, était en réalité le grand-père, autrement dit que Johann Nepomuk n'était pas seulement le grand-
père paternel d'Adolf Hitler mais, en tant que grand-père de
sa mère, aussi son arrière-grand-père maternel ; Adolf Hitler
était donc le produit d'une union entre Aloïs Hitler et la fille
de la demi-sœur de celui-ci.

Il faut attribuer, dans ce contexte, une importance particulière à une constatation d'Adolf Hitler, qui écrit dans *Mein
Kampf* : « Comme fils d'un pauvre petit exploitant agricole, il
(Aloïs — N. d. A.) ne s'est jamais plu à la maison [72]. » Aussi,
les biographes nationaux-socialistes ont-ils tout simplement qualifié Aloïs Hitler de « fils de paysan de Spital ». Johann von Leers,
par exemple, qui fait du « petit exploitant » un « pauvre exploitant », écrit : « L'ambition avait conduit un jour le père d'Hitler
de son petit village, où il avait grandi comme fils d'un pauvre

exploitant, ... à Vienne [73]. » Or, le grand-père officiel d'Hitler, Johann Georg Hiedler, n'a jamais été « exploitant agricole propriétaire d'une maison » (*Häusler*). Il voyageait à travers le pays et s'installait chez des gens qui étaient propriétaires de leur maison. Comme il n'avait pas d'appartement à lui, il vint habiter déjà avant son mariage la maison des parents d'Anna Maria Schicklgruber. Adolf Hitler, qui séjourna en 1905, 1906, 1908 et plus tard, pendant la Première Guerre mondiale * comme « permissionnaire » à Spital et qui était parfaitement au courant de ces relations de famille, n'a certainement pas fait état du « petit exploitant » par erreur ou par hasard. Pendant son dernier séjour dans la maison de ses parents à Spital — dont l'adresse lui tenait lieu, à l'époque de la Première Guerre mondiale de « domicile » ** — on avait parlé de Johann Nepomuk Hüttler comme de l'ancêtre de la famille [74]. C'est peut-être pour cette raison qu'il s'est toujours prononcé favorablement sur les pratiques consanguines. Un an après son dernier séjour à Spital, le 16 septembre 1919, Hitler s'exprime ainsi dans une expertise officielle sur la question juive : « Grâce à des pratiques consanguines s'étendant sur plus de mille ans... les Juifs ont pu conserver, au milieu des peuples au sein desquels ils vivaient, mieux que d'autres, leur race et leurs particularités [75]. »

Hitler, qui savait parfaitement que sa famille avait pratiqué sur une large échelle l'union consanguine ne tenait pas à ce qu'on abordât ce sujet. Comme l'atteste l'article de Patrick Hitler dans *Paris-Soir*, Patrick s'est attiré les récriminations de son oncle parce qu'il s'était étendu, au cours d'interviews, sur les ancêtres du Führer. Nous savons aussi qu'Hitler avait peur de la paternité : la pensée le tourmentait de procréer un enfant qui, par suite des pratiques consanguines de sa famille, ne serait peut-être pas normal. Les généalogistes affirment que les descendants de familles ayant pratiqué la consanguinité ressentent le besoin irrépressible d'unions consanguines : Hitler aurait satisfait à cette impulsion par sa liaison avec sa nièce Geli Raubal, qui — à en croire Patrick Hitler — était en 1932 enceinte de ses œuvres [76]. Hitler évitait même de parler de parentés indirectes ou collatérales : il savait pourtant fort bien que des liens de parenté l'unissaient au généalogiste Rudolf Koppensteiner, particulièrement apprécié en Autriche, et au poète

---

* *Cf.* p. 122 et suiv.
** *Ibid.*

autrichien Robert Hamerling * (1830-1889) avec lequel il avait
en commun quelques ancêtres, entre autres Joseph Fuchs (1615-
1695), Andreas Stumpner ... mort en 1699, Stefan Stumpner
(milieu du xvii\ siècle).

Nous ne savons rien du physique de Nepomuk Hüttler,
mort en 1888. Même ses descendants directs n'en ont pas gardé
le souvenir [77]. On a pu établir que les Schmidt et les Koppensteiner de Spital, Mistelbach et Langfeld, qui descendent en ligne
droite de Johann Nepomuk, ont en commun des ressemblances
physiques et d'autres caractères héréditaires. Il n'est guère éton-
nant qu'ils se signalent par une ressemblance frappante avec
Adolf Hitler ; car la mère d'Adolf **, Klara Pölzl, était une petite-
fille de Johann Nepomuk Hüttler et une sœur de Theresia
Schmidt, née Pölzl, de Spital, l'aïeule des Hitler du district de
Waldviertel. Le fait que Leo Rudolf Raubal (né en 1906), fils
de la demi-sœur d'Adolf Hitler, Angela, issue du deuxième
mariage du père d'Hitler avec Franziska Matzelberger (étrangère
à la famille) ne ressemble pas seulement à Adolf Hitler — descendant par sa mère de Johann Nepomuk Hüttler — mais aussi aux
descendants de Johann Nepomuk Hüttler de Waldviertel (descendance prouvée par une suite ininterrompue de documents) doit
être considéré, dans le cadre de notre démonstration, comme
un critère important ; car cette ressemblance ne s'explique qu'en
supposant que Leo Rudolf Raubal (par Aloïs Hitler, père d'Adolf)
et les parents d'Hitler de Waldviertel (par la grand-mère mater-
nelle d'Adolf, Johanna Hüttler-Pölzl) avaient un ancêtre commun :
Johann Nepomuk Hüttler.

Ces faits étant bien établis, on ne lira pas sans intérêt
l'expertise graphologique sur l'écriture de deux neveux d'Adolf
Hitler : le premier est le descendant de la famille de la mère
d'Hitler, Klara Pölzl, et le second est un rejeton du mariage du
père d'Hitler, Aloïs Hitler, avec Franziska Matzelsberger. Il s'agit

---

* De son vrai nom Rupert Hamerling, né à Kirchberg am Walde,
Basse-Autriche. 24-3-1830 au 13-7-1889 (Graz). 1852 : professeur à Vienne et
à Graz. 1855-1866 : professeur au lycée de Trieste ; s'installa ensuite à Graz.
Œuvres principales de R. Hamerling : _Sangesgruss von der Adria_ (1857),
Venus im Exil (1858), _Schwanenlied der Romantik_ (1862), _Aspasia_ (portrait
de l'époque de Périclès, 3 vol. 1876). L'œuvre complète de R. Hamerling,
éditée en 1912, comprend 16 volumes.

** La ressemblance d'Adolf Hitler avec elle est manifeste : ses yeux
étaient marqués par le même pouvoir de fascination, il avait en commun
avec elle la forme des sourcils, de la bouche, des oreilles. Il a lui-même
indiqué à plusieurs occasions qu'il avait hérité d'elle aussi quelques traits
de caractère. C'est ainsi qu'il déclara le 24-6-1942 à _Wolfschanze_ (cf. Picker,
p. 413) que « les traits de caractère de la mère... se retrouvent souvent
chez le fils ».

d'un paysan de cinquante-neuf ans. Une femme graphologue bien
connue décrit ainsi sa signature . « Elle est typique d'un travailleur sérieux, animé d'un esprit résolu, passablement irritable,
manifestement ambitieux. Le scripteur est un personnage un
peu lourdaud, très soucieux de sa personne, renfermé et impénétrable. Il ne révèle sa vraie nature qu'à quelques intimes.
Mais quand les liens d'amitié se sont établis, on peut lui faire
confiance, bien que l'élément affectif détermine largement son
comportement. »

Le descendant de l'union d'Aloïs Schicklgruber avec Franziska Matzelsberger est un universitaire de soixante ans,
employé comme cadre. Dans l'analyse de son écriture nous lisons :
« La signature est celle d'un homme tourné vers le monde extérieur. Le scripteur a de l'entregent, il est ouvert, actif et optimiste. Un certain esprit de domination et d'ambition fait bon
ménage chez lui avec le désir de se montrer modéré et humain.
Ses rapports avec les autres sont de nature affective. Il faut
préciser cependant qu'(il — N. d. A.) ... est, par rapport (à ses
parents mentionnés plus haut — N. d. A.) relativement instable,
nerveux, excitable *. » La comparaison de ces deux analyses
graphologiques montre que les deux descendants de Johann
Nepomuk Hüttler ont en commun un certain nombre de traits
de caractère qu'on retrouve sous une forme infiniment plus
marquée chez leur parent commun, Adolf Hitler. Les plus visibles étant l'esprit de détermination, l'irritabilité, le désir de briller,
de dominer les autres, l'ambition, la nervosité, l'excitabilité. Le
père d'Adolf Hitler était de la même trempe. Adolf Hitler dit
dans *Mein Kampf,* en parlant de sa persévérance et de sa ténacité : « Quelque dur et résolu que fût mon père quand il s'agissait de réaliser ses projets [78]), etc. Hitler nous dépeint aussi
l'irritabilité, la résolution [79], l'ambition dévorante [80] et la volonté
de réussir de son père [81]. Quelques contemporains d'Aloïs Hitler
— qu'aucun lien n'attachait à sa famille — avaient émis sur
son compte des appréciations qui rejoignent celles de son fils.
Des notices nécrologiques parues après la mort d'Aloïs Hitler
sont également révélatrices de certains aspects de son caractère.
C'est ainsi que nous lisons dans la *Tagespost* de Linz, journal
libéral, du 8 janvier 1903 : « ... Ne possédant qu'une formation
élémentaire, il avait d'abord appris le métier de cordonnier ;
plus tard, il s'était préparé comme autodidacte à la fonction

---

* L'original de cette analyse est déposé dans les archives de Bechtle
Verlag. La graphologue ignorait à qui appartenaient les deux écritures,
elle ne savait pas non plus que des liens de parenté les unissaient.

publique où il fit une belle carrière ; il a administré aussi avec
succès son domaine ... Aloïs Hitler était un homme d'un esprit
avancé, partisan chaleureux d'une école libérale. Dans les
réunions amicales, il était toujours gai, d'un enjouement presque juvénile. Si ses propos étaient parfois rudes, il n'en avait
pas moins un cœur d'or. Il était toujours sur la brèche quand
il s'agissait de défendre le droit et la justice. Comme il était
fort bien informé, il savait placer à tout propos le mot juste...
Une grande sobriété et un esprit modéré et économe n'étaient
pas ses qualités les moins estimables. Bref : le départ d'Hitler
a laissé un grand vide ... »

ALOIS SCHICKLGRUBER-HITLER

1837 Naissance comme fils illégitime de Maria Anna Schilklgruber
      à Strones, près de Döllersheim. Sa mère ayant épousé Johann
      Georg Hiedler, il passe son enfance et une partie de sa jeunesse
      dans la maison de Johann Nepomuk Hüttler à Spital (N° 36),
      non loin de la frontière.

1851
à
1855 Apprentissage chez un parent, le maître cordonnier Leder-
      Müller à Spital et Vienne (à partir de 1853).
      C'est à Spital et dans les environs, qu'il fait la connaissance
      de quelques douaniers.
      Il s'installe à Vienne où il travaille comme compagnon cor-
      donnier.

1855 Il entre à l'Administration impériale et royale des Finances.

1860 Il est muté à Wels, près de Linz. C'est un événement important
      dans sa carrière.
      Il poursuit, en autodidacte, ses études.

1861 Avancement.

1862 Mutation à Saalfelden près de Salzbourg.

1964 Avancement et mutation à Linz.
      Il entre définitivement, à titre de fonctionnaire, dans les ser-
      vices de la douane.

1870 Il est nommé *Kontrollassisten* (contrôleur assistant).
      L'Administration régionale des Finances de Linz le nomme
      « receveur des douanes » au bureau de douane auxiliaire de
      Mariahilf, près de Passau (classe XI).

1871 Il est nommé *Kontrolör* au bureau de douane auxiliaire de
      Braunau-sur-Inn (classe X).

En dépit de sa formation scolaire élémentaire, Aloïs Schicklgruber, grâce à son rayonnement personnel, à ses capacités
et ses connaissances fait aussi rapidement carrière que ses
collègues détenteurs du baccalauréat.

1873   Mariage avec la fille d'un douanier, Anna Glassl, de quatorze
        ans son aînée.
        Son épouse étant tombée malade, il engage sa parente et amie
        d'enfance Klara Pölzl pour lui tenir le ménage.

1876   Changement officiel de nom : Aloïs Schicklgruber s'appellera
        désormais Aloïs Hitler.

1876   Aloïs Hitler manifeste une grande assurance. A une personne
        de la famille de sa mère, il écrit : « Depuis que tu m'as vu,
        la dernière fois, il y a seize ans... j'ai réussi à monter très
        haut. »

1877   Aloïs Hitler met fin aux échanges épistolaires avec la famille
        Schicklgruber.

1880   Idylle avec Franziska Matzelsberger, dix-neuf ans. Séparation
        de corps d'avec Anna Glassl sur les instances de celle-ci. Hitler
        engage Franziska Matzelsberger comme domestique.

1882   Naissance extra-conjugale d'Aloïs, fils de Franziska Matzels-
        berger, le 13 janvier 1882.

1883   Reconnaissance d'Aloïs le 13 juillet 1883.

1883   Mort d'Anna Hitler, née Glassl ; mariage avec Franziska Mat-
        zelsberger, le 6 avril 1883.

1883   Naissance le 28 juillet d'Angela Hitler, mère de la future
        maîtresse d'Hitler (Geli).

1884   Le 10 août, mort de Franziska Hitler, née Matzelsberger, empor-
        tée par la phtisie.
        Klara Pölzl, qui sur les instances de Franziska avait dû quitter
        la maison et retourner à Spital, fait sa réapparition peu avant
        la mort de Franziska ; tout semble indiquer qu'au moment
        de la mort de celle-ci, elle était déjà enceinte.

27-10
1884   Bien qu'Aloïs Hitler soit considéré comme étant le fils de
        Johann Georg Hiedler, des difficultés s'opposent à son mariage
        avec Klara. Les deux fiancés s'adressent à l'évêché de Linz
        en vue d'obtenir une dispense (leur parenté ne leur permet-
        tant pas de se marier).
        L'administration ecclésiastique de Linz déclare qu'elle ne peut
        accorder la dispense sollicitée et transmet la demande à Rome.
        Rome finit par autoriser le mariage.

17-5-
1885   Deux cent quatre-vingts jours après la mort de Franziska, nais-
        sance de Gustav Hitler.

1885   Mariage avec Klara Pölzl. Les enfants suivants sont issus de
        cette union :

1. Gustav Hitler (1885-1887).
2. Ida Hitler (1886-1888).
3. Otto Hitler (mort peu après sa naissance).
4. Adolf Hitler (1889-1945).
5. Edmund Hitler (1894-1900).
6. Paul Hitler (1896-1960).

1895 Retraite prématurée pour cause de santé. Le retraité ayant assuré quarante de service, il continue à recevoir la totalité de son traitement.

1903 Mort et inhumation à Leonding.

Activités commerciales :

1888 Achat d'une ferme et d'un terrain à Wörnharts (n° 9), près de Spital.

1895 Acquisition d'une maison et d'un terrain à Lambach-sur-la-Traun.

1897 Achat d'une maison et d'un terrain à Leonding près de Linz (Michaelsbergstrasse 16).

Aloïs Hitler vend lui-même ses propriétés de Wörnharts et de Lambach. Quant à la maison de Leonding, c'est Klara Hitler qui s'en dessaisit après la mort de son époux.

Quand mourut, le 17 septembre 1888, Johann Nepomuk Hüttler, qui passait à Spital, où il s'était établi depuis trente-neuf ans, pour un personnage fortuné (il avait en effet mené une « politique de mariage » avantageuse et acheté la seule auberge de la localité [82], ses héritiers, qui espéraient récolter des sommes considérables, découvrirent à leur grande surprise sur son testament, sous la rubrique : Liquidités, la mention : néant [83] *. Tout son avoir liquide avait, de toute évidence, été remis peu avant sa mort à la personne que tout le monde, y compris sa fille Walburga et l'époux de celle-ci, Josef Rommeder **, devait considérer, au plus tard depuis 1876, comme le légataire universel : Aloïs Hitler. Il n'existe aucun document attestant qu'il reçut effectivement, comme les descendants de Johann Nepomuk le supposaient ***, probablement avec raison,

_____

* En 1969 ses descendants remirent à l'auteur une succession non convertie et découverte bien plus tard, en lui demandant d'établir s'il s'agissait d'aventure de l'argent qui, en 1888, après la mort de Johann Nepomuk, ne fut pas versé aux descendants arguant de leur qualité d'héritiers. *Cf.* p. 40.

** Josef Rommeder, beau-fils de Johann Nepomuk, fut en 1876 un des témoins de la légitimation d'Aloïs Schicklgruber-Hitler. (*Cf.* aussi p. 73).

*** *Cf.* plus loin.

la fortune de celui-ci. Un fait semble confirmer cette hypothèse :
le père d'Adolf Hitler, dont on sait par des documents irréfutables qu'il n'avait pas d'argent, acheta l'année même de la
mort de Johann Nepomuk, à Wörnharts, village caché au fond
d'un ravin, près de Spital, une maison cossue, massive, qui
aujourd'hui encore a fort belle allure, avec étable, grange, basse-
cour, jardin, exploitation agricole, pour la somme de 45 000 florins à un paysan du nom de Franz Weber [84].

Il est attesté qu'Aloïs Hitler ne disposait jusqu'à cette
date d'aucune fortune privée. Il est vrai qu'il était un fonctionnaire bien rémunéré. Mais il n'avait pas eu de chance avec sa
famille, qui ne lui avait pas permis de faire des économies.
Lorsque, sept ans après la mort de Nepomuk, il fut, pour raison
de santé, prématurément mis à la retraite, il recevait un traitement annuel de 1 100 florins [85], auquel s'ajoutait une indemnité de résidence (220 florins à Passau, 250 florins à Linz)*.
Or, jusqu'en 1888 et même au-delà, il était obligé de payer un
loyer parce que, même entre 1888 et 1892, il n'habitait pas sa
maison de Wörnharts. Nous ne connaissons pas le montant de
ce loyer, mais on peut supposer qu'il était de 8 à 10 florins par
mois ; les impôts étant peu élevés [86], on peut considérer qu'en
1895 encore, il devait se contenter pour lui-même, sa femme
et ses enfants Aloïs et Angela, d'une somme qui, sans lui
imposer des privations, était fort modeste ; il est vrai que
certains représentants de la bourgeoisie, comme les directeurs
d'école, étaient plus mal lotis que lui**. Mais Aloïs Hitler avait
perdu ses enfants, Gustav et Ida, à l'âge de deux ans et un autre
enfant, Otto ***, peu après sa naissance ; la séparation d'avec
Anna Glassl, la maladie et la mort de Franziska Matzelsberger
avaient fortement entamé ses réserves. Quand sa troisième
épouse, Klara Pölzl, mourut en décembre 1907, le « chef de
famille » Adolf, qui avait alors dix-huit ans, dut verser pour
la translation de la défunte de Linz à Leonding et pour son
inhumation la somme de 369,62 couronnes [87]. S'il est vrai que
les inhumations de 1885 et 1888 ont certainement été moins
coûteuses — Adolf Hitler avait acheté pour sa mère un cercueil
à garniture métallique d'un prix de 110 couronnes [88] —, elles n'en
dévorèrent pas moins des sommes importantes, sans parler des
notes de médecin, de pharmacien, de séjour à l'hôpital. On peut

---

* Les indemnités de résidence n'étaient plus versées depuis sa mise
à la retraite.
** *Cf.* p. 73.
*** *Cf.* aussi p. 38.

considérer que les 230 florins qu'Aloïs avait reçus de son oncle
Franz Schicklgruber * n'existaient plus en 1888 ; car en 1888
Aloïs dut emprunter 800 florins à l'héritage de ses enfants Aloïs
et Angela (soi-disant pour acheter la propriété de Wörnharts) [89].
C'est seulement avec la mort de Johann Nepomuk Hüttler que
la situation d'Aloïs Hitler changea brusquement ; il n'avait pas
seulement de l'argent liquide, mais aussi des maisons et des
domaines ; d'abord à Wörnharts, puis à Lambach et à Leonding [90].
En octobre 1892, trois ans avant sa mise à la retraite, à cinquante-cinq ans, il put se permettre d'accorder à Johann Hobiger,
le paysan auquel il céda sa propriété à Wörnharts ** pour la
somme de 7 000 florins, un crédit de 4 000 florins [91]. Sa belle-
sœur bossue, Johanna Pölzl, qui mourut le 29 mars 1911 du
diabète, avait exploité le domaine selon ses indications. On
n'a jamais pu établir si elle lui a prêté, en 1888, une partie
de son héritage. On sait par contre qu'elle a légué presque tous
ses biens à son préféré, Adolf Hitler, ce qui lui a permis de
mener jusqu'en 1914, à Vienne et à Munich, une vie sans
soucis *** et de renoncer, au printemps 1911, au profit de sa
sœur Paula, à sa pension d'orphelin à laquelle il avait droit
jusqu'en avril 1913.

Au regard de tous ces faits, les raisons de la légitimation
tardive d'Aloïs Schicklgruber sautent aux yeux : Johann Nepomuk Hüttler ne pouvait procéder à cette légitimation du vivant
de son épouse Eva Maria, matrone aux allures à la fois paysannes
et matriarcales, son aînée de quinze ans, qu'il avait prise pour
femme en 1829, quand il était encore un jeune homme de
vingt-deux ans. Ainsi, Aloïs était obligé de porter le nom de sa
mère, bien que le nombre des enfants nés hors mariage atteignît à cette époque en Basse-Autriche 40 % du total des naissances [92] et que les reconnaissances tardives et les adoptions
fussent une habitude dont personne ne prenait ombrage. Les
enfants illégitimes des hommes aussi bien que des femmes
étaient couramment adoptés et intégrés dans les familles. C'est
ainsi que nous lisons dans le contrat de mariage de l'instituteur
Georg Schicklgruber, parent de Maria Anna Schicklgruber :
« Si des enfants naturels viennent à naître, au nombre desquels
il faut compter aussi le fils illégitime de la fiancée, Franz, que

---

* *Cf.* p. 30.
** Contrat de vente du 27 octobre 1892, enregistré sous le n° 546, 1892.
Actuellement (1969) le domaine appartient au petit-fils de Johann Hobiger,
Ludwig Hobiger.
*** *Cf.* note 12, chap. IV.

le fiancé est disposé à reconnaître comme son propre enfant et
à adopter [93], ils auront la même part de l'héritage que les enfants
légitimes. » Mais Johann Nepomuk Hüttler dut attendre la mort
de sa femme pour légaliser une situation dont il avait su garder
le secret. Il est facile de répondre à la question de savoir comment Aloïs Schicklgruber a pu vivre jusqu'à sa seizième année
dans la maison de Johann Nepomuk Hüttler sans que sa femme
l'ait identifié ou du moins soupçonné d'être l'enfant illégitime
de son mari ; même en Basse-Autriche, aucune épouse n'aurait
accepté d'un cœur léger une telle situation. Eva Maria Hüttler
était convaincue qu'Aloïs était l'enfant de son beau-frère Johann
Georg, âgé de cinquante ans, qui avait vécu d'abord à Strones
et plus tard à Klein-Motten avec Maria Anna Schicklgruber ;
Eva Maria ne pouvait savoir que son mari avait incité son
frère à épouser la mère de l'enfant à seule fin de pouvoir accueillir dans sa maison, Aloïs, dont tout le monde croyait qu'il était
le fils de son frère.

Compte tenu de ces constatations, on peut se demander
pour quelle raison Hans Frank a fait des « révélations » aussi
graves peu avant son exécution. Il est possible qu'il ait voulu,
sous l'influence pastorale de l'aumônier catholique américain,
débarrasser les catholiques de l'assassin « catholique » Adolf
Hitler et semer parmi « les Juifs » un sentiment d'inquiétude,
d'insécurité et de culpabilité. L'assurance avec laquelle il a formulé ses « révélations » « sous la potence » n'a jamais fait
naître de doutes sur leur véracité [94]. Mais la confrontation de
ses affirmations avec les faits prouvés montre qu'elles ne résis-
tent pas à l'examen. L'exemple suivant montre l'absurdité et le
caractère mensonger des « révélations » de Frank : Frank affirme
qu'Hitler lui aurait dit, à propos de la prétendue tentative de
chantage, qu'il savait « que son père n'était pas le fruit des
relations de M. A. Schicklgruber avec le Juif de Graz. Il le
tenait de son père et des déclarations de sa grand-mère » [95].
Or, la grand-mère d'Hitler était morte depuis quarante-deux ans
quand il naquit. Quand son père mourut, il n'avait pas encore
quatorze ans.

Etant donné qu'on ignoraît tout de Maria Anna Schicklgruber, on a fait d'elle une pauvre « vachère, une « domestique »
indigente, une misérable « fille de ferme » qui pouvait s'esti-
mer heureuse à quarante-sept ans, mère d'un enfant naturel
de cinq ans, de trouver mari. Les livres la présentent comme
une femme issue d'un milieu pauvre, originaire d'une région
qui, aux yeux de son petit-fils, Adolf Hitler, était juste assez

bonne pour être transformée en champ de manœuvres. On ne connaissait que les dates les plus importantes de sa vie et on savait qu'elle était la grand-mère d'Adolf Hitler, devenu Chancelier du Reich.

De fait, on était aussi mal renseigné sur Maria Anna Schicklgruber que sur le père de son fils. Le registre des naissances de Döllersheim [96] porte, à la date du 7 juin 1837, jour du baptême de son fils Aloïs : Maria Anna Schicklgruber, fille non mariée de Johann Schicklgruber, agriculteur à Stornes n° 1, et de son épouse Theresia, née Johanna Pfeisinger von Dietreichs. » Le curé de Döllersheim, Johann Oppholzer, a inscrit, le 10 mai 1842, la mention suivante sur le registre des mariages de sa paroisse : « Anna Schicklgruber, vivant au domicile de ses parents, fille légitime de Johann Schicklgruber, toujours en vie ... et habitant notre paroisse, et de feu Theresia, née Pfeisinger von Dietreichs [97]. » Le *Sterb-Buch* (registre des décès) porte l'inscription suivante, faite le 3 janvier 1847 : « Hiedler Maria, épouse de Georg Hiedler, domicilié à Klein-Motten n° 4, fille légitime de Johann Schicklgruber, de son vivant agriculteur à Strones, et de Theresia, née Pfeisinger von Dietreichs [98]. Décédée — munie des sacrements de l'Eglise ... — des suites d'une consomption consécutive à un hydrothorax [99]. »

C'est peu de chose pour ébaucher une biographie ou tracer le portrait d'un personnage. Ainsi, les lecteurs indulgents pardonneront à la plupart des auteurs d'avoir puisé tout le reste dans leur imagination. Franz Jetzinger ne fait que répéter ce qu'on disait traditionnellement de Maria Anna Schicklgruber : « Jusqu'à sa quarante-deuxième année, on est fort mal renseigné sur sa vie [100]. » Les quelques faits que l'on connaît se trouvent consignés dans les registres paroissiaux : Maria Anna Schicklgruber est née en 1795 ; c'est à l'âge de quarante-deux ans qu'elle mit au monde son seul enfant, Aloïs, père d'Adolf Hitler ; cinq années plus tard elle épousa Johann Georg Hiedler, cinq années plus tard elle mourut. Dans l'optique de la plupart des biographes d'Hitler, la vie conjugale du couple Hiedler était misérable et malheureuse. Jetzinger par exemple écrit : « Le ménage Hiedler-Schicklgruber tomba bientôt dans l'indigence ; on dit qu'ils étaient si pauvres qu'ils n'avaient même pas de lit, mais dormaient dans une mangeoire [101]. » Görlitz affirma de même en 1960 : « Le couple vieillissant était poursuivi par la malchance. La femme mourut en 1847 ... l'homme dix années plus tard. Ils vécurent dans un dénuement complet. On raconte qu'à la fin ils n'avaient même plus de lit mais dormaient dans une

mangeoire, ce qui exclut l'hypothèse du versement d'une pension ;
en réalité, Georg Hiedler semble avoir été un paresseux, incapable d'organiser sa vie [102]. » Hans Bernd Gisevius nous apprend
au sujet de ce qu'il appelle « l'affaire Schicklgruber » : « Très
jeune, Anna se rend en ville ... et s'engage comme domestique *.
Elle ne revient au village natal qu'à l'âge de quarante-deux ans.
Comme elle s'est « déshonorée », son père, un homme de mœurs
austères, refuse de l'accueillir dans sa maison. Elle trouve refuge
dans la ferme d'un petit exploitant ... où elle met au monde le
père du grand agitateur Adolf Hitler ... Cinq années plus tard,
elle épouse ... le compagnon meunier Georg Hiedler ... à côté
duquel elle passe les cinq dernières années de sa vie dans le
dénuement le plus total [103]. » Jetzinger avait ébauché cette
légende : « ... Vers 1837, Maria Anna, enceinte, reparut au village natal : elle se heurta partout à des réactions hostiles ;
son père, indigné de ce qu'elle lui avait « fait honte » ne l'ac-
cueillit pas dans son appartement ; la maison de ses parents à
Strones lui resta également fermée. Elle trouva refuge chez un
petit paysan du nom de Trommelschlager ... C'est dans sa maison qu'elle accoucha de son fils [104]. » Or, rien ne prouve que
Maria Anna Schicklgruber ait travaillé « en ville comme domestique ». Que son père ait refusé de l'accueillir parce qu'elle
était enceinte, est une invention. Maria Anna Schicklgruber n'était
rien moins qu'une créature dépourvue et digne de pitié. Après
la mort de sa mère, en novembre 1821, elle hérita de 74,25 florins
qu'elle déposa jusqu'en 1838 à la Caisse des Orphelins qui lui
accordait 5 % d'intérêts (sur les documents en question, elle
figure à la suite d'une erreur sous le nom d'Anna Maria [105]
Schicklgruber) ; en 1838, peu après la naissance d'Aloïs, son
dépôt avait presque doublé et elle se trouvait à la tête d'une
somme de 165 florins [106]. Or, à cette époque, une vache valait
de 10 à 12 florins, un porc 4 florins, un lit avec literie 2 florins.
On payait entre 450 et 500 florins pour une ferme et une étable.

Les parents de Maria Anna, les bisaïeuls d'Adolf Hitler,
Johannes et Theresia Schicklgruber, étaient d'origine paysanne
et savaient — tout comme Maria Anna — fort bien ce qu'ils
voulaient. Dans le *Geschäftsprothocoll* des comtes d'Ottenstein
de 1793 [107] se trouve une promesse de mariage datée de janvier 1793, par laquelle les deux fiancés s'engageaient à observer

---

* Avant 1933, le bruit avait couru que Maria Anna Schicklgruber avait
travaillé à Vienne dans la maison du baron de Rothschild dont le fils
l'aurait rendue enceinte.

la convention suivante « jusqu'au moment de l'union sacer-
dotale » :

1) La fiancée apporte à son époux futur, avec l'amour et
la fidélité, le bien ... hérité de sa mère, soit 100 fl. Un cadeau
de mariage de son père, soit 200 fl., le mobilier, 1 lit : 20 fl.,
l'armoire : 7 fl., 1 bahut : 1 fl. 30 cour., 1 vache : 20 fl., 70 *schett* *
de fourrure à 6 cour. : 7 fl. Total : 355 fl. 30 couronnes, que

2) le fiancé aura soin de conserver, ensemble avec les 100 fl.
offerts comme cadeau de mariage par ses parents, et ses économies, soit 100 fl., de telle manière qu'ils restent avec tout ce
que les époux pourraient acquérir par la suite ou dont ils pourraient hériter, ou que la bénédiction de Dieu pourrait leur dépar-
tir, soit et reste leur bien commun ;

3) En cas de décès, s'il n'y a pas d'héritiers directs, le tiers
de la fortune sera versé aux parents les plus proches, s'il y a
des héritiers directs, la moitié à ceux-ci ou à celui-ci ... [108]

Déjà en 1788 Johannes Schicklgruber, né le 29 mai 1764,
avait pris en charge le domaine (*Ganzlehensbehausung*) de son
père Jakob Schicklgruber, à Strones (n° 1) [109]. En 1817, quand sa
femme Theresia Schicklgruber, née Pfeisinger, hérita après la
mort de son père, de 210 fl. d'une succession s'élevant à 1 054 fl.,
il préféra se retirer pour vivre de ses rentes, bien qu'il n'eût alors
que cinquante-trois ans. Il remit son domaine à son fils Josef
— un des frères de Maria Anna — contre le versement d'une
somme de 3 000 fl.

Franz Jetzinger, qui a eu connaissance de la date de la
remise du domaine par Johannes Schicklgruber à son fils Josef,
risque une interpolation absolument fantaisiste quand il écrit :
« Quelque chose a dû arriver entre-temps au domaine de Schicklgruber ; tout semble indiquer que ...Josef... a déménagé... on
ne trouve plus aucune mention de Josef Schicklgruber, ni de
son mariage, ni d'enfants éventuels, ni de sa mort [110]. » Tout
commentaire est superflu. Le fait que Maria Anna Schicklgruber
mourut le 7 janvier 1847, non pas à Strones mais dans la localité voisine de Klein-Motten, n'est pas imputable à sa prétendue
pauvreté. Comme ni elle ni son mari n'avaient hérité d'une ferme
ou d'une maison et qu'ils n'en avaient pas acheté, ils s'étaient
installés dans la maison des Sillip, famille alliée, à Klein-Motten.

La grand-mère d'Hitler, femme conséquente, économe, taci-
turne et non seulement « rusée » comme on l'a prétendu, reste,
en dépit de tous les documents qu'on a trouvés, un personnage

---

* Ancienne mesure autrichienne (N.d.T.)

secret ; elle n'a livré le nom du père de son enfant ni à la naissance ni au baptême *, obligeant le curé de Döllersheim de l'inscrire comme enfant « illégitime » et de lui donner le nom de la mère. Si Johann Georg Hiedler avait été le père, elle l'aurait sans doute nommé, au plus tard au moment du mariage ; mais elle n'en fit rien pour la bonne raison qu'il ne l'était pas. La mention portée sur le registre des baptêmes que la « mère de l'enfant » aurait indiqué que le père était Johann Georg Hiedler équivaut à une accusation absolument injustifiée ; car morte depuis trente ans, ce n'est pas elle qui a pu avancer cette contre vérité soutenue par Johann Nepomuk Hüttler et les témoins illettrés de la « légitimation », dont l'un, Josef Rommeder, était le beau-fils d'un des instigateurs du changement de nom **. Le fait qu'elle n'ait pas gardé auprès d'elle son seul enfant, bien que ses moyens le lui eussent facilement permis ***, semble indiquer que son fainéant de mari, qui déjà avant le mariage vivait dans la maison des parents de sa fiancée, s'y opposait.

Maria Anna vécut moins longtemps que ses ancêtres ; mais jusqu'en 1840, elle jouissait sans doute d'une excellente santé, ce qui ressort déjà du fait qu'elle a mis au monde son seul enfant à l'âge de quarante-deux ans — fait qui, à cette époque, était assez rare. Johannes Schicklgruber atteignit l'âge de quatre-vingt-dix ans, Johann Schicklgruber celui de quatre-vingt-trois ans. L'âge moyen des ancêtres d'Adolf Hitler était de soixante-dix ans ; mais les différences de longévité d'un membre de la famille à l'autre étaient considérables. Ainsi, l'arrière-grand-mère d'Adolf Hitler, Anna Maria Hiedler (-Göschl) mourut à l'âge de quatre-vingt-quatorze ans tandis que son arrière-grand-mère Theresia Schicklgruber (-Pfeisinger) ne survécut pas, comme d'ailleurs sa fille Maria Anna, à sa cinquante-deuxième année. Le seul membre de la famille qui soit mort plus jeune que le père d'Adolf Hitler qui, à la naissance de celui-ci, avait déjà cinquante-deux ans, était l'arrière-grand-père Martin Hiedler, soixante-trois ans. Quand Klara Pölzl s'éteignit à l'âge de quarante-huit ans, elle avait à peine dépassé la moitié de la vie de ses mère, grand-mère et arrière-grand-mère, dont l'âge moyen était de quatre-vingt-trois ans ; mais tous ses frères et sœurs (à l'exception de deux de ses sœurs) moururent beaucoup plus

* *Cf.* p. 41.
** *Cf.* aussi p. 15 et p. 43.
*** *Cf.* aussi p. 43.

jeunes *. Les ancêtres directs de la lignée des Schicklgruber, de même que de la famille Hitler, étaient d'origine paysanne. Seul le père d'Adolf Hitler, personnage ambitieux, tourna le dos à une tradition qui, au village natal de la famille Hitler, s'est maintenue jusqu'à nos jours.

---

* Parmi les dix frères et sœurs de Klara Pölzl, trois seulement survécurent au XIXᵉ siècle. Ses frères moururent en très bas âge : Johann à un an (1849), Franz également dans sa première année (1855), Josef à vingt et un ans (1857-1878), Anton à cinq ans (1858-1863), Karl Boris à un an (1864-1865). Sa sœur Marie vécut de 1851 à 1855 ; Barbara mourut à l'âge de deux ans, en 1855 ; Johanna vécut de 1863 à 1911 ; Maria n'atteignit pas un an (1867) ; Theresia vécut de 1868 à 1935. Elle épousa un paysan, Anton Schmidt, grâce auquel la famille Hitler s'est perpétuée.

CHAPITRE II

ENFANCE ET JEUNESSE

Nous connaissons tellement bien les moindres détails de
la vie d'Hitler * que la narration au présent est la forme qui
convient le mieux à sa biographie. Le déroulement de son existence s'oppose radicalement à la vie de son père avec lequel
il avait plusieurs traits en commun. Tous deux avaient, bien que
de façon différente, le goût de la domination, tous deux étaient
extrêmement doués et savaient se défaire à tel point de leur
origine que seuls leurs adversaires et ennemis prétendaient y
trouver l'explication de certains faits ; tous deux étaient persévérants, extraordinairement intelligents, impatients, agités, avides
de s'instruire, tous deux savaient acquérir en un rien de temps
des connaissances qui étonnaient les profanes autant que les
spécialistes, tous deux poursuivaient obstinément leurs projets,
faisaient preuve d'un esprit autoritaire et calculateur, savaient
s'emparer de la puissance et la manipuler avec habileté, tous
deux avaient le don d'impressionner et de subjuguer leur entourage qu'au fond ils méprisaient. Tous deux réussirent une ascension sans précédent : Aloïs, enfant naturel d'une fille de paysan
déjà mûre quand elle le mit au monde, originaire d'un village
où très peu d'habitants savaient écrire leur nom **, accéda malgré une formation scolaire insuffisante au rang de fonctionnaire

---

* Cette remarque ne s'applique pas à l'histoire du NSDAP et du
Troisième Reich.
** Quelques membres de la famille Schicklgruber de Strones ont signé,
dans le courant du XIXᵉ siècle, des documents officiels. Doc. Archives de
Basse-Autriche, Vienne. Cf. aussi certaines indications du 1ᵉʳ chap.

d'Etat, fort apprécié, qui pouvait se permettre de passer outre au code social et d'ignorer les opinions de ses contemporains. Adolf, simple fils de fonctionnaire, qui vit le jour dans une petite ville frontalière se haussa pendant quelque temps — en dépit d'une formation rudimentaire — au rang d'homme le plus puissant de la terre. Il est vrai que pendant leur première enfance, à laquelle les psychologues s'accordent à attribuer un rôle décisif dans l'élaboration du caractère, le père et le fils se trouvaient exposés à des influences très différentes : le père avait grandi jusqu'à l'âge de cinq ans dans le petit village de Strones, sous la garde de son grand-père (de soixante-treize ans son aîné) et de sa mère (qui avait seulement trente et un ans de moins que le grand-père) ; ce fut seulement après l'installation de la famille à Spital qu'il connut une enfance normale, semblable à celle des autres enfants d'âge préscolaire ; tout autre était l'atmosphère dans laquelle vécut son fils Adolf. Sa mère, âgée de vingt-neuf ans quand elle lui donna le jour, l'entourait d'une affection anxieuse. A Strones, Aloïs avait dû se sentir « dépaysé » au milieu d'adultes au déclin de leur vie. A Braunau, Adolf se savait le centre d'intérêt d'une mère relativement jeune ayant perdu trois enfants * et qui, pour cette raison même, se consacrait entièrement au seul fils qui lui restait.

Ce qu'Aloïs avait dû ressentir, après son départ de Strones, comme un tournant heureux de sa vie, la chaleur du nid, la sollicitude aimante de Johann Nepomuk, son aîné de trente ans, qui, à son grand regret n'avait pas d'héritier mais seulement des filles, la compagnie enjouée d'autres enfants de son âge, l'environnement stimulant d'un village coquet et agréable, tout cela, son fils en profita dès sa naissance. La mère d'Adolf, qui croyait son enfant fragile et de santé délicate, faisait tout pour le choyer et le dorloter [1]. Les emportements occasionnels de son père ne sauraient être attribués à un manque d'affection. En effet, Aloïs avait appris de très bonne heure à faire face à un monde brutal et sclérosé : à son vieux grand-père, à sa vieille mère et, pendant la dernière période de son séjour à Strones, à son vieux beau-père, personnage aigri et vaincu par la vie ; à Spital, un conflit permanent l'opposait aux trois filles de Johann Nepomuk, Johanna, Walburga et Josefa. Il avait grandi au milieu d'analphabètes mais il savait fort bien lire et écrire.

---

* Gustav Hitler était mort de la diphtérie le 8-12-1887, Ida Hitler de la même maladie 25 jours plus tard, le 2-1-1888. Otto Hitler (1887) ne vécut que quelques jours.

Adolf apprit à six ans déjà à lire et à écrire. Son père lisait des livres et des journaux et émettait des avis compétents en matière d'apiculture *. Adolf était ainsi mis au courant de « ce qui se passait dans le monde » ; les commentaires originaux et piquants de son père l'encourageaient à se faire lui-même une opinion sur les événements. Se sentant entre « égaux », le petit Adolf réussissait en général à imposer sa volonté à sa mère [2], dont il était le préféré. Il est donc faux comme on affirme parfois que sa mère ne l'aurait pas assez aimé. La théorie parfois avancée aux Etats-Unis qu'Adolf Hitler aurait manifesté, pendant les deux premières années de sa vie, certaines anomalies, ne se fonde sur aucun fait vérifiable.

Le cadre de l'auberge *Zum Pommer*, bâtisse cossue dans le faubourg de la ville, offrait des conditions de vie idéales pour une famille avec un bébé, pour Aloïs et Angela, le demi-frère et la demi-sœur d'Adolf. Ils pouvaient s'ébattre sur la grande place derrière la maison ou sur les rives proches de l'Inn. Les murs étaient si épais que le brouhaha de la salle d'auberge ne parvenait pas à l'étage supérieur où se trouvait le logement des Hitler. Il n'en reste pas moins que Braunau n'a guère marqué Adolf Hitler **. La première phase de *Mein Kampf* : « Une heureuse prédestination m'a fait naître à Braunau-sur-Inn » ne s'inscrit pas en faux contre cette affirmation [3]. Car la fin de la phrase indique ce qu'Hitler entendait dire par-là : « ...bourgade située précisément à la frontière de ces deux Etats allemands dont la nouvelle fusion nous apparaît comme la tâche essentielle de notre vie, à poursuivre par tous les moyens [4]. »

Jusqu'en 1892, rien ne se passe dans la maison des Hitler qui mériterait d'être signalé. En mai 1892 — Adolf Hitler vient d'avoir trois ans — son père se rend à Vienne [5] où il séjourne jusqu'au 6 juin. Il n'existe pas de documents sur les mobiles de ce déplacement. La supposition de Smith que ce voyage « fut en relation avec le dernier avancement d'Aloïs Hitler » correspond peut-être aux faits mais n'apporte rien d'essentiel [6]. Notons qu'à la même époque, Aloïs contracta un emprunt de six cents florins (à peu près la moitié de ses revenus annuels) en gageant sa maison [7]. Comme il avait entretenu à côté de ses deux premières femmes une maîtresse, il est fort probable qu'il destinait

---

* Il paraît qu'il a également écrit dans des revues spécialisées. Mais il n'y a pas de preuves. Ses parents de Spital et de Linz en ont « entendu parler » (informations personnelles recueillies en 1967 et 1969).
** *Cf.* chap. V.

cette somme à sa fille illégitime, Therese Schmidt, qui venait d'accoucher à Schwertberg d'un fils, Fritz Rammer ; ce dernier ressemblait d'une manière frappante à Aloïs Hitler [8].

L'avancement au poste d'inspecteur des douanes impliquait un changement d'affectation, parce qu'un tel emploi n'existait pas dans la petite ville de Braunau où Aloïs avait passé vingt et un ans de sa vie. En octobre 1892, quand la famille était déjà installée à Passau, Aloïs Hitler vendit sa propriété de Wörnharts *.

Le 24 mars 1894 naquit Edmund, le frère d'Adolf, ce qui eut sans doute pour conséquence que ce dernier cessa, pendant quelque temps, d'avoir la vedette à la maison. Qu'il perdît, à la suite de cet événement, sa place « d'enfant préféré de sa mère » est une supposition gratuite de Smith [9]. Adolf a cinq ans quand, le 1er avril 1894, le père prend son service à Linz, tandis que la famille reste encore à Passau — probablement parce que Klara n'ose entreprendre le voyage avec le bébé. Pendant son bref séjour à Passau, Adolf avait eu des contacts plus étroits avec son père que partout ailleurs. Aloïs y disposait de plus de temps pour s'occuper de son fils, qui ne cessait d'attirer l'attention de tous les membres de sa famille et de mettre à l'épreuve son influence sur eux. L'affirmation de Smith qu'Aloïs « regardait ces provocations non pas comme un stade de son développement mais comme une menace pour sa position [10] » semble tirée par les cheveux. Il est en effet très peu probable que les « provocations » d'un petit garçon d'âge préscolaire aient suscité une telle réaction de la part d'un homme habitué à commander des douaniers et, par surcroît, respecté de tous.

Aloïs n'était pas un homme casanier. Il s'occupait beaucoup de ses abeilles. A Braunau, il lui arrivait même de se séparer, à cause d'elles, de sa famille. Pendant des mois, il louait une chambre dans les vieux quartiers de la ville, pour être plus près de ses ruches installées dans une vallée voisine [11]. Pendant son séjour à Passau, il allait tous les jours « en Autriche », à Hailbach, où se trouvaient ses abeilles, ne rentrant que tard à la maison. Dans ces conditions, le jeune Adolf ne voyait sans doute son père que rarement. L'affirmation d'un ami d'enfance d'Adolf Hitler, August Kubizek, que la mère aimait à souligner ses ordres et désirs — après la mort d'Aloïs Hitler — en montrant du doigt le porte-pipes du chef de famille décédé [12], vaut peut-être aussi pour l'époque où Aloïs était encore de ce monde.

---

* Cf. p. 39.

Il est en revanche inexact qu'Aloïs Hitler ait passé sa vie, dans les estaminets de la ville, à boire. Il ne dépassait jamais la mesure, pas plus à Braunau qu'à Lambach, Passau, Leonding ou Linz[13]. Sa carrière aussi bien que son écriture au temps de sa vie de retraité en font foi *. Il n'est pas non plus certain que Franz Schicklgruber, l'oncle d'Aloïs, ait été à la fin de sa vie (comme l'affirme Smith) « un travailleur occasionnel, toujours entre deux vins[14] », car en 1876, l'année de la légitimation d'Aloïs, ce fut lui qui remit à son neveu la somme de deux cent trente florins **.

Pendant toute une année, les enfants Hitler vécurent pour ainsi dire sans père ; quand il apparaissait, il faisait figure d'invité. Adolf se trouvait donc soustrait à son influence directe. Pendant qu'Aloïs et Angela terminaient leurs études élémentaires et devaient sans doute aider à la maison sous la surveillance de leur belle-mère, Adolf avait le droit de faire ce qu'il voulait. C'est de ce séjour en Allemagne que date son accent bavarois-autrichien qui, plus tard, devait ensorceler des millions d'Allemands. Certaines tournures dialectales lui étaient devenues si familières qu'il s'en servait encore tout naturellement quarante ans plus tard.

En avril 1895, les Hitler se donnent rendez-vous à Linz pour gagner de là Lambach-sur-la-Traun[15], où Aloïs venait d'acheter une maison et un terrain de 30 000 m²[16]. La vie d'Adolf Hitler s'en trouve brusquement changée. Le 1er mai 1895[17], il est mis à l'école élémentaire de Fischlham près de Lambach, qui ne compte qu'une classe unique ; ainsi, c'en est fait de sa belle liberté ! Hors de la maison paternelle, il doit se plier à une discipline sévère, accepter la présence d'autres enfants, ses égaux. Le 25 juin 1895, son père prend prématurément sa retraite *** ; il dispose donc — en dépit de ses abeilles et de son exploitation agricole — de plus de loisirs pour s'occuper de son fils qu'il destine à la fonction publique[18]. Adolf est un très bon élève qui ne rapporte de l'école que les meilleures notes, ce qui semble confirmer les ambitions de son père. En 1896, Adolf est admis dans la deuxième classe de Franz Rechenberger, à l'école du monastère des bénédictins de Lambach, et il y reste jusqu'au printemps 1898. Là encore, il obtient toujours les meilleures notes. Il se souviendra avec plaisir[19] de son activité à la manécanterie du monastère et des leçons de chant auxquelles

---

* *Cf.* p. 53.
** *Cf.* p. 30.
*** *Cf.* p. 38.

il participe [20]. Comme « petit chanteur » et enfant de chœur, il entend souvent parler du Père abbé Hagen, personnage fort connu à Lambach, sur le blason et l'anneau duquel figurait une « croix gammée » stylisée ; le même motif ornait aussi les sculptures de sa chaire. Hitler affirme dans *Mein Kampf* que l'organisation raffinée et les « pompes religieuses » lui avaient inspiré une vive attirance pour la charge de prêtre de l'Eglise catholique [21]. Plusieurs de ses camarades de classe choisirent la carrière qu'il avait songé un moment à embrasser : Balduin Wiesmayer (futur abbé de Wilhering, près de Linz), de même que le frère de son camarade d'école de Lambach, Weinberger, et son ami de Linz, Johann Haudum [22], curé de Leonding de 1938 à 1943 qui s'engagea à « prendre soin pour l'éternité » de la tombe des parents d'Hitler, dont la concession périmée avait été rachetée [23].

Adolf Hitler fait de très bonne heure la connaissance des milieux politiques, où la richesse, l'efficacité, l'influence, les apparences, la renommée sont les clefs qui ouvrent toutes les portes. Ceux qui prétendent que l'antique devise bénédictine : *discretio est mater omnium virtutem*, et l'atmosphère libérale et optimiste du monastère de Lambach ont marqué d'une empreinte indélébile le caractère d'Adolf Hitler, se livrent à des déductions fantaisistes sur l'influence du cadre sur un garçon de sept à neuf ans, absolument incapable d'en saisir la spiritualité. Il arrive à Hitler de se souvenir de Lambach ; mais il n'oubliera jamais Fischlham où, en 1895 et 1896, il apprit à lire et à écrire. En 1939, il s'y rend, s'assied sur le banc d'école, achète « son » ancienne école et en fait construire une nouvelle [24].

La sœur d'Adolf, Paula, naquit le 21 janvier 1896. Prenant la place du benjamin, elle exerça sans doute une influence heureuse sur l'évolution d'Hitler. Celui-ci lui voua pendant toute sa vie une affection particulière, qui prenait parfois le caractère d'une sollicitude paternelle * ; et ceci en dépit du fait qu'à l'époque où Hitler régnait en homme tout-puissant sur l'Allemagne, elle faisait jouer ses modestes relations pour aider en secret les victimes des tribunaux d'Hitler **. L'affirmation par-

---

* Il s'occupait d'elle en 1907, pendant la maladie de sa mère, et renonça en 1911 en sa faveur à son allocation mensuelle d'orphelin de 25 couronnes.

** C'est ainsi qu'elle sauva la vie à un ingénieur autrichien condamné à mort qui la conduisit en 1945 à Leonding (communication personnelle de parents de Spital d'août 1969) et à l'étranger, auprès d'amis secourables. Après 1945, une famille hollandaise de Rotterdam lui envoya des colis de vivres (Communication écrite de la famille hollandaise qui mit à la disposition de l'auteur sa correspondance avec Paula Hitler).

fois colportée que son frère, dont elle a tenu le ménage à partir de 1936 sous le nom d'emprunt de « Paula Wolf », aurait tenté de l'assassiner en 1945, relève de la mythomanie *.

A partir de 1896, cinq enfants vivaient dans la maison des Hitler. Aloïs avait pris l'habitude de se réfugier dans la salle de l'auberge, où il étudiait les journaux tout en buvant du vin et de la bière. Il avait fait une belle et rapide carrière et portait avec fierté une barbe qui ressemblait à celle de son empereur ; après quarante ans de service fidèle, il jouissait d'une tranquillité qu'il croyait bien méritée. Il avait œuvré pour lui et sa famille, il avait acquis de solides connaissances qu'il étalait volontiers en saupoudrant ses propos de mots étrangers inutiles. Comme la plupart des autodidactes et *self-made men*, il était convaincu que l'emploi de nombreux mots latins était la marque infaillible de l'érudition et d'une position sociale élevée. Adolf Hitler, qui assimilait à merveille les régionalismes et idiotismes dialectaux, a toujours su éviter le langage prétentieux des gens à moitié cultivés. Quand il emploie des mots étrangers, il le fait à bon escient, pour suppléer à l'imprécision de beaucoup de termes

Aloïs Hitler exploitait à Hafeld un domaine de 30 000 m², ce qui n'allait pas sans mal car ses expériences agricoles remontaient à quelque trente-cinq ans ; ses enfants étaient encore trop jeunes pour l'aider efficacement. C'est donc en connaissance de cause qu'il écrit le 29 décembre 1901, à son ancien voisin [25] ; « ... j'ai appris que Mme de Zdekauer a l'intention de vendre le « *Rauschergut* » (l'ancien domaine d'Aloïs à Hafeld — *N. de A.*) à un seigneur de Vienne. De telles personnes y trouvent, pour quelques années, une occupation divertissante qui les enrichit d'une expérience ... de l'expérience qu'il faut tout apprendre [26]. »

Depuis qu'Adolf fréquente l'école, il est le témoin d'un conflit permanent entre son père et le fils de celui-ci, Aloïs, le demi-frère d'Adolf Hitler ; ce conflit aboutit en 1896 au départ d'Aloïs, âgé de quatorze ans **. Aloïs ayant ainsi abandonné la

---

* Les SS qui, par ordre d'Hitler, la recherchèrent (en vain) en 1945 n'étaient pas chargés de la supprimer mais de lui remettre une forte somme d'argent (Communication personnelle de son neveu Léon Raubal en 1967 et 1969).
** Le demi-frère d'Adolf travaille d'abord comme garçon de café, mais entre 1900 et 1902, il va en prison pour vol. En 1907, nous le trouvons à Paris ; en 1909, il s'installe en Irlande où il se marie et donne la vie à son fils William Patrick. Pendant les années vingt, il vit en Allemagne ; il est condamné, à Hambourg, à une peine de prison pour bigamie et retourne peu après en Angleterre. Puis, il essaie de tirer profit de l'ascension foudroyante d'Adolf Hitler. Peu avant la guerre, il ouvre à Berlin (Wittenbergplatz) un restaurant, *Aloïs* Adolf feint de l'ignorer et interdit de prononcer en sa présence le nom de son demi-frère.

maison paternelle, Adolf — qui n'est pas l'aîné — est traité
comme tel par un père vivant dans la crainte qu'il ne puisse
mal tourner comme Aloïs [27]. Il est l'objet principal de la sollicitude paternelle qui se manifeste par un harcèlement incessant.
Le malaise qu'inspirait à Aloïs la situation politique en Autriche,
où les Allemands risquaient de perdre leur rôle prépondérant,
n'a certainement pas encore influencé le jeune Adolf.

Il n'est pas possible de déterminer avec précision le rôle
qu'Aloïs et Angela, le demi-frère et la demi-sœur, ont joué dans
l'évolution du jeune Adolf. Angela dont la fille « Geli » sera le
grand amour d'Adolf Hitler * avait eu, pendant trente ans,
toute sa confiance ; de 1928 à 1935, elle a tenu son ménage d'une
façon discrète et efficace avant de disparaître « du jour au
lendemain » ; nous ignorons l'influence qu'elle a pu exercer, dans
sa jeunesse, sur le caractère de son frère. Patrick Hitler affirme
dans son article de *Paris-Soir* que des intérêts égoïstes dictaient
parfois à son oncle des décisions radicales, imprévisibles, imper-
sonnelles, bizarres. En 1935, écrit William Patrick, « Adolf Hitler
reçut Angela à Berchtesgaden, mais hors de sa maison, et lui
donna vingt-quatre heures pour faire ses valises ... Il lui reprochait d'avoir aidé Göring à acheter à Berchtesgaden un terrain
situé ... en face du sien, où Göring comptait se faire construire
une maison [28] ». « Il la chassa, bien que Geli se soit tuée quatre
ans plus tôt dans son appartement à Munich et que cet événement ait marqué sa mémoire et sa vie jusqu'à sa mort **. »
Adolf Hitler n'avait jamais entretenu de relations personnelles
avec Aloïs dont le fils Patrick lui causa maints ennuis. Quand
Aloïs quitta la maison paternelle, Adolf fréquentait l'école depuis
deux ans seulement ; quand il le revit, il avait déjà séjourné
en prison ***. Il y avait si peu d'affinité entre eux qu'Hitler n'avait
pas besoin de faire appel à ses dons de comédien pour lancer
à son neveu Patrick qu'il n'y avait aucun lien de parenté entre
lui et Aloïs ****. Pendant toute sa vie, il le considéra comme un
homme dévoyé. Son fils du deuxième lit, Heinz Hitler, qui, après
avoir visité en 1938 l'Institut national-socialiste d'instruction politique (« Napola ») à Ballenstedt (Harz), voulut embrasser la
carrière d'officier (ce qu'Hitler n'accepta pas parce qu'il craignait
que son nom n'incitât officiers et sous-officiers à une attitude

---

* *Cf.* chap. VI.
** *Cf.* ibid.
*** *Cf.* note ** p. 53.
**** *Paris-Soir* du 5-8-1939.

de vile complaisance à son égard) [29], trouva la mort en Russie, en 1942 [30].

Il est logique et parfaitement compréhensible qu'Aloïs aussi bien qu'Adolf ne se soient jamais rendus dans le misérable village de Strones, lieu de résidence de Maria Anna Schicklgruber, où Aloïs avait vu le jour : tous les proches parents des Hitler vivant à Spital, il ne restait plus à Strones que les Sillip, alliés aux Hitler par les arrière-grands-parents d'Adolf ; après l'évacuation de la région de Döllersheim, la famille avait été installée à Weissengut près de Krenglbach. Adolf et Aloïs n'auraient plus trouvé aucun membre de la famille depuis la mort du frère de Maria Anna Schicklgruber, Josef, resté sans descendance. Nous avons dit qu'Aloïs avait mis fin, après avoir adopté le nom d'Hitler, à ses relations avec les autres Schicklgruber. Il est vrai qu'il avait reçu en 1876 encore 230 florins de Franz Schicklgruber * ; il avait échangé des lettres avec les Veit [31]. Compte tenu du changement de nom, il n'est même pas certain que les Schicklgruber qui, en été 1938, vinrent visiter la maison d'Hitler à Leonding et signèrent le livre des visiteurs, savaient qu'ils étaient liés à la famille d'Adolf Hitler [32].

En juillet 1897, Aloïs vendit son domaine de Hafeld et déménagea à Lambach, localité de 1 700 habitants environ [33], où il s'installa d'abord dans la maison n° 58 (la future auberge *Leingartner*), puis à la fin de l'automne 1898 dans la maison du meunier Zoebl : le jeune Adolf (qui était âgé de neuf ans) put ainsi observer à loisir l'activité du moulin et le travail bruyant du maréchal-ferrant Preisinger [34]. Son père se sentait à l'aise dans ce nouvel entourage qui lui fournissait l'occasion d'élargir le cercle de ses connaissances ; les contacts humains l'absorbaient d'autant plus qu'il ne pouvait se livrer à son occupation de loisir préférée, l'apiculture ; il semble cependant qu'Adolf, qui supportait mal le bruit, n'ait pas gardé un très bon souvenir de son séjour à Lambach. On peut se demander si sa répugnance pour les chevaux et la cavalerie ne date pas de cette époque ; mais il s'agit là d'une simple hypothèse.

C'est à partir de ce temps qu'Hitler commença, selon ses propres paroles, « à butiner de plus en plus tout ce qui avait rapport à la guerre et à l'art militaire » [35]. L'affirmation de Kubizek (de 1938 [36]) que « le jeune Hitler se détournait avec horreur de tout ce qui rappelait la guerre ou la vie militaire »,

---

* *Cf.* p. 40.

visait à présenter au monde un Hitler amoureux de la paix [37].
Le camarade de classe d'Hitler, Balduin Wiesmayr, s'inscrit en
faux contre cette manière de présenter les choses quand il
raconte que « de tous les jeux, Hitler préférait les jeux de la
guerre » [38]. Un autre condisciple de Leonding, Franz Winter, constatait volontiers après 1939 : « Enfant, il nous pourchassait,
maintenant il fait de même [39]. » Johann Weinberger, un autre
camarade de classe d'Hitler, relève également le goût du jeune
Adolf pour les jeux guerriers : à Leonding, affirme-t-il, les élèves
faisaient souvent la guerre à l'instigation d'Hitler : « Nous autres
enfants de Leonding étions les Boers, ceux d'Untergaumberg les
Anglais [40]. » Il est certain qu'Hitler fit déjà à cette époque l'expérience de son pouvoir de fascination. Tous ses camarades de
classe s'accordent pour dire qu'il avait des dons d'orateur exceptionnels. Il dit lui-même : « Je crois que mon talent d'orateur
commençait alors à se former dans les discours plus ou moins
persuasifs que je tenais à mes camarades : j'étais devenu un
petit meneur ... [41]. »

En novembre 1898 — Hitler n'a pas encore tout à fait
neuf ans —, son père achète à Leonding, près de Linz, une maison à deux pas du cimetière ; la famille s'y installe en février 1899
et Hitler entre dans la quatrième classe de sa troisième école,
qu'il fréquentera jusqu'en septembre 1900. Cette maison, qu'un
Américain voulut acheter en 1938 et transférer aux Etats-Unis où
il comptait en faire une attraction particulière *, passa longtemps pour la « maison des parents du Führer » ; depuis 1938,
elle faisait figure de sanctuaire et fut visitée par des milliers de
pèlerins venus des quatre coins du monde, qui signèrent le livre
d'or [42]. Des parents d'Adolf Hitler, les Schmidt [43], quelques
Schicklgruber, des connaissances d'Aloïs Hitler [44], les camarades
d'école d'Hitler [45], son tuteur Mayrhofer [46], des aristocrates, des
bourgeois, des ouvriers, des universitaires, des fonctionnaires,
des hommes d'affaires, des militaires, des étudiants et d'autres
« pèlerins » jurèrent à Adolf Hitler une fidélité indéfectible et
lui dédièrent des hymnes de louanges et de remerciement d'allure
religieuse **.

En septembre 1900, Adolf est envoyé à la *Realschule* (à peu
près : Ecole primaire supérieure) de l'Etat à Linz ; ayant perdu
le 2 février son frère Edmund, emporté par la rougeole, il est

---

* Informations personnelles du bourgmestre de Leonding et de Mgr
Haudum, en août 1969.
** Souvent, il était qualifié de « sauveur » et de « rédempteur ».

le seul fils vivant de Klara Hitler et l'unique objet des ambitions de son père. Vingt ans plus tard, la jolie fille de sa demi-
sœur Angela, qui s'appelle aussi Angela, fréquentera dans la
même ville de Linz la *Obersschule* où elle se fait remarquer
par « ses manières agréables » [47] et où elle passe son baccalauréat. Deux photos de classe mettent en évidence la transformation que ce changement d'école avait opérée en Hitler *.
La première le montre comme élève de quatrième à l'école
primaire de Leonding, la seconde comme élève de première à
la *Realschule* de Linz. La photo de Leonding atteste l'assurance
du jeune Hitler qui attire les regards et affecte déjà les allures
de « Führer ». Il se tient droit, derrière son maître qu'il dépasse
de toute sa hauteur, les bras fièrement croisés sur la poitrine,
le front barré de l'ébauche de la future « mèche ». Sur la photo
de Linz, de 1901, il ne semble pas trop sûr de lui-même bien
qu'il se tienne là aussi au rang supérieur, mais à son extrémité.
Il a l'air embarrassé et semble rentrer la tête pour ne pas
être vu.

Tant qu'il fréquente la *Realschule* de Linz (jusqu'à la mort
soudaine de son père en janvier 1903), Adolf habite la maison
paternelle de Leonding. Au printemps 1903, il s'installe à Linz,
dans un foyer d'étudiants, où il organise avec le futur fonctionnaire de l'Etat, Fritz Seidl et les fils de Haudum, dont l'un
sera plus tard curé de Leonding, des *Heldenstücke* ** [48] qu'il qualifiera vingt ans plus tard dans *Mein Kampf* d'expression typique
de son caractère [49]. A Leonding, village bien ordonné, habité de
paysans et d'artisans, à quatre kilomètres de Linz, dans un
paysage tourmenté, Aloïs Hitler se sent comme l'homme qui
est arrivé au port : il possède une belle maison à proximité
d'une ville, un beau jardin où il peut se livrer à son occupation
favorite, l'apiculture, sans être obligé de faire de longues mar-
ches à travers la campagne, comme à Braunau ou à Passau. Sa
sous-locataire, Elisabeth Plöckinger [50], contribue par ses loyers
à alléger le fardeau des charges auxquelles le « propriétaire d'im-
meubles » doit faire face. Bien des propos d'Hitler montrent
que son attitude critique à l'égard de l'Eglise *** remonte à l'époque de Leonding, où il commence à juger certains détails qu'il
avait naguère vus d'un œil favorable, dans l'optique de son
père ****.

---

* Ces photos ont été tant de fois publiées qu'il semble inutile de les
reproduire ici.
** A peu près « fredaines de jeunesse ». N.d.T.
*** *Cf.* aussi Chap. V.
**** *Cf.* ibid.

Malgré les bonnes notes qu'Hitler avait obtenues à Fischlham, Lambach et Leonding, malgré ses excellentes connaissances en histoire, géographie et dessin (matière où d'après son professeur Sixtl il pouvait en remontrer à ses professeurs) [51], le jeune Adolf doit redoubler la première classe de la *Realschule* de Linz. Il se souviendra de Sixtl quarante ans plus tard, à la *Wolfsschanze* : « J'avais entre quinze et seize ans. C'était l'époque où l'on taquinait aussi la Muse. J'allais à toutes les galeries de figures de cire et partout où l'on avait affiché : « réservé aux adultes ». A un certain âge, on veut tout approfondir. Un jour, j'allai au cinéma, près de la gare du Midi de Linz : un mélodrame invraisemblable ! A l'occasion d'une représentation de bienfaisance, on montra des films équivoques. Des navets. Mais on peut s'étonner du libéralisme du gouvernement autrichien. Mon professeur Sixtl y était aussi et me dit : « Ah, vous soutenez aussi la Croix-Rouge ? — Parfaitement, monsieur le professeur ! » Il partit d'un éclat de rire, mais je me sentais un peu mal à l'aise en ce lieu interlope *. »

Hitler a mal digéré le passage de la petite école de village à la grande *Realschule*, austère et anonyme. Ce qu'il apprécie, ce sont les cinq à six kilomètres qu'il doit parcourir pour aller de la maison paternelle à Steingasse, où se trouve l'école [52]. Le bulletin qu'il rapporte en fin d'année scolaire, apprend à ses parents que son travail a été « irrégulier », que ses connaissances en mathématiques et histoire naturelle ne sont pas suffisantes pour lui permettre de passer à la classe supérieure. Dans *Mein Kampf*, Hitler parle en ces termes de cette époque : « Mes bulletins à cette époque se tenaient toujours aux extrêmes selon le sujet et l'intérêt que je lui portais. A côté de « très bien » et « excellent » je rapportais des « médiocre » ou même des « insuffisant ». C'est en géographie et plus encore en histoire universelle, que je réussissais le mieux. C'était là mes deux matières favorites dans lesquelles je dominais la classe [53]. L'explication d'Hitler est simple et convaincante ; elle reflète sans aucun doute la réalité : « J'étudiais ce qui me plaisait ... Je sabotais complètement ce qui me semblait sans importance ... [54] »

Aloïs Hitler, qui à force d'énergie avait fait carrière, constate avec dépit que son fils aîné (Aloïs) est incapable de lui

---

* Cité d'après la reproduction, authentifiée par Heinrich Heim, du manuscrit original du *Heim-Protokoll* (Rapport de Heim) du 8/9 janvier 1942 (reproduction dans les archives de l'auteur). Kubizek prétend (à tort) que Sixtl a été le maître d'Hitler à l'école primaire de Leonding.

emboîter le pas, et tente de « pousser » Adolf avec une telle impétuosité que ce dernier perd tout goût au travail : « Il me fallut étudier ! » constate Hitler, qui poursuit : « De toutes mes manières et plus encore de mon tempérament, mon père concluait que je n'avais aucune aptitude pour mes études classiques au lycée. La *Realschule* paraissait mieux me convenir. Il fut confirmé dans cette façon de voir par mon évidente facilité pour le dessin, matière qui, dans les lycées autrichiens, était à son avis trop négligée. Peut-être aussi le souvenir de sa propre vie de travail l'éloignait-il des « humanités » sans intérêt pratique à ses yeux. Au fond, il avait l'idée arrêtée que, naturellement, son fils aussi serait fonctionnaire comme lui. Sa jeunesse pénible lui faisait bien naturellement surestimer d'autant plus ses succès tardifs, qu'ils étaient le fruit exclusif de son application ardente et de sa puissance de travail. Fier d'être le fils de ses œuvres, il rêvait pour moi une situation semblable à la sienne et si possible supérieure ; ... il ne concevait pas que je puisse refuser ce qui avait été jadis toute sa vie. La décision de mon père était donc simple, assurée et naturelle à ses propres yeux. Un homme de ce caractère, que la dure lutte pour l'existence avait rendu dominateur, n'admettait pas de laisser des enfants inexpérimentés et irresponsables décider de leur carrière. Il eût estimé que c'était là ... une répréhensible et néfaste défaillance de l'autorité et de la responsabilité paternelles, incompatible avec sa conception du devoir ... Pour la première fois de ma vie ... je me rangeais dans l'opposition. Aussi tenace que pût être mon père pour mener à bien les plans qu'il avait conçus, son fils n'en était pas moins obstiné à refuser une idée dont il n'attendait rien de bon. Je ne voulais pas être fonctionnaire. Ni discours ni « sévères » représentations ne purent venir à bout de cette résistance. Je ne serais pas fonctionnaire, non et encore non ! En vain, mon père essayait-il d'éveiller en moi cette vocation par des peintures de sa propre vie : elles allaient contre leur objet. J'avais des nausées à penser que je pourrais un jour être prisonnier dans un bureau ; que je ne serais pas le maître de mon temps [55]. »

Hitler explique, vingt ans plus tard, ses performances médiocres comme une protestation contre les désirs paternels et affirme qu'un échec retentissant à la *Realschule* ne pouvait que l'aider à vaincre la résistance de son père et à embrasser la carrière d'artiste peintre : « Je pensais que lorsque mon père constaterait l'absence de tout progrès à la *Realschule*, de bon gré ou de force, il me laisserait aller au bonheur dont je

rêvais [56]. » La volonté déterminée d'Aloïs Hitler de faire de son
fils un bon fonctionnaire d'Etat avait « poussé le jeune Adolf,
comme il le remarque lui-même, dans l'opposition », avait fait
du garçon de onze ans un être buté, obstiné [57]. Quels que soient
les prétextes invoqués par Hitler, les circonstances prouvent
que le jeune Hitler ressentait déjà tout travail systématique
comme une contrainte intolérable et une immixtion dans ses
affaires personnelles. Ses mauvaises notes à la *Realschule*
n'étaient certainement pas dues à un manque d'intelligence ou
d'aptitude. On remarque déjà à cette époque, abstraction faite
de l'horreur que lui inspirait toute contrainte quelle qu'elle fût,
une certaine répugnance à s'astreindre à une activité régulière
et suivie dont il n'était pas libre de fixer les modalités et le
rythme. Il échouait dans toutes les matières qui exigent, outre
le talent, une grande ardeur au travail. Il ne brillait que là
où l'approfondissement des sujets n'était pas nécessaire.

C'est donc le 3 janvier 1903 que le père d'Adolf Hitler meurt
subitement : il s'effondre à l'auberge et on transporte son corps
dans la maison. Adolf qui affirme dans *Mein Kampf* qu'en dépit
de toutes les disputes et explications, il a toujours aimé son
père [58] fond en larmes devant son cercueil [59]. Se conformant aux
conseils et aux prières de sa mère, il continue de fréquenter
l'école, mais il est plus décidé que jamais à ne pas consacrer
sa vie à la fonction publique mais à l'art [60]. Il se sent plus
libre depuis la mort de son père. Il ne fait pas grand-chose et
s'intéresse médiocrement aux cours. Il est le seul « mâle » de la
maison où il habite avec sa mère, sa sœur Paula, sa tante
Johanna Pölzl et la sous-locataire Elisabeth Plöckinger ; le
21 juin 1905, Klara vend la maison au prix de 10 000 couronnes
et s'installe avec les enfants à Linz [61]. Angela avait épousé le
14 septembre 1903 un fonctionnaire, Leo Raubal, et quitté la
maison paternelle. La mère d'Adolf, qui s'efforçait de surmonter
son deuil en rendant visite à ses parents de Spital et en se
consacrant plus que jamais à l'éducation de ses enfants, Adolf
et Paula, n'avait pas été favorisée par le sort. Son mariage avec
son ami de jeunesse, voisin et parent de Spital, homme habile,
intelligent, autoritaire, de vingt-trois ans son aîné [62], n'avait pas
comblé ses espérances. Quand August Kubizek fit sa connaissance, elle avait dépassé la quarantaine ; depuis peu veuve et
mère de six enfants dont deux seulement, Adolf et Paula, survécurent au père, elle semblait rongée de chagrin, fatiguée,
discrète, réservée. Cette fille de paysan n'avait pas la vitalité

de son mari qui s'était imposé à elle depuis sa plus tendre enfance et avait été un obstacle permanent à son épanouissement.

Le 22 mai 1904, Adolf — qui vient d'avoir quinze ans et fréquente la troisième classe de la *Realschule* de Linz — reçoit le sacrement de confirmation et assiste peu après à la première séance cinématographique de sa vie [63]. Il ne se plaît toujours pas à l'école. Ce qu'il déteste le plus, c'est l'enseignement du français. Comme il ne s'applique pas, ses notes s'en ressentent, ce qui a pour conséquence qu'il n'est admis en quatrième que s'il repasse avec succès son examen de français. Il se représente en automne 1904 et est reçu ; mais il doit promettre à son professeur, le docteur Eduard Huemer qui le déclare « fort doué », d'entrer en quatrième dans une autre école [64]. Huemer, qui enseigne l'allemand et le français, connaît bien son élève ; il dira de lui pendant le procès de Munich, en 1924 : « Hitler était incontestablement doué, mais seulement dans certaines matières ; il manquait de maîtrise de soi et passait pour indocile, indépendant, chicaneur, irascible ; il lui en coûtait de se plier à la discipline scolaire. D'autre part, il ne s'appliquait pas ; car il aurait mieux pu tirer profit de ses dons naturels [65]. »

En septembre 1905, Hitler rend visite au directeur de la *Staatoberrealschule* de Steyr, Aloïs Lebeda, dont il sera un des meilleurs élèves jusqu'en septembre 1905, et est admis en quatrième *. Les mobiles de ce changement d'école ont donné lieu à des hypothèses diverses. C'est ainsi que les adversaires politiques d'Hitler croyaient savoir qu'il dut quitter l'école de Linz pour avoir, au cours d'une cérémonie religieuse, craché et mis dans sa poche l'hostie consacrée **. La *Münchener Post* du 27 novembre 1923 ayant fait état de ce scandale, le *Bayerische Kurier* du 30 novembre commenta l'incident en affirmant qu'il « avait fait sensation à Linz » [66].

A Steyr, Hitler habite dans la maison de l'homme d'affaires Ignaz Kammerhofer, chez le fonctionnaire de justice Conrad Edler von Cichini, au Grünmarkt, nº 19, la future « Adolf-Hitler-Platz » [67]. Trente-sept ans plus tard, il évoquera cette période de sa jeunesse : « Steyr était pour moi un endroit désagréable ; c'était l'opposé de Linz : Linz était national, Steyr noir et rouge. J'habitais avec un camarade du nom de Gustav — je ne me souviens plus de son nom de famille — une petite chambre

---

* Lebeda y enseignait la gymnastique.
** Hitler s'est élevé en public et dans l'intimité du Parti contre ces calomnies. Le *Bayerischer Kurier* du 5-12-1923 publia une de ses prises de position.

sur la cour. La chambre était coquette, mais la cour sinistre.
J'y allais à la chasse aux rats. La maîtresse de maison sympathisait avec nous ; elle prenait souvent notre parti contre son
mari. Il n'avait d'ailleurs pas voix au chapitre. Quand il ouvrait
la bouche, elle se précipitait sur lui comme une vipère. Une
fois, il y eut un esclandre. Je lui avais dit : « Madame, il faut
servir le café moins chaud, le matin, car autrement nous n'avons
pas le temps de le boire. » Un jour, je lui dis : « La demie
vient de sonner et je n'ai toujours pas mon café ! » Elle répond
que ce n'est pas encore l'heure ! Son mari intervient en affirmant que la demie est passée depuis cinq minutes. Là-dessus,
elle se fâche tout rouge et ne se calme plus de toute la journée.
Le soir, elle est au comble de l'excitation, son mari doit quitter
la maison ... Nous étions en train de préparer notre cours. Il
voulut qu'un de nous l'accompagnât, car il avait peur des rats.
Quand il fut sorti, elle ferma la porte à clef. Nous avions de la
sympathie pour elle. Lui, de hurler : « Petronelle, ouvre ! » Elle
rit, chante, se promène à droite et à gauche. Il se met à parle-
menter à supplier : « Petronelle, je t'en prie, ouvre ! Petronelle,
tu ne peux pas me laisser là ! — Mais si, je peux fort bien ! »
Soudain, il s'écrie : « Adolf, ouvre la porte ! » Elle : « Adolf,
je vous interdis d'ouvrir ! » Moi : « Madame me l'a défendu ! »
Ainsi, il attendit jusqu'à sept heures du matin. Lorsqu'il entra,
le pot de lait à la main, son regard exprimait une indicible
douleur. Dieu que nous l'avons méprisé ! Elle pouvait avoir
trente-trois ans ; lui, portant la barbe, il était malaisé d'évaluer
son âge ; peut-être quarante-cinq ans. Il était le rejeton d'une
de ces familles aristocratiques appauvries dont l'Autriche abon-
dait ... La brave femme nous glissait souvent quelque chose en
cachette. En Autriche, on appelait les marraines d'étudiants les
Crux. C'était une belle époque, pleine de lumière et de soleil.
Mais j'avais des soucis, car je n'arrivais pas à me retrouver dans
le dédale des études, surtout à l'approche des examens ... J'ai
appris à skier sur le Damberg. Le trimestre terminé, il y avait toujours une grande fête. On s'y amusait beaucoup ; on faisait bam-
boche. C'est au cours d'une de ces fêtes que j'ai bu plus que
de raison. Une fois et plus jamais. On nous avait remis notre
carnet de notes et je devais en principe quitter la ville. Après
de telles festivités, la « crux » était toujours assez touchée ...
Nous sommes allés en cachette dans une auberge arroser ça.
Je ne sais plus très bien comment tout s'est passé ... j'ai reconsti-
tué la scène ... J'avais donc mon carnet de notes dans la poche.
Le lendemain, j'ai été réveillé par une laitière qui passait par là

... et qui m'a trouvé sur le bord du chemin ... j'avais mal aux cheveux. Quand la « crux » me voit, elle s'exclame : « Pour l'amour de Dieu, Adolf, qu'est-ce qui vous arrive ? » Je prends un bain, elle me verse du café bien chaud, puis elle me pose des questions : « Et votre carnet de notes, comment est-il ? » Je plonge la main dans ma poche : le carnet a disparu ! Grand Dieu ! Il faut pourtant bien que je montre quelque chose à maman. Dans mon for intérieur, je me dis que je lui expliquerai qu'ayant sorti le carnet dans le train, un courant d'air l'a emporté ! Mais la « crux » insiste : « Où est-il passé ? — Quelqu'un a dû me le subtiliser ! — Je ne vois qu'une seule solution : allez, tâchez de vous en faire remettre une copie ! Est-ce qu'il vous reste de l'argent ? — Pas un sou. » Elle me donne cinq florins. Le directeur de l'école me fait d'abord attendre. Je me rappelle soudain ce que j'avais fait de mon carnet. Dans ma biture, je l'avais pris pour du papier hygiénique. Quelle catastrophe ! Je ne peux même pas répéter ce que le directeur m'a dit. Une drôle de mercuriale ! J'ai juré de ne plus jamais boire ; j'ai obtenu une copie. ... mais j'avais honte. La « crux » m'a aussitôt demandé . « Qu'est-ce qu'il t'a dit ? — Cela je ne vous le dirai pas, Madame ; mais je vous dirai autre chose : jamais plus je ne me saoulerai ! » Cette leçon a porté : jamais plus je n'ai touché à une boisson alcoolisée. Puis, je suis retourné à la maison, le cœur en fête ; à vrai dire, j'étais un peu inquiet, car mes notes n'étaient pas merveilleuses ! * »

Le carnet de notes du 11 février 1905 — qui avait servi de papier hygiénique à Adolf Hitler et qu'il qualifie lui-même de « pas merveilleux » — était en réalité lamentable. Son travail en allemand, en français, en mathématiques, en sténographie était jugé « insuffisant ». Si l'on fait abstraction du dessin à main levée et de la gymnastique, pour lesquels il avait reçu respectivement les notes « bien » et « excellent », tout était médiocre [68].

Dans cette école, où en 1904/1905 le professeur juif Robert Siegfried Nagel enseigne l'allemand, les études d'Adolf Hitler, qui n'a aucune raison de se plaindre de l'ambiance générale ou des conditions de travail, s'améliorent après quelques mois de stagnation ; mais en physique (professeur Dr Bernhard Batscha), les notes baissent ; en chimie (Batscha), elles restent stationnaires, c'est-à-dire mauvaises ; en dessin (professeur Emil Heythum),

---

* Cité d'après le *Heim-Protokoll* du 8 au 9-1-1942 (une copie figure aux archives de l'auteur).

elles se maintiennent, en gymnastique seulement (Aloïs Lebeda),
Hitler est un excellent élève [69]. Il s'en accommode fort bien. Pendant le premier trimestre le carnet fait état de trente journées
d'absence « non justifiée » [70]. Le 3 mars 1942, Hitler confirma à la
Wolfsschanze pour ses invités ce qu'il a dit déjà dans *Mein
Kampf* : « D'une manière générale, j'ai appris le dixième de ce
qu'ont appris les autres élèves. Je faisais mes devoirs en vitesse.
Mais je comprenais bien l'histoire. Parfois les camarades me
faisaient pitié : « Tu viens jouer ? — Non, j'ai encore des
devoirs ! » Il passe des examens, il est reçu. Si quelqu'un s'impose
en fraude, on s'indigne : Comment ? Et nous, qui nous sommes
donné tant de peine ! — Eh oui, il y en a qui réussissent, d'autres
pas ! [71] »

A Steyr, Hitler est un élève aussi récalcitrant et indiscipliné
qu'à Linz. Il évoque certains souvenirs dans la nuit du 8 au 9 janvier 1942 : « Si je n'avais pas eu quelques professeurs prêts à
prendre ma défense, j'aurais connu des jours difficiles ... Un
des professeurs ... (König, qui enseignait le français — *N. d. A.*)
... avait été vérificateur de chaudières de l'administration impériale et royale ... Lors d'une explosion, il avait été frappé
d'aphasie et, depuis, il ne pouvait plus prononcer certains sons.
En arrivant dans sa classe, j'occupais le premier rang. Il fit
l'appel des élèves : quand il lut mon nom, je regardai sans
bouger. Furieux, il me demanda des explications : « Je ne
m'appelle pas Itler, je m'appelle Hitler, monsieur le professeur. »
Il ne savait pas prononcer l'H. [72] » En automne 1905, Hitler avait
fait des progrès : son français était jugé « suffisant » [73]. Le
16 septembre 1905, le carnet de fin d'année scolaire se présentait
de la manière suivante : Conduite : assez bonne. Travail : suffisant. Enseignement religieux : suffisant. Mathématiques : suffisant. Chimie et physique : suffisant. Dessin géométrique et géométrie descriptive : suffisant (après examen de rattrapage). Dessin
à main levée : excellent. Gymnastique : excellent. Chant : assez
bon [74]. Pendant l'année scolaire, les professeurs de la *Staatsso-
berrealschule* remarquent que l'excellent gymnaste Adof Hitler [75],
dont les seuls ennuis de santé avaient été l'ablation des amyg-
dales et la rougeole [76], n'a pas bonne mine [77] et se tient toujours
à l'écart des autres. Le professeur Gregor Goldbacher, qui enseignait la géométrie et le dessin géométrique, déclara le 19 janvier 1941 [78] qu'Hitler « s'était montré sauvage et déprimé depuis
la mort de son père et son exil dans un entourage qui ne lui
était pas familier ... qu'il avait été un étudiant de santé fragile,
qu'en tant qu'étranger à la ville, il n'y avait guère de relations

ou d'amis » [79]. Un de ses camarades, Sturmlechner, nous a laissé de lui un dessin de profil qui nous permet de nous faire une idée de son physique à cette époque. Le portrait nous montre un jeune homme — paraissant vieux pour ses quinze ans et d'un sérieux peu juvénile — au front haut et fuyant, au nez long et pointu, au menton prognathe, au visage ascétique dominé par des yeux au regard autoritaire. Les cheveux mal peignés, divisés par une raie, tombent à droite et à gauche sur son front. La description que nous donne Kubizek du « jeune homme extrêmement pâle et fragile ... aux yeux brillants » [80] correspond assez bien au croquis rudimentaire de Sturmlechner.

Malgré sa répugnance, Hitler se voit obligé d'obtempérer à la volonté de sa mère et de se préparer au baccalauréat. Il lui promet en tout cas de faire un effort. Il est douteux qu'il ait jamais sérieusement songé à terminer ses études. S'il quitte l'école en automne 1905, c'est pour cause de maladie*. Son propre commentaire en dit long : « A point nommé, une maladie de quelques semaines vint soudain résoudre la question de mon avenir et couper court à tous les conflits familiaux. J'avais les poumons gravement atteints. Le docteur conseilla à ma mère de ne m'enfermer plus tard sous aucun prétexte dans un bureau et en particulier d'interrompre pendant un an au moins mes études à la *Realschule*. L'objet de mes désirs secrets, puis de mes luttes persévérantes, se trouvait ainsi presque atteint d'un seul coup ... Encore sous l'émotion de ma maladie, ma mère m'accorda de quitter la *Realschule* pour l'Académie [81]. » Hitler est heureux et se rend par le train, en compagnie de sa mère dont la santé est déjà ébranlée, à Gmünd, où les Schmidt, leurs parents de Spital, les attendent avec un attelage de bœufs [82]. A Spital, où le jeune Hitler est confié aux soins du docteur Karl Kreiss de Weitra [83], il boit beaucoup de lait, mange bien et se remet rapidement [84]. Mais il vit toujours à l'écart des autres, joue souvent de la cithare, dessine, peint, explore les beaux paysages des environs, regarde les travaux agricoles de ses parents sans jamais y participer. Il ne se lie d'amitié ni avec sa tante, la sœur de sa mère, ni avec la jeunesse du village. Celle-ci entoure, intriguée, « l'étudiant de la ville » qui ne répond pas à la curiosité qu'on lui manifeste [85].

Hitler a définitivement tourné le dos à l'école à laquelle il voue, comme il découle de nombreux entretiens avec son

---

* Il n'existe pas de documents sur la maladie d'Hitler. Il nous semble inutile d'émunérer ici toutes les hypothèses échafaudées à ce sujet. Le fait est qu'il était vraiment malade en 1905.

ami d'enfance Kubizek, une haine farouche[86]. Ses études et
son dernier carnet de notes lui permettent de s'inscrire à l'Académie des Beaux-Arts, à Vienne *. En automne 1905, le jeune
homme, âgé maintenant de seize ans, est parvenu à l'objectif
qu'il s'était fixé du vivant de son père. Mais il n'est plus pressé
du tout. La maladie dont il vient de se relever empêche sa
mère de le pousser, d'autant plus que l'examen d'entrée pour
1905 avait eu lieu pendant qu'il fréquentait encore l'école. En
mai 1906, il se rend à Vienne où il séjourne jusqu'en juin,
explorant les musées et les curiosités de la ville[87]. Il n'est pas
pressé de passer l'examen d'entrée qu'il remet à l'année prochaine. Déjà le 7 mai, il écrit à son ami : « Je suis ... bien arrivé
et me promène beaucoup. Demain j'irai voir à l'Opéra *Tristan*,
après-demain *le Vaisseau fantôme*, etc. Bien que tout me
plaise énormément ici, j'ai la nostalgie de Linz[88]. » Il se peut
que la fréquentation des chefs-d'œuvre l'ait quelque peu
ébranlé[89]. Mais il est bien plus probable qu'il ne tenait pas
à renoncer de sitôt à sa vie de fainéant et à se plier une fois
de plus (comme jusqu'en septembre 1905) à une discipline qui
n'avait aucune prise sur lui. Tandis que ses camarades de Steyr
se préparent à leur carrière de fonctionnaire **, lui, « l'enfant
gâté de sa mère »[90] — comme il se qualifiera lui-même vingt ans
plus tard —, jouit de la liberté et du « *dolce farniente* », du
« vide d'une vie agréable »[91]. Sa mère a vendu déjà en juin 1905[92]
sa maison à Leonding et s'est installée avec Adolf et Paula Hitler
à Linz, Humboldtstrasse, 31 ; ainsi, Adolf n'est plus obligé de
se rendre à pied en ville — comme jusqu'au printemps 1903.
A Linz, il s'inscrit à la bibliothèque de l'Association d'Education
Populaire et adhère au *Musealverein* (Association littéraire et
artistique)[93] ; du 2 octobre au 31 janvier 1907, il prend des
leçons de piano avec un ancien membre d'une musique militaire,
Prewatzky-Wendt[94] ; il fréquente régulièrement le *Landschaft-
liche Theater*[95], est un assidu de toutes les représentations de
Wagner, trace les plans de théâtres, de ponts, de villes entières,

---

* *Cf.* les passages du chap. IV s'y rapportant. Quand on lui conseilla
à l'Académie de se consacrer à l'architecture, il se rendit compte qu'il
aurait besoin du baccalauréat ou du moins de meilleures notes en
mathématiques (ou du moins en géométrie descriptive).
** Rudolf Bachleiter, Franz Eder, et Karl Ehler entrèrent comme
agents aux chemins de fer ; Ferdinand Höflinger et Engelberg Schurpfieil
choisirent l'enseignement ; Otto Kiderle devint employé du Jardin Zoologique de Vienne, Johann Schreiberhuber se casa aux P.T.T. ; Karl Plochberg
trouva un emploi aux usines Steyr (*Steyrwerke*) à Steyr. Rapport manuscrit de Goldbacher du 29-1-1941. *Cf.* notes.

de réseaux routiers, et discute avec l'étudiant en musique Kubizek
de projets grandioses *. Il n'est plus tenu de se soumettre
à une discipline quelle qu'elle soit, et décide lui-même de ses
allées et venues. Sa mère vieillit visiblement, ses forces déclinent
à vue d'œil. Le 18 janvier 1907, elle subit à l'hôpital des Sœurs
de la Miséricorde à Linz une grave intervention chirurgicale [96] ;
le docteur Karl Urban qui l'opère note dans le livre de l'hôpital :
« *Sarcoma pectoralis minoris* » [97] (sarcome du petit myocarde).
Klara survit à l'opération, mais pendant les onze mois qui lui
restent à vivre, elle est tourmentée par le sentiment qu'Adolf
Hitler poursuivra sa « route » brutal et incorrigible, comme s'il
était seul au monde [98]. Pour ne pas l'inquiéter, elle feint une
amélioration bien qu'elle sache que ses jours sont comptés.
Adolf se laisse prendre à ce jeu. Partant pour Vienne, il la confie
aux soins de sa sœur. Quand Kubizek lui rend visite à la fin
de l'été 1907, pendant qu'Adolf passe son examen d'entrée à
l'Académie des Beaux-Arts, il trouve une vieille femme malade.
« Elle me semblait, écrit-il, plus soucieuse que d'habitude. Des
rides profondes sillonnaient sa face. Ses yeux paraissaient brouil-
lés, sa voix fatiguée et résignée. J'avais l'impression qu'elle se
laissait aller depuis qu'Adolf n'était plus auprès d'elle, qu'elle
glissait doucement vers la décrépitude. Pour ne pas inquiéter
son fils, elle lui avait sans aucun doute caché la vérité sur son
état ... Seule, elle me donnait l'impression d'une femme vieille
et malade [99]. »

---

* *Cf.* chap. V.

CHAPITRE III

L'ARTISTE ET L'ARCHITECTE

En septembre 1907, croyant que l'état de santé de sa mère s'est amélioré, le jeune Hitler (il a dix-huit ans) se rend à Vienne pour y passer son examen d'entrée à l'Ecole de peinture de l'Académie des Beaux-Arts. « Chargé d'une épaisse liasse de dessins », il se met en route, convaincu qu'il réussira l'examen en se jouant [1]. Les biographes d'Hitler ont souvent évoqué cet examen, en premier lieu, Konrad Heinden * et, après lui, d'une manière plus détaillée, Josef Greiner qui prétend l'avoir passé peu avant Hitler [2]. Hitler lui-même en parle en ces termes : « Passablement satisfait de moi-même, j'avais excellent espoir ... j'attendais, brûlant d'impatience, mais plein d'une orgueilleuse confiance dans le succès de mon examen d'admission [3]. »

---

* Konrad Heiden (1901-1966), journaliste allemand émigré, qui considérait ses travaux sur Adolf Hitler et le national-socialisme (Cf. bibliographie) comme l'œuvre de sa vie, a influencé jusqu'à sa mort toutes les études allemandes et étrangères sur Hitler et le national-socialisme. Ses exposés — repris sans la moindre vérification par la plupart des auteurs (qui souvent ont négligé d'indiquer leur source) — avaient à ses yeux une valeur polémique. Comme il ne disposait que de très peu de documents, il se fondait sur des déclarations de témoins plus ou moins incontrôlables. Son « informateur » principal pour les jeunes années d'Hitler était un vagabond du nom de Reinhold Hanisch (cf. la suite de ce chap.) dont les descriptions imagées servaient aussi de base au reste de la biographie. C'est lui l'inventeur de la version adoptée (par le canal de Heiden) par Bullock, Shirer, Gisevius, Heiber et Jetzinger, selon laquelle le jeune Hitler aurait été un paresseux logeant à la belle étoile ou à l'asile de nuit, roulant sa bosse à droite et à gauche, vivant au jour le jour. Cf.' à ce sujet aussi Maser : *Die Frühgeschichte der NSDAP*, p. 512, et Maser : *Neue Deutsche Biographie*, Berlin 1969, vol 8, p. 246 et s.

Le jeune Hitler, très sûr de lui et de ses capacités, se retrouve donc à l'Académie des Beaux-Arts avec cent douze autres candidats [4], visiblement inquiets car l'examen d'admission passe à juste titre pour difficile et est, pour cette raison, redouté. Le premier devoir montre déjà que l'Académie — fortement attachée à la tradition — exige de ses futurs élèves non seulement beaucoup de talent mais encore une bonne connaissance de leur métier. Les candidats doivent choisir dans une liste donnée deux sujets qu'ils sont tenus de traiter dans deux séances de trois heures chacune [5].

1) Adam et Eve chassés du paradis terrestre, la Chasse, le Printemps, un Chantier de construction, la Mort, la Pluie.
2) Le Retour du fils prodigue, la Fuite, l'Eté, les Bûcherons, le Deuil, le Feu.
3) Caïn tue Abel, Retour au pays natal, l'Automne, les Charretiers, la Joie, Clair de lune.
4) Adam et Eve découvrent le corps d'Abel, les Adieux, l'Hiver, les Bergers, la Danse, l'Orage.

La deuxième journée, les sujets suivants étaient proposés au choix des candidats :

1) Scène de déluge, l'Embuscade, le Matin, les Lansquenets, la Musique, la Prière.
2) Les Trois Rois mages, la Poursuite, Midi, le Mendiant, la Diseuse de bonne aventure, l'Accident.
3) Le Bon Samaritain, le Pèlerin, Après le travail, les Pêcheurs, la Conteuse, les Chercheurs de trésor.
4) Samson prisonnier, Promenade, la Nuit, les Esclaves, la Paix, le Maître [6].

Nous ignorons les sujets sur lesquels s'était porté le choix d'Hitler ; nous ne savons pas non plus qui a été son examinateur. Christian Griepenkerl, le directeur de l'Ecole de peinture, Rudolf Bacher, Aloïs Delug, Sigmund l'Allemand (ou même le corps enseignant dans sa totalité) ? [7]. Notons qu'Hitler passa avec succès cette épreuve difficile où trente-trois candidats échouèrent *.

Les candidats ayant passé avec succès cette partie de l'examen sous la surveillance des professeurs de l'Académie devaient présenter des travaux personnels exécutés précédemment. Hitler

---

* Communication écrite de l'Académie des Beaux-Arts de Vienne du 6-6-1969. Le 10-5-1942 Hitler exprimait — en évoquant cet examen — l'avis que « seul le génie peut se mettre à la place du génie ». Picker, p. 324 .

exhiba une « liasse de dessins » d'Urfahr et de Linz. L'examinateur jugea qu'il y avait trop peu de portraits et refusa pour
cette raison l'admission du candidat Hitler à l'Ecole de peinture.
Sur la « liste des candidatures entre 1905 et 1911 » nous lisons :
« Adolf Hitler, né à Braunau-sur-Inn, Haute-Autriche, le 20 avril
1889, Allemand, confes. cath. parents : père fonctionnaire de
l'administration des douanes impériale et royale. Travaux :
insuffisants, trop peu de portraits [8]. »

Cinquante et un candidats furent recalés en même temps
qu'Hitler. Parmi eux se trouvait Robin Christian Andersen,
de 1945 à 1965 directeur d'une classe de peinture à l'Académie
des Beaux-Arts de Vienne, de 1957 à 1958 et de 1961 à 1962
directeur de l'Ecole d'éducation artistique, de 1946 à 1948 recteur, de 1948 à 1951, vice-recteur de l'Académie des Beaux-Arts.

Vingt-huit sur cent treize candidats furent admis comme
élèves de l'Académie. « Je quittai tout abattu le Palais Hansen
sur la Schiller-Platz, écrit Hitler dans *Mein Kampf*, doutant
de moi-même pour la première fois de ma vie. Car ce que je
venais d'entendre dire de mes dispositions me révélait d'un
seul coup, comme un éclair subit, une discordance dont je
souffrais déjà depuis longtemps sans pouvoir me rendre compte
exactement de sa nature et de ses causes [9]. » Quelles épreuves
auraient été épargnées au monde si Hitler avait inclus quelques
portraits de plus dans son choix de dessins. Il existe encore
de nos jours des portraits et études de portraits exécutés par
lui à cette époque, qui auraient sans doute satisfait aux exigences
de l'Académie.

Si l'on en croit le récit d'Hitler, le recteur de l'Académie
(c'était de 1907 à 1909 Siegmund l'Allemand) auquel il rendit
visite après l'examen, lui déclara que « les dessins apportés »
prouvaient de manière patente « son peu d'aptitude pour la
peinture » et « ses dispositions tout aussi évidentes dans le
domaine de l'architecture [10] ». Cette remarque semble conforme
à la réalité ; car les dessins et études d'Hitler révèlent bien plus
un penchant marqué à l'architecture que des dons particuliers
en matière de création picturale. Très peu d'êtres humains
peuplent ses paysages urbains, parfois remarquablement dessinés
ou peints, qui ressemblent par plus d'un trait à ceux du paysagiste autrichien Rudolf von Alt, mort en 1905. Les personnages
n'assument, pour autant qu'il y en a, qu'un rôle purement déco-
ratif. Ils se tiennent, raides et compassés, semblables à des man-
nequins, dans les rues. Tandis que le premier plan des compositions architecturales et urbaines de Rudolf von Alt est tou-

jours animé de personnages d'allure solennelle, de chiens et de fiacres, Hitler se borne à la représentation des édifices. C'est probablement l'imitation voulue du style d'Alt qui a fait ressortir, aux yeux des examinateurs, la faiblesse de ces études et l'absence de tout élément animal et humain.

Après cet échec, Hitler fait une demande d'admission à l'Ecole d'architecture de l'Académie des Beaux-Arts. Le baccalauréat lui eût été d'un grand secours. Seize ans plus tard, Hitler écrira : « ... ce que par défi j'avais négligé jusqu'ici à la *Realschule* allait se venger amèrement[11]. » La réalisation de ses rêves, l'admission à l'Ecole d'architecture se heurtaient au fait qu'Hitler avait refusé de mettre un point final à ses études secondaires, comme c'eût été normal, par le baccalauréat. « Les amis, chez lesquels il habitait à Vienne ... le harcelaient pour qu'il retournât à Linz et y fît son baccalauréat[12]. » Il est très peu probable qu'Hitler ait songé sérieusement à cette éventualité. L'horreur que lui inspirait l'école, son dégoût de tout travail systématique, son manque d'intérêt pour certaines matières, sa conviction intime que les médiocres efforts qu'il était disposé à faire ne suffiraient pas à lui assurer le succès le rendaient sceptique à l'égard d'un tel projet. Ce qui l'attire, ce ne sont pas les écoles, mais les monuments et musées de Vienne, où il s'attarde encore quelques semaines.

En novembre 1907, il retourne à Urfahr près de Linz et entoure de ses soins sa mère déjà marquée par la mort, à laquelle le médecin juif qui la traite, le docteur Eduard Bloch. ne donne plus que très peu de temps à vivre. Il s'occupe du ménage, surveille les devoirs de sa sœur Paula, fait la lessive, prépare les repas, assume les fonctions de chef de famille. Le docteur Bloch, qui connaissait depuis un certain temps non seulement Klara mais aussi Adolf Hitler, déclara en novembre 1938 : « Il (i.e. Adolf Hitler — *N. d. A.*) était affectueusement attaché à sa mère, guettant chacun de ses gestes pour prévenir ses moindres désirs. Son regard habituellement triste et lointain s'éclairait quand elle ne souffrait pas[13]. » Le 23 décembre 1907, l'avant-veille de Noël, Adolf Hitler fait inhumer sa mère au cimetière de Leonding, à côté d'Aloïs. Bloch a gardé le souvenir vivace de ces événements : « Pendant les quarante ans de ma vie de praticien, je n'ai jamais vu un jeune homme aussi désolé et brisé par la douleur qu'Adolf Hitler[14]. »

Adolf et Paula sont maintenant orphelins de père et de mère. Hitler exagère fortement quand il écrit dans *Mein Kampf* : « Les dures réalités de l'existence m'obligèrent à prendre de

rapides résolutions. Les maigres ressources de la famille avaient été à peu près épuisées par la grave maladie de ma mère ; la pension d'orphelin qui m'était allouée ne me suffisait pas pour vivre et il me fallait, de quelque manière que ce fût, gagner moi-même mon pain [15]. » Du temps passé à Vienne (jusqu'en 1913) qu'il qualifie dans *Mein Kampf* d' « années d'études et de souffrances » [16], il dit : « Je remercie cette époque de m'avoir rendu dur et capable d'être dur. Plus encore, je lui suis reconnaissant de m'avoir détaché du néant de la vie facile [17]. » D'après les déclarations de quelques prétendus « témoins » * les années viennoises, qu'Hitler appelle « l'école la plus dure de sa vie » [18] furent des années de vagabondage dans un milieu de chemineaux et de pickpockets, de ratés, de dévoyés, d'épaves. La plupart des auteurs ont repris ces « témoignages » sans la moindre vérification : même un Kubizek s'en fait l'écho pour l'époque suivant 1908 bien qu'il n'ait vécu avec Hitler que jusqu'à cette date, date de son appel sous les drapeaux, et qu'il ne connaisse la vie future d'Hitler que par ouï-dire. Les termes qu'il emploie : « Ce fut la voie de la solitude, du désert, du néant » [19] sentent d'ailleurs l'information de seconde main.

Ni Hitler ni Kubizek n'ont dit la vérité.

Notons d'abord que les affirmations d'Hitler ne correspondent pas à la réalité. Il est absolument faux que « les maigres ressources de la famille avaient été épuisées par la maladie de la mère » [20]. Hitler ne fait nulle part état de la somme rondelette qui lui revint en 1908 de l'héritage maternel. En juin 1905, deux ans et demi avant sa mort, Klara avait vendu la maison de Leonding au prix de 10 000 couronnes [21] ; il est vrai que l'acheteur n'avait que 7 480 couronnes à lui verser, puisque la maison était grevée d'une hypothèque de 2 500 couronnes. Il fallait défalquer de cette somme l'héritage d'Adolf et de Paula, soit 1 304 couronnes [22], ce qui laissait à Klara Hitler la somme impor-

---

* Signalons parmi ceux-ci surtout les « révélations » de Greiner et les « souvenirs » (du temps passé avec Hitler) de Kubizek. Les « souvenirs » de Kubizek sont un mélange de poésie et de « vérité » où la part de la vérité est apparemment trop petite. Les indications de Kubizek n'ont de valeur documentaire que là où elles s'appuient sur des fac-similés. Nous citons ses souvenirs dans la mesure où nous avons pu en vérifier l'authenticité. Le récit de Greiner manque de sérieux. En dépit de ses affirmations, il semble peu probable qu'il ait connu Hitler. Nous ne le citons que pour compléter un contexte ou un détail dont nous avons eu connaissance par des sources vérifiables. Une correspondance des anciennes « archives principales du NSDAP » (du 30 août 1938) mentionne une publication de Greiner (Anciennes « Archives Principales » du NSDAP, archives fédérales, Coblence, NS 26/36).

tante de 5 500 couronnes. Klara avait touché une pension de veuve de 1 200 couronnes par an ; comme les intérêts du produit de la vente de sa maison s'élevaient à 220 couronnes par an, elle disposait — sans toucher à son capital — de plus d'argent qu'elle n'en dépensait pour elle, Adolf et Paula. Aloïs Hitler avait reçu avant sa mise à la retraite un traitement de 2 600 couronnes ; sa pension s'élevait à 2 196 couronnes par an. Klara Hitler et ses enfants disposaient donc par mois de 120 couronnes (sans tenir compte du produit de la vente de sa maison) [23], à quoi s'ajoutaient probablement les intérêts assez importants de l'héritage de sa tante Walburga Hitler de Spital *.

En août 1969, on découvrit chez un des cousins d'Adolf Hitler un testament rédigé entre 1897 et 1903 par un greffier de Weitra (Waldviertel) et identifié par l'auteur en août 1969 [24], aux termes duquel Walburga Hitler, née en janvier 1832, qui avait épousé en 1853 Josepf Rommeder ** et qui était morte à Spital, le « village des Hitler », dans la maison n° 36, léguait toute sa fortune à sa sœur Johanna, née en 1830. Le testament spécifiait en outre qu'au cas où celle-ci mourrait avant la testatrice, sa fortune reviendrait aux trois filles de celle-ci, Klara, Johanna et Theresia. Johanna, légataire universelle de Walburga, mourut le 8 février 1906, si bien que l'héritage de Walburga échut à ses trois filles ; comme Klara, la mère d'Hitler, décéda déjà en décembre 1907, sa part de l'héritage revint presque intacte à Adolf et Paula Hitler ***.

Hitler recevait 58 couronnes par mois de l'héritage paternel, plus l'allocation d'orphelin de 25 couronnes ****. Les revenus considérables qu'Adolf Hitler tirait des héritages de Walburga Hitler et de sa tante Johanna Pölzl ainsi que de l'héritage de sa mère faisaient de lui un homme ayant pignon sur rue.

Hitler dépensait pour son loyer à peu près 10 couronnes. A cette époque, un magistrat débutant, après un an de service, à 70 couronnes par mois, un jeune instituteur recevait pendant les cinq premières années de sa carrière 66 couronnes, un employé des P.T.T., 60 couronnes. Un professeur d'une *Realschule*

---

* Le montant de cet héritage n'est pas connu. Une des trois cohéritières, Johanna Pölzl, qui mourut en 1911, laissa environ 3 800 couronnes. Cf. *Frühgeschichte der NSDAP* p. 80 et s., 482 et s. : Documentation du tribunal de district de Linz, n° du dossier PV 49/3 - 24, du 4 mai 1911. La part de Klara a dû être de la même importance.

** *Cf.* le tableau généalogique.

*** Walburga Hitler avait disposé expressément que seuls les « enfants légitimes » (et les descendants légitimes de ceux-ci) pouvaient hériter.

**** *Cf.* par. 9 de la loi autrichienne sur les traitements de 1896.

recevait à Vienne, avant 1914, un traitement de 82 couronnes [25].
Benito Mussolini, qui cumulait en 1909 à Trieste (ville faisant
partie de la monarchie danubienne) les fonctions de rédacteur
en chef de *L'avvenire del Lavoratore* et de secrétaire du groupe
socialiste de la représentation ouvrière à la chambre des métiers,
touchait pour ces deux activités un traitement de 120 couronnes [26].

« Les dures réalités » qu'Hitler aimait à évoquer quand il
se souvenait de sa période viennoise n'avaient pas le moindre
rapport avec la détresse économique. Au début de 1908, pendant
qu'Hitler règle ses affaires d'héritage, sa propriétaire, femme
sans doute fortunée, dans la maison de laquelle la mère d'Hitler
avait vécu jusqu'à sa mort avec Adolf et Paula, intervient auprès
d'un artiste renommé en faveur d'Hitler. Elle adresse une lettre
à sa mère installée à Vienne, épouse du décorateur-créateur de
l'Ecole des Arts décoratifs (aujourd'hui : Académie des Arts
appliqués), lettre qui éclaire d'un jour très intéressant le portrait du jeune Hitler :

« Ma chère petite maman ... j'ai aujourd'hui une demande
à t'adresser que tu me pardonneras si elle t'agace. Il s'agit
d'une lettre de recommandation pour le directeur Alfred Roller,
que je te prie instamment de me faire parvenir. Le fils d'un
de mes locataires se destine à la carrière d'artiste peintre, depuis
l'automne il étudie à Vienne, il s'est présenté à l'Académie des
Beaux-Arts mais n'a pas été admis et poursuit maintenant ses
études dans un établissement privé ... C'est un jeune homme
de dix-neuf ans, sérieux, ambitieux, gentil et ordonné, d'une
excellente famille. Sa mère est morte peu avant Noël ... Il s'agit
de la famille Hitler : le fils pour lequel je voudrais intervenir
s'appelle Adolf.

« Il y a quelques jours, nous avons parlé, incidemment,
art et artistes ; le jeune Hitler m'a dit entre autres que le professeur Roller brillait, dans les milieux d'artistes, non seulement
à Vienne, mais, pourrait-on dire, dans le monde entier d'un
prestige incomparable... et qu'il admirait profondément ses
œuvres.

« Hitler ignorait totalement que je connaissais le nom
de Roller, que je comptais un frère du célèbre Roller parmi
mes relations ; quand je lui demandai si une recommandation
pour le directeur de la scénographie de l'Opéra de la Cour pourrait lui être de quelque utilité, ses yeux se mirent à briller et il
rougit ... Je serais vraiment heureuse si je pouvais aider ce

jeune homme ; il est absolument seul, personne ne s'occupe
de lui ou le guide de ses conseils ; comme il n'a pas de relations
à Vienne, il doit partout se présenter sans la moindre introduction. Il n'a qu'un seul désir, faire des études sérieuses. A en
juger par tout ce que je sais de lui, il ne perdra certainement
pas son temps : il poursuit des projets précis. Je pense qu'il
mérite qu'on soutienne ses efforts : en l'aidant, tu feras peut-
être une bonne action ...

« Si tu peux le faire, maman chérie, je te prie de tout
cœur d'écrire quelques mots de recommandation pour le directeur Alfred Roller ... je les adresserai au jeune Hitler à Vienne.
Si tu étais en état de recevoir des visiteurs, je te l'aurais envoyé
avec une lettre de moi : comme c'est impossible, il est peut-être
moins désagréable pour toi d'écrire quelques mots que ... de
te voir dérangée par un inconnu. Encore une fois, je te prie,
chère maman, de ne pas me tenir rigueur de te demander un
service que tu ressentiras comme pénible... il (Hitler — *N. d. A.*)
attend l'avis du curateur car il doit toucher une allocation pour
lui et sa sœur [27]... »

La mère accéda à la requête de sa fille. Le professeur Roller
se déclara prêt à recevoir le jeune Hitler. Déjà le 8 février, la
fille envoyait une lettre de remerciements à sa mère, dans laquelle
elle constatait entre autres :

« Tu aurais été payée de ta peine si tu avais vu la figure
du jeune homme quand je lui ai annoncé que tu l'as recommandé au professeur Roller et qu'il pouvait lui rendre visite.

« Je lui ai donné ta carte et la lettre du professeur. Tu
aurais dû voir le jeune homme. Lentement, mot après mot, il la
lut, comme s'il voulait l'apprendre par cœur, avec une expression
de recueillement et de bonheur. Il me la rendit avec un sentiment d'ardente gratitude et me demanda s'il pouvait t'écrire
pour te remercier ; je lui dis que rien ne s'y opposait ...

« Que Dieu te récompense de ta peine ... Bien que la
réponse du curateur se fasse attendre, Hitler a pris la décision
de ne plus tarder et de s'installer d'ici une semaine à Vienne.
Le curateur est un simple propriétaire d'auberge, brave homme,
qui ne semble pas avoir inventé la poudre ; il ne réside pas
ici mais à Leonding. Le jeune homme est obligé de faire lui-
même toutes les démarches qui incombent normalement à un
curateur. Je te retourne sous ce même pli la lettre du professeur Roller. Si tu le vois par hasard, transmets-lui mes remerciements d'avoir accepté de recevoir et de conseiller, malgré

ses multiples activités, notre jeune artiste. C'est une rare chance qui s'offre ainsi à lui et qu'il saura apprécier *. »

Deux jours plus tard, Hitler remercie la vieille dame en lui adressant la lettre suivante :

« Madame, je vous exprime par la présente mes remerciements les plus sincères d'avoir obtenu, grâce à votre intervention, d'être reçu par le grand maître de la scénographie, le professeur Roller. C'était sans doute une grande audace de ma part d'avoir fait appel à votre bonté, d'autant plus que je savais que je suis pour vous un étranger. Aussi vous demanderai-je d'accepter mes remerciements d'avoir bien voulu faire une démarche couronnée d'un tel succès et de m'avoir fait parvenir votre carte. Je saisirai sans tarder la chance qui m'est ainsi offerte.

« Je vous prie encore une fois d'accepter l'expression de ma profonde gratitude et l'hommage d'un baisemain respectueux. »

Adolf HITLER [28]

Quelques jours plus tard, Adolf Hitler put régler l'affaire de son héritage en apposant sa signature à l'inventaire de la succession que son curateur Josef Mayrhofer, bourgmestre de Leonding, paysan inculte mais doué d'un robuste bon sens et d'un esprit pratique, dont les perspectives se limitaient à l'horizon villageois, lui avait soumis. Le jeune homme quitte aussitôt Linz et s'installe à Vienne où il habite jusqu'en septembre avec son ami August Kubizek chez une Polonaise du nom de Zakreys, au numéro 29 de la Stumpergasse : « Ma fierté m'était revenue et je m'étais désigné définitivement le but à atteindre. Je voulais devenir architecte ... [29] » Des documents authentiques attestent qu'il ne s'agissait nullement d'une affirmation en l'air.

Hitler n'a pas abandonné, après l'échec de l'examen d'admission en 1907, son rêve de devenir un jour un grand peintre ou un grand architecte. Ce qu'il n'a pas voulu faire à l'école, il le fait maintenant : il travaille avec application et système. Pour ne pas rester inactif jusqu'au prochain examen d'admission à l'Académie, il prend des leçons d'art [30] avec le sculpteur Panholzer, établi à Vienne, qui est professeur de lycée et dont les qualités pédagogiques sont incontestables. On ignore comment

---

* La photocopie de la lettre se trouve entre les mains de l'auteur. Les fautes ont été corrigées. Le 10-5-1942, Hitler disait dans le cadre d'un monologue sur l'Académie des Beaux-Arts de Vienne et son examen « qu'il n'aurait pas osé approcher de son propre chef un si grand homme ». Picker, p. 323.

il a fait la connaissance de Panholzer. Mais on peut supposer que c'est Roller qui l'a envoyé chez le sculpteur. Trente années plus tard, Hitler parlera de lui comme d' « un de ses maîtres » [31]. Lorsqu'au début de 1942, le fils de Roller est tué en Russie, Hitler se livre à la *Wolfsschanze* à une méditation sur la grandeur irremplaçable des artistes et il reproche à Baldur von Schirach de ne pas avoir empêché son envoi au front : « Dire qu'un crétin russe abat un homme de sa valeur ! Un tel homme est irremplaçable ! [32] »

En automne 1908, il se présente un seconde fois à l'examen d'admission : comme le recteur et le collège des professeurs n'ont pas changé, on connaît Hitler, ce qui ne tourne pas à son avantage. Cette fois-ci, on n'accepte même pas ses travaux d'examen. De ce fait, il ne pourra pas présenter ses études élaborées avec beaucoup d'ardeur et de zèle sous la direction de Panholzer. Il n'est « pas admis à l'examen » [33] comme l'indique la liste des candidats de 1908/1909. La mort de sa mère, l'obligation qui en découlait pour lui (en dépit du diagnostic du docteur Bloch, praticien pourtant expérimenté) d'organiser sans aucune préparation sa « vie d'adulte » et de s'occuper de sa sœur Paula, de sept ans sa cadette, n'ont pas manqué d'inhiber son esprit et sa créativité ; s'il échoue complètement à l'examen, sa solitude depuis Noël 1907 et son manque de contact avec ses parents y sont certainement pour quelque chose. Il faut dire aussi que la discipline artistique que lui impose son travail dans l'atelier du sculpteur Panholzer n'a nullement contribué à développer ses dispositions et aptitudes de peintre, bien au contraire. Le trait et la composition trahissent, plus qu'en 1907, l'orientation architecturale que ses examinateurs avaient déjà relevée lors du premier examen.

Hitler ne se laisse décourager ni par sa situation de famille difficile ni par son nouvel échec personnel. Il n'a pas perdu confiance en lui-même et ne songe même pas à déménager bien qu'il doive craindre que sa brave logeuse ne finisse par ne plus voir en lui « le monsieur de bonne compagnie et le fils de fonctionnaire » venu d'une province à prédominance agricole. Peu avant le retour de Kubizek d'un exercice militaire, Hitler change de domicile. Il ne tient plus à rencontrer l'ami qui connaît ses aspirations et ses idées les plus intimes. Il ne lui laisse même pas sa nouvelle adresse [34]. Il fuit le monde qu'il connaît, il se soustrait à ceux qui le cherchent, en premier lieu aux autorités militaires autrichiennes qui, de 1909 à 1914, ne sachant pas où il habite, ne peuvent l'appeler sous les dra-

peaux [35]. Malgré tous ces échecs retentissants, Hitler se qualifie dorénavant de « peintre académique » ; à partir de 1909, il se dit parfois « écrivain » [36]. Il vend ses dessins et ses peintures dans cette ville de Vienne à laquelle il témoignera pendant toute sa vie plus de haine que d'affection. C'est en 1913 qu'il la quitte pour s'installer à Munich où débutera son ascension foudroyante.

A Vienne, il dessine et peint, jusqu'au milieu de l'année 1910, beaucoup d'œuvres de petit format, six à sept par semaine [37]. La plupart du temps, il travaille d'après des cartes postales ou de vieille estampes représentant le Parlement de Vienne, le Théâtre de la Porte de Carinthie, l'Eglise des Frères Mineurs, l'Eglise Saint-Michel, l'Alserkirche, la Karlskirche, l'Eglise Maria-am-Gestade, l'Hôtel de Ville, le vieux Pont Ferdinand, la « Heiligen Kreuzerhof », le « Fischer-Thor », la Michaelerplatz, le Dreilauferhaus, la Hofburg et d'autres monuments [38]. On trouve parmi ses travaux des paysages, des portraits à l'huile, à la gouache, à l'aquarelle — il lui arrive d'employer des techniques compliquées, notamment l'eau-forte —, des affiches et des compositions publicitaires pour des produits cosmétiques, des chaussures, des cirages, des parures, et même des projets architecturaux. Reinhold Hanisch, dont Hitler fait la connaissance en 1909 pendant un bref séjour au centre d'accueil pour sans-abris de Meidling, écoule ses dessins et peintures « qui trahissent un art habile et agréable, notamment les aquarelles. Le produit de la vente est partagé moitié-moitié entre Hanisch et Hitler [39] ». Hitler écrit dans *Mein Kampf* : « En 1909 et 1910, ma situation s'était modifiée ... je m'étais établi pour mon compte petit dessinateur et aquarelliste [40]. » Hanisch confirme ce propos : « Nous obtenions parfois d'assez bonnes commandes, si bien que nous arrivions à vivre tous deux tant bien que mal [41]. » Mais Hitler, qui ne se destine pas à la peinture mais à l'architecture, se laisse aller à la négligence, à la paresse, à la légèreté. Il dessine et peint pour gonfler un peu son budget confortable *. Reinhold Hanisch qui, lui, ne bénéficie ni d'héritages ni de rentes d'Etat, le presse, mais son associé fait la sourde oreille ; peu lui importe la situation précaire de son compagnon, qui supporte seul les rebuffades occasionnelles des prospectés. Il le traite en qualité négligeable si bien que Hanisch est forcé de chercher d'autres possibilités de gain : « A cette époque, écrira-t-il plus tard, j'obtenais quelques commandes d'eaux-fortes

---

* *Cf.* aussi p. 85 et 98.

que je tâchais d'exécuter moi-même parce qu'Hitler négligeait
de plus en plus le travail [42]. » En été 1910, les relations d'affaires
entre Hanisch et Hitler prennent une brusque fin : Hitler dépose
plainte, au début d'août, auprès du commissaire de Police de
Brigittenau (Vienne) contre son associé qu'il accuse d'avoir sub-
tilisé une partie du produit des ventes et d'avoir détourné un
tableau [43]. Il affirme qu'il a été volé par Hanisch d'une somme
de 19 couronnes correspondant à sa part de la vente d'une
aquarelle de format oblong, représentant un motif architectural
dessiné avec une précision photographique, comportant des
détails de décor * ; Hanisch est accusé d'avoir détourné aussi
une autre aquarelle d'une valeur de 9 couronnes. L'affaire se
termine par la condamnation du coupable à sept jours de prison [44]. « Je n'ai pas contesté des accusations (d'Hitler), affirmera
Hanisch en mai 1933, parce que j'avais reçu de l'acheteur du
Parlement une commande de plusieurs semaines dont Hitler
aurait bénéficié si je l'avais nommé [45]. » Cette explication est
cousue de fil blanc et ne correspond sans doute pas à la
réalité [46]. Les acheteurs des tableaux d'Hitler qui portent habituellement la signature « A. Hitler », « Hitler », « A. H. » ou
« Hitler Adolf » sont, à partir d'août 1910, souvent des intellectuels et hommes d'affaires juifs. Encore en 1938, quand les
aquarelles d'Hitler valaient entre 2 000 et 8 000 marks [47], plusieurs de ses travaux exécutés entre 1909 et 1913 se trouvaient
en possession du médecin juif Dr Bloch qui avait traité la
mère d'Hitler et Hitler lui-même, de l'ingénieur en chef juif
Retschay d'origine hongroise, de l'avocat viennois Josef Feingold
qui avait soutenu entre 1910 et 1914 de jeunes peintres talen-
tueux [48], du marchand de cadres (de tableaux) Morgenstern [49].
Quelques hôteliers, commerçants et universitaires de Linz et de
Vienne possédaient, en 1938, un certain nombre de tableaux
d'Hitler de l'époque qu'il qualifie d' « années d'études et de
souffrances à Vienne » **. Au château de Longleat, propriété du
collectionneur d'art anglais Henry Frederick Thynne, lord de
Bath, se trouvent de nos jours encore quarante-six toiles d'Hitler,
toiles datant toutes d'avant 1914 [50].

Pendant huit mois, Hanisch s'emploie à « écouler » les tra-

---

* Il s'agit d'une représentation du Parlement de Vienne, qui, aux
dires d'Hitler, aurait eu une valeur marchande de 50 couronnes au moins.
Reproduction des anciennes archives principales du NSDAP, n° 213/2, arch.
Dr Priesack.

** C'est le titre du deuxième chapitre de *Mein Kampf* (p. 1 et s.). Un
coiffeur pour dames du nom de Mock détenait quatre, un hôtelier cinq
aquarelles d'Hitler (déclaration de Hannele Lohmann, texte dactylographié
du 23-5-1938. Archives fédérales, Coblence, NS 26/36).

vaux d'Hitler. Hanisch raconte dans un allemand truffé de fautes d'orthographe : « Comme il (Hitler — *N. d. A.*) me disait qu'il avait été élève de l'Académie, je lui proposais de peindre des cartes postales. Je me chargeais de les vendre. Il peignait aussi des vues de Vienne que j'écoulais auprès de marchands de tableaux et de décorateurs. J'arrivais parfois à obtenir des commandes assez importantes, nous permettant de vivre tant bien que mal. Mais les galeries d'art d'un certain niveau refusaient toujours ses œuvres. Je recommandais à Hitler de s'appliquer davantage. Pour parfaire notre formation, nous visitions les musées. Hitler s'enthousiasmait pour l'architecture. Quand il parlait de Gottfried Semper, il n'en tarissait pas pendant des heures [51]. » Après l'affaire Hanisch, Hitler trouve dans la personne d'un marchand de tableaux du nom de Neumann, Juif d'origine hongroise, qui habite lui aussi de temps en temps au « Foyer pour hommes » de la Meldemannstrasse, un vendeur occasionnel de sa production. Quant à Hanisch, il avait perdu la base de son « existence ». Car Hitler délaissait de plus en plus l'art pour se livrer à la lecture et aux débats politiques. Il peint toujours, mais moins que naguère. Il confie ses toiles et ses dessins à Neumann ou se lance lui-même dans la vente, rognant ainsi encore sur le temps qu'il consacre à la création artistique.

En 1913, Hanisch retombe un jour par hasard sur Hitler quand celui-ci remet une aquarelle à un de ses clients [52] : pour se venger des sept jours de prison et de la perte de sa situation d'intermédiaire, il répand jusqu'en 1933 des anecdotes tendancieuses sur le compte d'Hitler. Konrad Heiden, Rudolf Olden et beaucoup de journalistes se félicitaient d'avoir trouvé en Hanisch un « témoin » de la jeunesse d'Hitler ; de fait, Hanisch leur vendait les expériences de sa propre vie de vagabond comme étant celles d'Hitler. Dans une lettre non datée à Franz Feiler avec lequel il entretenait à partir de 1924 des relations amicales, Hanisch explique qu'il se trouvait à cette époque dans la misère, qu'il vivait de trois schillings par semaine, qu'il ne savait pas « comment tout cela finirait, mais qu'en fin de compte il importait peu où l'on crève ... » [53]. Mais en 1933, aussitôt après la prise du pouvoir par Hitler, il propose à des membres influents du N.S.D.A.P., au prix de 150 à 170 schillings, des « récits vécus » mettant en lumière, à l'aide de « croquis », les conceptions artistiques d'Hitler et sa préférence pour Gottfried Semper : ces récits, précise-t-il, leur permettront de « faire plaisir » à Hitler [54]. Ces bassesses ne le sauvent pas. La Gestapo lui présente en 1938,

sur les instances de Martin Bormann, la note pour les récits
qu'il avait répandus naguère sur Hitler. Aussitôt après l'occupation de l'Autriche par la Wehrmacht, il est arrêté. Le 11 mai
1938, Feiler déclare, dans une lettre courageuse adressée aux
Archives principales du N.S.D.A.P., que Hanisch était mort en
prévention, des suites d'une pneumonie [55]. Martin Bormann,
s'inscrivant en faux contre cette affirmation, dit le 17 février 1944 :
« Après le rattachement de l'Autriche, Hanisch s'est pendu [56]. »
« Je savais pertinemment, écrit Feiler, soucieux de sauver l'honneur de son ami, que quelques journalistes avaient interrogé
Hanisch à plusieurs reprises sur Hitler : ils avaient substitué
aux informations véridiques de Hanisch des mensonges s'accor-
dant mieux à leurs desseins, et Hanisch était tenu pour responsable de ces falsifications [57]. »

La plupart des mensonges sur la vie d'Adolf Hitler jusqu'en
1913 ont une racine commune : Reinhold Hanisch. Les récits
tendancieux de Hanisch, qui fabriquait et vendait des tableaux
d'Hitler d'avant 1913 *, n'ont pas seulement inspiré des journalistes mais encore des biographes tels que Rudolf Olen et
Konrad Heiden — et dans leur foulée toute une génération d'historiens. La biographie d'Hitler par Bullock en est une preuve
manifeste [58].

Le penchant d'Hitler pour les démonstrations de puissance,
son goût des constructions et œuvres d'art monumentales, son
« habitude » de « reprendre » sur un ton pédant et prétentieux
les spécialistes, sa minutie et sa mesquinerie dans les choses
accessoires, peut-être sa brutalié, sa cruauté et sa méchanceté
trouvent en partie leur explication dans ses années viennoises.
La ville où s'est brisé l'espoir de la réalisation de ses rêves
d'artiste est devenue le point de départ d'une « idéologie »
dont l'orientation générale était déjà fixée quand il quitta Vienne
pour Linz. Le regard qu'il pose sur Vienne — ville aux multiples facettes sociales et culturelles — qu'il traite dans *Mein
Kampf* [59] avec un accent de mépris de « ville de Phéaciens »
(« d'heureux mortels »), n'est pas celui d'un fils de bourgeois
frotté de politique, qui, bien que réduit au chômage, peut se
permettre de mener une vie de bohémien aisé et de colporter
en même temps des opinions bourgeoises très conservatrices ;

---

* Martin Bormann s'inquiétait encore à tel point de ces falsifications
en février 1944, l'époque où l'évolution de la guerre sur tous les fronts
et la maladie de son œil droit causaient de graves soucis à Hitler, qu'il
dicta et signa une note concernant les faux de Hanisch. Texte dactylographié, Archives fédérales, Coblence, NS. 26/64.

il a bien plus le sentiment d'être un étudiant des Beaux-Arts ayant échoué qui, tout en reconnaissant sa situation provisoirement précaire, détourne le regard de la réalité, impute la faute de ses échecs à d'autres, mais espère néanmoins faire des études régulières et s'y prépare par des exercices littéraires, artistiques et architecturaux persévérants. « C'est à cette époque, écrit Hitler dans *Mein Kampf* [60], que prirent forme en moi les vues et les théories générales qui devinrent la base inébranlable de mon action d'alors. » Depuis septembre 1907/1908, il nourrit une haine implacable pour la capitale de la monarchie danubienne, la rendant en quelque sorte responsable de son échec. Il est persuadé que son génie n'a pas été reconnu à Vienne : « Si nos maîtres d'école sont frappés de cécité, en général, pour le génie naissant ... [61], dit-il le 10 mai 1942, cela tient probablement au fait qu'un génie ne peut être reconnu que par un esprit de même envergure. » A ses yeux, l'Académie a commis une grave erreur à son endroit, ce que semble confirmer le fait qu'il pourrait parfaitement vivre des produits, même bâclés, de son art si la nécessité s'en faisait sentir. Il n'apprend qu'indirectement que les marchands de tableaux établis refusent en général ses œuvres marquées au coin de l'amateurisme. D'autres personnes, par exemple Hanisch et Neumann, en font tous les jours l'expérience. Elles contribuent ainsi à fausser son sens des réalités, même si elles l'invitent parfois à un peu plus de soin. C'est dans la capitale de la monarchie danubienne qu'il apprend que ses réalisations artistiques et ses connaissances scolaires sont insuffisantes pour lui permettre de réaliser ses rêves. Vingt-cinq ans plus tard, il fera la démonstration au monde qu'en toutes choses, c'est toujours lui qui a raison. Sa conviction — exprimée en 1942 — que les « grands artistes » [62] ne sortent jamais des « académies traditionnelles » mais reçoivent leur formation dans les ateliers des « vrais créateurs », est née également de ses expériences viennoises. Ce n'est pas la tâche de l'historien de déterminer si son comportement parfois infâme était seulement une réaction figée aux expériences et influences viennoises ou la manifestation d'un traumatisme de sa vie pulsionnelle, une conséquence de son évolution libidinale prégénitale, d'un caractère narcissique, une « satisfaction de remplacement ».

Comme Hitler considère son art comme son « gagne-pain », il se sent nécessairement comme artiste, comme « petit peintre », selon une formule de *Mein Kampf* [63]. A l'exemple de beaucoup de peintres du début du siècle, surtout à Vienne et à Paris, il

veut montrer par sa vie de bohême qu'il n'entend pas se soumettre aux règles communes. « Peintre académique », il manifeste ouvertement qu'il n'entend pas s'identifier à son entourage, qu'il tient pour retardataire, décadent, dépassé, indifférent,
et qu'il méprise [64]. Pourtant, le physique d'Hitler ne correspond
pas au tableau de sa période viennoise que nous brossent Hanisch
et Greiner. Ils nous le présentent comme l'incarnation de l'idée
que les bourgeois se font du type de l'artiste, comme un personnage à la chevelure hirsute, barbu, mal soigné, mal lavé,
mal habillé [65].

Hitler, qui habite de décembre 1909 à mai 1913 au « Foyer
pour hommes » et qui y dessine et peint à la lumière du jour,
porte pendant le travail un complet défraîchi *. Ce n'est pas
là la conséquence de sa situation économique. Un peintre qui,
comme Hitler, travaille surtout à l'aquarelle et à l'huile, ne peut
affecter, du matin au soir, des allures de gandin. S'il est vrai
qu'Hitler avait un penchant pour les mises élégantes, qu'il aimait
se montrer — comme son père — en habit de dandy, affublé
d'un huit-reflets, avec une canne et des gants blancs, son métier
de peintre imposait certaines limites à ses ambitions vestimen-
taires. Comme il raconte à qui veut l'entendre qu'il se destine
à la carrière d'artiste et d'architecte, il va de soi qu'il tente
d'accorder son équipement vestimentaire à l'image de marque
de son « métier » **.

Hitler a lui-même déclaré que, sans la Première Guerre
mondiale, il aurait fait une brillante carrière qui aurait effacé
ses échecs de Vienne. « S'il n'y avait pas eu la guerre, dira-t-il
le 10 mai 1942 au « Grand quartier général du Führer », je serais
devenu architecte, peut-être — oui sans doute ! — un des plus
grands, sinon le plus grand architecte d'Allemagne [66]. » Jusqu'à
la guerre, Hitler se prépare, à Vienne aussi bien qu'à Munich, à
sa carrière d'architecte ; tous ses croquis, plans, projets de
cette époque reflètent ses expériences viennoises et son attitude
négative à l'égard de cette ville. Pourtant, parmi tous les monuments architecturaux de Vienne, très peu ont, selon lui, besoin

---

* Karl Hanisch, qui a vécu pendant quelque temps au « Foyer pour
hommes », raconte qu'Hitler portait pendant le travail un « complet
sombre usé ». Récit manuscrit (original). Anciennes archives principales
du NSDAP, Archives fédérales, Coblence, NS 26/17 a.

** Quand Hitler s'installa en mai 1913 à Munich chez le tailleur de la
bonne société, Popp, qui tenait sans doute à ce que son sous-locataire fût
bien habillé, Popp constata que le jeune Hitler n'avait dans sa garde-robe,
pas un seul vêtement défraîchi. Son habit de cérémonie, ses complets,
ses pardessus, son linge étaient en parfait état. Information personnelle
de Josef et Elisabeth Popp (1966-1969).

d'être réaménagés et remodelés ; et même après 1938, il n'a
pas la prétention de toucher aux monuments publics de la ville
de Vienne. Sa protestation du 26 avril 1942, qu'il ne se propose
pas « de rabaisser le rôle de Vienne » est un plaidoyer *pro domo*,
ce qui découle déjà de sa remarque : « Si les Viennois ont senti
peser une menace sur leur monopole et leur latitude d'exercer
aussi à l'avenir une sorte de tutelle culturelle sur les districts
alpins et danubiens ... ils ont eu tort [67]. » « Berlin, par contre,
déclara-t-il le 11 mars 1942, sera une métropole universelle comparable seulement à l'ancienne Egypte, à Babylone ou à Rome [68]. »
Il ne précise pas, à ce propos, qu'il dotera la capitale allemande
d'une construction monumentale, surdimensionnée, dont il a
dressé les plans en 1924 [69]. La seule ville à laquelle il voue un
profond amour jusqu'à son dernier souffle [70] (et il faut prendre
cette image ici au pied de la lettre) est Linz, dont il entend
faire, à la première occasion, et au plus tard dix ans après
la victoire, la plus belle ville des bords du Danube [71]. Une volonté
de puissance démesurée, le désir de briller [72], une attitude de
haine et de refus marqueront depuis Vienne — où Hitler s'engage
aussi dans la voie de l'antisémitisme militant bien que ce soient
des Juifs qui achètent ses tableaux et le recommandent comme
artiste et peintre [73] — son ambition de réaliser des œuvres grandioses. Ces mêmes mobiles le poussent aussi à remodeler la
réalité dans la mesure où il ne l'a pas déjà transformée selon
ses vues.

Quand en mai 1913 Hitler arrive, âgé de vingt-quatre ans,
à Munich, son attitude idéologique s'est pour ainsi dire figée
jusque dans ses moindres détails.

A Munich, la ville allemande qui exerce la plus grande
fascination sur le jeune artiste, Hitler est d'abord seul. Il ne
songe plus à s'installer dans un « foyer » dont la direction et
les pensionnaires risquent de lui imposer un rythme de vie qui
peut-être ne s'accordera pas avec ses goûts. Il peut faire ce
qu'il veut, travailler, dormir, étudier, paresser comme bon lui
semble. Les quelques gens qui le connaissent, notamment le
tailleur Popp et sa famille, savent que leur calme locataire est
un « peintre académique » qui vend ses tableaux [74], mais ils
ignorent la provenance exacte de ses ressources jusqu'en août
1914. Il peint la plupart du temps dans sa chambre dans la
Schleissheimer Strasse, devant sa fenêtre qui donne sur un
préau d'école [75]. Ses aquarelles et ses toiles, qu'il exécute la
plupart du temps d'après des documents photographiques, sont
prises en charge par la Galerie Stuffle, sur la Maximilianplatz.

Les déclarations d'impôt d'Hitler portent, à cette époque, sur des revenus mensuels de cent marks [76]. Il va sans dire que l'artiste tire ses sujets de son nouvel environnement. Ce qui, dans la capitale de la Bavière, le frappe le plus est « le mariage merveilleux de la robustesse native ... et de l'atmosphère artistique concrétisée dans la ligne conduisant du « Hofbräuhaus » à l'Odéon, de la « Fête de la Bière » à la Pinacothèque [77]. Il dessine et peint ce qu'il aime à Munich ; il choisit les formats et les sujets dont il se promet un écoulement rapide. La liste ci-dessous, de treize de ses œuvres, permet de s'en faire une idée plus précise : *Hofbräuhaus I* (29,4 × 30,9 cm), *Hofbräuhaus II* (27,7 × 22 cm), *Johanniskirche et Asamhaus* (20,6 × 29,5 cm), *Vieille cour* (26,9 × 36,8 cm), *Sendliger Tor* (27,4 × 37,8 cm), *Nationaltheater* (26,8 × 41 cm), *Feldherrnhalle* (27,6 × 41,7 cm), *Vieille cour* (27 × 37 cm), *Petersbergl I* (28,2 × 22 cm), *Petersbergl II* (26 × 39 cm), *Vieil Hôtel de Ville* (32,5 × 25 cm), *Johanniskirche et Asamhaus* (22 × 35 cm), *Viktualienmarkt et église Saint-Pierre* (peinture à huile sur bois, 13 × 18 cm) *.

Il est impossible de préciser le nombre de tableaux exécutés et vendus par Hitler pendant les treize mois de ce séjour à Munich ; de cette période, pendant laquelle il était un artiste inconnu, plus de deux de douzaines de tableaux ont survécu ; le 12 mars 1944, Hitler dit à Heinrich Hoffman : « Je ne voulais pas être peintre ; j'ai fait ces choses pour en tirer ma subsistance et poursuivre mes études ... je n'ai jamais fait plus que le strict nécessaire pour vivre [78]. » Ce n'est pas un hasard si l'on ne trouve que fort peu de sujets architecturaux parmi les œuvres d'Hitler vendues avant 1914. En effet, Hitler ne s'est pas dessaisi de ce « précieux trésor » [79] mais s'est borné à « écouler » ce [80] qu'il destinait — le format le prouve déjà — à la vente.

Le rôle dont s'étaient chargés à Vienne, avant 1913, Hanisch et Neumann, incombera après 1918 à un camarade de guerre d'Hitler, Hans Mend **, qui vendit à Munich les tableaux qu'un

---

* Les titres, techniques et formats figurent sur une liste manuscrite (et sur une liste dactylographiée avec indication des prix) appartenant aux anciennes « Archives principales du NSDAP », Archives fédérales, Coblence, NS 26/36. En mai 1938, l'aquarelle *Grosses Standesamt* fut vendue 6 000 marks, en juillet 1938 l'aquarelle *Eglise Saint-Pierre* 8 000 marks.

** Détenu dans le camp III (le document dactylographié des anciennes archives principales du NSDAP, Archives fédérales, Coblence, NS 26/64 ne fait pas état du nom du camp), il déclare en 1938 au chef du camp que parmi les acquéreurs des tableaux peints par Hitler se trouvaient : un certain « Monsieur Mend » à Munich, Dachauer Strasse (Mend : « j'ignore le numéro de la maison »), un tailleur de pierres de la Theatinerstrasse, près de l'Hôtel de Ville, une certaine Mme Inkhofer, épouse

décret du ministre allemand de l'Intérieur, du 21 janvier 1942, déclarait « objets d'art précieux pour la nation » soumis à la déclaration et ne pouvant être vendus à l'étranger sans l'autorisation du ministre de l'Intérieur *.

Les appréciations sur l'art d'Hitler que l'on rencontre parfois dans des biographies et des articles de journaux portent en général la marque d'un manque total de compétence. Elles oscillent entre la glorification la plus servile et la condamnation sans appel. Quelques exemples suffiront à illustrer notre propos : Hermann Nasse, professeur à l'Académie des Beaux-Arts de Munich, écrit en 1936, que « les aquarelles qu'Hitler exécuta pendant la Première Guerre mondiale en première ligne témoignent du talent de l'artiste comme dessinateur et comme peintre » ; parlant de deux planches de l'année 1914 : *Chemin creux près de Wytschaete* et *Ruines de monastère à Messines*, il formule le jugement suivant : « L'expérience effrayante de la destruction a trouvé ici une traduction haute en couleur ; cette vision ne relève pas d'un romantisme cataclysmique ou guerrier. mais d'un art sombre et austère, riche d'évocations émouvantes [81]. » Nasse commente ainsi les autres « aquarelles de guerre » d'Hitler — d'ailleurs remarquables — que le « Reichsbilderichterstatter » (à peu près : chef de l'Information illustrée du Reich) du N.S.D.A.P., Heinrich Hoffmann, a publiées sous forme de planches photocollographiques en couleur : « *Le Poste de secours de Fromelles*, tout en teintes transparentes et légères, fait partie des œuvres créées en 1915. Les bâtiments conçus à l'horizontale frappent par la finesse lumineuse du dégradé. L'aquarelle intitulée *Haubourdin*, qui date de 1916, est un enchantement : vu dans la perspective d'un paysagiste allemand, le paysage étranger devient ici une expérience intime, familière, vivante, poétique. On se croirait dans les murs de Nuremberg ou de Rothenbourg. L'art du peintre se fait léger, animé, mouvant. Le splendide crayon *Ardoye en Flandre* date de l'été 1917. A ce groupe appartiennent deux autres planches non datées ; *Abri à Tournes* et *Maison avec clôture blanche*. Tous ces tra-

---

d'un camarade de guerre d'Hitler, qui lui « avait souvent rendu visite ». Il conseille en outre d'« interroger » un autre camarade de guerre d'Hitler, Ernst Schmid. Mend croit aussi savoir qu'un certain Brandmeier, auteur d'un ouvrage sur les soldats de première ligne portant le titre *Der Meldegänger* (estafette) détient des dessins d'Hitler (des fusains datant de la guerre).

* Communication du « Reichsstatthalter » de Hesse (division VII) du 16-2-1942 au propriétaire de l'aquarelle d'Hitler *Altes Hofbräuhaus*. L'aquarelle fut offerte en 1970 au prix de 30 000 DM.

vaux révèlent des connaissances et des dons architecturaux exceptionnels. L'édificateur du Troisième Reich couvre de honte l'ancienne Académie des Beaux-Arts de Vienne. Mais ce qui nous touche le plus dans toutes ces planches est l'amour authentiquement allemand, droit, sincère, tendre, de l'ouvrage bien faite jusque dans ses moindres détails [82]. » Franz Jetzinger écrit, une vingtaine d'années plus tard : « Le travail d'Hitler à Vienne consistait essentiellement à copier des dessins et des peintures ; rien n'indique qu'il ait créé des œuvres d'après nature. « Ceux qui manquent totalement de talent dessinent d'après un modèle », disait Rabitsch, rangeant ainsi sans le vouloir Hitler parmi les artistes sans talent [83]. » Tous ces jugements manquent d'objectivité. Hitler copiait des modèles non pas parce qu'il manquait de talent, (comme l'affirment à tort Rabitsch et Jetzinger), mais parce qu'il était trop paresseux pour installer son chevalet dans la rue. Il choisissait toujours la solution la plus facile. Hitler savait fort bien que « les tableaux réalisés en atelier ne valent rien à côté de ceux qu'on peint dans la nature », comme Paul Cézanne l'écrivait en 1866 à son ami d'enfance Emile Zola [84] ; aussi, les quelques rares tableaux qu'Hitler avait faits d'après nature trahissent-ils un talent exceptionnel ; mais il manque d'ambition artistique. Son affirmation qu'il « ne voulait pas devenir peintre mais architecte » *, qu'il ne peignait que pour gagner de l'argent, était sans doute vraie. Il a souvent répété qu'il ne se considérait pas comme un bon peintre, ce que confirme, entre autres, Heinrich Hoffmann **. En 1941/1942, il confia au célèbre décorateur-créateur allemand Siewert qu'il admirait ses travaux et se rendait compte, par comparaison, combien ses propres scénographies d'avant 1914 étaient médiocres, « bien qu'il ait été un élève de Roller » ***. Il n'en reste pas moins que les meilleures aquarelles d'Hiter exécutées d'après nature sont des œuvres acceptables sinon géniales [85], ce qu'Hitler était le premier à admettre. Nous savons d'autre part, de source sûre, qu'Hitler avait aussi des moments où il s'attribuait l'étoffe d'un grand peintre, où il croyait qu'il le serait devenu si — méprisant l'avis de l'Académie des Beaux-Arts de Vienne — il s'était consacré après 1907 à l'étude de la peinture ****.

---

* *Cf.* p. 78.
** *Cf.* aussi p. 82.
*** *Cf.* p. 74.
**** Pour se rendre à l'évidence que bon nombre de biographes, historiens et journalistes ne se soucient pas le moins du monde de donner une idée objective des dons artistiques d'Hitler, il suffit de jeter un coup d'œil

Le fait que certains travaux d'Hitler, avant 1914, aient été appréciés pendant des décennies, milite en faveur de leur valeur artistique d'autant plus que quelques acquéreurs et détenteurs de ces œuvres sont des experts et des collectionneurs * de grande renommée.

Si le docteur Bloch, le médecin juif de Klara et d'Adolf Hitler, a soigneusement conservé les aquarelles que le jeune Hitler lui avait remises après la maladie de sa mère pour lui témoigner sa gratitude, il ne l'a pas fait pour la seule raison qu'il s'agissait de travaux d'un client **. L'écrivain, scénographe et metteur en scène Edward Gordon Craig, qui s'intéressait particulièrement au « peintre Hitler », était d'avis (comme il ressort de son *journal* inédit) que les aquarelles d'Hitler de la Première Guerre mondiale sont des œuvres artistiques d'une valeur certaine ***. Bien des grands peintres ont laissé des tableaux et des études inférieurs à ceux d'Hitler. Ce qui distingue Hitler essentiellement des artistes ayant conquis une place définitive dans l'histoire de l'art est l'absence de chefs-d'œuvre incontestables.

L'étude historique, et parfois technique et méthodologique de certains motifs et « modèles » — à partir de 1907/1908, il choisissait de préférence des monuments historiques — a permis à Hitler d'étendre et d'approfondir ses connaissances en architecture, d'autant plus qu'il avait pris l'habitude de représenter sans cesse les mêmes modèles. En 1939, le docteur Alfred Detig

---

sur les illustrations qui accompagnent leurs textes. Joseph Wulf (*Die bildenden Künste im Dritten Reich*, pour ne citer que lui, reproduit dans la partie iconographique de son ouvrage deux croquis d'Hitler qui ne prétendaient même pas être des exercices artistiques. L'esquisse qualifiée de « portrait » par Wulf (et de nombreux autres auteurs) est un griffonnage qu'Hitler a fait en téléphonant. Quand il s'ennuyait au téléphone, il crayonnait de petits portraits (souvent à la manière cubiste) ; ce sont souvent des caricatures de Richard Wagner, de Heinrich Schliemann, de Wallenstein et de lui-même (informations personnelles de plusieurs personnes, dont Henriette von Schirach, 1969). Le membre des SA (SA-Mann) reproduit par Wulf n'est pas non plus un « tableau » mais un croquis destiné à montrer à quelques sous-chefs comment il voyait, lui, un SA.

 * *Cf. supra.*
 ** *Cf.* p. 87.
 *** Communication écrite d'Edward Craig (fils du célèbre Edward Gordon Craig, peintre de grande renommée) au conseiller ministériel Heinrich Heim. Heinrich Heim remit à l'auteur, le 6-7-1968, la copie (authentifiée par E.C.) de la page en question du *Journal intime* d'E.G.C. ainsi que d'autres documents. Alfred Rosenberg, qui avait fait des études d'architecture à Moscou, dit des aquarelles d'Hitler, dans ses derniers souvenirs de Nuremberg : « Elles trahissent un talent inné, la compréhension de l'essentiel, un sens artistique manifeste » (Rosenberg, *Derniers souvenirs*, p. 333).

(Vienne) possédait des tableaux d'Hitler portant les titres suivant : *Heiliger Kreuzerhof, Rotenturmtor, Michaelerplatz, Hofburg mit altem Durchlass 1890, Michaelerkirche, Minoritenkirche*
(L'église des Frères Mineurs), *Fischer-Thor, Kärntnerthortheater*
(Théâtre de la Porte de Carinthie) ; le docteur Walter Lohmann,
de Vienne, un collaborateur des archives principales du N.S.D.A.P.,
détenait le *Alte Burgtheater,* le *Palais Auersperg,* la *Schönbrunner
Linie* [86]. Hitler avait peint si souvent le Parlement de Vienne et
le « Hofbräuhaus » de Munich qu'il était capable de les reproduire par cœur avec une précision photographique. Ses méthodes
de travail lui permettaient d'apprendre par cœur les mesures
principales de ponts, tours, portes et façades célèbres, ce qui
a été attesté par des spécialistes tels qu'Albert Speer. Le sculpteur
et architecte Arno Breker, qui avait travaillé avec quelques interruptions, de 1923 à 1934, à Paris et qui passait pour un grand
connaisseur de l'art français, affirme qu'il a été extrêmement
frappé par les connaissances de détail d'Hitler. En juin 1940,
après la prise de Paris par l'armée allemande, Hitler le fit venir
pour qu'il lui expliquât les monuments de la capitale. Arno Breker
raconte : « ... nous faisons le tour de l'opéra et nous nous arrêtons
devant la façade principale ... Hitler connaît à fond, pour les
avoir étudiés en détail, les éléments du style de Garnier, symbole
du second Empire. La visite de l'Opéra commence aussitôt...
nous faisons d'abord le tour du bâtiment et pénétrons ensuite
dans l'intérieur ... Hitler connaît le plan général de l'ouvrage,
ses dimensions, ses particularités : il est mieux informé que le
Baedeker. Il me décrit en termes dithyrambiques l'œuvre de
Garnier. Ce n'est pas l'enthousiasme d'un profane, c'est l'appréciation d'un spécialiste parfaitement au courant de tous les
problèmes d'architecture [87]. » Un peu plus loin, Breker dit :
« Quand nous passons devant le musée de Cluny, Hitler montre
du doigt une coupole se dressant sur le côté gauche du boulevard et me demande si c'est la Chambre de Commerce. Croyant
voir la coupole de l'Institut de France, je réponds négativement.
Un peu plus tard, nous passons devant la façade du bâtiment.
Hitler la contemple et me lance avec un sourire : « Regardez
vous-même : il y a marqué : Chambre de Commerce ! » « Vieux
Parisien », je dois accepter la leçon d'un homme qui connaissait
Paris uniquement par ses études théoriques [88]. » Hitler, qui s'est
entouré pour sa visite de Paris des meilleurs spécialistes allemands et français, désire voir la « Salle ovale » de l'Opéra. On
lui répond qu'une telle salle n'existe pas à l'Opéra. Hitler, imperturbable, montre à son entourage étonné où se trouvait la porte

de la « Salle ovale ». Cette salle avait été divisée en plusieurs pièces, ce qu'ignoraient les accompagnateurs tant allemands que français d'Hitler, et la porte murée. D'innombrables exemples prouvent que les connaissances d'Hitler ne se bornaient pas à l'architecture française. C'est ainsi qu'il apprend au Dr Martin, préfet de Police de Nuremberg, de retour de Graz après l' « Anschluss », un fait connu seulement de quelques spécialistes, à savoir que l'articulation entre la scène et la salle du théâtre de Graz (qu'Hitler qui n'a jamais mis les pieds à Graz ne connaissait que par des documents) est mal conçue *.

Hitler, à qui les circonstances ne permettent pas de faire de véritables études d'art mais qui n'abandonne pas l'espoir d'être un jour architecte, trace à partir de l'automne 1907 les plans de constructions monumentales. Ainsi, il ne cessera, jusqu'en 1945, d'élaborer les plans d'édifices sur-dimensionnés qui, à y regarder de plus près, ne sont que la projection au plan du gigantesque des architectures du xixe et du xxe siècle. Le divorce entre l'homme et la nature s'est sensiblement précisé dans les visions d'Hitler.

Son architecture n'est pas caractérisée par la liberté des plans, par la distribution organique des espaces, mais par la prédominance de la symétrie, des façades et des ordres du néo-classicisme. Les différents éléments constructifs n'assument chez lui qu'une fonction strictement technique : tous ses projets se signalent par une conception linéaire, nue, rigide, toute en surface. Hitler n'attribue au « mouvement » et à la « décoration » qu'un rôle très limité. La formule « classique » lancée par Adolf Loos que « les ornements sont des « crimes » trahissant des perversions sexuelles » n'a pas par hasard vu le jour en Autriche [89] ! Le rationalisme (romantique) et classiciste d'Hitler (cette formule définit sommairement son art) est une réaction contre le *Jugendstil* (à peu près « modern style ») qui était l'objet des attaques des architectes viennois. « Le meilleur comman-

---

* Communication personnelle d'un diplomate allemand désireux de garder l'anonymat. *Cf.* aussi P. Schramm, *Der Spiegel* n° 6/64, p. 49 et d'autres publications qu'il est inutile de citer ici. L'épisode suivant est typique de l'importance qu'Hitler attachait à certains détails : Au cours d'un banquet auquel assistait Hitler, l'un des invités demanda au bourg-mestre de Vienne, M. Neubacher, la largeur du Danube à un certain endroit de la ville, détail que Neubacher ignorait. Hitler, qui jusque-là avait été de fort bonne humeur, fournit sur-le-champ le renseignement demandé ; mais l'ignorance de Neubacher l'avait tellement irrité, qu'il ne se dérida plus de toute la soirée, en dépit des succès politiques qu'il venait de remporter. Communication personnelle (18-3-1969) du Dr Paul Schmidt (-Carrell) qui se trouvait, pendant l'incident, aux côtés d'Hitler.

ditaire des meilleurs architectes d'Allemagne »[90] n'a jamais
dépassé ce stade : dans sa perspective, l'homme apparaît — surtout à partir de 1919 — comme un être aboulique et malléable,
que des individus doués de génie savent manier à leur guise.
Pour se faire une idée de ce concept, il n'est que d'examiner les
plans d'Hitler — exécutés pendant sa détention à Landsberg —
d'une *Volkshalle* (stade couvert pour réunions populaires) et
d'un arc de triomphe pour Berlin *. Speer qui fut chargé, après
1933, de la réalisation de ces projets, déclare quarante ans plus
tard : « Ces deux projets m'inspiraient une vague appréhension,
mais je ne les jugeais ni trop onéreux ni — pour employer ce
cliché usé jusqu'à la corde — trop monumentaux. Chaque période
architecturale a produit ses constructions monumentales[91]. »
    « Chaque grande époque, déclare Hitler en 1938 à l'occasion
de l'inauguration de l'Exposition allemande d'architecture et des
métiers d'art, trouve son expression définitive dans la valeur de
ses réalisations architecturales. Les peuples concrétisent l'expérience de la grandeur d'une époque par des créations visibles.
Celles-ci sont plus convaincantes que la parole : elles sont des
paroles de pierre... Cette exposition marque un tournant de l'Histoire. C'est par elle que se manifeste le début d'une ère nouvelle ... Depuis l'édification de nos cathédrales, nous apercevons
ici pour la première fois une architecture vraiment grandiose,
c'est-à-dire une architecture qui ne s'effrite pas au service des
nécessités et besoins de tous les jours, qui déborde de tous les
côtés la vie quotidienne et ses exigences. Elle peut prétendre à
braver le regard critique de millénaires, à représenter pendant
des millénaires la fierté du peuple qui l'a suscitée ... Il existe
des choses qui échappent à toute discussion. Les valeurs éternelles en font partie. Qui oserait appliquer aux réalisations
d'âmes privilégiées et bénies de Dieu les misérables critères du
bon sens quotidien ? Les grands artistes et les grands architectes
ont le droit d'être protégés contre la critique mesquine de leurs
petits contemporains. Leurs œuvres s'offrent au jugement des
millénaires, elles échappent aux contingences étroites de la vie
de tous les jours ... Pour la première fois, le rideau se lève
sur des œuvres destinées à marquer de leur empreinte non pas
des décennies mais des siècles ! C'est un moment solennel dont
le symbolisme a inspiré ce beau paysage des *Maîtres chanteurs
de Nuremberg* : « Ici un enfant est né ... Nous avons affaire à
des chefs-d'œuvre d'architecture, dont la valeur intrinsèque est

---

* Cf. *Infra*.

éternelle et qui, à l'échelle humaine, dureront éternellement, solides et inébranlables, impérissables dans leur beauté et dans l'harmonie de leurs proportions ! [92]. »

Hitler ne ressentait pas seulement le besoin commun à tous les dictateurs de concrétiser d'une manière symbolique, par des constructions grandioses, sa puissance exceptionnelle, il voulait — en sa qualité d'artiste — réaliser enfin ce qui, avant 1933, avait appartenu au domaine du rêve, ses *projets architecturaux*. Plutôt que de poursuivre ses propres plans, il se contentait d'être « le premier commanditaire des meilleurs architectes allemands [93] », comme il l'affirme lui-même avec un feint accent de mélancolie. Dans son esprit, la puissance et son reflet dans l'œuvre d'art — symbole d'une situation de fait — allaient de pair. Le postulat de Schopenhauer de représenter l'existence par les moyens de l'artiste et de dire : « Voilà la vie ! » a été pris au pied de la lettre par Hitler, qui procédait de la même façon avec ses doctrines philosophiques, historiques et biologiques. A ses yeux, l'art a pour tâche de reproduire avec une fidélité photographique les lois de la nature ou ce qu'il entendait par-là. Dans son esprit, la « valeur éternelle » qu'il attribuait à certaines œuvres artistiques et architecturales découlait des « lois éternelles de la nature ». Comme, selon lui, seuls le combat sans merci, la force brutale, l'énergie dépourvue de tout scrupule sont capables — en tant que prétendues « lois de la nature » qu'on ne transgresse pas impunément — de maintenir la vie, il était parfaitement logique d'exiger des arts plastiques la traduction visible des « lois » concrètes et définissables. Il rejetait par principe la contradiction. C'est ainsi qu'il déclara en 1933 à Nuremberg, à l'occasion de la session culturelle du Congrès du N.S.D.A.P. : « Comme la survie de toute société humaine exige le maintien de certains principes, que les individus les acceptent ou non, ainsi l'image culturelle d'un peuple doit être modelée en fonction de ses meilleurs éléments par les seuls promoteurs de la culture dont c'est l'unique tâche [94]. » Il va de soi qu'aucun art n'était mieux fait que l'architecture pour rayonner les idées d'Hitler et même les imposer aux autres. S'il assigne la deuxième place à la sculpture et à la peinture, il subit encore l'influence de Schopenhauer.

Hitler partageait avec Schopenhauer l'idée que l'homme doit approcher l'art avec humilité — comme on s'approche d'un prince — et l'appréhender comme une révélation de l'existence : confronté à un tableau, l'homme doit attendre patiemment qu'il se communique à lui. Cette « communication » est selon Hitler

— qui pendant toute sa vie a conservé sa sensibilité d'artiste —
l'élément essentiel de la création artistique. Hitler ne se contentait pas d'être Atlas, personnage mythologique portant le monde
sur ses épaules, mais il aspirait à la domination du monde pour
lui imposer ses propres concepts ; il considérait ses fonctions de
Führer et Chancelier du Reich, la politique et la puissance politique comme de simples moyens pour réaliser ses idées artistiques : Albert Speer [95] confirme que c'est bien ainsi qu'Hitler
voyait le monde. Lors de l'inauguration de l'Exposition de l'art
allemand en 1939, Hitler s'est écrié : « Les monuments architecturaux témoignent aujourd'hui avec force de la puissance
du renouveau allemand même en matière de politique culturelle.
De même que les différentes étapes de la renaissance nationale,
dont le couronnement fut la création du Reich grand-allemand,
ont réduit au silence les pinailleurs politiques, de même les
édifices immortels du nouveau Reich feront taire les ergoteurs
culturels. On ne saurait contester que l'architecture s'est adjoint
un complément digne d'elle dans la nouvelle sculpture et dans
la nouvelle peinture [96]. »

Hitler rejetait, en raison de sa conception de la puissance
qui, selon lui, reflète concrètement les lois de la nature, toute
peinture abstraite, forme d'art diamétralement opposée à l'architecture. Les dictateurs n'ont jamais toléré des modes d'expression permettant des interprétations individuelles. Les hommes
s'interrogeant sur la nature des ombres projetées sur la paroi
de la grotte, telles que les décrivit Platon dans sa célèbre parabole, entravent toujours la bonne marche des engrenages de la
puissance et de sa mécanique standardisée. Aux yeux d'Hitler,
c'étaient des « esthètes chlorotiques » [97] dont les avis devaient
être systématiquement réprimés. Ces concepts personnels, qu'il
extériorisait parfois quand il ne se sentait pas obligé d'exercer
une pression sur ses interlocuteurs, ne coïncidaient pas toujours avec ses propos officiels et semi-officiels. Il ressort très
nettement de plusieurs de ses travaux qu'il ne détestait pas,
dans son for intérieur, l'art abstrait qu'il conspuait — à l'exemple
de Mussolini et de Staline — sur la place publique. Quelques
portraits et personnages accompagnés d'animaux pourraient être
l'œuvre d'artistes abstraits s'ils ne portaient la signature d'Hitler.
Il n'affichait pas, dans tous les domaines des arts plastiques,
des opinions traditionnelles et conservatrices. Des couverts de
table qu'il avait lui-même dessinés et fait fabriquer furent
commercialisés entre 1950 et 1960, légèrement retouchés et ornés
de noms de villes, et passaient pour des exemples très typiques

de l'art appliqué moderne. La question de savoir s'il s'agissait d'un démarquage des créations d'Hitler ou d'œuvres indépendantes est sans aucune importance.

L'Hitler ultra-conservateur, dont les goûts reflétaient les idées et traditions de la « haute bourgeoisie », aimait les vieux tableaux, les tapis précieux, le mobilier d'apparat, mais il affectionnait aussi les meubles « modernes » si leur modernisme n'était pas trop appuyé. Alors que la classe dirigeante et l'intelligentsia s'étaient converties déjà avant 1914 — à une époque où Hitler élaborait, selon ses propres indications, sa *Weltanschauung* — à l'impressionnisme et parfois déjà à l'expressionnisme, Hitler avait évolué en marge de ces tendances. Il est impossible de déterminer dans quelle mesure ses concepts ont été influencés par le programme du *Werkbund* de Munich (Association fondée à Munich en 1907 pour l'amélioration du travail artisanal par une coopération étroite entre l'activité créatrice et l'industrie — *N. d. T.*). Le fait qu'il partageât avec les membres de la *Werkbund* une profonde aversion pour les moulures, les balcons et les fenêtres encadrées de pilastres, qu'il eût une préférence marquée pour la pierre de taille, ne permet pas à lui seul de se prononcer.

Comme il affirmait occasionnellement qu'il fallait chercher « nos ancêtres » dans la Grèce et la Rome antiques, il était aussi d'avis que l'art grec et romain représentait le sommet de la peinture et de la statuaire. Il rejetait l'art italien moderne, le futurisme, auquel il reprochait de s'appuyer trop sur l'expressionnisme et l'impressionnisme qui, selon lui, devaient leur importance à des manigances juives [98]. Les grandes époques de l'art étaient à ses yeux l'antiquité classique, l'art roman et l'art baroque. Il était particulièrement fier d'avoir pu acquérir la *Peste à Florence* [99] de Hans Makart et, grâce aux bons offices de Mussolini, la copie du célèbre *Discobole* du sculpteur grec Myron d'Eleuthères, datant de 450 avant J.-C. [100]. La Renaissance était à son goût trop inféodée au culte chrétien, l'art gothique trop imprégné de mysticisme. Il n'aimait pas non plus l'art allemand contemporain, mais achetait les œuvres des artistes allemands pour les encourager [101]. Il n'admettait pas le concept de « progrès » appliqué à la peinture qui, à la différence de l'évolution technique, avait besoin d'une interprétation. Ses peintres préférés furent Carl Spitzweg (1808 à 1885), Hans Thoma (1846 à 1925), Wilhelm Leibl (1844-1900) et Eduard Grützner (1846-1925) qu'il appréciait et jugeait en connaisseur et spécialiste. Ainsi, quand Heinrich Hoffmann avait acheté à un escroc des faux

Spitzweg, Hitler décela d'un simple coup d'œil la supercherie,
mais se garda de détromper Hoffmann pour ne pas lui gâcher
son plaisir [102]. Hitler tenait beaucoup à ce qu'on le prît pour
un homme d'Etat en quête d'artistes méconnus : il « découvrit »
les peintres Friedrich Stahl et Karl Leiphold. Il acheta une
vingtaine d'œuvres au premier, une douzaine au second [103]. Toujours à l'affût d'œuvres d'art, il en acquit plusieurs. Comme en
matière de littérature, il avait aussi pour l'art et l'architecture
établis dès avant 1914 un code de concepts et de jugements qu'il
croyait éternel et immuable. Ainsi, il professait que les plus
grandes œuvres d'art dans les pays de langue allemande avaient
été produites avant 1910 [104]. Le critique d'Hitler, Albert Speer,
ne comprit que pendant ses vingt années de détention dans la
prison des criminels de guerre de Spandau, les visées d'Hitler
en matière d'architecture : « Ce qu'il avait en vue, déclara Speer
en 1966, correspond à peu près aux concepts artistiques en
vigueur peu avant le début de la Première Guerre mondiale.
J'ai étudié à Spandau les années 1890 à 1916 de toutes les revues
d'architecture ... pour élucider ce problème [105] ». Le « monde »
spirituel d'Hitler était en premier lieu celui du XIXᵉ siècle qu'il
aimait à confronter aux monuments historiques et artistiques
de l'antiquité gréco-romaine. Ses études littéraires variées mais
d'orientation tendancieuse, ses origines petites-bourgeoises, son
itinéraire spirituel, ses expériences viennoises ont fourni le cadre
à ses jugements artistiques qu'il croyait éternels et qu'il n'a
jamais soumis à la moindre révision. Son projet de réunir dans
des galeries spécialisées toutes les œuvres plastiques et picturales
des XIXᵉ et XXᵉ siècles et de les proposer à l'étude des maîtres
contemporains [106] traduit bien ses origines. Ce qu'il a vu et admiré
à Vienne restera pendant toute sa vie le critère suprême de
tous les jugements artistiques. Il affirmait, dès 1924, avoir découvert déjà à la fin du XIXᵉ siècle les premiers signes précurseurs
de la « décadence » des beaux-arts. « Avant la fin du siècle, écrit-il
dans *Mein Kampf*, on voit se glisser dans notre art des éléments
qui jusque-là passaient pour étrangers et inconnus [107]. » Cette
évolution portait selon lui, à la différence de « quelques égare-
ments du goût » comme en ont connu les « temps anciens », la
marque d'une dégénérescence spirituelle annonciatrice, sur le
plan culturel, de « l'effondrement politique » [108]. Dix-huit ans
plus tard, lorsqu'il eut étendu, par l'emploi de la force brutale,
la vie artistique en Allemagne sur un lit de Procuste, il accorde
à l'art allemand une « rallonge » de quelque vingt-cinq ans :
« Jusqu'en 1910, déclare-t-il le 27 mars 1942, nos réalisations artis-

tiques pouvaient s'enorgueillir d'un niveau remarquable. Depuis,
c'était, hélas ! la pente savonneuse ... l'art qu'on a voulu imposer
au peuple allemand depuis 1922 (jusqu'en 1933 — *N. d. A.*) fut,
dans le domaine de la peinture, un barbouillage désarticulé [109]. »
Emil Nolde qui avait rejoint les rangs du N.S.D.A.P. peu après
Hitler, Karl Schmidt-Rottluff, Erich Heckel, Otto Dix, Conrad
Felixmüller pour ne citer que quelques-uns, dont la place dans
l'histoire de l'art est assurée à tout jamais, sont déclarés « dégé-
nérés » et, dans la meilleure hypothèse, écartés de la vie
artistique.

Hitler n'a pas seulement désigné les modèles artistiques,
architecturaux et historiques dont il s'est inspiré, il les a aussi
fixés dans d'innombrables tableaux et croquis. Le style des édifices reproduits et parfois transposés — à titre d'essai — par
Hitler, les vues culturelles et philosophiques de leurs créateurs,
nous fournissent la solution de problèmes auxquels jusqu'ici on
n'a pas attaché une importance suffisante. Citons parmi les
modèles d'architecture en premier lieu les édifices les plus importants, construits entre 1858 et 1865, sur la « Ringstrasse », à
Vienne, boulevard circulaire de 4 km de long et de 57 m de
large : le Musée des Arts appliqués, l'Opéra, le Musée d'Histoire
de l'art, le Musée d'Histoire naturelle, la « Neue Burg », le Parlement, l'Hôtel de Ville, l'Université, le « Burgtheater », la Bourse,
le « Ringturm » et le Centre d'horticulture. August Kubizek dit,
en parlant de l'époque précédant 1908 : « Je commençai à comprendre peu à peu ... pourquoi mon ami manifestait une telle
préférence pour les édifices de la « Ringstrasse », bien que
l'impression qui se dégageait de monuments plus anciens et d'un
style plus authentique, tels que la cathédrale Saint-Etienne ou
le Belvédère, fût infiniment plus vraie, plus forte, plus enthou-
siasmante. Mais Adolf n'aimait pas les architectures baroques
qu'il jugeait trop « chargées ». Les constructions pompeuses de
la « Ringstrasse » virent le jour après la démolition des fortifications de la vieille ville, elles datent donc de la deuxième
moitié du XIXᵉ siècle et sont dépourvues de toute unité de style :
presque tous les styles des siècles passés ont concouru à la conception de ces édifices. Le Parlement affiche un style pseudo-
hellénique, l'Hôtel de Ville relève du néo-gothique, le « Burgtheater » qu'Adolf admirait tout particulièrement, de la Renaissance finissante. Il est vrai qu'ils ont en commun un air pompeux
et grandiose qui fascinait mon ami. Mais ce qui le poussait à
s'occuper sans arrêt des édifices de la « Ringstrasse », à les ériger
en objets d'études privilégiés était le fait que ces constructions

créées par la génération précédente lui permettaient de se pencher sur leur genèse, d'en reconstituer les plans, de les refaire
pour ainsi dire pour son propre compte, de revivre en quelque
sorte les destinées et les travaux des grands maîtres d'œuvre de
cette époque, des Theophil Hansen, Semper, Hansenauer, Sic-
cardsburg, van der Nüll [110]. »

Le jeune Hitler qui, à Vienne, assistait à la plupart des
représentations théâtrales, avait une préférence marquée pour le
« Burgtheater », l'ancien « Hofballhaus » que le directeur du
« théâtre de la porte de Carinthie » avait transformé à partir
de 1741, à ses propres frais, avec l'accord de Marie-Thérèse,
selon les plans de Weisskern. Ce théâtre, souvent peint et dessiné
par Hitler d'après de vieilles estampes, avait d'abord joué de
préférence les pièces du répertoire français ; en 1776, Joseph II
en fit un « théâtre de la cour » allemand et lui imposa le nom
de « Théâtre National » : Hitler, l'autodidacte, l'aimait pour son
architecture et parce qu'il renfermait d'innombrables trésors
artistiques ; il en a étudié toutes les facettes avec un zèle mêlé
de vénération. Au-dessus de l'attique du bâtiment central s'élève
un groupe colossal fort admiré, représentant Apollon avec les
muses de la Comédie et de la Tragédie. Au-dessus de la frise
de l'entrée principale se dresse l'*Arc de Triomphe de Bacchus
et d'Ariane*, de Rudolf Weyr. Des allégories de Benk aux façades
des ailes représentent les passions et les vertus présidant à la
vie et au drame : l'amour, la haine, l'héroïsme, l'égoïsme, l'humilité, l'esprit de domination. Des statues de Prométhée et de
Geneviève — de Josef Gasser — de « Hauswurst », de Falstaff,
de Phèdre et des juges de (Zalamea) — de Viktor Tilgner —,
dans les niches de la façade, attiraient le regard du jeune homme
et l'incitaient à étudier l'histoire de l'art et de la civilisation dans
les bibliothèques de la ville. Les bustes colossaux de Calderon,
Shakespeare, Molière, Gœthe, Lessing, Halm, Grillparzer et
Hebbel (également de Tilgner), au-dessus des fenêtres du bâtiment central, assignaient à sa soif de connaître et à son envie
de lire des objectifs précis.

Au début de l'été 1919, six mois après la fin de la Première
Guerre mondiale, Hitler — qui s'est de nouveau installé à
Munich où il est, jusqu'en 1920, un membre particulièrement
exposé de l'armée bavaroise — tente encore une fois de réaliser,
au moins partiellement, son rêve d'enfance et de jeunesse, rêve
qu'il caresse encore en avril 1945. Plus riche d'expérience qu'en
1907 et 1908, il ne songe plus à se faire architecte, mais à étudier
sérieusement l'histoire de l'art. Il travaille pendant quelque

temps avec le peintre Ernst Schmidt qu'il mentionne aussi dans *Mein Kampf* [111] et se penche avec lui sur les arts plastiques et l'architecture [112]. Schmidt, Inkofer, Mend * et d'autres compagnons u'armes d'Hitler, qui avaient ramené du front des toiles, des pastels, des fusains, des dessins au crayon ou à la plume [113] et qui sont persuadés de ses dons artistiques, l'encouragent dans ce sens. Hitler qui suit à l'Université de Munich les cours d'histoire, d'histoire politique et d'économie ** des professeurs Alexander von Müller, Karl von Bothmer et Michael Horlacher, qui prend part aux réunions et cercles d'étude, soumet quelques-uns de ses derniers travaux au peintre bien connu et universellement apprécié Max Zaeper pour qu'il se prononce à leur sujet. Zaeper est tellement frappé par la qualité des aquarelles et dessins d'Hitler, qu'il demande, pour plus de certitude, l'avis de son collègue Ferdinand Staeger originaire de Trebitsch en Tchécoslovaquie. Staeger, dont Hitler a vu les œuvres d'essence mystico-romantique mais de facture naturaliste, en 1898, à la « Scession » (Vienne, Friedrichstrasse 12) qui se voulait une protestation contre la tendance conservatrice du *Künstlerhaus*, examine les travaux d'Hitler et le qualifie de ... « talent exceptionnel » [114]. Hitler, qui n'assiste pas personnellement à cet « examen », reçoit Staeger après 1933, lui achète l'un après l'autre six tableaux, accepte de poser pour un portrait à l'eauforte, mais il ne parlera jamais des événements de 1919 [115].

Le jugement des « maîtres » ne décide pas Hitler, qui pendant son activité d'instruction à l'armée ne se consacre qu'occasionnellement à son art, à combler enfin les lacunes de sa formation artistique. La politique qui le préoccupe dans la Reichswehr jusqu'en avril 1920 captive apparemment son esprit ; la peinture est rabaissée au rang d'un simple passe-temps. C'est pendant des moments de détente ou de tension, quand il attend d'être servi au restaurant ou d'obtenir une communication téléphonique, qu'il fait de petits dessins sur le menu ou quelque morceau de papier, des portraits de Max Schliemann, Richard Wagner, Wallenstein, des auto-portraits, parfois des caricatures. Jusqu'à la fin de sa vie, il y a toujours, à portée de sa main, un bloc et des crayons. L'étudiant en droit et amateur d'art

---

* Hitler nous a laissé d'eux quelques portraits et caricatures.
** Voici le sujet des cours suivis par Hitler : Alexander von Müller : « L'Histoire de l'Allemagne depuis la Réforme » et « L'Histoire politique de la guerre » ; Karl von Bothmer : « Théorie et pratique du socialisme » et « les rapports entre politique intérieure et politique étrangère » ; Michael Horlacher : « Notre situation économique et les conditions de paix ».

Heinrich Heim, descendant de l'illustre chimiste Justus von Liebig et futur chroniqueur de la plus grande partie des *Tischgespräche* (propos de table), n'a nullement l'impression, quand il fait en juillet 1920 la connaissance du propagandiste du D.A.P. (Parti Ouvrier Allemand) Adolf Hitler, de onze ans son aîné, qui vient de quitter l'armée, d'avoir affaire à un artiste que l'issue de la guerre aurait poussé provisoirement et contre sa conviction intime dans les bras de la politique [116].

Albert Speer qui — de même que Troost, Giesler et Brecker — voyait volontiers en Hitler le « collègue », l'artiste et l'architecte détourné par les événements de sa vocation, obligé, la mort dans l'âme, de se consacrer à la politique et à la guerre, continuait d'affirmer encore après sa libération de la prison de Spandau qu'Hitler avait été, pendant toute sa vie, en premier lieu un artiste [117].

« C'est contre ma volonté, déclare Hitler à la *Wolfsschanze*, dans la nuit du 25 au 26 janvier 1942, que j'ai embrassé la carrière politique. La politique n'est pour moi qu'un moyen. Il y a des gens qui disent que j'aurai beaucoup de peine à abandonner un jour la vie active que je mène. Ils se trompent ! Ce sera le plus beau jour de ma vie quand je pourrai tourner le dos à la vie politique, à ses soucis, fatigues et tracas. Je le ferai dès que j'aurai, après la fin de la guerre, accompli ma tâche politique. Ensuite, je veux pendant cinq ou six ans approfondir mes pensées et les coucher sur le papier. Les guerres viennent et disparaissent. Ce qui reste, ce sont exclusivement les valeurs culturelles. De là mon amour de l'art. La musique, l'architecture, voilà les forces qui guideront l'humanité à venir ! [118] » Déjà, dans la première partie de *Mein Kampf*, Hitler a indiqué ce qu'il entendait par là : « Ce qui trouvait, écrit Hitler en 1924 quand il commençait à faire les plans et calculs du plus grand édifice de tous les temps, dans l'antiquité, son expression dans l'Acropole et le Panthéon, se drapait maintenant (i.e. au Moyen Age) dans les formes de la cathédrale gothique. Comme des géants, ces constructions monumentales surplombaient le fourmillement écrasé de la ville du Moyen Age avec ses constructions de cloisonnage de bois et de tuiles : et elles sont encore aujourd'hui caractéristiques bien qu'autour d'elles grimpent toujours de plus en plus haut les casernes à appartements ; elles donnent à chaque localité son caractère et font partie de son visage : cathédrales, hôtels de ville, halles aux grains et tours de garde sont le signe apparent d'une conception, qui, à la base, ne faisait que répondre à celle de l'antiquité. Combien vrai-

ment lamentable est devenue la proportion entre les bâtiments
de l'Etat et les constructions privées. Si le destin de Rome venait
à frapper Berlin, la postérité pourrait admirer un jour, comme
œuvre la plus puissante de notre temps, les magasins de quelques Juifs et les hôtels de quelques sociétés, qui exprimeraient
la caractéristique de la civilisation de nos jours [119]. » Par
moments, on pourrait croire qu'Hitler a choisi la voie politique
à seule fin de réaliser ses projets architecturaux gigantesques et
démesurés.

Combien il est resté architecte jusqu'au bout découle déjà
du fait que, même pendant la Deuxième Guerre mondiale, il
n'a jamais cessé de faire des projets particulièrement aléatoires
à cette époque et d'en remanier d'autres. « Pendant les périodes
les plus énervantes de sa carrière d'homme d'Etat, il a trouvé
le temps d'exercer son talent, nous dit Christa Schröder, il avait
toujours sur son bureau, à portée de la main, un bloc de papier
à dessin pour y coucher ce qu'il concevait pendant ses instants
de loisir [120]. » Alors qu'il renonce, après Stalingrad, à l'audition
d'enregistrements de symphonies de Beethoven, de Bruckner,
de Liszt, de Lieder de Hugo Wolf et de Brahms, d'opérettes de
Lehar et de Johann Strauss, d'opéras de Wagner [121] dont il avait
entendu certains 140 fois, il n'abandonne jamais la peinture et
l'architecture. En mars 1945 encore, un mois avant son suicide,
il se penche sur une maquette en bois de la ville de Linz telle
qu'il compte la reconstruire [122]. Si l'on voulait caractériser les
rapports d'Hitler avec l'architecture selon la méthode employée
par ses biographes qui, au lieu de se mettre en quête de sources
nouvelles et de faits historiques prouvés, se bornent à « réin-
terpréter » les traditions reçues, bien qu'elles aient été démas-
quées depuis longtemps comme de simples suppositions, fantaisies, inventions ou falsifications, on pourrait affirmer qu'Hitler
a entrepris sa campagne de Russie en 1941 surtout pour s'assurer
la réalisation de son rêve architectural. Ainsi, il semblait préoccupé jusqu'en juin 1941, tout autant que des problèmes ardus
que lui posait la guerre, d'une certaine « Salle de Congrès »
haute de 300 m * que Staline comptait faire édifier à Moscou
en l'honneur de Lénine. En sa qualité d'architecte et de bâtis-
seur, Hitler voyait dans les plans de Staline une menace pour
son projet de construire l'édifice le plus gigantesque du monde :
un bâtiment à coupole monumental — dont il avait tracé le

---

* L'Empire State Building, construit à New York en 1931 par William
Lamp, compte 102 niveaux et s'élève à une hauteur de 380 m.

plan pendant qu'il rédigeait *Mein Kampf* — d'une ouverture de 46 m, d'une hauteur de 220 m, d'un diamètre de 250 m et d'une capacité de 150 000 à 180 000 personnes debout. L'intérieur de cette construction aurait été dix-sept fois plus grand que l'église Saint-Pierre de Rome. Selon Speer, Hitler ne se serait calmé qu'après le déclenchement de la campagne de Russie et aurait déclaré que le projet de Staline « était définitivement enterré [123] ».

Speer qui, trente ans après la mort de son seigneur et maître, frémissait encore en songeant au gigantisme des projets d'Hitler, déclara cependant : « Cette salle n'était pas une chimère impossible à réaliser [124]. » Pendant ce temps, ses collègues américains Lloyd, Morgan, Wilson, Morris, Crain et Associates édifièrent en collaboration avec les architectes new-yorkais Praeger, Kavenaugh et Waterbury, experts en matière de gigantisme, à Houston au Texas, un hall à coupole qualifié d' « extraordinaire même à l'échelle américaine » [125], de « *first* » et « *biggest* » par les spécialistes bien qu'il n'atteigne pas de loin les dimensions du projet hitlérien vieux de quarante ans, et qu'il semble simple et peu spectaculaire à côté de la coupole du Führer.

Celle-ci devait, selon les plans de son créateur, avoir un diamètre de 250 m, tandis que le diamètre de l'Astrodrome de Houston n'est que de 214 m [126]. Haut de 200 m, l'édifice hitlérien aurait pu héberger un gratte-ciel de 56 niveaux, la coupole à elle seule s'élevant à 122 m de hauteur. La construction texane mesure 70 m du sol jusqu'au sommet de la coupole. Le hall berlinois devait contenir 150 000 à 180 000 personnes, celui de Houston peut en loger 66 000 [127].

On sait qu'Hitler ne s'intéressait pas seulement à l'aspect de sa construction monumentale dont les travaux devaient débuter en 1940 et se terminer en 1950, mais aussi aux problèmes techniques et architecturaux qu'elle soulevait. Il était parfaitement au courant de toutes les techniques du bâtiment *. Quel-

---

* On pourrait dresser une liste de faits mettant en évidence ses connaissances techniques approfondies en cette matière, mais des documents irréfutables n'existent qu'à partir de 1924/1925. On est en droit de supposer que le jeune Hitler d'avant 1914 était également au courant des détails pratiques de l'architecture. Nous avons un dessin de lui, qui représente une villa fort agréable de plusieurs étages : il s'agit d'un projet technique qu'il avait élaboré en 1911 pour le compte de l'architecte viennois Florian Müller, résidant à Penzingerstrasse 115. Publié dans : *die Lösung des Rätsels Hitler* (la Solution de l'énigme Hitler), Verlag zur Förderung wissenschaftlicher Forschung, Vienne (Autriche), s.d. p. 107.

ques années après la mise au point du projet, les constructeurs
de ponts avaient appris à manier l'acier et le béton au point de
pouvoir réaliser des voûtes d'un seul tenant de dimensions
comparables. Quand Speer — le constructeur de la Nouvelle
Chancellerie du Reich à Berlin, du Bâtiment du Congrès du
Parti à Nuremberg, du Pavillon allemand à l'Exposition Universelle de 1937 à Paris —, qu'Hitler n'était pas le seul à considérer comme un architecte de génie, proposa de réaliser la
coupole sans armature d'acier, Hitler lui expliqua que ce mode
de construction rendait impossible la réparation de la coupole
en cas d'avarie causée, par exemple, par des attaques aériennes ;
Speer dut admettre le bien-fondé de cette objection [128].

Plusieurs architectes qui ont travaillé pour Hitler après 1933
et qui ont subi son influence, ont émis même après 1945, des
jugements favorables sur sa compétence. C'est ainsi que Paul
Troost, Paul Giesler et Alber Speer — pour ne citer que ceux-là
— étaient frappés par les connaissances positives, les intuitions
et concepts d'Hitler en matière d'architecture. Speer qui, après
sa détention pour crimes de guerre, était toujours soucieux de
faire concorder ses déclarations sur Hitler avec ses dépositions
au procès de Nuremberg, affirma en 1966 : « ... Je n'écarte pas
l'hypothèse qu'il aurait pu faire bonne figure parmi la foule des
autres architectes. Il ne manquait pas de talent [129]. » La secrétaire d'Hitler qui avait assisté à de nombreux entretiens et qui
connaissait la plupart des personnages qui « oublièrent » après
la mort d'Hitler tout ce qui s'était passé, avait l'impression
que les connaissances d'Hitler en matière d'architecture étaient
« étonnantes » [130]. « J'ai vu, affirme-t-elle, des architectes de
grande renommée, réellement ... stupéfiés par son savoir [131]. »

Pendant un quart de siècle environ, on sent que des influences
« modératrices » freinent la réalisation des projets d'Hitler. Mais
à partir de 1937 il laisse libre cours à son « génie » : il se met
en devoir de réaliser les projets visionnaires de sa jeunesse
dont les concepts remontent aux années 1906 à 1913 et aux
modèles contemplés sur la « Ringstrasse ». Ces rêves qui, trois
décennies plus tard, s'amplifient tout en accédant au domaine
de la réalisation technique, refoulent peu à peu l'influence d'architectes, aussi remarquables que Paul Troost, hors du monde
où évolue maintenant la pensée d'Hitler qui, trois années déjà
après sa prise du pouvoir, s'érige en maître d'œuvre aux ambitions personnelles démesurées. Speer, architecte doué et ambitieux [132], qui en dépit de trente années d'expériences assez particulières parle toujours de « nos projets » (... nous conçûmes le

projet de ...) [133], s'était fait le disciple d'Hitler prêt à accepter toutes ses théories et fantaisies. Il avait pris l'habitude d'inscrire au bas de ses projets : « ..mis au point selon les idées du Führer » [134]. « Mes projets de cette époque, déclare-t-il en 1969, s'éloignaient de plus en plus de ce que je considère comme mon « style personnel ». L'abandon de mes concepts initiaux ne se manifestait pas seulement dans les dimensions de mes constructions destinées à frapper l'imagination. Elles avaient perdu aussi leurs réminiscences doriques ... La richesse, les moyens inépuisables mis à ma disposition, mais aussi l'idéologie politique d'Hitler m'avaient fait adopter un style s'inspirant des palais fastueux des despotes orientaux [135]. »

Cette attitude, Hitler ne l'adopte pas seulement face à Speer ; toute l'architecture officielle du Troisième Reich (de même que la peinture et la sculpture officielles) portent la signature d'un homme qui, dans aucun domaine, n'a voulu être un élève, mais qui se croyait partout un maître.

Thomas Mann, qui dans *Bruder Hitler* demande avec une pointe de scepticisme « si les idées superstitieuses qui entourent en général la notion de « génie » ont assez de force pour nous empêcher d'appeler notre ami (Adolf Hitler) un génie » [136], constate avec une stupeur mêlée d'horreur que ses propres concepts du vrai génie artistique dénotent une affinité étroite avec la manière d'être et les concepts d'Hitler.

HITLER A VIENNE ET A MUNICH JUSQU'EN 1914

Mai et **juin 1906**	Premier séjour à Vienne.
Septembre **1907**	Hitler se présente avec cent douze autres candidats à l'examen d'admission à l'Ecole de peinture de l' « Académie des Beaux-Arts ». Trente-trois candidats échouent à la première épreuve (travail exécuté à l'école), mais Hitler la passe avec succès. Il échoue (avec cinquante et un autres candidats) à la deuxième épreuve (épreuve de dessin). Sur les cent douze candidats, vingt-huit seulement sont admis.
Novembre **1907**	Hitler retourne à Linz (Urfahr) pour soigner sa mère atteinte d'un mal incurable.
21 décembre **1907**	Mort de la mère d'Hitler qui est inhumée le 23 décembre à Leonding.

Février 1908	Après avoir réglé la succession de sa mère, Hitler regagne Vienne. Il s'installe avec son ami de Linz, August Kubizek, au n° 29 de Stumpergasse. Il rend visite à Alfred Roller, professeur à l'Ecole des Arts appliqués ; grâce à l'intervention de Roller, Hitler prend des leçons d'art avec le sculpteur Panholzer.
16 septembre 1908	Hitler habite seul à Stumpergasse. August Kubizek accomplit pendant ce temps son service militaire.
Septembre 1908	Hitler subit encore une fois l'épreuve d'admission à l'Académie des Beaux-Arts : ébranlé par la mort de sa mère et le bouleversement de son existence, il manque de concentration. Cette fois-ci son travail exécuté à l'école (première partie de l'épreuve) est jugé insuffisant. Il n'est pas autorisé à prendre part à la deuxième épreuve.
Jusqu'au 20 août 1909	Depuis le 18 novembre 1908, Hitler habite une chambre meublée Felberstrasse 22-111. Il néglige de se faire « enregistrer » par l'autorité militaire selon les dispositions de la loi sur le service militaire du 11 avril 1889 (*Journal officiel*, n° 41) et change de domicile.
20 août-16 septembre 1909	Il habite dans une chambre meublée à Sechshauserstrasse 58-11.
16 septembre-novembre 1909	Occupe une chambre meublée à Simon-Denkgasse.
Fin 1909	Hitler habite au centre d'accueil pour sansabri à Meidling où il fait la connaissance du dessinateur-graveur Reinhold Hanisch. Pendant cette période, Hitler travaille (probablement occasionnellement) comme manœuvre puisque les occupants de l'asile sont obligés de l'évacuer pendant la journée.
Décembre 1909	Hitler s'installe au foyer pour hommes à Meldemannstrasse 27. Il y exécute des tableaux et des affiches publicitaires, fait des plans d'édifices et décore les murs d'ouvrages de sculptures relevés en bosse. Reinhold Hanisch vend les tableaux d'Hitler et partage avec lui le produit de la vente.
Août 1910	Hitler dépose plainte contre Hanisch qu'il accuse de détournements. Hanisch est condamné à une semaine de prison. Hitler se sépare de Hanisch et commercialise lui-même ses travaux. Il travaille surtout le matin et remet

	l'après-midi ses travaux à ses clients (souvent des mécènes juifs, des universitaires, des hommes d'affaires). Ses travaux lui rapportent tant d'argent (en plus des revenus de son héritage) qu'il cède à partir de mai 1911 à sa sœur Paula l'allocation d'orphelin à laquelle il a droit jusqu'en avril 1913.
24 mai 1913	Hitler déclare à la police son départ de Vienne et s'installe à Munich, où il loue une chambre au tailleur pour hommes Josef Popp, à Schleissheimerstrasse ; c'est là qu'il habite jusqu'au début de la Première Guerre mondiale.
29 décembre 1913	La police autrichienne demande à la police de Munich de lui communiquer l'adresse d'Adolf Hitler, insoumis.
10 janvier 1914	La police munichoise communique à la police de Linz l'adresse d'Hitler (Schleissheimerstrasse).
19 janvier 1914	Hitler est conduit par deux inspecteurs de la police criminelle au consulat autrichien.
5 février 1914	Hitler se rend à Salzbourg pour passer devant le Conseil de révision ; il est déclaré « inapte pour le service » et mis en sursis.
1er août 1914	Début de la Première Guerre mondiale.
16 août 1914	Hitler entre comme volontaire dans le régiment d'infanterie de réserve n° 16 (List).

CHAPITRE IV

LE SOLDAT DU REICH

« Au printemps de 1912, je partis définitivement pour Munich », écrit Hitler dans *Mein Kampf* [1]. Après sa « prise du pouvoir » on lisait sur une grande plaque surmontée de l'emblème national à la croix gammée, qui ornait la façade de la maison n° 34 de la Schleissheimer Strasse : « Dans cet immeuble demeura Adolf Hitler du printemps 1912 jusqu'au jour de son engagement comme volontaire en août 1914 [2]. » Les deux indications sont inexactes *. Hitler habita jusqu'au 24 mai 1913 dans la Meldemannstrasse, n° 27, à Vienne.

Le 24 mai 1913, Hitler déclare son départ à la Police de Vienne et se rend, avec 80 couronnes dans la poche [3], à Munich. Dans la nuit du 24 au 25 mai, le chef d'état-major du 8e corps d'armée, le colonel Alfred Redl, met fin à ses jours à Vienne, en se tirant une balle dans la tête ; le colonel, un homosexuel, est la victime d'un chantage des services secrets russes après

---

* *Cf.* Maser, *Die Frühgeschite der NSDAP*, p. 115. Déjà le 29 novembre 1921, Hitler affirme dans une lettre adressée à une personne inconnue, qui se montrait particulièrement curieuse de son « ascension à la tête du parti », qu'il s'est installé à Munich en 1912. Copie (dactylographiée) du 26 août 1941. Elle porte en bas et à gauche le tampon des archives principales du NSDAP, et sous les mots « certifié conforme » un nom difficile à déchiffrer qui pourrait être « Richter ». Anciennes archives principales du NSDAP, archives fédérales, Coblence, NS 26/17 a. Bullock croit à tort qu'Hitler a pu indiquer par mégarde une date inexacte. Dans sa biographie d'Hitler il constate en effet : « Hitler traite dans son livre les dates et faits avec tant de désinvolture qu'il faut tenir pour exacte la deuxième date (1913 — *N.d.A.*). » Bullock, p. 43. La même remarque se trouve aussi dans l'édition anglaise de 1965, p. 46.

avoir, pendant des années, espionné pour le compte de la Russie à laquelle il vendit d'importants secrets militaires. Hitler apprend l'incident dans la maison de son logeur Josef Popp par les journaux munichois [4] après la publication, en Autriche, d'un « démenti » d'Egon Erwin Kisch. Il se réjouit de la nouvelle qui semble confirmer son opinion [5] qu'il est inutile de servir dans l'armée autrichienne [6]. Josef Popp qui a fait dans sa jeunesse un stage dans les ateliers des meilleurs tailleurs parisiens *, qui parle français et se pique d'avoir vu « le monde », constate le 26 mai à l'occasion de l'affaire Redl que son locataire « réagit d'une façon rapide et personnelle aux événements politiques ». Tous les soirs, la discussion politique bat son plein, ce qui déplaît souverainement à un autre locataire qui partage la chambre d'Hitler et qui, excédé, quitte la famille Popp [7]. Pendant les premiers mois de son séjour, Hitler confronte ses connaissances littéraires avec la réalité. En 1924, il écrit dans *Mein Kampf* [8] : « La ville ... m'était aussi familière que si j'avais séjourné dans ses murs pendant des années. C'est que mes études m'avaient maintes fois conduit à cette métropole de l'art allemand. Non seulement on n'a pas vu l'Allemagne quand on ne connaît pas Munich, mais surtout on ne connaît rien de l'art allemand quand on n'a pas vu Munich. » Désormais, il ne considère plus la peinture que comme son occupation principale [9].

Hitler vit au moins aussi bien à Munich qu'à Vienne. Ce n'est pas par hasard s'il qualifie son séjour à Munich entre 1913 et 1914 « d'époque de l'avant-guerre la plus heureuse de ma vie » [10]. Son activité artistique lui rapporte tous les mois la somme (à cette époque considérable) de cent marks, ce qu'il prouve aux autorités municipales de Linz en leur présentant, en janvier 1914, sa feuille d'impôts [11]. « Il est vrai, écrit-il aux autorités de Linz, que je gagne ma subsistance comme artiste-peintre indépendant, mais mes gains servent exclusivement — étant donné que je n'ai pas la moindre fortune (mon père ayant été fonctionnaire de l'Etat) — à poursuivre mes études. Je ne puis consacrer qu'une fraction infime de mon temps à mon gagne-pain, car ma préparation à la carrière de dessinateur-architecte accapare tous mes moments. Ainsi, mes revenus sont fort modestes et me permettent tout juste de subvenir à mes besoins. Je joins à ma lettre ma feuille d'impôts que je vous prie de bien vouloir me retourner sans retard. Sur cette feuille, mes revenus s'élèvent à 1 200 marks, ce qui n'implique pas que

---

* Chronique de la famille Popp.

je dispose tous les mois de la somme de 100 marks [12]. » Dans
Mein Kampf il écrira dix ans plus tard : « Mon salaire était
encore tout à fait dérisoire, mais je ne vivais certes pas pour
peindre : je peignais pour m'assurer ainsi des possibilités d'existence, ou plutôt pour me permettre de continuer d'apprendre [13]. » Ses revenus « officiels » de 1 200 marks dépassent ce
qu'il avait gagné à Vienne ; de plus la vie est moins chère à
Munich. A Vienne, Hitler dépensait par mois pour ses repas dans
un restaurant moyen environ 25 couronnes, à Munich il ne lui en
coûte que 18 à 25 marks. Le loyer d'une chambre chez l'habitant
s'élevait à Vienne à 10 couronnes (les locataires ne restant que
peu de temps payaient même 15 couronnes), à Munich Hitler
paie pour sa chambre bien meublée avec entrée séparée, 20 marks
seulement [14]. Il dispose donc à Munich, déduction faite du loyer
et des repas, de 30 marks pour ses dépenses personnelles. Il
indique lui-même qu'il lit les journaux (dont le prix était relativement élevé) exclusivement dans les cafés. Comme il est peu
exigeant, il a plus d'argent qu'il ne lui en faut. De son temps,
un employé de banque de son âge gagnait à Munich en 1913
environ 70 marks par mois. Hitler dit à Heinrich Hoffmann,
le 12 mars 1944 : « Je n'ai jamais dépensé plus de 80 marks par
mois *. Un repas, déjeuner ou dîner, me coûtait un mark **. »
Ainsi Hitler peut offrir de l'argent ou des sucreries à Josef Popp
junior quand celui-ci lui procure des livres ou fait des courses
pour lui [15].

Hitler est aussi seul à Munich qu'il l'avait été à Vienne.
Son entourage ne le comprend pas, ce qui ne l'affecte pas le
moins du monde. Dans la perspective des bourgeois « normaux »,
l'artiste Adolf Hitler mène une vie absurde et sans but. Il ne
peint et dessine que quelques heures par jour ***. Parfois il se
rend au café du coin pour lire les journaux et manger des
gâteaux [16]. Le soir il discute avec Josef Popp (père), lui expose
ses idées, ou bien répond aux questions du jeune Popp et
étudie des ouvrages militaires [17]. Le « métier » au sens bourgeois
du terme ne l'intéresse pas, attitude qu'il partage avec les autres
artistes. C'est ainsi qu'Oskar Kokoschka, qui avait fréquenté
l'Ecole des Arts appliqués de Vienne avant qu'Hitler y fût reçu
par le professeur Roller, déclara à l'occasion de son 85e anniversaire : « J'ai toujours été un vagabond, depuis ma jeunesse [18]. »

---

* Cité d'après le compte rendu original, anciennes archives principales
du NSDAP, Archives fédérales, Coblence, NS 26/36.
** *ibid.*
*** Habitude qu'il partage avec la grande majorité des artistes.

Hitler mène donc la vie de bohême ; mais il est toujours si bien habillé que le tailleur Popp, personnage sensible [19], d'allure intellectuelle, dont les clients apprécient le goût exquis, formé en partie à Paris, ne critique jamais sa mise *. Popp reconnaît en Hitler un jeune homme que ses dons naturels destinent à un grand avenir. Ce n'est pas un hasard s'il rallie dès 1919 le Parti Ouvrier Allemand (carte de membre n° 609) dont Hitler est en 1919 le « chef de propagande » **. Hitler, qui sait fort bien que ceux qui l'approchent le tiennent pour un « original » [20], lit beaucoup, travaille de manière suivie seulement quand des commandes ou des circonstances particulières l'exigent, tient des propos politiques passionnés ; il a le don d'emporter la conviction de ses interlocuteurs par ses propos, ses arguments, ses gestes. Les compagnons d'Hitler de Linz, Spital, Leonding, Vienne et Munich s'accordent pour dire qu'ils hésitaient parfois, en voyant Hitler deviser et gesticuler, entre le rire et l'étonnement [21]. Aux dires de ses parents et d'autres témoins oculaires, son caractère était marqué par de violents contrastes. Son besoin de se mettre en valeur, son agressivité, sa soif de puissance avaient quelque chose d'excessif, son activité était impulsive et égocentrique. Il avait horreur des confidences. Ses amis comme ses adversaires le tenaient pour inébranlable, entêté, hypersensible, lunatique, querelleur mais aussi pour réservé, gauche, renfermé. Ceux qui le connaissaient de plus près étaient frappés par son ambition parfois maladive, ses projets chimériques, sa confiance en soi imperturbable, son énergie farouche. Beaucoup de ses idées paraissaient déjà avant 1914, à beaucoup d'observateurs, démesurées et extravagantes.

En confrontant les divers témoignages, on se rend compte que le jeune Hitler était marqué de certains traits de caractère pathologiques : mais il est faux et tendancieux — selon un procédé adopté par de nombreux biographes — de le présenter comme un personnage « anormal ». Michel-Ange, Luther, Le Tasse, Jean-Jacques Rousseau, Napoléon, Beethoven, Hölderlin, Kleist, Lenau, Hebbel, Marx, Bismarck, Strindberg, Maupassant, Van Gogh, Nietzsche, pour ne citer que quelques noms très

---

* Selon les indications de Josef Popp (junior) et d'Elisabeth Popp (1966/1967), Hitler portait de préférence une queue-de-pie impeccable que Josef Popp (père) repassait parfois ; au début de la guerre, Hitler la confia, soigneusement rangée dans un carton, à son logeur.
** D'autres personnes suivent l'exemple de Popp, notamment des artisans et des commerçants de la Schleissheimer Strasse : tels le peintre Ernst Schmidt (carte de membre n° 885) et un maître boucher. *Cf.* Maser, *Die Frühgeschichte der NSDAP* p. 117.

connus, étaient des psychopathes. Les conséquences éventuelles de la psychopathie ont été expliquées par Wilhelm Lange-Eichbaum, dont l'analyse fait l'unanimité des spécialistes : « ... l'affectivité pathologique peut receler des énergies capables de développer, d'élargir, d'approfondir certains talents innés. L'agitation fébrile du sang, l'inquiétude intérieure, les changements continuels de l'état d'âme permettent de faire l'expérience de beaucoup de choses et de les voir sous des éclairages variables. Ainsi, l'attention est retenue par la répétition, la durée, l'essentiel ... Le psychopathe, dont l'imagination est d'une extrême mobilité, dont les nerfs sont toujours à fleur de peau, dont la curiosité est toujours en éveil, embrasse de son regard des étendues très vastes. Son horizon spirituel s'en trouve élargi, ses possibilités intellectuelles multipliées, il lui arrive même de découvrir des dons cachés. Son âme devient le point de convergence de domaines que tout sépare — régions-frontières, sciences-limites, arts insaisissables — et qui se révèlent d'une richesse insoupçonnée ... Du fait de sa vie affective particulièrement intense, de son irrationalisme foncier, de son manque de maîtrise de soi et tout ce qui s'ensuit, il est soumis à des expériences totalement interdites aux hommes ordinaires [22]. »

Il est impossible d'établir avec certitude si le jeune Hitler pratiquait l'humour sans arrière-pensée, s'il savait se montrer aimable et authentiquement « humain ». Il affirma, dans la nuit du 8 au 9 janvier 1942, avoir été, à Linz et à Steyr *, un jeune homme méchant qui observait et exploitait froidement les faiblesses de ses contemporains. Les témoins et compagnons d'Hitler l'ont rarement jugé en toute indépendance. Mais il est significatif que les proches du jeune Adolf et ceux qui avaient fréquemment affaire à lui le trouvaient « gentil » quand il suivait sa pente naturelle et renonçait à jouer un rôle : déjà jeune élève il avait pris l'habitude de « composer » un personnage. Nous avons déjà dit que le Dr Bloch fut tout étonné de découvrir chez le jeune Hitler, d'habitude renfermé et inaccessible — après la mort de sa mère —, des réactions très « humaines » **. Son professeur de piano Prewatzky-Wend ne se souvient pas de l'avoir vu sociable et communicatif ***. Ses proches auxquels il rendit visite en Basse-Autriche après avoir quitté l'école, le trouvent distant et peu liant [23]. Le jeune Hitler leur paraît trop sophistiqué, trop soucieux de dignité, trop « blanc-bec », trop

---

* *Cf.* p. 66 et s.
** *Cf.* aussi, p. 81 et s.
*** *Cf.* aussi Maser, *Die Frühgeschichte der NSDAP*, p. 62.

désireux de cacher ses faiblesses et son ignorance. Josef et Elisabeth Popp décrivent le jeune Hitler à vingt-cinq ans, comme un « charmeur autrichien », aimable, généreux, prêt à rendre service, mais prenant en tout ses distances. Ils ont, comme aussi leurs parents, sympathisé avec le jeune homme sans vraiment savoir ce qui se passait au fond de lui-même. « Il était absolument impénétrable. Il ne parlait jamais de ses parents, de ses amis ou amies. La plupart du temps, il s'enfermait chez lui, lisant d'un air grave et soucieux. Il lui arrivait aussi de peindre [24]. »

Hitler n'a jamais confié à Popp, ni à ses enfants avec lesquels il sympathisait pourtant, qu'il appelait par leurs petits noms dans ses lettres du front et qu'il n'oubliait jamais de saluer, avec qui il frayait à Munich en 1913/1914. Il ne recevait personne dans sa chambre meublée [25], bien qu'une entrée donnant directement sur la rue eût assuré l'anonymat à ses visiteurs. Mais on sait qu'il avait noué, déjà avant 1914, des relations amicales avec plusieurs personnes et non seulement avec la famille Popp. C'est ainsi qu'il était très lié avec le juriste Ernst Hepp et sa femme : une longue lettre qu'il leur adresse **du front en fait foi * :**

« J'avais quitté l'Autriche surtout pour des raisons politiques », écrit Hitler en 1924 ; il avoue aussitôt : « Je n'avais aucune envie de me battre pour l'Etat des Habsbourg [26]. » On ne découvrit que beaucoup plus tard que cette formule prudente servait à voiler un incident pénible. Le 29 décembre 1913, la police autrichienne adressait à la direction de la police munichoise une requête lui demandant de vérifier si Hitler était bien domicilié dans la capitale de la Bavière : « L'artiste peintre Adolf Hitler né en 1889 à Braunau-sur-Inn ... a quitté Vienne le 24 mai 1913 pour s'établir à Munich. — Nous vous prions de bien vouloir nous faire savoir si le sus-mentionné a fait à Munich une déclaration de domicile [27]. » Le 10 janvier 1914 les policiers munichois répondirent à leurs collègues de Linz : « La personne recherchée a déclaré habiter depuis le 26-5-1913 au n° 34/III de la Schleissheimer Strasse chez un nommé Popp [28]. » Huit jours plus tard Hitler reçut de la police judiciaire de Munich une convocation lui enjoignant de se présenter le 20 janvier à Linz devant le Conseil de Révision. Le 19 janvier, les agents de la P.J. munichoise le conduisirent au Consulat autrichien, où un procès-verbal fut établi. L'officier consulaire impérial et royal

---

* *Cf.* aussi p. 115 et s.

joignit un rapport favorable aux déclarations d'Hitler, qui très
probablement avait revêtu pour la visite son vieux costume d'artiste peintre, barbouillé de couleurs, et qui, en évoquant ses
privations et souffrances, avait su éveiller chez son interlocuteur
sympathie et compassion. Dans sa lettre à ses chefs, l'officier
consulaire explique : « Selon les observations de la police munichoise et les impressions recueillies dans nos bureaux, les indications contenues dans la lettre explicative ci-jointe devraient
être conformes à la vérité. Hitler nous a dit en outre qu'il
souffrait d'une maladie qui le rend inapte au service armé ...
Comme cette personne semble mériter notre considération, nous
avons provisoirement sursis à notre demande d'extradition et
l'avons invitée à se rendre à Linz le 5 février pour se présenter
devant la Commission des sursis ... Hietler fera donc le voyage
de Linz à moins que les autorités militaires de cette ville ne lui
accordent, compte tenu de sa situation et de son indigence, la
faveur de pouvoir se présenter à Salzbourg [29]. » Hitler demande
par télégramme le report de la convocation au 5 février. Mais
les autorités militaires de Linz n'accèdent pas à cette demande.
Hitler reçoit en effet une réponse laconique le 21 janvier : « Doit
se présenter ». Hitler adresse alors à Linz une lettre demandant de lui permettre, pour des raisons financières, de se présenter à Salzbourg [30], qui se trouve plus près de Munich. Dans
cette demande très courtoise, nous lisons entre autres :

« Je vous adresse cette lettre indépendamment du procès-
verbal établi également en ce jour, que j'ai signé au Consulat.
Je vous prie de bien vouloir m'informer de vos décisions ultérieures par le même Consulat et de croire que je ne manquerai
pas de m'y conformer strictement. En ce qui concerne mes
réponses au questionnaire du Conseil de Révision, elles ont été
confirmées par les autorités consulaires. Celles-ci ont fait preuve
de bienveillance à mon égard et m'ont laissé espérer qu'elles
interviendront pour moi pour que je puisse me présenter à
Salzbourg. Bien que, dans la situation présente, je n'ose plus
guère l'espérer, je vous prie néanmoins de ne pas me rendre
plus difficile l'accomplissement de mon devoir.

« Je vous prie humblement de prendre en considération
cette requête. Veuillez ...

« Adolf Hitler,
artiste peintre [31]. »

Bien qu'Hitler « n'ose plus guère l'espérer », les autorités
de Linz finissent par accéder à son désir. Le 5 février 1914,

Hitler prend le train de Salzbourg pour se présenter devant le Conseil de Révision. Conformément à son désir, il est déclaré « inapte au service militaire » [32]... « ... il déclare en outre souffrir d'une maladie ... » avait écrit le 19 janvier l'officier consulaire, formule prudente qui laisse la place au doute... Il est probable qu'Hitler a brandi l'épouvantail de sa maladie pulmonaire guérie depuis longtemps, qui avait décidé sa mère à le retirer en automne 1905 de l'école [33]. Le fait est que l'insoumis ne fut pas obligé de faire son service militaire. Ce qu'Hitler avait vivement conseillé à Kubizek à la fin de l'été 1908, il le fait maintenant lui-même. Il refuse de servir dans une armée de « Tchèques et de Juifs », de « se battre pour l'Etat des Habsbourg » ; mais il est disposé à mourir pour le Reich allemand [34]. Hitler, pangermaniste fanatique, veut vivre en Allemagne qui lui offre une patrie digne de vénération et d'amour ; s'il doit partir en guerre, c'est avec l'armée allemande. Pour le moment, il est autorisé à rester à Munich, à y mener une vie de bohême, à parler en termes méprisants de sa patrie, l'Autriche-Hongrie. A Munich, Hitler ne s'intéresse pas en premier lieu, comme à Vienne, à l'antisémitisme et au marxisme, mais à la politique étrangère germano-autrichienne et à l'attitude des populations allemandes à l'égard de l'Autriche. Quant à la politique d'alliance allemande, à l'alliance germano-autrichienne du 7 octobre 1879, à la Triplice du 18 juin 1881, à la Triple-Alliance entre l'Allemagne, l'Autriche-Hongrie et l'Italie du 20 mai 1882 [35], il les avait — selon ses propres indications — qualifiées, déjà à Vienne, de « graves erreurs » [36]. Hitler acquiert à Munich la conviction que le peuple allemand entretient l'illusion que l'allié peut être regardé comme une « puissance sérieuse [37], qui « à l'heure du péril mettrait aussitôt sur pied une grande force militaire » [38], ce qu'Hitler en tant qu'Autrichien ne croit pas, puisque « l'Autriche avait cessé depuis longtemps d'être un Etat allemand » [39]. Il est d'avis que « d'heure en heure, la situation intérieure de cet empire menaçait davantage ruine » [40]. Il se méfie des assurances autrichiennes-hongroises. A l'en croire, les « Habsbourg et les Allemands soutenaient seuls dans ce pays l'idée de l'alliance, les Habsbourg par calcul... et par nécessité, les Autrichiens allemands en toute bonne foi ... et en toute stupidité politique » [41]. Hitler pense que l'Allemagne a « lié son sort à celui d'un cadavre d'Etat » [42] qui « entraînera les deux (alliés) dans l'abîme » [43] ; il est persuadé qu'il reconnaît « mieux que la diplomatie dite officielle » [44] les dangers de la politique d'alliance allemande [45]. Le jeune Autrichien pangermaniste est choqué par le peu d'intérêt que la

population allemande affiche à l'égard de la situation des Allemands dans la Monarchie danubienne : « Etonné, je dus constater que partout, même dans les milieux cultivés, l'on n'avait
pas la moindre lueur sur ce qu'était la monarchie des Habsbourg [46]. » « Dans les années 1913 et 1914, constate Hitler dans
Mein Kampf, j'exprimai pour la première fois, dans différents
cercles, dont une partie est maintenant au nombre des adeptes
fidèles du mouvement national-socialiste, la conviction que le
problème de l'avenir de la nation allemande, c'est le problème
de la destruction du marxisme [47]. » Qu'il ne s'agisse pas là de
constatations faites après coup, c'est-à-dire en 1924, est attesté
par des témoignages [48] et par des écrits d'Hitler [49] de cette époque.

Quand Hitler apprit que l'héritier du trône François Ferdinand et son épouse avaient été assassinés le 28 juin 1914 à
Sarajevo, il fut « tout de suite envahi d'une inquiétude, écrit-il
en 1924, les balles ne provenaient-elles pas de pistolets d'étudiants allemands qui, indignés par le travail constant de slavisation auquel se livrait l'héritier du trône, voulaient libérer
le peuple allemand de cet ennemi intérieur ? ... Mais quand
j'entendis, aussitôt après, les noms des auteurs présumés, et
lus la nouvelle qu'ils étaient identifiés comme Serbes, je fus
envahi d'une sourde épouvante devant cette vengeance de l'inson-
dable destin. Le plus grand ami des Slaves était tombé sous
les balles de fanatiques slaves [50] ». La « sourde épouvante » ne
dura pas. Sur une photo montrant la foule qui, le 1er août 1914,
prend connaisance sur la « Odeonsplatz » à Munich, de la déclaration de guerre, on reconnaît bien Hitler : ses yeux lancent
des flammes et sa figure rayonne d'une excitation joyeuse. Hitler
se réjouit — comme beaucoup d'autres représentants de la bourgeoisie allemande tels que Thomas Mann *, Ludwig Thomas et
de nombreux professeurs d'université — de l'entrée en guerre
de l'Allemagne. « Pour moi aussi, écrit Hitler dans *Mein Kampf*,
ces heures furent comme une délivrance des pénibles impressions de ma jeunesse. Je n'ai pas non plus honte de dire aujour-
d'hui, qu'emporté par un enthousiasme tumultueux, je tombai

---

* En 1916 encore, Thomas Mann écrit à son éditeur Samuel Fischer :
« A quoi peut bien servir la politisation, l'occidentalisation, la déshumani-
sation, la dégermanisation, le nivellement par le bas auxquels nous assistons depuis cinquante ans, si le résultat n'en est pas un accroissement de
puissance ? Je ne puis supporter l'idée que le progrès démocratique ...
puisse nous être imposé de l'extérieur, par la défaite ... Notre démocra-
tisation devra être la conséquence de notre victoire, l'épiphénomène de
notre accès à la politique mondiale. » Cette lettre fut vendue aux enchères
en automne 1966 à Marbourg. Des extraits en furent publiés dans la
Frankfurter Allgemeine Zeitung par Iring Fetcher, le 24-11-1966.

à genoux et remerciai de tout cœur le ciel de m'avoir donné
le bonheur de pouvoir vivre à une telle époque [51]. » Il adresse
aussitôt une supplique à Louis III de Bavière, par laquelle il
demande la permission de s'engager comme volontaire dans
l'armée bavaroise. Pas plus tard que le lendemain, la Chancellerie du gouvernement lui communique qu'il est autorisé à
rejoindre les rangs d'un régiment bavarois. Hitler porte son
choix sur le 16ᵉ régiment d'infanterie de réserve qui sera appelé,
à partir de la fin d'octobre 1914, le « régiment List » d'après le
nom de son commandant, tombé au champ d'honneur. Le 8 octobre, il doit prêter serment de fidélité au roi de Bavière et à
son empereur François-Joseph. Hans Mend, qui a été pendant
quelque temps l'instructeur d'Hitler *, décrit en 1931 l'impression qu'Hitler lui avait faite en 1914 : « C'est à Schwabmün-
chen que je le vis pour la première fois ; je ne le connaissais
pas, mais je fus frappé, dès ce premier contact, par son regard
énergique et ses allures originales. Je le tenais pour un universitaire, dont le régiment « List » comptait un certain nombre **. »
Après une formation sommaire, Hitler est envoyé au front vers
le milieu du mois d'octobre. Vingt semaines plus tard, en
février 1915, il décrit avec une minutie d'artiste, dans une
lettre *** à l'une de ses connaissances de Munich, Ernst Hepp,
ses impressions **** :

« Monsieur,

« Heureux d'apprendre que ma carte vous est bien parvenue,
je m'empresse de vous remercier de votre aimable lettre par
laquelle vous y avez répondu.

« J'avais déjà fait un récit détaillé, mais je pense qu'il est
nécessaire de tout raconter une deuxième fois mais je voudrais
tout d'abord vous dire qu'on m'a décoré déjà le 2 décembre de
la « croix de fer ». Les occasions de la mériter ne nous ont
heureusement pas fait défaut. Notre régiment n'a pas été tenu
en réserve, comme nous le pensions, mais envoyé en pleine
bataille ; depuis le 29 octobre et (*mot illisible*) nous sommes
en contact avec l'ennemi, soit comme attaquants, soit comme
défenseurs. Après un voyage merveilleux sur le Rhin, nous
sommes arrivés le 23 octobre à Lille. En traversant la Belgique,

---

* Communication écrite de Schmid-Noerr du 11-4-1967.
** Ibid.
*** La lettre se trouve aux Archives fédérales de Coblence, NS 26/4.
**** Les indications d'Hitler ont été confirmées par d'autres membres
du régiment qui ignoraient la lettre d'Hitler. *Cf.* p. exemple Meyer,
p. 18 et s.

nous avons déjà fait la connaissance de la guerre. Louvain
n'était qu'un amas de décombres et de ruines brûlées. Jusqu'à
(*nom de la localité illisible*) notre avance s'est poursuivie sans
encombres et sans dangers. Puis, les incidents se sont multi-
pliés. A certains endroits, les rails avaient été déboulonnés en
dépit d'une surveillance sévère. Partout, on a fait sauter les
ponts et saboté les locomotives. Bien que le train n'avance
qu'à une allure d'escargot, des arrêts répétés mettent nos nerfs
à rude épreuve. Au loin, on entend déjà le grondement de nos
lourds mortiers. Dans la soirée, nous arrivons dans un faubourg
de Lille passablement détruit ; nous déchargeons, attendons
auprès de nos faisceaux de fusils. Peu avant minuit, nous pénétrons dans la ville proprement dite. La route est sans fin,
monotone, à droite et à gauche, des usines basses, une longue
enfilade de bâtisses noircies, couvertes de suie ; le pavé est
mauvais, sale. Après neuf heures, il n'y a plus de civils dans
les rues, mais d'autant plus de soldats. Nous avançons au péril
de notre vie au milieu des colonnes de fourgons et de caissons
à munitions ; enfin, nous voilà dans l'enceinte fortifiée. Il est
vrai que le centre de la ville a meilleure mine. Mais le leitmotiv
semble être : « bien dehors, minable à l'intérieur » ! Souvent,
je pense à l'Allemagne. Nous passons la nuit dans la cour du
bâtiment de la bourse. La construction pompeuse n'est pas
encore achevée. Comme nous sommes en état d'alerte, nous nous
couchons avec nos bagages, sur la pierre froide : je frissonne,
je n'arrive pas à dormir. Le lendemain, nous changeons de
quartier. Cette fois-ci, on nous installe dans une grande salle
vitrée ... Il y a d'autant plus d'air qu'il ne reste plus, de la
construction, que les armatures d'acier. Les verrières ont volé
en éclats sous la violence des obus allemands. Pendant la journée,
nous nous livrons à quelques exercices, nous visitons la ville, nous
admirons l'immense machine de guerre qui donne à Lille son
caractère et dont les rouages tournent devant nos yeux ébahis. Le
soir venu, on chante, beaucoup pour la dernière fois. Pendant
la troisième nuit, l'alerte est donnée vers 2 heures, à 3 heures
nous quittons le lieu de rassemblement en tenue de combat.
On ne sait rien de précis. Nous croyons qu'il s'agit d'un exercice.
La nuit est assez sombre. Après vingt minutes de marche, on
nous dit de nous écarter, nous voyons passer des colonnes de
ravitaillement, de la cavalerie, etc. Nous reprenons notre marche
jusqu'au point du jour. Nous nous trouvons déjà loin de Lille.
Le grondement du canon augmente. Notre colonne se glisse
en avant, comme un serpent géant. Nous nous arrêtons à neuf

heures dans le parc d'un château. Deux heures de repos, puis reprise de la marche jusqu'à 8 heures du soir. Le régiment s'est dispersé en compagnies, dont chacune se met à l'abri, à cause des avions. A 9 heures, nous recevons notre ration journalière.

« Malheureusement, je n'arrive pas à dormir. A quatre pas de ma botte de paille, il y a un cheval mort. A en juger par son aspect, il doit traîner là depuis quinze jours au moins. Il est à moitié décomposé. Puis, il y a, à quelques mètres derrière nous, une batterie d'obusiers qui envoie toutes les quinze minutes deux obus dans la nuit, par-dessus nos têtes. C'est un sifflement, un gémissement que ponctuent deux détonations sourdes. Nous tendons l'oreille. Ce sont des bruits que personne n'a jamais encore entendus. Pendant que nous nous serrons en chuchotant les uns contre les autres et contemplons le ciel étoilé, nous percevons soudain un roulement lointain, un chapelet de détonations. Notre sang ne fait qu'un tour. Il paraît que les Anglais lancent une de leurs attaques nocturnes. Nous attendons, anxieux, ne sachant ce qui se passe. Bientôt, le tonnerre s'apaise, le silence retombe, seule notre batterie envoie toutes les quinze minutes son salut d'acier dans l'obscurité. Le lendemain matin, nous découvrons un trou d'obus.

« Au prix de grands efforts, nous y enfouissons le cheval. Nous sommes en train de nous installer plus confortablement quand, à 10 heures, l'alarme est donnée. Quinze minutes plus tard, nous nous mettons en route. Après quelques allées et venues, nous nous établissons au bivouac dans une ferme en ruine. Cette nuit-là, je suis de garde. A 1 heure, alerte : à 3 heures, départ. Auparavant, nous sommes approvisionnés en munitions. Alors que nous attendons le signal du départ, le commandant Zech passe à cheval : demain, nous attaquerons les Anglais. « Enfin ! » pense chacun de nous avec un sentiment de joie ! Puis, le commandant prend la tête de la colonne. A 6 heures du matin, nous rejoignons dans une auberge les autres compagnies, à 7 heures, c'est le branle-bas ! Nous traversons une clairière. Devant nous, quatre canons retranchés : les premiers schrapnels éclatent à la lisière du bois et déchiquettent les cimes des arbres, comme si elles étaient des bouchons de paille. Intrigués, nous assistons à ce spectacle. Nous n'avons qu'une idée très vague du danger. Personne n'a peur. Bien au contraire, chacun attend avec impatience l'ordre d'attaque. Déjà, le sabbat augmente. On parle de blessés. Cinq ou six gaillards couverts de boue qui s'approchent par la gauche nous font pousser des cris de joie. Six Anglais et une mitrailleuse. Nous lançons un

coup d'œil à l'escorte qui, fière, suit les prisonniers. Tout en attendant, nous fixons du regard les traînées de brouillard bouillonnant. Enfin le signal : « En avant ! » Nous nous déployons en tirailleurs et courons à travers champs, en direction d'une petite ferme. Les schrapnels éclatent à gauche, à droite, les balles anglaises sifflent, mais nous ne nous en soucions pas. Dix minutes de repos. Nouveau départ. Je suis à la tête, loin de ma section. Quelqu'un lance : « Le chef de section Stöwer est blessé ! » Misère, me dis-je, ça commence bien ! Comme nous sommes à découvert, il s'agit d'avancer le plus rapidement possible. Les Anglais ont mis en ligne des mitrailleuses. Le capitaine nous précède. Quelques-uns de nos hommes tombent. Nous nous étalons par terre et avançons en rampant dans une rigole.

« Parfois, tout s'arrête ; un de nos hommes a été blessé ; nous sommes obligés de le sortir de la rigole. Nous avançons tant que continue la rigole, puis nous nous engageons une fois de plus à découvert ; 15 à 20 mètres plus loin, une mare : nous sautons dans l'eau, nous reposons quelques instants. Puis, il faut reprendre l'avance, tenter de gagner un bois à 100 mètres de nous. Là nous faisons notre jonction. Il est vrai que notre compagnie a fondu. Elle est commandée maintenant par l'adjudant Schmidt, gaillard intrépide, long comme une perche. Nous rampons sur le sol jusqu'à l'orée du bois. Au-dessus de nous, c'est un hurlement, un grondement incessant, des troncs d'arbre et des branches volent en tous sens, autour de nous. Parfois, des obus crèvent parmi les arbres projetant des nuages de pierres, de terre, de sable, déracinant les arbres les plus puissants, enveloppant tout dans une vapeur suffocante, malodorante, jaunâtre. Impossible de s'attarder longtemps en ce lieu. S'il faut mourir, mieux vaut mourir dans la libre nature. Voilà notre commandant qui arrive !

« Nous reprenons notre marche en avant. Je saute, je cours de mon mieux, traversant prairies et champs de betteraves, j'enjambe des fils de fer, des haies vives ; j'entends devant moi un homme qui crie : « Par ici ! Tous par ici ! » J'aperçois une tranchée, je me précipite ; nos hommes suivent, l'un après l'autre. A côté de moi, des Wurtembergeois, au-dessous de moi des Anglais morts ou blessés. Les Wurtembergeois avaient pris d'assaut la tranchée. Je comprends maintenant pourquoi j'avais sauté sur quelque chose de mou. A 240-280 mètres environ sur la gauche, des tranchées et la route de (*nom de la localité illisible*) sont encore occupées par eux. Une grêle de fer passe sans

arrêt par-dessus nos têtes. A 10 heures, notre artillerie intervient enfin. Les obus tombent dru dans la tranchée anglaise en
face de nous. Les Anglais en sortent comme les fourmis d'une
fourmilière. Nous repartons à l'assaut.

« Traversant rapidement les champs, nous chassons l'adversaire de ses tranchées et occupons les unes après les autres,
parfois après de sanglants corps à corps. Beaucoup lèvent les
mains. Ceux qui ne se rendent pas sont massacrés. Bientôt,
toutes les tranchées ennemies sont prises. Puis, nous débou-
chons sur la grand-route. A droite et à gauche s'étendent des
pépinières. Nous nous élançons. L'Anglais sort par hordes de
ses abris. C'est ainsi que nous parvenons à l'endroit où la forêt
s'arrête et la route s'engage dans la plaine nue. A gauche se
trouvent quelques fermes toujours occupées par les Anglais
qui dirigent sur nous un terrible feu roulant. Nos hommes
s'écroulent les uns après les autres. Et voilà qu'arrive, très
calme, fumant sa pipe, le commandant flanqué de son officier
adjoint, le lieutenant Pyloty. Le commandant se rend aussitôt
compte de la situation et donne l'ordre de nous rassembler pour
l'assaut, sur les bas-côtés de la route. Nous n'avons plus guère
d'officiers, ni de sous-officiers. Tous ceux qui n'ont pas perdu
courage vont chercher des renforts. Quand je reviens la deuxième
fois, en compagnie de quelques Wurtembergeois trouvés par là,
j'aperçois le commandant gisant sur le sol, la poitrine déchirée.
Autour de lui, un amas de cadavres. Il ne reste qu'un seul officier,
son adjoint. Une vraie fureur s'empare de nous : « Mon lieutenant, donnez l'ordre d'attaquer ! » crions-nous. Comme il est
impossible d'avancer sur la route, nous nous dispersons dans
la forêt ... quatre fois, nous nous élançons, quatre fois nous
sommes rejetés ; un seul homme de ma compagnie survit. Puis
il tombe lui aussi, touché à mort. Un obus arrache la manche
de ma vareuse, comme par miracle mon bras est intact. A
2 heures, nous lançons une cinquième attaque, cette fois-ci nous
atteignons le bord de la forêt et les fermes. Le soir, à 5 heures,
nous nous rassemblons et nous retranchons à cent mètres de la
route. Le combat se poursuit pendant trois journées entières ;
finalement, les Anglais sont rejetés. Le quatrième jour au soir,
nous regagnons (*nom de localité illisible*). C'est là seulement
que nous nous rendons compte de l'importance de nos pertes :
En quatre jours, les effectifs de notre régiment sont passés de
3 500 à 600 hommes. Il ne restait plus que 3 officiers. Il fallait
regrouper 5 compagnies. Mais nous étions fiers d'avoir rejeté
les Anglais. Depuis ces événements, nous sommes toujours en

première ligne. J'ai été proposé deux fois pour la « croix de fer », à Messines et à Wytschaete, la première fois avec (*mot illisible*) d'autres, par le lieutenant-colonel Engelhardt, notre chef de régiment. Le 2 décembre, « la croix de fer » me fut enfin remise. Maintenant, je suis coureur à l'état-major. Ce poste est un peu moins sale, mais bien plus dangereux. Rien qu'à Wytschaete, le jour du premier assaut, trois ou quatre coureurs furent tués, un autre blessé. Les survivants, y compris notre camarade blessé, reçurent la « croix de fer ». C'est notre décoration qui nous a sauvé la vie. On discutait de la liste des personnes proposées pour la « croix de fer ». Trois chefs de compagnie entrèrent dans la tente ou plutôt dans l'abri. Comme il n'y avait pas assez de place, on nous dit de nous éloigner un peu. Nous n'avions pas attendu cinq minutes qu'un obus tomba en plein sur la tente blessant grièvement le lieutenant-colonel Engelhardt, tuant et blessant tous les autres membres de l'état-major. C'était le moment le plus tragique de ma vie : le lieutenant-colonel Engelhardt faisait l'objet d'un véritable culte de la part de ses hommes.

« Cher Monsieur ! Malheureusement je dois conclure : je vous prie de bien vouloir me pardonner mon mauvais style ; je suis très énervé. Tous les jours, nous subissons de 8 heures du matin jusqu'à 5 heures du soir le feu roulant de l'artillerie ennemie ; il y a là de quoi ruiner les nerfs les plus solides. Je vous exprime, ainsi qu'à Madame, mes remerciements les plus sincères pour les deux colis que vous m'avez aimablement adressés. Je pense souvent à Munich, et nous avons tous le même désir de voir liquider le plus rapidement possible cette bande, de la déloger coûte que coûte ; nous souhaitons que ceux qui auront la chance de retourner un jour au pays natal le trouvent plus pur et débarrassé de sa xénomanie, que les sacrifices et souffrances de milliers de combattants, qui versent jour après jour des torrents de sang dans leur lutte contre un monde international d'ennemis, ne viennent pas seulement à bout des ennemis extérieurs de l'Allemagne, mais brisent aussi l'internationalisme qui sévit à l'intérieur. Cela vaudrait mieux que tous les gains territoriaux. L'évolution en Autriche sera celle que j'ai toujours prédite.

« En vous redisant ma profonde gratitude et en baisant respectueusement les mains de Madame votre mère et de votre épouse, je suis

« votre dévoué et reconnaissant serviteur
« Adolf Hitler ».

Liste des combats et batailles auxquels Hitler a pris part, ses décorations, blessures, séjours dans les différents hôpitaux, permissions etc. attestés par des documents :

1914

16-8	Hitler est affecté au 6ᵉ bataillon de dépôt du 2ᵉ régiment d'infanterie bavarois nᵒ 16 (List) à l'Ecole Sainte-Elisabeth (Elisabeth-Schule) à Munich.
1-9	Hitler est muté dans la 1ʳᵉ comp. du régiment d'inf. de rés. bavarois nᵒ 16.
21-10	Départ pour le front.
29-10	Bataille de l'Yser.
30-10 au 24-11	Bataille d'Ypres.
1ᵉʳ-11	Hitler est promu caporal.
9-11	Hitler est attaché à l'état-major du régiment.
25-11 au 13-12	Guerre de position en Flandre (Mêlée des Flandres).
2-12	Hitler est décoré de la croix de fer de 2ᵉ classe.
14-12 au 24-12	Bataille des Flandres françaises.
25-12-1914 au	Guerre de tranchées en Flandre.

1915

10 au 14-3	Bataille de Neuve-Chapelle.
15-3 au 8-5	Guerre de tranchées en Flandre.
9-5 au 23-7	La Bassée et Arras.
24-7 au 24-9	Guerre de tranchées en Flandre française.
25-9 au 13-10	Bataille d'automne de La Bassée et Arras.
7-10	Hitler est muté au régiment d'infanterie de réserve nᵒ 16.
14-10-1915 au 29-2-1916	Guerre de tranchées en Flandre.

1916

1-3 au 23-6	Guerre de tranchée en Artois.
24-6 au 7-7	Coups de sondage et simulacres d'offensive en relation avec la bataille de la Somme.
8 au 18-7	Guerre de tranchées en Flandre française.
19 au 20-7	Engagement près de Fromelles.
21-7 au 25-9	Guerre de tranchées en Flandre.
26-9 au 5-10	Bataille de la Somme.
5-10	Hitler est blessé de la cuisse lors d'un engagement près de Le Bargur.
9-10 au 1-12	Séjour à l'hôpital militaire de Beelitz.
3-12	Hitler est muté à la 4ᵉ Comp. du 1ᵉʳ bat. de réserve du régiment d'inf. bavarois nᵒ 16 à Munich.

1917

5-3	Service au front dans la 3ᵉ cie du rég. d'inf. bavarois n° 19.
5-3 au 26-4	Guerre de tranchées en Flandre française.
27-4 au 20-5	Bataille de printemps près d'Arras.
21-5 au 24-6	Guerre de tranchées en Artois.
25-6 au 21-7	Bataille des Flandres (1ʳᵉ phase).
22-7 au 3-8	Bataille des Flandres (2ᵉ phase).
4-8 au 10-9	Guerre de tranchées en Haute-Alsace.
17-9	Hitler est décoré de la croix du mérite militaire de 3ᵉ classe avec épées (Militärverdienstkreuz mit Schwertern).
30-9 au 17-10	En permission à Spital.
17-10 au 2-11	Combats d'arrière-garde au sud de l'Ailette.
3-11-1917 au 25-3-1918	Guerre de tranchées au nord de l'Ailette.

1918

26-3 au 6-4	Grande bataille (France).
7 au 27-4	Combats sur les rives de l'Avre picarde et à Montdidier.
28-4 au 26-5	Guerre de tranchées au nord de l'Ailette.
9-5	Hitler se distingue par son courage à Fontaine et reçoit un « diplôme de régiment » (Regiments-diplom).
18-5	Hitler reçoit l'insigne des blessés (noir).
27-5 au 13-6	Bataille de Soissons et Reims.
14- au 30-6	Guerre de position entre Oise et Marne.
5 au 14-7	
15 au 17-7	Offensive sur la Marne et en Champagne.
18 au 25-7	Combats défensifs entre Soissons et Reims.
25 au 29-7	Bataille défensive sur la Marne.
4-8	Hitler reçoit la « croix de fer de 1ʳᵉ classe ».
21 au 23-8	Bataille de Monchy-Bapaume.
23 au 30-8	En permission à Nuremberg.
25-8	Distinction de service de 3ᵉ classe.
10-9 au 27-9	En permission à Spital.
28-9 au 15-10	Combats défensifs en Flandre.
15-10	Hitler a les yeux attaqués par des gaz toxiques au cours de combats près de La Montagne. Il reçoit les premiers soins à l'hôpital de campagne bavarois à Oudenaarde.
21-10 au 19-11	Séjour à l'hôpital militaire prussien de Pasewalk.
21-11	Hitler est affecté à la 7ᵉ cie du 1ᵉʳ bat. du 2ᵉ régiment d'inf. bavarois de réserve.

On peut prouver qu'Hitler a toujours été un bon camarade, un soldat perspicace et courageux, dont les qualités ont été remarquées par plusieurs de ses chefs. Cela n'a pas empêché ses adversaires politiques de répandre du temps de la République de Weimar — ainsi qu'après 1945 — le bruit qu'il aurait porté à tort la croix de fer de 1ʳᵉ classe * dont les circonstances de la remise n'ont jamais été révélées par Hitler. Il n'en va pas de même de la croix de fer de deuxième classe qu'il a obtenue en décembre 1914. Nous possédons de lui une lettre inédite adressée à Josef Popp, dans laquelle il dit : « .. J'ai été fait caporal et comme par miracle, je suis resté indemne ; après trois jours de repos, nous avons repris notre marche pour prendre part aux combats de Messines et de Wytschaete. Là nous sommes montés deux fois à l'assaut. Ma compagnie ne compte plus que 42 hommes, la 11ᵉ, dix-sept. Nous avons accueilli trois convois de renforts de 1 200 hommes en tout. Après le deuxième combat, on m'a proposé pour la croix de fer. Mais le chef de compagnie fut blessé le même jour et l'affaire s'est endormie. Je fus attaché à l'état-major comme ordonnance. Depuis, j'ai tous les jours risqué ma vie et vu la mort de près. Finalement, c'est le lieutenant-colonel Engelhardt qui m'a lui-même proposé pour la croix de fer. Mais le même jour, il a été lui aussi grièvement blessé. Il était notre deuxième chef de régiment, le premier ayant été tué le troisième jour. Il y a peu, l'officier d'ordonnance Eichelsdörfer m'a proposé pour la « croix de fer » qu'on m'a enfin remise le 2 décembre. Ce fut le plus beau jour de ma vie. Mes camarades qui l'auraient méritée au même titre que moi sont tous tombés. Je vous prie, cher Monsieur Popp, conservez bien le journal avec le récit de ma décoration. Je voudrais le garder si Dieu me prête vie [52]. » A la fin de la lettre Hitler avoue qu'il a gardé le silence, parce qu'il voulait faire état de quelques succès : « Je pense souvent à Munich et spécialement à vous, cher Monsieur Popp ... parfois j'ai la nostalgie de la maison. Je termine ma lettre, cher Monsieur Popp, en vous priant de me pardonner de ne pas avoir écrit plus tôt. C'est à cause de cette « croix de fer » [53]. » Eichelsdörfer, qui n'avait pas connaissance de cette lettre, affirme en 1932 dans *Vier Jahre Westfront* (quatre années sur le front occidental), *Geschichte des Regiments*

---

* Très instructif dans ce contexte est aussi le jugement du tribunal régional (*Landgericht*) de Hambourg (Réf. II 313/32, tampon du 10 mars 1932), affaire Hitler contre Heinrich Braune et les Ets Auer & Cᵒ (Original dactylographié). Anciennes archives principales du NSDAP, Archives fédérales Coblence, NS 26/17 a.

List R.I.R. 16 (Histoire du régiment List) qu'Hitler s'était distingué par sa circonspection et son courage qui épargnèrent au successeur du chef du régiment List (tombé déjà le 31 octobre 1914), Engelhardt, d'être lui aussi fauché par le feu de l'ennemi.

Il est d'autre part prouvé qu'Hitler forçait souvent la note dans ses récits de guerre et n'hésitait pas à affirmer des choses inexactes. C'est ainsi qu'il écrit par exemple à son logeur munichois que les effectifs de son régiment ont passé en quatre jours, à la suite du tir ennemi, de 3 600 à 611 hommes [54]. Or, le régiment perdit pendant toute la durée de la guerre 3 754 officiers, sous-officiers et soldats [55]. On ne sait pas s'il s'agit d'exagérations voulues ou d'estimations erronées dues à des informations incomplètes. Mais quand il évoque ses décorations, il s'en tient strictement aux faits, si l'on fait abstraction d'un petit détail significatif *.

Le sous-officier Mend, qui fut pendant quelque temps le chef hiérarchique d'Hitler, était un fils de paysan, originaire de la localité bien connue des touristes Rothenbourg-ob-der-Tauber. Pendant la Première Guerre mondiale il s'était fait un nom comme coureur intrépide : c'est lui l'auteur d'un rapport appelé « Mend-Protokoll » composé de « souvenirs » prétendus « authentiques », dans lequel Hitler apparaît sous un jour très défavorable. Sur la remise de la « croix de fer » à Hitler, il y expose la version suivante : « Ayant enfin terminé sa période de formation, Hitler obtint la permission du capitaine von Godin de se joindre à une mission de renseignement afin de parfaire son instruction ... Dès le départ l'une des deux estafettes qui composaient, avec Hitler, le groupe, fut légèrement blessée et mise hors de combat. Hitler aperçut alors un trou creusé par un obus. Son camarade fut mortellement touché en essayant de s'y réfugier. Hitler se dirigea alors vers une tranchée abandonnée où s'était tapi un groupe de Français apeurés. Il leur intima aussitôt l'ordre de jeter leurs armes, de se lever et de gagner les lignes allemandes. Le capitaine Godin, impressionné par le récit enflé d'une recrue arrivée récemment au front, remit à Hitler de sa propre autorité la « croix de fer de première classe » **. »

---

* *Cf.* p. 127.
** Rapport de Mend au professeur Schmid-Noerr. Mémoire de Schmid-Noerr du 1-4-1967. Mend a d'autre part raconté au journaliste Walther Kleffel, qui affirmait en 1917 détenir le fameux « Mend-Protokoll », qu'Hitler aurait obtenu la « croix de fer » d'un médecin-major juif. Communication écrite de W. Kleffel du 27-1-67.

Cette dernière phrase prouve que Mend était fort mal renseigné. De fait, Hitler fut décoré de la « croix de fer de 1re classe » après quatre ans de présence en première ligne, après avoir pris part à trois douzaines de combats. Il n'était donc pas « arrivé depuis peu au front ».

En 1931, Mend — qu'une de ses connaissances nous dépeint comme un « Franconien authentique à la langue bien pendue », personnage « grossier, prompt à la riposte, souvent brutal » [56] — avait affirmé dans une brochure intitulée *Adolf Hitler im Felde 1914-1918* (Adolf Hitler en campagne) : « Etant son camarade, j'ai souvent eu l'occasion d'entendre ses remarques sur la guerre, de me rendre compte de son courage, d'apprécier ses qualités de caractère [57]. » Dans le fameux « Mend-Protokoll » rédigé après 1933, Mend — qui en 1931 avait qualifié Hitler de « soldat-né » [58] — aurait dit, à en croire le « mémoire » de son interlocuteur occasionnel Schmid-Noerr : « Peu après le début de la guerre, le volontaire Adolf Hitler me fut adjoint comme ordonnance ... Pour commencer je l'ai fait débarrasser de ses poux ; ce petit malin d'Autrichien avait barré la route à l'héritier du trône Rupprecht et lui avait expliqué dans une longue tirade qu'il brûlait de passion pour l'Allemagne et désirait s'engager comme volontaire. L'héritier du trône fit accompagner l'importun par une ordonnance au centre de recrutement le plus proche : c'est là qu'il fut immatriculé « sur recommandation spéciale » comme il aimait à dire.

« Au front, il nous donnait l'impression d'un crâneur à la tête fêlée. Quand il n'était pas à l'instruction militaire, il tenait des propos confus aux hommes. Il puisait son savoir dans de petits fascicules de vulgarisation qu'il dévorait. Quand il fut envoyé dans les tranchées, il fabriqua de petits bonshommes de glaise, les posa sur le bord de la tranchée et leur fit des discours ... où il était question d'un Etat populaire qu'il comptait instaurer après la victoire et le renversement de l'ordre social établi. Ses camarades le considéraient comme un hâbleur et un fanfaron ridicule, personne ne le prenait au sérieux *. »

---

* « Mémoire » de Schmid-Noerr du 1-4-1967. On ignore tout de la fin de Mend qui disparut soudain sans laisser de trace. L'ancien ami de Mend, Walther Kleffel, écrivit le 27-1-1967 à l'auteur : « Je vous demande surtout ...quelques informations sur le sort de Mend, en particulier sur sa fin, s'il est mort. Je ne pense d'ailleurs pas qu'il soit encore de ce monde, car j'aurais certainement eu de ses nouvelles ... Mais dites-moi aussi ce que vous pourriez avoir appris sur ses proches. » Schmid-Noerr fit le 1-4-1967 la déclaration suivante : « Je me promenais avec Mend à Munich, dans la Karlstrasse, en quête de quelques objets d'art. Soudain un monsieur

Au printemps 1922, à une époque où personne n'était obligé de se prononcer en termes élogieux sur Hitler, le lieutenant-colonel von Lüneschloss, le général de brigade Friedrich Petz, le colonel Spatny, chef du 16ᵉ régiment de réserve, le lieutenant-colonel Anton von Tubeuf chevalier de l'Ordre Max-Joseph, s'accordent pour dire qu'Adolf Hitler, ancien coureur et planton-cycliste de leur régiment [59], a été un soldat courageux, serviable, réfléchi, intrépide. Lüneschloss déclare : « Hitler a toujours été à la hauteur de sa tâche, on pouvait lui confier des missions que d'autres ordonnances étaient incapables d'exécuter [60]. » Petz écrit : « Hitler avait l'esprit vif, le corps frais, agile, endurant. Le plus remarquable est son courage personnel et son audace qui lui permettaient de faire face à toutes les situations périlleuses et à tous les dangers du combat [61]. » Spatny raconte ses souvenirs le 20 mars 1922 : « La ligne de combat mouvante et animée (France septentrionale, Belgique) exigeait de tous les hommes du régiment une bonne dose d'esprit de sacrifice et de courage personnel. A cet égard, Hitler donnait l'exemple à tous ses camarades qu'impressionnaient son audace personnelle, son attitude irréprochable dans toutes les situations du combat ; ses qualités et la modestie de ses manières, sa sobriété digne d'admiration lui valaient le plus grand respect de ses chefs et de ses égaux [62]. » Même son de cloche chez Tubeuf qui remit à Hitler la « croix de fer » de première classe : « Toujours prêt à rendre service et à prêter main-forte, il était dans toutes les situations volontaire pour les missions les plus difficiles, les

---

s'approcha de Mend et l'invita en ma présence à faire quelques pas avec lui. J'attendis, pensant que Mend allait revenir d'un instant à l'autre ; mais il ne revint pas et je ne l'ai plus revu. J'appris par sa femme de ménage que la Gestapo d'Hitler l'avait transféré à Wurzbourg et présenté au « *Gauleiter* (chef de district). Le gauleiter reçut Mend par ces mots : « Ah, vous voilà enfin chez nous ! On vous a attendu longtemps. Qu'est-ce que vous avez fait ? » Mend fut bientôt conduit à Munich, dans la « Maison brune », et de là dans une localité inconnue sur les bords du Chiemsee ... C'est là qu'il fut « liquidé » par ordre d'Hitler. » Schmid-Noerr prétend (11-4-1967) que « Mend n'a jamais séjourné dans un camp de concentration » mais a été « liquidé par ordre personnel d'Hitler » (sur les bords du Chiemsee). Or, des documents attestent que Mend fut détenu jusqu'à Noël 1938. D'après un rapport du délégué du ministre de la Justice pour les camps de détenus de la vallée de l'Ems, du 23 janvier 1939, adressé aux Archives principales du NSDAP dont quelques collaborateurs cherchaient à connaître les déclarations de Mend sur Hitler, le « détenu Hans Mend a été élargi le 24-1-1938 en exécution d'une mesure de grâce ». L'original dactylographié des anciennes Archives principales du NSDAP se trouve aux Archives fédérales à Coblence NS 26/64. C'est comme détenu que Mend a rédigé le rapport mentionné dans la note (**) p. 85 sur les acquéreurs de tableaux d'Hitler. On ne peut établir avec certitude si Mend a été par la suite « liquidé », comme l'affirme Schmid-Noerr.

plus pénibles, les plus dangereuses, quitte à sacrifier sa vie et sa tranquillité pour la patrie. Sur le plan humain, je me sentais plus proche de lui que de tous les autres hommes, et j'ai apprécié, dans la conversation privée, son ardent patriotisme, ses opinions qui témoignaient de sentiments sincères et honnêtes [63]. » Nous lisons dans la demande de remise de la « croix de fer » du lieutenant-colonel von Godin du 31 juillet 1918 à la 12ᵉ brigade d'infanterie de réserve de l'armée royale bavaroise : « Comme estafette, il a été un modèle de sang-froid et de courage aussi bien dans la guerre de tranchées que dans la guerre de mouvement ; il était toujours volontaire pour transmettre des messages dans les situations les plus difficiles et les plus périlleuses. Quand, au milieu de durs combats, toutes les communications étaient rompues, des messages importants ont pu être acheminés grâce à l'activité infatigable et désintéressée d'Hitler. Hitler a obtenu la « croix de fer » de deuxième classe le 2-12-14 pour son courage pendant la bataille de Wytschaete ; à mon avis il mérite pleinement la « croix de fer » de première classe [64]. »

La naissance et la propagation de bruits tendancieux sur la « croix de fer » de première classe décernée à Hitler, sont imputables en grande partie aux nationaux-socialistes qui ne voulaient pas admettre (ou qui ignoraient) qu'Hitler devait cette décoration, dont il fut fier jusqu'à la fin de sa vie, à un Juif. La « croix de fer » de première classe fut remise à Hitler à la demande de l'officier d'ordonnance juif Hugo Gutmann ; Hitler s'était distingué (ce qu'indique la demande Godin) en transmettant dans des conditions particulièrement difficiles un message à une batterie allemande, l'empêchant ainsi de tirer sur des unités allemandes qui avaient progressé entre-temps [65].

Quatre années de combats à Ypres, Fromelles, Messines, Wytschaete, sur les bords de la Somme, en Artois, dans la région de La Bassée, d'Arras, au Chemin des Dames, sur la Marne et à La Montagne, ont permis à Hitler de réunir des observations et des expériences personnelles qu'un officier d'état-major ne saurait faire en temps de paix.

Plus tard, pendant la Deuxième Guerre mondiale, Hitler était souvent mieux renseigné que ses généraux sur la conduite d'un régiment*. Mais il restera pendant toute sa vie, malgré quelques idées, intuitions et décisions remarquables, le commandant de régiment qui veut connaître les moindres détails et prendre lui-même toutes les décisions à tous les niveaux.

---

* *Cf.* chap. VIII.

Les ordres qu'Hitler donne en sa qualité de chef suprême de la Wehrmacht et les motivations qui le guident reflètent souvent ses expériences personnelles de la Première Guerre mondiale. C'est ainsi qu'il déclare, le 18 juin 1944, au cours d'une analyse de la situation en Italie au sujet de la guerre aérienne : « Nous n'avons nulle part connu, pendant la Première Guerre mondiale, une telle infériorité aérienne. Cela, je le sais pertinemment. Avant de lancer la grande offensive pendant la grande bataille de France, nous avons chassé pratiquement tous les Anglais. Nous n'avons pas connu de situation aussi lamentable. Encore en 1917, pendant la bataille d'Arras, l'escadrille de Richthofen a pour ainsi dire nettoyé le ciel. Les escadrilles anglaises n'ont jamais pu percer et ont été promptement rejetées. J'ai assisté moi-même à la descente des dix derniers avions. Nous étions les maîtres du ciel. Pendant la bataille de Flandre, il y a eu les premiers grands combats aériens, 70 à 100 appareils de chaque côté — c'était un vrai massacre ; mais, là encore, l'ennemi n'avait pas la maîtrise absolue de l'air. Ils ont fait preuve de plus d'insolence ; évidemment, en 1918, la situation s'est aggravée [66] » Le 29 décembre 1944, il se réfère à des expériences de la Première Guerre mondiale qu'il a toujours présentes à l'esprit pour critiquer le comportement de certaines unités chargées du ravitaillement : « Je pourrais raconter une expérience personnelle à ces gens qui se lamentent sans arrêt de l'arrivée tardive des renforts. Nous sommes partis le soir du 25 pour la deuxième offensive de 1918. Le 26, nous avons passé la nuit dans un bois, le 27 à 5 heures du matin, c'était l'heure de l'attaque. Eh bien, c'est la veille, dans la soirée, que nous avons reçu des renforts pour la grande offensive du Chemin des Dames [67]. »

Parfois, le chef suprême de la Wehrmacht justifie ses décisions par des expériences remontant à l'époque de 1914-1918. « C'était l'habitude des hommes, raconte-t-il à la fin de 1944, j'ai pu m'en rendre compte à l'époque où j'étais coureur : quand, en 1915 et en 1916, le commandant de notre régiment recevait une carte postale, il fallait — avant qu'il fût remplacé par un chef plus sérieux — lui faire apporter par une estafette spéciale la carte dont on lui avait annoncé l'arrivée par téléphone. Cela pouvait coûter la vie à un homme et mettait en danger les états-majors eux-mêmes, puisque dans la journée on pouvait voir où se rendait l'estafette. Bref, une véritable folie ! Peu à peu, on a mis un terme, en haut lieu, à cette manière d'exposer inutilement la vie des hommes. Il n'en allait pas autrement des

chevaux. Ainsi, on a envoyé une voiture de Messines à Fourne chercher une livre de beurre. C'est un non-sens. Nous avons connu le même gaspillage dans l'économie. On envoie un camion de 4,5 tonnes charger une petite machine de 10 kilos. Nous avons fini par mettre un terme à ces abus [68]. »

L'interdiction d'évacuer à temps des positions intenables et le refus obstiné d'Hitler d'explorer et de consolider, comme le lui conseillaient ses chefs militaires, des positions de retraite *, se fondaient également sur des impressions recueillies plus de vingt-cinq ans plus tôt. Au printemps de 1917, il avait appris, en regagnant les premières lignes après un séjour à l'hôpital militaire prussien de Beelitz, près de Stettin, que le repli des troupes allemandes entre Arras et Soissons sur la « position Siegfried » s'était opéré plus rapidement que prévu par le haut commandement de l'armée. Depuis ce jour, Hitler était convaincu que des positions de repli et des fortifications en retrait du front, préparées d'avance, exerçaient une attraction « magnétique » sur les unités combattantes. Mais son refus pendant la deuxième moitié de la guerre d'ordonner des replis tactiques qui, sur le plan stratégique, auraient comporté de nombreux avantages **, ne saurait s'expliquer par les seules réminiscences de la Première Guerre mondiale. Hitler était convaincu qu'il fallait tenir compte en tout de l'effet de « propagande » et de l' « opinion mondiale » et régler les décisions militaires importantes en fonction de ce principe. Là encore, il s'inspirait d'observations faites pendant la Première Guerre mondiale : « Mais c'est seulement, pour la première fois, au cours de la guerre, que je pus me rendre compte à quel prodigieux résultat peut conduire une propagande judicieusement menée. Ici encore, toutefois, il fallait malheureusement tout étudier chez la partie adverse, car l'activité de notre côté restait sous ce rapport plus que modeste, écrit Hitler dans *Mein Kampf* ... Car ce qui était manqué chez nous était exploité par l'adversaire avec une habileté inouïe et un à-propos véritablement génial. Dans cette propagande de guerre ennemie, je me suis énormément instruit... [69]. » Parmi les doctrines exposées par Hitler à ce sujet dans *Mein Kampf*, il faut compter aussi celle que, dans la guerre, d'où toute idée d'humanistarisme doit être exclue [70], la propagande doit venir « de l'intérieur du pays » [71] et se subordonner au but [72] à atteindre [73].

---

* *Cf.* aussi chap. VIII.
** *Cf.* aussi chap. VIII.
* *Cf.* chap. VIII.

S'il est vrai qu'Hitler a su, pendant la Deuxième Guerre mondiale, « conditionner » avec une « maestria » incomparable l'armée allemande et le peuple allemand par sa propagande, il n'en reste pas moins que sa tentative d'influencer en même temps l'ennemi et l' « opinion mondiale », d'en tenir compte dans toutes ses décisions et dispositions militaires, a été une erreur monumentale. L'habitude d'Hitler d'ériger en « lois naturelles » des expériences personnelles — confirmées parfois par des faits — devait entraîner des catastrophes.

Après la « prise du pouvoir », Hitler n'est pas seulement le « Führer et Chancelier du Reich », le chef suprême des forces armées, mais aussi le ministre des Affaires étrangères et le ministre de la Propagande ; à partir de décembre 1941, il assume en outre le commandement de la Wehrmacht, les militaires aussi bien que les chefs civils comme Ribbentrop ou Goebbels n'étant plus que de simples organes exécutifs : la conséquence en est qu'Hitler embrouille tous les domaines, que ses décisions militaires obéissent souvent à des considérations de propagande. Il va sans dire que la guerre telle qu'il l'avait voulue exigeait une certaine synchronisation des mesures stratégiques, politiques, économiques et de propagande ; mais souvent, chez Hitler, les considérations de propagande primaient toutes les autres. C'est ainsi qu'il négligea, pendant la bataille pour Stalingrad et pour la Crimée, de donner l'ordre de repli quand celui-ci s'imposait de toute urgence. C'est toujours la crainte des conséquences sur le plan de la propagande qui empêchait Hitler — à partir de 1942 — de prendre, aux moments cruciaux de la guerre, des dispositions militaires à long terme et d'élaborer des plans opératifs. Il est patent que la « stratégie de prestige » lui suggérait souvent des solutions déplorables que les efforts de la troupe et du pays ne pouvaient compenser : « En matière militaire, on ne saurait bluffer à la longue, le vrai rapport des forces finit toujours par apparaître et par le bluff on prépare les revers qu'une approche purement stratégique de la situation aurait pu effacer : Frédéric le Grand a survécu à Kolin, Hochkirch et Kunersdorf [74]. »

Parfois, Hitler n'a tenu aucun compte de ses observations de la Première Guerre mondiale ou a même fait le contraire de ce qu'elles auraient dû lui enseigner. Je n'en veux pour preuve qu'une remarque qu'il a faite en 1924 : « Depuis les jours de septembre 1914, écrit Hitler dans *Mein Kampf*, lorsque pour la première fois les interminables troupes de prisonniers russes, provenant de la bataille de Tannenberg, commencèrent à couler

sur les routes de l'Allemagne, ce flot n'en finissait plus, mais de
toute armée battue et anéantie, une nouvelle armée prenait la
place. Inépuisablement, le colossal empire des tzars livrait à
la guerre ses nouvelles victimes. Combien de temps l'Allemagne
pouvait-elle soutenir cette course ? Un jour ne devait-il pas
arriver où, après une dernière victoire allemande, des armées
russes qui ne seraient toujours pas les dernières entreraient
dans la dernière de toutes les batailles ? Que faire alors ?
La victoire de la Russie pouvait, à la vérité, être différée, mais
elle devait survenir immanquablement un jour [75]. » En dépit
de ces expériences, il espérait en 1941 pouvoir bousculer la Russie
en quelques semaines ou en quelques mois *.

Vers la mi-octobre 1917, Hitler est blessé près de la La Montagne. Le 29 novembre 1921, il écrit : « Dans la nuit du 13 au
14 octobre, je fus gravement intoxiqué au gaz croix jaune (ypérite), perdant au début complètement la vue [76]. » Traité d'abord
à l'hôpital de campagne bavarois d'Oudenaarde [77], puis à partir
du 21 octobre à l'hôpital militaire de Pasewalk [78], en Poméranie,
il a peur de rester aveugle ou de perdre une partie de son
acuité visuelle ; la situation politique dans un pays las de la
guerre l'inquiète d'autant plus qu'un changement de régime à
la suite d'une révolution ne promet guère d'autre possibilité
à un artiste aveugle ou presque aveugle sans formation sérieuse,
que d'aller mendier. « Des bruits défavorables venaient conti-
nuellement de la marine, raconte Hitler, où, à ce qu'il disait,
l'effervescence régnait [79]. » Il pense qu'il s'agit seulement de
« bruits » : « Mais ceci me paraissait devoir être plutôt le
produit de l'imagination de jeunes gens isolés qu'un sujet intéressant les grandes masses. A l'hôpital même, chacun parlait
bien de la fin de la guerre que l'on espérait voir arriver bientôt,
mais personne ne comptait sur une solution immédiate. Je ne
pouvais lire les journaux [80]. » L'incertitude ne devait pas durer :
« Au mois de novembre, la tension générale augmenta. Et un
jour la catastrophe fit soudain sa brusque irruption. Des mate-
lots arrivèrent en camions et excitèrent à la révolution ; quelques jeunes Juifs étaient les « chefs » de ce mouvement « pour
la liberté, la beauté et la dignité » de notre peuple. Aucun d'eux
n'avait jamais été sur le front. Par le biais d'un hôpital de
vénériens, les trois Orientaux avaient été refoulés des arrières
vers le pays. Maintenant, ils y hissaient le chiffon rouge ... Les
jours suivants arrivèrent, et avec eux la plus affreuse certitude

---

* *Cf.* aussi chap. IX.

de ma vie. Les bruits qui couraient devenaient toujours plus
accablants. Ce que j'avais pris pour une affaire locale était,
disait-on, une révolution générale... D'affreuses journées et des
nuits pires encore suivirent : je savais que tout était perdu.
Seuls de complets insensés ou des menteurs et des criminels pouvaient en arriver à espérer en la clémence de l'ennemi. Dans
ces nuits naquit en moi la haine, la haine contre les auteurs de
cet événement. Dans les jours suivants, je devais aussi être fixé
sur mon sort. Je riais en pensant à mon propre avenir, qui peu
de temps auparavant m'avait causé de si amères inquiétudes.
N'était-ce pas ridicule de vouloir bâtir des maisons sur un tel
terrain ? Enfin, je vis clairement que maintenant était arrivé
ce que j'avais si souvent appréhendé, mais n'avais jamais pu
croire de sang-froid [81]. » Le 7 novembre 1918, il apprend à
l'hôpital militaire de Pasewalk que la guerre est terminée et
que la république a été proclamée en Bavière [82]. Trois ans plus
tard, il se souvient : « Comme ma cécité guérit rapidement
et je recouvrai peu à peu la vue, que d'autre part, la révolution
avait éclaté le 9 novembre, je demandai à être transféré à Munich,
où j'intégrai en décembre 1919 le 2e rég. d'inf. [83]. »

Il en est de l'affirmation — lancée surtout par le général
von Bredow [84] — que la cécité d'Hitler aurait été de nature
« hystérique » comme de celle qu'Hitler aurait obtenu la croix
de fer de première classe par une fraude : même Morell — après
1945 — pensait qu'il avait pu en être ainsi [85]. Il est certain que
l'intoxication à l'ypérite et la perspective « de rester aveugle
pour la vie » avaient ébranlé Hitler qui, en octobre 1918, envisageait encore une carrière d'artiste [86]. Mais de nombreux documents et témoignages prouvent * que la cécité était la conséquence d'une intoxication, dont Hitler ne fut pas la seule victime.

Le 21 novembre 1918, Hitler quitte l'hôpital, après avoir pris
la décision « de faire de la politique » [87]. Au front, il s'était
entretenu avec son camarade Ernst Schmidt (qu'il orthographie
dans *Mein Kampf* par erreur « Schmiedt ») [88] de son avenir.
Jusqu'à la fin de la guerre, il hésite entre l'architecture et la
politique [89].

De Pasewalk, il se rend à Munich à la 7e compagnie du
1er bataillon de réserve du 2e régiment d'infanterie bavarois,

---

* Communication personnelle du prof Fridolin Solleder (1953) qui
publia par la suite l'histoire du régiment List. Déjà, en 1917, plusieurs
membres du régiment sont « gazés » et envoyés à l'hôpital. Adolf Meyer
raconte qu'en quelques jours, environ 400 soldats « gazés » furent
admis à l'hôpital militaire.

qui se trouvait depuis la révolution d'Eisler « aux mains de
soviets de soldats » [90]. La situation politique qu'Hitler trouve à
Munich l'inquiète. Le Juif [91] Kurt Eisner, originaire de Berlin,
ancien social-démocrate et rédacteur du *Vorwärts*, a proclamé
la république à la suite d'un « exploit de cosaques » comme il
appelle par ironie sa révolution, et a pris en main les rênes du
gouvernement. A la différence d'Hitler, on le connaît à Munich
comme journaliste et critique théâtral : en janvier 1918, il avait
pris une part active aux mouvements de grève qui avaient
secoué la capitale de la Bavière ; en août 1918, il est impliqué
dans un procès de haute trahison ; en septembre de la même
année il reprend, à l'instigation des sociaux-démocrates, son
activité politique [92]. Le roi de Bavière, entre les mains duquel
Hitler avait prêté serment le 8 octobre 1914, a abandonné le
trône sans offrir la moindre résistance ; son chef de guerre,
l'empereur Guillaume II, s'est même réfugié à l'étranger. Le
13 novembre, quelques semaines avant l'arrivée d'Hitler à
Munich, le roi en fuite « autorisa tous les fonctionnaires, officiers et soldats à travailler dans le cadre de la nouvelle situation » [93] et les délia de leur serment [94]. La plupart des officiers et sous-officiers sont heureux de pouvoir accepter les ordres
des nouveaux maîtres du pays, ce qu'Hitler apprend aussitôt
dans sa caserne [95]. Le général von Speidel, porte-parole du
corps des officiers, avait déjà affirmé le 8 novembre « qu'obéis-
sant à leurs convictions intimes, les officiers étaient prêts à se
mettre sans réserve au service de la démocratie » [96]. Tenant
compte de la situation, ils avaient renoncé à tous les contacts
avec la couronne et s'étaient pliés bon gré mal gré aux conditions nouvelles. Ni l'armée, ni la police, ni l'ensemble des fonctionnaires qui continuent tous d'assurer leur service n'ont voulu
se battre, l'arme à la main, pour la dynastie légitime.

Hitler, à qui « toute cette agitation répugne » [97], préfère
rester dans la caserne de son unité, où il doit assurer — avec
Schmidt — le service de garde. Pour améliorer l'ordinaire, lui
et Schmidt se chargent, comme volontaires, du tri d'effets militaires [98]. Hitler trouve néanmoins le temps de reprendre ses
études qu'il avait dû interrompre en août 1914. Il a l'impression
de trouver à Munich la confirmation de ses théories, élaborées
à Vienne, sur « les Juifs » [99]. L'empereur d'Allemagne, de 1900
à 1914 à Leonding, Linz, Steyr, Vienne et Munich le symbole
de son concept du Reich, a été éliminé, dès novembre à Pasewalk,
de sa « weltranschauung ». De décembre 1918 à février 1919,
il répand sa thèse datant de son séjour à Pasewalk, aux termes

de laquelle la défaite allemande était imputable au fait que
« l'empereur Guillaume II était le premier empereur d'Allemagne qui avait tendu la main aux chefs du marxisme [100] sans
se douter que les fourbes n'avaient point d'honneur » [101]. Selon
Hitler, Guillaume II « a été trompé par les Juifs » ... « Tandis
que les marxistes tenaient encore la main de l'empereur dans
la leur, l'autre cherchait le poignard » [102] afin de « remplir leur
mission juive » [103]. A Munich, Hitler dispose en 1918 de tracts
édités par des maisons racistes et d'autres pamphlets visant
à donner à un sentiment national malade une orientation antisémitique. Ils imputent la responsabilité de la défaite allemande
aux « Juifs » et affirment que ce sont eux qui ont « discrédité »
l'Allemagne dans le monde par leur « esprit de domination et
par leur cupidité » [104]. Les Juifs, affirment-ils, ont gagné des
millions pendant la guerre, par leurs livraisons d'armes et l'exploitation de la pénurie [105]. Ils ont systématiquement « démoralisé » l'Allemagne pour parachever leur mainmise sur le pays [106]
et fomenté la révolution pour détourner l'attention de leurs
agissements. Partout et non seulement en Bavière, des antisémites militants se lèvent et s'efforcent avec un zèle fanatique,
par la parole et les écrits, de sensibiliser le sentiment national
allemand exaspéré par la défaite, de permettre au peuple d'échapper, grâce à des subterfuges relevant de l'hystérie, à l'idée pénible d'être responsable, en grande partie, de la situation du
moment.

Hitler, en sa qualité de soldat, ne veut toujours pas « faire
de la politique » [107]. « Je ne voulair rien savoir de la politique,
affirme-t-il dans *Mein Kampf* en parlant de son attitude pendant
la guerre, mais je ne pus m'empêcher de prendre position sur
certains phénomènes [108]. » A la caserne, il ne se fait pas remarquer. Il lit beaucoup, observe ceux qui sont autour de lui et
évite — à l'exception d'Ernst Schmidt — la fréquentation de
camarades et de civils [109].

Au début de février 1919, on annonce pendant un appel
de la 7e compagnie du 1er bataillon de rés. [110] qu'on cherche
deux douzaines de volontaires disposés à aller à Traunstein
pour y relever les vieux soldats de la territoriale chargés de
la garde des prisonniers de guerre. Hitler et Schmidt se présentent et se rendent, le 12 février, au camp militaire de Traunstein [111]. Ils y trouvent des prisonniers français et russes, mais
les Français sont bientôt renvoyés chez eux ; une partie des
Russes travaille en dehors du camp [112].

Le 16 février 1919, le maréchal Foch ordonne l'arrêt de la

contre-offensive allemande en Pologne et fixe la ligne de démar-
cation à l'est, qui sera la base de la frontière future. Le
20 février 1919, l'Assemblée nationale, réunie à Weimar, est
obligée d'accepter la résolution alliée [113] et de consentir à la signature du Traité de Versailles qui décidera de l'histoire de la
République de Weimar et du N.S.D.A.P. A la différence d'Hitler,
la population allemande s'indigne des dures conditions de paix
auxquelles elle ne s'attendait pas. Ainsi, l'Allemagne est rendue
responsable de tous les dommages de guerre causés aux Alliés *.
Hitler portera toujours sur lui, pendant ses tournées de conférences, le texte du « traité honteux » annoté par ses soins [114].

Le 21 février 1919, cinq jours après la publication de l'ordre
de Foch, Kurt Eisner est tué d'une balle dans le dos. Le meur-
trier est un officier, fils d'un noble et d'une Juive [115], neveu du
général von Speidel, Anton Arco-Valley, que plusieurs publications contemporaines fêtent comme un « nouveau Tell » [116],
comme une « nouvelle Charlotte Corday » [117] et qui, le 8 novembre, s'était porté garant devant Eisner du parfait loyalisme du
corps des officiers bavarois [118] **. Nous ignorons la réaction
d'Hitler. Mais on peut supposer qu'il n'a pas approuvé, à cette
époque, l'assassinat de l'homme d'Etat. Encore, en 1924, il
écrit dans *Mein Kampf* : « La mort d'Eisner ne fit qu'accélérer
l'évolution et conduisit finalement à la dictature des soviets,
pour mieux dire, à une domination passagère des Juifs, ce qui
avait été originairement le but des promoteurs de la révolution
et l'idéal dont ils se berçaient [119]. » Le 7 mars [120] le camp de
Traunstein était dissous [121], Hitler réintègre la 7e compagnie
du 1er bataillon de réserve du 2e régiment d'infanterie bavarois.
« Pendant ce temps, précise-t-il dans *Mein Kampf*, des plans
sans nombre se pourchassaient dans ma tête. Des jours entiers,
je réfléchissais à ce que je pouvais faire, mais toutes ces
réflexions aboutissaient à la simple constatation que, n'ayant
pas de nom, je ne remplissais pas le moins du monde les conditions pour pouvoir exercer une action utile quelconque [122]. »

Au début de l'année 1919, Hitler assiste en spectateur à
une série d'événements politiques tumultueux. Il n'a cure d'y
prendre part et ne songe qu'à sa sécurité personnelle, laissant

---

* Paragraphe 231 du Traité.
** Arco-Valley fut condamné à mort le 16 janvier 1920 ; mais le
lendemain du verdict, le gouvernement commua cette peine en arrêts de
forteresse perpétuels ; il fut enfermé à la forteresse de Landsberg où
Hitler séjourna après son putsch du 8 et 9 novembre. Le 14 avril 1924,
Arco-Valley fut libéré par décision ministérielle. *Cf.* aussi : Maser, *Die
Frühgeschichte der NSDAP*, p. 26.

l'initiative aux autres. Il étudie des manifestes et tracts de tous genres, s'oriente dans la mêlée, approuve l'appel quelque peu dépassé de l' « Union défensive et offensive nationale-allemande » [123]. Cet appel, qu'ornent quelques croix gammés, dénonce « la prétention des Juifs de dominer le monde », exige l'expulsion des « Juifs de l'Est » et la peine de mort pour les « trafiquants et agitateurs bolchéviques » [124] ; Hitler accepte l'avertissement du commandement général des soviets du 7 avril 1919 * qui précise : « Quiconque use de voies de faits à l'encontre d'un représentant de la république des soviets... sera passé par les armes [125]. »

Au début de mars des négociations s'engagent à Nuremberg sur l'élection d'un nouveau président du conseil. Le 17 mars, dix jours après son retour de Traunstein, Hitler apprend que le ministre social-démocrate des Affaires culturelles Johannes Hoffmann, député social-démocrate de l'assemblée régionale et du Reichstag du temps de l'empire, avait été élu en quelques minutes [126]. Il constate avec satisfaction [127] que le premier gouvernement élu après la chute de la monarchie des Wittelsbach s'apprête à gouverner sans parlement **. A la fin de mars, la confusion et l'incertitude, entretenues par les soviets, se répandent dans tous les partis et dans la population. Une crise s'annonce que les communistes et sociaux-démocrates indépendants croient pouvoir endiguer seulement — suivant en cela l'exemple de Béla Kun en Hongrie — par l'installation d'un gouvernement de soviets. On improvise des grèves, on convoque des réunions de travailleurs, on sème la zizanie. Beaucoup voient la solution dans la proclamation du gouvernement des soviets. Dans la nuit du 4 au 5 avril, on convoque au ministère de la Guerre une réunion au cours de laquelle les 80 à 100 membres du parti social-démocrate (S.P.D.), du parti social-démocrate indépendant (U.S.P.D.), de l'Union paysanne bavaroise, du soviet central des syndicats ouvriers, d'un groupe d'opposition libéral-démocrate,

---

* Les « libérateurs » de Munich ne procéderont pas autrement après l'écrasement, en mai, des soviets. C'est ainsi que le 16 mai, 77 Allemands et 58 Russes furent passés par les armes parce qu'on avait trouvé des armes sur eux. *Cf.* aussi p. 140.

** Aux termes d'une « convention privée entre le soviet central des conseils d'ouvriers, de paysans et de soldats et le gouvernement Hoffmann, le parlement devait provisoirement ne pas être convoqué ». « Le gouvernement se proposait d'agir, en vertu de pouvoirs spéciaux que les chefs des groupes parlementaires lui avaient conférés de leur propre autorité, pour qu'il puisse provisoirement gouverner sans parlement » (Renseignement personnel d'Ernst Niekisch (1965). *Cf.* aussi Niekisch, *Gewagtes Leben* p. 63.

ainsi que les ministres Scheppenhorst, Unterleitner et Simon, se prononcent contre la proclamation d'une république de soviets. Le communiste russe Eugène Leviné, qui arrive en pleine discussion, s'était auparavant opposé à toute collaboration avec les sociaux-démocrates. Mais dans la nuit du 6 au 7 avril, les mêmes participants décident, après une nouvelle sortie de Leviné (au Palais Wittelsbach), d'aviser par télégramme toutes les administrations locales de la transformation de la Bavière en « république soviétique ».

La Bavière est un Etat sans direction politique. Le gouvernement des soviets — qui ne peut empêcher Hoffmann et son ministre de l'Intérieur de continuer de gouverner à Bamberg — se compose de ministres (ou de « délégués du peuple » comme ils prétendent être appelés) dont la compétence est loin d'être prouvée ! En élisant des « délégués du peuple », les soviets ont d'emblée visé trop haut. Le ministre des Affaires étrangères Lipp a passé quelque temps dans une maison de santé : en assumant ses hautes charges, il est de nouveau en butte à des troubles mentaux. Il envoie un télégramme à Moscou annonçant — en se référant au traité d'Immanuel Kant sur « La paix perpétuelle » (thèse 2-5) — que la bourgeoisie libérale a été démasquée comme « agent de la Prusse » et désarmée, que Hoffmann a emporté en cette heure historique « la clef des chiottes », que les « mains de gorille velues de Gustav Noske dégoulinent de sang », que la Prusse « a besoin de l'armistice pour préparer la revanche » [128].

Or, ni le président du conseil Hoffmann, installé à Bamberg, ni le ministre de la Guerre, Schneppenhorst, n'acceptent l' « assistance du Reich » que Noske leur offre dès le 4 avril 1919 [129]. Ils interdisent même l'installation de centres de recrutement ou le recrutement de volontaires par voie d'annonces ou d'affiches [130]. Mais l'Union de combat « Thule-Gesellschaft » de tendance radicale, antibolcheviste et antisémitique, raccole malgré l'interdiction [131], fait sortir de Munich en fraude des centaines de volontaires (parmi eux Rudolf Hess, futur « représentant » du Führer), des armes et soutient par tous les moyens le corps franc bavarois d'Epp, équipé aux frais du Reich [132]. Schneppenhorst, personnage assez équivoque, « veut éviter toute effusion de sang » [133]. D'après lui, « l'ordre public » doit être rétabli « sans l'emploi de la force, sans la Prusse et sans Epp » [134]. Il attend un coup de main du commandant de la milice républicaine contre le gouvernement des soviets à Munich [135]. Mais ses calculs se révèlent faux. Il est vrai que le 13 avril 1919 un putsch lancé à l'ins-

tigation de l'union de combat de la « Thule-Gesellschaft » aboutit
à l'arrestation de Lipp, Mühsam, Hagemeister et de l'avocat de
la gauche radicale Wadler [136] ; mais la contre-attaque foudroyante
des « spartakistes » ayant pris pour une fois le parti de lutter
pour la « pseudo-république des soviets » remet en selle les
« conseils ouvriers » [137].

Le 13 avril, les soviets d'entreprises, siégeant au Hofbräuhaus
sous la présidence de Levin et de Leviné, se proclament l'instance suprême de Bavière : ils suppriment le « soviet central »
et instaurent la « deuxième république des soviets communistes ». Le Russe Leviné prend la direction du Comité exécutif
nouvellement constitué. Deux autres Russes, Max Levin et Tobias
Exelrod, l'assistent. Gustav Landauer est limogé, Egelhofer, un
matelot de vingt et un ans, est nommé commandant de la ville
et chef suprême de l'Armée Rouge. La proclamation de cette
république est assortie d'une longue liste d'interdictions. Les
journaux bourgeois sont interdits. D'après un schéma peu trans-
parent, on arrête et libère des otages, on coupe les vivres et les
combustibles aux bourgeois, on confisque des bijoux et des
appartements ; la planche à billets (on reproduit simplement les
billets de banque anciens) subvient aux besoins de l'Etat. Les
loyers doivent être versés directement aux autorités gouver-
nementales. Il est même interdit de faire de la pâtisserie à la
maison [138]. La vente du lait est réservée aux détenteurs d'un
certificat médical. Eugen Leviné remarque cyniquement :
« Qu'importe, si, pendant quelques semaines, le lait se fait
rare à Munich ; on sait qu'il est généralement réservé aux
enfants de bourgeois. Leur survie ne nous intéresse pas. Tant
mieux s'ils meurent ; un jour ils seront des ennemis du prolétariat [139]. » La limitation de la liberté personnelle des bourgeois
que visent des mesures d'exception mais qui ne peut être obtenue
aussi rapidement et avec des moyens si peu adéquats (le couvre-
feu oblige les bourgeois à rentrer chez eux à 19 heures et
plus tard à 2 heures), le pillage, les exactions de toute sorte
souvent organisées par des membres de la « Thule-Gesellschaft »
et attribuées au gouvernement des soviets *, sèment parmi la
population l'inquiétude, la peur, l'indignation. Les paysans n'en-
voient plus de vivres dans les villes, la pénurie et la misère
s'étendent si bien que Hoffmann finit par demander l'aide du

---

* Pour compromettre les soviets et pour s'enrichir, quelques membres
de la « Thule-Gesellschaft » procèdent à la confiscation de biens et de
marchandises en se servant d'un tampon fac-similé du commandant
communiste de la place, Egelhofer.

Reich. Comme le recrutement de volontaires avait été interdit en Bavière, le colonel von Epp, officier royaliste rompu au
métier de la guerre, ancien chef du régiment du roi de Bavière,
avait mis sur pied un corps franc à Ohrdruf ; ce corps franc,
connu sous le nom de « Corps franc bavarois Epp », avait été
constitué sur le conseil [140] et les instances [141] de Noske, aux
frais du Reich. C'est donc Epp qui, le premier, offre ses services
à Noske. Le président du conseil Hoffmann refuse [142] sous le
prétexte que la population bavaroise ne supporterait pas l'entrée
d'une armée de répression prusienne à Munich. Le 14 avril 1919,
il appelle le peuple bavarois aux armes. Il lance en même temps
une proclamation annonçant la création d'une « milice populaire » [143] qui se transforma par la suite en « milice de
citoyens » [144].

Pendant que Hoffmann appelle le peuple aux armes, Egelhofer lance le 14 avril un appel aux citoyens : « Tous ceux qui
détiennent des armes, devront les remettre dans les 12 heures
à la « commandature de la ville ». Passé ce délai, tout déten-
teur d'armes sera fusillé ! [145] » En même temps, l'écrivain juif
Ernst Toller, originaire de Samotschin près de Bromberg, qui
assume le commandement du secteur nord déclare : « Tous
les travailleurs armés et tous les travailleurs dont les armes
sont entreposées dans les usines, devront se rendre aujourd'hui
dimanche, à 9 heures du matin, dans leurs entreprises res-
pectives [146]. »

Hoffmann, qui veut devancer les soviets, donne aux troupes
bambergeoises l'ordre d'attaquer, le premier « heurt » se produit
le 15 Avril près de Freising et Dachau. Les soldats de Hoffmann,
fatigués et indisciplinés, remettent leurs armes aux miliciens
des soviets et rentrent chez eux. Rosenheim, Kaufbeuren, Schon-
gau, Kochel et Starnberg tombent aux mains de l'Armée Rouge.
Après ce Waterloo, Hoffmann et Schneppenhorst décident de
faire appel aux « Prussiens ». Hoffmann, penaud, est disposé à
accepter l'aide du Reich. Noske, Epp, Hermann Ehrhardt marchent avec une armée de 15 000 hommes environ sur Munich *.
C'est un renversement complet de la situation. Le 17 avril, un
tract signé par tous les partis politiques (à l'exception de
l'U.S.D.P.) invite les Bavarois à joindre les rangs des « milices

---

* Gustave von Kahr exagère beaucoup quand il déclare, le 2 décembre
1920 (d'après les documents n° A.V.XIX.VII, 99 Conv. 1) dans une lettre
au gouvernement du Reich qu'il a fallu une armée de 35.000 hommes
pour venir à bout de Munich. *Cf.* aussi Pitrof, p. 89 et s., Busching, p. 224,
Galéra, t.i. p. 128, Noske, p. 97 et 315, Maser, *Die Frühgeschicht der NSDAP*
p. 37.

volontaires » [147]. Le géomètre Kanzler qui, depuis décembre 1918, a appris à manier des mercenaires [148], est chargée par le gouvernement Hoffmann de constituer un corps franc [149]. L'évêché de Bamberg demande par télégramme à tous les curés de Bavière de soutenir « énergiquement » les dispositions du gouvernement Hoffmann, conformément aux recommandations de l'évêque auxiliaire Senger du 19 avril 1919 [150]. Bien que le gouvernement et l'Eglise lancent ainsi un appel aux armes, peu de Bavarois s'engagent. Les bourgeois de Munich n'ont aucune envie de risquer leur peau d'autant plus qu'ils se méfient de Hoffmann et de ses troupes. Hitler ne bouge pas. Il attend l'évolution de la situation dans sa caserne. Dans très peu de localités — par exemple à Rosenheim — on assiste à des attaques spontanées contre les troupes des soviets. L'Eglise catholique ayant pris fait et cause pour le gouvernement Hoffmann, le « haut commandement de l'Armée Rouge » (qui menace de prendre comme otage le cardinal Faulhaber en raison de l' « immixtion de l'Eglise » dans les affaires de l'Etat) [151] lance à la population un appel signé Egelhofer : il proclame la grève générale, la lutte armée contre les « capitalistes », l' « ennemi » se trouvant aux portes de la ville et les officiers, étudiants, « fils de bourgeois et mercenaires blancs du capitalisme » s'apprêtant à anéantir la révolution [152].

D'horribles excès sont commis des deux côtés. C'est ainsi que les « Blancs » fusillent dans une carrière près de Puchheim, non loin de Munich, 52 ouvriers russes — prisonniers de guerre libérés par les soviets —, à proximité de Starnberg, ils massacrent 20 infirmiers d'usine. Une indignation sans nom s'empare de la population anti-révolutionnaire et des troupes « blanches » lorsqu'elles apprennent que les soldats des soviets ont passé par les armes le 29 avril, au Lycée Luitpold à Munich, 20 membres de la « Thule-Gesellschaft » [153], arrêtés comme « otages ». Parmi eux la comtesse von Westarp, le baron von Teikert, le professeur Berger, le Prince Maria von Thurn und Taxis, le baron von Seydlitz [154].

La ville de Munich est prise d'assaut à la suite d'un combat acharné. Le 1er et le 2 mai, les troupes de Noske font leur entrée dans la ville. D'horribles atrocités sont commises de part et d'autre [155]. Le 4 mai, le régime des soviets est renversé ; mais ce n'est pas la fin des massacres. Les « libérateurs » de Munich, enivrés de leur victoire, liquident avec une rare brutalité les « Rouges ». Les suspects, qu'il s'agisse de communistes, de Russes ou de simples citoyens, sont assommés, égorgés, abattus, vingt

et un apprentis catholiques, arrêtés dans un « foyer catholique » sont transportés dans la prison de Karolinenplatz et massacrés le 2 mai par la 2ᵉ division de la Garde [156]. Douze ouvriers de Perlach sont arrêtés sans aucun motif valable [157] le 4 et le 5 mai et abattus à Munich par les soldats du corps franc Lützow [158]. 77 Allemands et 58 Russes sont fusillés le 16 mai 1919 à Munich parce qu'ils transportaient des armes [159]. Les pertes des troupes d'Egelhofer se seraient élevées à 433 morts et blessés [160]. Plus de 180 personnes sont condamnées à mort par des cours martiales illégales, à la suite d'accusations inconsidérées, et exécutées [161]. Beaucoup d'autres sont assassinées après un simulacre de procès.

Les troupes de Noske marchent sur Munich après avoir pris Dachau où 40 otages devaient être fusillés avec l'accord d'Egelhofer [162]. Epp et les Würtembergeois attaquent par le Sud. Acculés, les soviets sont disposés à entamer des négociations avec Hoffmann. Les troupes régulières et les corps francs ayant investi Munich, Egelhofer demande aux unités de la garnison de Munich de prendre fait et cause pour les soviets communistes et de défendre, ensemble avec l'Armée Rouge, la ville contre les « Blancs ». Dans quelques unités, on met la question aux voix. C'est ce qui se passe aussi dans la caserne d'Hitler, ou un adjudant du nom de Rudolf Schüssler donne son avis. Pendant que les soldats discutent, Hitler monte sur une chaise et déclare : « Camarades, nous ne sommes pas les gardes révolutionnaires de quelques Juifs venus on ne sait d'où ! L'adjudant Schüssler a parfaitement raison d'opter pour une attitude de neutralisé [163]. »

Hitler affirme en 1921 que son nom « avait figuré pendant la période des soviets sur la liste des conscrits » [164] ; dans *Mein Kampf* il indique « qu'il s'était attiré le mauvais œil du soviet central et qu'il devait être arrêté le 27 avril 1919 » [165]. C'est certainement faux, puisque le « soviet central » n'existait plus depuis le 13 avril 1919. « Si Hitler prétend, déclara Ernst Neikisch, président du soviet central jusqu'à sa démission le 7 avril, que quelques mandataires du soviet central ... voulaient l'arrêter le 27 avril 1919, cette histoire est entièrement controuvée. Le soviet central ne s'est plus réuni après le 7 avril 1919. Je puis d'autre part affirmer que le soviet central n'a jamais donné l'ordre, tant que j'en faisais partie, de l'arrestation d'Hitler [166]. »

Hitler a séjourné à la caserne Max II à München-Oberwiesenfeld du 7 mars 1919 jusqu'à l'entrée des troupes d'Epp et de Noske à Munich [167]. Il n'a pu le faire qu'en se pliant à la situation du moment. Comme les soldats de l'Armée Rouge com-

muniste portaient des brassards rouges, Hitler a probablement
porté lui aussi le brassard communiste *. Le fait qu'il ait été
arrêté après l'entrée des troupes d'Epp milite également en
faveur de cette thèse. Il doit sa remise en liberté à l'intervention
de quelques officiers qui le connaissaient [168]. Comme cet incident était peu conforme au contexte politique dans lequel Hitler
entendait se placer, il a simplement transformé son arrestation
par les soldats d'Epp en une tentative d'arrestation par la
Garde rouge d'Egelhofer. Il n'est en revanche pas prouvé qu'il
ait vainement essayé — comme l'affirme Ernst Deuerlein [169] —
de rejoindre les rangs des communistes ou de l'U.S.D.P. avant
l'écrasement des soviets **.

« Quelques jours après la délivrance de Munich, raconte Hitler,
je fus désigné pour faire partie de la Commission chargée de
l'enquête sur les événements révolutionnaires dans le 2e régiment
d'infanterie [170]. » Ernst Schmidt, qui est généralement bien
informé, suppose que cette tâche lui a été confiée sur les instances des officiers intervenus pour sa remise en liberté
par les soldats d'Epp [171]. C'est là le début de l'« activité politique » d'Hitler [172]. Un ancien admirateur d'Hitler, Adolf Viktor
von Koerber, a défini ainsi l'activité d'Hitler après l'écrasement
des soviets : « Comme collaborateur de la Commission d'enquête,
il a dénoncé dans ses actes d'accusation l'ignominie sans nom
des trahisons militaires de la dictature juive pendant le régime
des soviets à Munich [173]. »

Comme Hitler n'avait aucune formation juridique, les tribunaux militaires bavarois n'ont pu lui confier des tâches proprement juridiques. De la nature exacte de ces tâches, il n'a
même pas informé son ami intime Schmidt, qui ayant quitté
l'armée avant lui, lui avait rendu visite à Munich [174]. On ne
saurait donc s'étonner que ses adversaires lui aient témoigné
de la méfiance et l'aient traité de « mouchard », d' « espion »,
d' « agent », tandis que ses amis le qualifiaient de « patriote ».
Il est certain qu'Hitler était chargé de découvrir les sous-
officiers et soldats qui, pendant le règne des soviets, avaient

---

* Selon une communication écrite d'Otto Strasser (1952) Hitler a
effectivement porté le brassard de l'Armée Rouge. Hermann Esser a
également déclaré (communication personnelle en 1953) qu'il en a bien
pu être ainsi.
** S'il est vrai qu'Hitler a tenté de se joindre à l'U.S.D.P. et aux
communistes, on ne saurait en tirer les moindres conclusions sur ses
convictions intimes. Très peu de personnes n'ont pas essayé, en cette
période de troubles, de hurler avec les loups pour assurer leur survie ou
sauver leur tête.

pris cause et fait pour eux. Hitler s'acquitte de sa mission à la satisfaction de ses chefs qui le font participer du 5 au 12 juin 1919 à un « cours d'information » destiné à inculquer aux prisonniers de guerre rentrés au pays et aux soldats démobilisables « les principes d'une tournure d'esprit nationale et civique »[175].

« Pour moi, écrit Hitler dans *Mein Kampf*, toute la valeur de cette organisation consistait en ce qu'elle me donnait la possibilité d'apprendre à connaître quelques camarades partageant mes propres idées et avec lesquels j'ai été à même de discuter à fond la situation présente[176]. » Parmi ces « camarades partageant ses propres idées » il y avait surtout l'« expert » financier Gottfried Feder, ingénieur diplômé et professeur de tendance nationaliste-radicale, qui avait fait parler de lui par ses articles, publiés depuis l'automne 1918, dans la revue *Süddeutsche Monatshefte* : sa carrière politique avait débuté dans la « Thule-Gesellschaft ». Feder était chargé de conférences sur des questions économiques où il s'efforçait de faire comprendre aux masses sa théorie de l'« abolition de la servitude de l'intérêt du capital »[177].

« Pour la première fois de ma vie, dit Hitler dans *Mein Kampf*, je conçus la distinction fondamentale entre le capital international de bourse et celui de prêt[178]. » Il ne s'en était pas préoccupé pendant ses études marxistes à Vienne de même qu'il avait évité autant que possible de se pencher sur des problèmes financiers *. Ce qu'il avait toujours deviné et « senti », il le trouvait ici exposé en termes clairs et « scientifiques » **, preuves à l'appui. Mieux, Gottfried Feder fournissait à Hitler des formules et des clichés qui, énoncés sur un ton de profonde conviction, devaient impressionner les couches ruinées par la guerre.

Quelques membres particulièrement marquants de ce cercle auquel appartenaient Hitler et Gottfried Feder, s'accordaient pour dire que « l'Allemagne ne pouvait plus être sauvée de l'écroulement imminent par les partis responsables du crime de novembre[179] et que, d'autre part, les formations « bourgeoises nationales », même avec la meilleure volonté, ne seraient plus jamais en état de réparer le mal qui était fait »[180]. « ... Ainsi

---

* *Cf.* aussi chap. suivant.
** Le commandement régional du 4ᵉ groupe de la Reichswehr avait précisé : « L'information politique dans l'armée doit s'élever au-dessus des partis, elle doit être populaire mais inattaquable au plan scientifique ». *Cf.* Maser : *Die Frühgeschichte der NSDAP*, p. 134.

fut débattue dans notre petit cercle la formation d'un parti nouveau (social-révolutionnaire) [181]. » Il fallut, pour « s'approcher de la masse » trouver au nouveau parti un nom annonçant des structures et des principes absolument nouveaux. « Ainsi, explique Hitler, nous nous arrêtâmes au nom de « parti social-révolutionnaire » parce que les idées sociales du mouvement nouveau avaient en effet le caractère d'une révolution [182]. » Mais le parti dont l'idée avait été discutée après une conférence de Gottfried Feder [183] ne fut finalement pas fondé. Hitler a retiré de ces discussions des impressions qui ont déterminé dans une large mesure sa carrière et sa vie.

Hitler, qui déclara par la suite avoir « embrassé la carrière politique à contre-cœur » [184] était en 1918 un apatride. Il n'avait aucune formation professionnelle sanctionnée par un diplôme, ni aucun rôle social à jouer. C'est ainsi qu'il conçut l'idée de se lancer « dans la politique de parti », de devenir un orateur professionnel, de chercher un débouché dans l'activité politique.

Le professeur Alexander von Müller dont les premiers « cours d'instruction civique » étaient consacrés à l'histoire de l'Allemagne depuis la Réforme et à l'histoire politique de la guerre, remarqua le premier le talent d'orateur d'Hitler ; voici ce qu'il dit de sa première rencontre avec lui : « Après ma conférence et la discussion assez vive à laquelle elle avait donné lieu, je me heurtai dans la salle qui se vidait, à un petit groupe qui me barrait la sortie. Ce groupe semblait comme fasciné par un homme qui, se tenant au milieu discourait d'une voix étrangement gutturale avec une ardeur croissante : j'avais l'impression curieuse que l'agitation du groupe était son œuvre et qu'il lui servait en même temps de porte-parole. J'aperçus une figure pâle et décharnée, surmontée d'une mèche très peu militaire, où frappait une petite moustache taillée et de grands yeux bleu pâle, animés d'une lueur froide [185]. »

Ce qui donne à la vie d'Hitler une orientation décisive, c'est son antisémitisme irréductible. Lorsqu'« un jour ... un des participants (du cours d'instruction civique) crut devoir rompre une lance pour les Juifs [186] et alla jusqu'à les défendre dans une longue tirade » [187], Hitler demanda la parole et riposta à son camarade avec des arguments qui étonnèrent l'auditoire. Il déballa tout ce qu'il avait lu et appris à Linz, à Vienne, à Munich et exposa ses convictions acquises pendant la guerre. Sa profession de foi antisémitique est si persuasive que le chef de la section d'instruction civique du commandement du 4ᵉ groupe bavarois de la Reichswehr le charge d'une fonction

politique dans le cadre de la Reichswehr. « Le résultat fut que, quelques jours après, j'entrai dans un des régiments alors en garnison à Munich à titre d'officier éducateur », explique Hitler dans *Mein Kampf*. En 1921, il fait le récit de son activité dans cette formation : « Dans ce régiment (de fusiliers volti- geurs — *N. d. A.*) et dans d'autres formations je prononçai de nombreuses conférences d'information sur la folie de la dicta- ture rouge et je pus constater avec joie que les membres de l'armée (*sic !*) quittant la Reichswehr à la suite de la réduction de ses effectifs, formaient le premier groupe de mes futurs adeptes [188]. »

Le 22 juillet 1919, le commandement du groupe 4/1 b/P ordonna l'envoi d'un détachement d'instruction, placé sous la direction de Rudolf Beyschlag, au camp militaire de Lechfeld où étaient accueillis les prisonniers de guerre rapatriés. Dans l'ordre du commandant Prager, chef d'état-major, nous lisons entre autres : « Le camp de passage de Lechfeld accueillera régulièrement ... des prisonniers de guerre rapatriés ... Or, l'am- biance générale du camp ne semble pas être très bonne. Les prisonniers de guerre qui y séjournent de même que les travail- leurs civils qui y circulent librement ne sont pas ... semble-t-il très ... sûrs. Un détachement d'instruction civique va être adjoint au détachement de garde. » On « demande d'envoyer au camp les personnes suivantes ayant pris part au cours d'instruction civique du commandement du groupe ... Etant donné l'impor- tance particulière, dans l'intérêt même de la Reichswehr, du conditionnement des prisonniers de guerre rapatriés, on ne saurait trop insister sur l'importance de cette mission... » [189].

Sur la liste des vingt-trois hommes cités, figure, sous le nº 17 : « Inf. Hitler Adolf, 2. Inf. Regt. Abwicklungsstelle (I.A.K.) » (Service de liquidation) [190].

Nous connaissons par des documents l'activité du détache- ment d'instruction ; le rôle d'Hitler ressort d'une lettre que l'officier d'état-major Karl Mayer lui adressa le 10 septem- bre 1919 ; dans cette lettre, Karl Mayer emploie la formule particulièrement polie : « *Sehr verehrter Herr Hitler* » (très vénéré Monsieur Hitler) [191].

Hitler ne déçoit pas ses mandataires bavarois. Il s'acquitte avec maîtrise de sa tâche. « Il s'est révélé, écrit un membre du détachement dans un rapport adressé à ses chefs, un orateur habile et dynamique qui sait fasciner ses auditeurs [192] par ses exposés aussi bien que dans la discussion [193]. » « Monsieur Hitler est un tribun né, déclare Lorenz Franz le 23 août 1919, qui

par son fanatisme et la démarche populaire de ses démonstrations ... amène ses auditeurs à l'écouter et à suivre le cheminement de sa pensée [194]. » Le chef du détachement de garde, le lieutenant Bendt, exprime la même opinion sur les capacités et succès d'Hitler dans ses rapports des 21 et 25 août 1919 au commandement du groupe 4 [195].

Hitler qui — par une disposition spéciale des autorités supérieures — avait droit à un assistant (par exemple pour la distribution de tracts) [196] savait — aux dires des hommes de confiance du groupe — « inspirer à ses auditeurs une sorte d'enthousiasme » [197]. « C'est à lui que revenait le principal mérite du succès [198], car il avait le don de parler aux soldats démoralisés et fatigués de la guerre, de les pousser à l'action, de ranimer leur fanatisme, de leur rendre l'espoir ; mais il les remplissait aussi d'impatience, de haine et de soif de vengeance. »

Le 30 mai 1942, Hitler évoque, dans un discours à huis clos devant les jeunes officiers de l'armée, son activité de 1919 : « ... Quand en 1918, on a baissé le pavillon, ma foi a pris son essor ! Et non seulement ma foi, mais aussi ma révolte contre l'idée d'une capitulation devant une destinée en apparence inéluctable. Au contraire des autres, j'étais persuadé que ce n'est pas ainsi que pourrait se terminer l'histoire de l'Allemagne à moins que l'Allemagne n'ait renoncé à son avenir. C'est ainsi que j'ai entrepris, dans mon milieu et avec les moyens dont je disposais, un combat qui s'accordait à ma conviction intime qu'à l'intérieur même de notre peuple seule la lutte pourrait faire naître le mouvement victorieux qui rendrait au peuple allemand un jour aussi son prestige dans le monde [199]. »

Ses concepts se fondent sur l'idée de la guerre, de la brutalité, de la dureté, de la cruauté, de la volonté de survivre et de vaincre, sur le renoncement à tout humanitarisme. Au plus tard, pendant la guerre de 1914/1918, il élabore une philosophie de la vie selon laquelle l'histoire est un enchaînement de guerres impitoyables entre les races, la victoire et la survie appartenant toujours au plus brutal, au plus fort, au plus cruel. Selon lui, ces concepts découlent de l'étude des œuvres de Malthus, de Darwin, de Bölsche, de Plœtz, de Tille. « Un grand philosophe de la guerre a établi l'immuable principe, explique-t-il aux jeunes officiers le 30 mai 1942, que la lutte et partant la guerre est à l'origine de toutes les choses *. Quiconque jette un regard sur la nature ... trouve la confirmation de ce principe qui s'appli-

---

* Voir aussi les propos d'Hitler sur Clausewitz.

que à tous les êtres vivants et à tous les événements... L'univers tout entier semble confirmer que tout est régi par une sélection éternelle, que le plus fort assure la survie et le droit, que le faible est écrasé. Certaines personnes prétendent que la nature est cruelle et impitoyable, mais d'autres ont compris qu'en agissant ainsi elle ne fait qu'obéir à une loi d'airain de la logique ... Quiconque s'imagine pouvoir se révolter contre cette loi en invoquant sa souffrance, sa sensibilité, sa philosophie, ne supprime pas la loi, mais il se supprime soi-même. L'histoire nous prouve que certains peuples se sont affaiblis. Ils n'ont pas éliminé la loi, mais ils ont péri... sans laisser de traces. Cette connaissance fondamentale doit éclairer celui ... qui est forcé de comparaître, sous les yeux du créateur éternel de l'univers, devant le tribunal qui jugera la valeur ou la faiblesse des hommes ... Ce combat qui se déroule autour de nous ... par la vertu duquel le plus fort prend aussitôt la place de celui qui a succombé ... qui a pour conséquence que des peuples forts supplantent des peuples faibles, qui ne permettrait pas — au cas où toute l'humanité faillirait à sa tâche — que la terre se dépeuple ou que d'autres êtres remplacent les hommes, ce combat, dis-je, aboutit à une sélection ... impitoyable ... des meilleurs et des plus durs. C'est pourquoi nous voyons dans ce combat un élément constitutif de toute vie et de tout être vivant ... Nous savons ... que ce combat n'élimine que le plus faible tandis qu'il fortifie les forts et permet ainsi aux êtres vivants ... de s'attacher à leur évolution progressive. C'est ce qu'on peut appeler l'ordre cosmique de la force et de la puissance. Il n'y a pas d'ordre cosmique de la faiblesse et de la résignation, il n'y a que le *sort* des résignés. Et ce sort a nom disparition et anéantissement. Depuis que le monde existe, c'est cette loi qui le gouverne ... Et si l'individu souffre de cette destinée qui est la sienne, mieux vaut qu'il sache que son sort est celui qui a frappé ... les générations qui l'ont précédé, que l'individu peut se soustraire à cette vie, mais qu'en agissant ainsi il ne fait qu'accabler les autres. S'il est vrai que dans tel cas particulier l'individu porte un très lourd fardeau, il fera bien de se souvenir qu'avant lui des générations innombrables, des millions d'hommes l'ont porté comme lui et qu'il ne pourrait aujourd'hui vivre et ... combattre comme représentant de son peuple, si ses ancêtres n'avaient accepté jadis de le porter [200]. »

Après l'écrasement du gouvernement des soviets, on voit se dresser un peu partout des pourfendeurs du judaïsme et du bolchevisme, des « sauveurs de la patrie ». Des troubles conti-

nuels, des grèves, des tentatives de soulèvements communistes, la détresse économique, le statut politique peu conforme à la tradition, l'hostilité agressive de la population à l'égard des puissances victorieuses, les bouleversements sociaux, l'influence néfaste des milices paramilitaires créent un climat de discorde et amènent de l'eau au moulin des antisémites et des chauvins incorrigibles. Partout dans le pays, c'est une floraison de partis politiques, d'unions, de communautés d'intérêt, d'associations, d'organisations qui ont souvent un caractère militaire ou paramilitaire. Les concepts et programmes antisémitiques et anticommunistes se concrétisent souvent dans certains groupements. L'Allemagne — et plus spécialement la Bavière — est un lieu de rassemblement de toutes sortes de corps francs et d'organismes d'autodéfense armés dont la plupart se réclament de l'extrême droite. Rien qu'en Bavière, il y a, par exemple, le « (Thule-)Bund Oberland », le « Deutschvölkischen Schutz-und Trutzbund » (Union défensive et offensive des nationalistes allemands), l' « Organisation Escherich », le « Verband Altreichsflagge » (L'Union de l'ancienne bannière du Reich), le « Bund Schwarzweissrot » (L'Union noir-blanc-rouge), l' « Association Nationale des officiers allemands », les « Jungbayern » (Jeunes Bavarois), la « Volkswehr » (Milice populaire), l' « Eiserne Faust » (Poing de fer), le corps franc Epp *, les détachements Bogendörfer et Probstmayr, les corps francs « Würzbourg », « Bayreuth », « Berthold », « Wolf » ainsi qu'un grand nombre d'unités de cavalerie et d'artillerie. La Police fait surveiller, dans la seule ville de Munich, quarante-neuf partis politiques et organisations déclarés **.

Parmi les organisations qui ont su proclamer la « nouvelle formule » au « moment psychologique », il faut mentionner le véritable ancêtre du N.S.D.A.P. : la « Thule Gesellschaft » dont la section bavaroise compte à peu près 220 membres. Elle est la

---

* En juillet 1919 les régiments Haack, Herrgott ainsi que le « Bund Oberland » avaient été intégrés dans le « Corps franc Epp ».
** Il y avait parmi eux, selon les archives principales de Munich, Section II, commandement du groupe 4, t. 46/6, 46/7, le « Parti ouvrier communiste », l' « Union des militaires rouges », les « Syndicalistes » (anarchistes) et leurs organisations de jeunesse, le « Verein Kommunistischer Sozialisten », mais aussi la « Société Biblique » l' « Union défensive et offensive », le « Cercle Siegfried », le D.A.P. (Deutsche Arbeiterpartei, Parti ouvrier allemand), et les grandes formations politiques telles que le « Bayerische Volkspartei » (Parti populaire bavarois), le « Bayerische Mittelpartei » (Parti bavarois du centre), le « Bayerische Königspartei » (Parti royaliste bavarois), le « Bauernbund » (Union paysanne). Il y avait aussi un « Ostara-Bund ».

continuation « camouflée » de l' « Ordre germanique » fondé en
1912 (l'Ordre est symboliquement placé sous la protection du
dieu germanique de la guerre et de la mort, « Wotan », qu'ado-
raient les Germains de l'Ouest et du Nord). La section bavaroise de l'organisation avait été fondée en été 1918 par le
baron Rudolf von Sebottendorf ; son programme se réduisait
à une formule lapidaire qui se gravait facilement dans la
mémoire : « ... nous disons que le Juif est notre ennemi mortel
et que dorénavant nous agirons » [201]. Les Bavarois ont pu se
rendre compte jusqu'en été 1919 que la « Thule-Gesellschaft »
ne reculait devant rien et attaquait aussi l'autorité de l'Etat si
elle refusait d'obtempérer à ses ordres *. C'est ainsi que
Sebottendorff adressa au chef de la Police de Munich une lettre
le menaçant d' « actions directes » et de « terreur ouverte » si
elle s'avisait d'arrêter un membre de la « Thule-Gesellschaft ».
Ce fait montre à lui seul combien était puissante alors cette
organisation de combat. « Si la Police n'accepte pas mon ultimatum, déclarait l'insaisissable « baron » ** — en réalité un parvenu issu de la petite bourgeoisie d'origine saxonne, soucieux
de s'entourer comme tous les chefs d'organisations secrètes
d'une aura de mystère, qui (de l'avis de quelques-uns) « a pendant toute sa vie toujours été bien plus une « légende » qu'un
personnage en chair et os » — mes hommes s'empareront d'un
Juif et le traîneront par les rues de la ville en l'accusant d'avoir
volé une hostie. Le pogrome que l'incident déchaînera vous
balaiera vous aussi, Monsieur le Chef de la Police ! [202] » Sa

---

* En juin 1919 Sebottendorf dut quitter l'Allemagne.
** Acte de naissance n° 87/1 875, bureau d'état civil de Hoyerswerda
photocopie du document (du 7-1-1966) dans les archives de l'auteur.
Glauer/Sebottendorff, né en 1875 en Saxe, émigre avant la Première
Guerre mondiale au Proche-Orient, où il est adopté par un baron von
Sebottendorff, qui y est établi à demeure. Pendant la Guerre des Balkans
(1912-13) il joue un rôle important comme chef du Croissant Rouge turc.
Grâce à la protection d'un commerçant juif du nom de Termudi, il devient
Maître de l'Ordre de la Rose-Croix ; astrologue convaincu, il a des
ambitions littéraires ; en 1917, il regagne l'Allemagne à la tête d'une
grande fortune dont l'origine est inconnue. En juin 1919, Sebottendorff
doit quitter l'Allemagne. Il se rend en Turquie, pour rentrer après les
événements du 30 janvier 1933 en Allemagne où il publie en 1934 un
livre intitulé : *Bevor Hitler kam* (Avant qu'Hitler ne vînt). Le livre est
interdit et Sebottendorff quitte une fois de plus l'Allemagne. Heinrich
Himmler, avec lequel Sebottendorff ne s'entend pas, lui aurait proposé
d'organiser à Vienne un centre d'espionnage allemand, ce que le « Baron »
aurait décliné (communication personnelle d'un « S.S.-Standarten führer »
(4 mars 1968) qui veut garder l'anonymat. Ce « S.S.-Standarten-führer »
avait été investi — en même temps qu'Hitler — de la charge d' « homme de
confiance » (V-Mann)) ; plus tard, il fut nommé directeur général d'un
syndicat ; après 1945, un service de l'armée américaine lui confia une

philosophie, dont les principes ont marqué, même après 1919, le « mouvement raciste » (Völkisch) tout entier, ressort très nettement d'un de ses articles : « Sous l'influence du christianisme, écrit-il dans le précurseur du *Völkischer Beobachter* du N.S.D.A.P. que la veuve de Franz Eher lui aurait acheté pour la somme de 1 000 marks [203], on a répandu la doctrine de l'égalité de tous les hommes. Ainsi, on a dit que les tziganes, les Hottentots, les Botocudos, les Germains se valent. Dommage que notre grande maîtresse, la Nature, tienne un autre langage ! Elle nous enseigne que cette égalité est un contresens ... qu'il y a des races supérieures et des races inférieures ! En mettant sur le même niveau le mélange des races, les Chandalas et les Aryens, race noble, on commet un crime contre l'humanité. Car l'humanité a besoin de chefs, de peuples faisant fonction de chefs. De toutes les races de la terre, la race germanique est la plus qualifiée... pour guider les autres peuples [204]. »

C'est dans le cadre de la « Thule-Gesellschaft » que Gottfried Feder défend d'abord ses théories ; l'éditeur Lehmann, chef des « Pangermanistes munichois », y joue le premier violon. La « Thule-Gesellschaft » ne se contente pas de mettre à la disposition des coteries chauvinistes son hôtel « *Vier Jahreszeiten* ». Elle patronne de nombreuses fondations de partis politiques sous des noms de camouflage, elle soutient financièrement des publications antisémitiques et anticommunistes. Walter Daumenlang fonde sous les auspices de la « Thule-Gesellschaft » son « Cerce d'études familiales et héraldiques » ; Walter Neuhaus y donne de nouvelles dimensions à son « Cercle pour la promotion

mission scientifique. Pendant la Seconde Guerre mondiale, Sebottendorff est « homme de confiance » à Istambul (d'abord sous les ordres de P. Leverkuehn, puis de Herbert Rittlinger). Son chef, qui le juge absolument impropre au service de contre-espionnage (chez Canaris) et qui le soupçonne de ne pas travailler seulement pour l' « Abwehr » allemande mais aussi pour l'Intelligence Service britannique, l'affuble du du « nom de guerre » significatif de « Hakawaki » (inventeur de contes). D'après les rapports de Rittlingen (communication écrite du 22-6-1968) « son activité ne présentait pas le moindre intérêt pour nous ». Le 9 mai 1945, jour de la capitulation allemande, Sebottendorff — qui selon Rittlinger aurait « détesté les nazis » — se suicida en se jetant dans le Bosphore. Voici comment Rittlingen explique son geste : « Je crois que le baron vieillissant, qui toujours actif et dynamique, ressentait péniblement sa solitude, était arrivé au bout de son rouleau. J'entends, sur le plan financier : il n'avait plus d'argent, il était coupé de tout, il ne voyait plus le moindre espoir de subvenir à ses besoins, fussent-ils modestes. Je suppose en outre que la signature de la capitulation, qui équivalait à la défaite totale de l'Allemagne, a eu sur lui un effet démoralisant » (communication écrite du 22-6-1968). D'autres officiers du service de contre-espionnage de l'armée allemande prétendent (mars 1968) que Sebottendorff aurait été jeté en mai 1945 dans la mer de Marmara.

de la civilisation nord-germanique » ; Johann Hering y crée
un « Cercle pour l'étude de l'ancien droit germanique » (auquel
devait participer plus tard le national-socialiste Hans Frank —
N. d. A.). En décembre 1918 on procède à la distribution de
tracts antisémitiques destinés à renforcer l'effet des publications
périodiques. Le *Münchener Beobachter*, organe raciste, appartient à partir de juillet 1918 à Sebottendorff. Dietrich Ekkart
(l'ami et mentor d'Hitler — N. d. A.) distribue, le 7 décembre 1918, le premier numéro de sa revue foncièrement antisémitique *Auf gut deutsch* (en bon allemand) ; la *Rote Hand* (la
main rouge) paraît en même temps ; Dannehl rédige ses premiers tracts [205]. Sebottendorff et la « Thule-Gesellschft » sont responsables de la fondation de la « Bürgerwehr » (Milice bourgeoise) qui est chargée de missions de sabotage et d'information : Sebottendorf met sur pied le corps franc « Oberland »
dont l'importance politique et militaire ne saurait être sous-
estimée ; son financement est assurée par Theodor Heuss *,
fabricant de papier munichois, qui est un des premiers membres
du parti hitlérien. Toutes les organisations qui se déclarent
prêtes à « combattre les Juifs peuvent compter sur l'appui de
la « Thule-Gesellschaft ».

En septembre 1919 a lieu à Munich le procès des assassins
d'otages, qui suscite l'intérêt de la population bavaroise, puisque
les accusés sont tenus pour responsables du massacre d'otages
par les Gardes Rouges pendant la lutte contre les « soviets »
bavarois. Le 18-9-1919 six des accusés sont condamnés à mort
et passés par les armes le lendemain [206].

Le D.A.P. (Parti Ouvrier Allemand) fondé également dans
le cadre de la « Thule-Gesellschaft », et qui, à cette époque, ne
compte que quelques douzaines d'adhérents, profite — après
la stagnation relative de la période des soviets — de l'absence
d'une gauche militante. Ses succès restent néanmoins médiocres
jusqu'au 12 septembre 1919, date à laquelle Hiter, « homme de
confiance » de l'armée, prend contact avec lui et lui propose
ses services de « propagandiste » : l'histoire du parti commence
avec cet événement. Hitler fait lui-même le récit de la rencontre
historique entre lui et les chefs du D.A.P. après que tout fut
« rentré dans l'ordre » à Munich : « Un jour, je reçus de mes
supérieurs l'ordre de voir ce que c'était qu'une association
d'apparence politique qui, sous le nom de « parti ouvrier alle-

* Ce personnage n'est pas le premier président de la République
Fédérale d'Allemagne.

mand » devait prochainement tenir une réunion et dans laquelle
Gottfried Feder devait parler. On me prescrivait d'y aller, de
me rendre compte de ce qu'était l'association et ensuite de faire
un rapport [207]. » Quarante-cinq personnes : 1 médecin, 1 chimiste,
2 propriétaires de magasin, 2 commerçants, 2 employés de banque, 1 peintre, 2 ingénieurs, 1 homme de lettres, la fille d'un
juge, 16 artisans, 6 soldats, 5 étudiants et 5 participants n'ayant
pas indiqué leur profession, se réunissent le 12 septembre dans
la « salle Leiber » à la brasserie *Sterneckerbräu* : Hitler se présente en civil ; il s'inscrit sur la liste non pas comme « officier
instructeur » ou « délégué de la troupe », mais comme simple
« coparl » ; comme domicile, il indique son corps de troupe [208].
Il écoute d'un air ennuyé la conférence de Gottfried Feder, dont
il a fait la connaissance en juin 1919 dans un cours d'instruction
civique pour soldats démobilisés. Il reste parce que la discussion annoncée pour la fin l'intéresse. Mais quand un certain
professeur Baumann prend la parole pour exiger la séparation
de la Bavière d'avec le Reich et son union avec l'Autriche, Hitler
est emporté par une sainte colère. « Je ne pus m'empêcher,
raconte-t-il, dans *Mein Kampf*, de demander également la parole
et de dire au savant monsieur mon opinion à ce sujet [209]. » Deux
jours plus tôt, le 10 septembre 1919, avait été signé à Saint-
Germain-en-Laye le Traité entre l'Autriche allemande et les Etats
de l'Entente ; ce Traité qui parachève la séparation de la Hongrie d'avec l'Autriche, crée les Etats indépendants de Tchécoslovaquie, de Hongrie, de Pologne, de Yougoslavie ; l' « Autriche
allemande » n'a plus le droit de porter ce nom. Ainsi s'était
accomplie la décomposition complète du « cadavre autrichien »
qu'Hitler avait déjà appelée de ses vœux à Vienne. Le fait qu'un
professeur allemand recommande le détachement d'une partie de
l'Allemagne et son rattachement à l'Autriche qu'Hitler avait déjà
considérée avant la guerre comme une structure étatique mori-
bonde, a de quoi décontenancer un partisan fanatique du pan-
germanisme. Aussi, l'intervention explosive d'Hitler réduit-elle au
silence l'assemblée tandis que le professeur quitte penaud la
salle. Au moment où Hitler prend congé, le président du D.A.P.,
l'outilleur Anton Drexler, lui glisse dans la main un exemplaire
de sa brochure *Mein politisches Erwachen* qu'Hitler lit à la
caserne : tout en la jugeant insignifiante, il en accepte les
thèses [210].

Quelques jours après cette discussion mémorable à la brasserie *Sterneckerbräu*, Hitler reçoit une carte postale du bureau
du D.A.P. l'informant de la prochaine réunion du comité prévue

pour le 16 septembre au café *Altes Rosenbad*, Herrnstresse 48.
Le « bureau du parti » demande à Hitler de bien vouloir prendre
part à la réunion et lui fait savoir qu'il est déjà inscrit comme
« membre du D.A.P. » [211]. « Après deux jours de pénibles rêveries
et réflexions, se souviendra Hitler en 1924, je finis par arriver à
la conviction qu'il fallait franchir le pas. Ce fut la résolution
décisive de ma vie. Il ne pouvait ni ne devait plus y avoir de
pas en arrière. Aussi me fis-je inscrire membre du parti ouvrier
allemand et reçus le titre provisoire de membre, avec le
numéro 7 [212]. »

Ainsi Hitler est devenu — sans l'avoir demandé — membre
d'un parti qui n'existe qu'à Munich et qui, le 16 septembre 1919,
compte — y compris lui-même — 55 adhérents [213]. A l'époque
où Hitler prend ainsi « la résolution décisive de sa vie », il
passe auprès des autorités militaires, pour lesquelles il travaille,
pour un homme dont elles acceptent pour l'essentiel les vues
politiques qu'elles jugent dignes d'être publiées [214]. C'est ainsi,
par exemple, que l'officier d'état-major Mayr accuse réception
à Hitler, dans une missive particulièrement respectueuse, de
son rapport sur les problèmes de relogement et le prie de lui
soumettre prochainement son exposé-programme sur la question
juive.

Le jour où Hitler assiste à la réunion du bureau du D.A.P.,
il a déjà rédigé son « rapport d'expert » sur la question juive :
dans ce rapport qu'il signe de son nom et remet à l'autorité
militaire, il préconise l' « éloignement définitif des Juifs » *. Nous
lisons dans ce rapport : « S'il est vrai que le danger que le
judaïsme présente pour le peuple allemand trouve son expression dans la répugnance que les Juifs inspirent à une large fraction de notre peuple, la cause de cette répugnance ne réside pas,
en général, dans une connaissance précise de l'influence pernicieuse que le judaïsme dans sa totalité exerce d'une manière
consciente ou non sur notre nation, mais elle découle souvent
de l'impression fâcheuse que le Juif en tant qu'individu produit
sur quiconque a affaire à lui ... Ceci explique le caractère souvent
purement affectif de l'antisémitisme. C'est là une grave erreur.
L'antisémitisme en tant que mouvement politique ne doit et

---

* Mayer transmet l'exposé d'Hitler à ses supérieurs avec le commentaire suivant : « Je partage entièrement l'avis de M. Hitler que ce qu'on
appelle aujourd'hui la « social-démocratie régnante » est entièrement
soumise à l'influence du judaïsme ... Tous les éléments nuisibles doivent
être rejetés ou « enkystés » comme le corps fait des germes pathologiques.
Ce principe s'applique aussi aux Juifs. »

ne peut pas se fonder sur des réactions affectives, sa base doit
être la connaissance des faits ... : En premier lieu, le judaïsme
est une race et non une communauté religieuse. Le Juif ne se
qualifie jamais d'Allemand, de Polonais, d'Américain de confession juive, mais toujours de Juif allemand, polonais ou américain. Le Juif n'a jamais emprunté autre chose aux nations
étrangères que la langue ... La confession mosaïque ne détermine pas ... d'une manière exclusive ... l'appartenance ou la
non-appartenance d'une personne au judaïsme ... Grâce à la
pratique millénaire de la consanguinité — limitée souvent à
une communauté très étroite — le Juif a en général mieux
conservé sa race et ses particularités que les peuples nombreux
au milieu desquels il vit. Il s'ensuit que nous avons au milieu
de nous une race non-allemande, étrangère, qui ne peut et ne
veut renoncer à ses particularités raciales, sa mentalité et ses
aspirations, et qui jouit néanmoins des mêmes droits politiques que nous. Si l'affectivité du Juif est entièrement déterminée
par les choses matérielles, cette remarque s'applique à plus
forte raison à sa pensée et à ses aspirations. La danse autour
du veau d'or se change en lutte impitoyable pour les biens qui
... pour notre sensibilité, ne devraient pas occuper le devant
du tableau. La valeur de l'individu ne se mesure plus à ses
qualités de caractère, à ses accomplissements pour la communauté, mais exclusivement à l'étendue de sa fortune ... Le critère de l'excellence d'une nation n'est plus la somme de ses
forces morales et spirituelles, mais sa richesse en biens matériels.
Cette mentalité aboutit à une certaine forme de pensée, à une
soif d'argent et de puissance — la seconde devant protéger le
premier — qui font du Juif un être sans scrupules dans le
choix de ses moyens dont il se sert sans la moindre pitié quand
il s'agit pour lui de parvenir à ses fins. Dans l'Etat autocratique,
il brigue la faveur du prince et en abuse pour sucer le sang
de son peuple. Dans la démocratie, il sollicite la faveur des
masses, il s'incline devant le « peuple souverain » alors que
son seul « souverain » est l'argent. Il corrompt le caractère du
prince par ses flatteries byzantines, il mine la fierté nationale
et les énergies d'un peuple par la raillerie et l'incitation impu-
dique au vice. Son arme de combat est l'opinion publique ... que
la presse ... dirige et trompe. Sa puissance est la puissance de
l'argent qui sous forme d'intérêts s'accumule facilement et infiniment dans ses mains ... Toutes les aspirations supérieures de
l'homme, la religion, le socialisme, la démocratie, ne sont pour
lui que des moyens pour s'assurer la richesse et la puissance.

Ses agissements rongent les peuples comme la tuberculose ronge les organismes. Les conclusions suivantes s'imposent donc : l'antisémitisme en tant que réaction affective se manifeste par des pogromes (*sic !*). L'antisémitisme rationnel par contre doit aboutir à l'abolition systématique et légale de tous les privilèges du Juif dont il bénéfice à la différence de tous les autres étrangers établis chez nous (législation sur les étrangers). Mais l'objectif ultime doit être l'éloignement définitif des Juifs [215]. »

CHAPITRE V

L'UNIVERS SPIRITUEL

Quand Hitler, âgé alors de trente ans, se compromet à Munich après la Première Guerre mondiale où « il a plus appris sur les problèmes de la vie qu'il n'eût pu le faire en trente années d'études universitaires »[1], son « image du monde » peut être considérée comme définitivement fixée. « Vienne fut et resta pour moi l'école de ma vie, écrira-t-il dans sa prison de Landsberg. J'y reçus les fondements de ma conception générale de la vie et, en particulier, une méthode d'analyse politique : je les ai plus tard complétés sous quelques rapports mais je ne les ai jamais abandonnés[2]. » Sa « *weltanschauung* » (« vision du monde »), notion dont Hitler use et abuse dès avant 1908[3], est l'aboutissement de ses réflexions à Linz, Steyr, Vienne et Munich. Les sources d'un système idéologique qui, si l'on fait abstraction de ses idées sur la Russie, n'a jamais subi de corrections, sont la famille, l'ambiance dans laquelle il a grandi, quelques-uns de ses maîtres et professeurs *, ses études théoriques à Linz, Vienne et Munich, les débats parfois véhéments avec des camarades d'origines et d'idées fort diverses à Vienne, au « Foyer pour Hommes » (1909 à 1913), ses expériences de soldat pendant la guerre de 1914-1918, d' « homme de confiance » de la Reichswehr, de chef de parti, et ses études littéraires depuis 1905 **.

---

* Voir aussi la suite de ce chapitre.
** Ses études littéraires après 1919 et pendant son séjour à la forteresse de Landsberg qu'il a appelée son « Ecole supérieure aux frais de l'Etat » n'ont fait qu'approfondir des connaissances déjà acquises et formulées avec précision.

« En quittant Vienne, déclare Hitler au cours de son procès à Munich, à la suite du putsch manqué de novembre 1923,
j'étais un antisémite décidé, un ennemi mortel de l'idéologie
marxiste, pangermaniste dans l'âme »[4] ; peu avant la rédaction
de *Mein Kampf* il confirme devant ses juges que sa « *weltanschauung* » est essentiellement négative (« anti ») et se traduit
par une combativité déraisonnable. Quand il arrive en 1913 en
Allemagne, il déteste sa patrie, les Juifs, la social-démocratie, les
syndicats ouvriers, le parlement, la démocratie, la « masse » et
les « hommes en général ». Il déteste tout et ignore tout sentiment de compassion. Ce n'est pas le fait du hasard s'il n'a pas
noué de relations personnelles lors de ses « visites d'études »
à l'asile de Meidlingen. Seules la force brutale et l'absence
d'égards pour les autres l'impressionnent. « Si l'énergie du combat pour sa propre santé n'existe plus, écrit-il dans *Mein Kampf*,
le droit à la vie s'éteint dans ce monde de lutte[5]. » Quatre années
plus tard, le 2 avril 1928, il déclare : « Quel que soit le but que
l'homme ait atteint, il le doit à sa force créatrice et à sa brutalité[6]. » On a prétendu que ces thèses affirmées avec force sont
la conséquence des expériences pénibles qu'Hitler aurait faites
avec les habitués des asiles de nuit, des fainéants et pickpockets
rencontrés à Vienne *. Ses biographes n'ont jamais voulu admettre qu'une telle « *weltanschauung* » ait pu être le résultat d'un
conditionnement par des lectures intensives, bien qu'on puisse
prouver que les concepts d'Hitler découlent de « sources » littéraires précises. Hitler n'a pas seulement retenu avec soin les
conclusions de ses lectures d'autodidacte, il les a consciencieusement exploitées, formulées et érigées en directives pour lui-
même aussi bien que pour les autres. Il est donc essentiel de
savoir ce qu'il a lu, quels problèmes l'ont préoccupé, comment
il s'est instruit et quelles ont été ses croyances. Jusqu'ici, les
biographes se sont contentés de quelques lieux communs de
l'histoire des idées ou de la littérature courante et ont cru sur
parole toutes les affirmations qu'Hitler, bien qu'il soit certain
que ceux-ci comme celles-là ne reflètent pas toujours ses pensées
intimes, même s'ils sont présentés sous la forme de « convictions », de « résolutions », de « décisions » définitives, d' « intentions » ou de « rapports véridiques ». Il arrive aussi qu'on
avance certains concepts datant de l'époque de Vienne pour
expliquer des idées formulées bien plus tard, dans une pers-

---

* C'est notamment la thèse de Heiden, Olden, Bullock, Shirer, Gisevius,
Heiber, Jetzinger.

pective absolument différente, et qui, à ses yeux, avaient une signification tout autre. Très peu d'auteurs se sont donné la peine d'analyser sans préjugé les connaissances littéraires et l'univers spirituel d'Hitler. Les deux biographes qui font exception, Ernst Nolte et Percy Ernst Schramm *, enserrent Hitler dans un cadre trop étroit. C'est ainsi que, pour Schramm, Hitler est entièrement un produit du XIXe siècle, ce qui n'est vrai que sous certaines réserves. Ainsi, ses idées sur la religion sont influencées par le Portique, ses rapports avec l'Eglise se ressentent de l'influence du Siècle des lumières. Les biographes qui n'ont pas le recul de l'historien nous dépeignent souvent Hitler sous des traits qui ne sont pas les siens. Nous lisons chez Hans Bernd Gisevius : « Reste la question des connaissances positives d'Hitler. La critique parle volontiers, à son endroit, d'un demi-savoir ou d'une pseudo culture, dont il a fourni de nombreuses preuves ... Sa mémoire phénoménale lui a certainement été d'un grand secours, mais il a dû d'abord l'alimenter par des lectures assidues ... Ce qui trouble et inquiète dans cet homme, ce n'est pas son manque de savoir mais son habitude d'emmagasiner des connaissances lui permettant de présenter ses obsessions politiques sous une forme qui entraîne la conviction de gens cultivés, ou qui du moins les désarme [7]. »

Voilà donc une explication plutôt vague. Ce que Michael Freund nous apprend est encore moins éclairant : « Aux heures de loisir et pendant les journées et semaines de chômage, Hitler dévore au hasard d'innombrables ouvrages de politique et de vulgarisation scientifique ; brochures, traités, pamphlets, imprimés sur du mauvais papier, avec de l'encre s'effaçant rapidement, capables d'étancher la soif intellectuelle de gens peu cultivés [8]. » L'argumentation de Percy Ernst Schramm, en 1965, ne se distingue pas essentiellement de celle de Freund : «Hitler n'avait pas l'argent nécessaire pour s'acheter des livres [9] »,

---

* Cf. Bibliographie. Il va sans dire que des analyses qui se fondent sans le moindre esprit critique sur des indications dépassées, fragmentaires ou erronées ne peuvent toucher l'essentiel et sont, pour cette raison même, négligeables. Qu'il nous suffise de citer à titre d'exemple les affirmations d'un ecclésiastique suisse, Wolfgang Hammer, qui donne à son livre le titre prétentieux de Adolf Hitler — ein deutscher Messias ? (Adolf Hitler — un Messie allemand). Il fait d'Hitler un « camarade de classe » de Kubizek, il qualifie Dietrich Eckart de « poète raté de Schwabing » (Note 140, p. 119), indique Rauschning comme une source de première main. Il est prouvé depuis 1965 que Kubizek et Hitler n'ont jamais fréquenté la même école, ni simultanément, ni l'un après l'autre ; on sait d'autre part qu'Eckart a été un poète riche et célèbre. Il serait fastidieux de dresser la liste des erreurs et inexactitudes contenues dans ce livre.

écrit-il à tort, et il en conclut que le jeune Hitler a dû se contenter
de journaux, de revues et de brochures ne permettant pas d'acquérir des connaissances « sérieuses ». Il s'agit là de simples
suppositions, qui ne reflètent pas la réalité des faits : il est en
effet peu probable que le jeune Hitler ne lisait que « ce que
lui apportait le hasard » [10], on se demande aussi pourquoi il aurait
« acheté des livres d'une valeur douteuse » [11] puisqu'on sait
pertinemment qu'il avait de l'argent. Schramm fait également
erreur quand il affirme : « Jusqu'à son départ pour l'armée ... il
n'a probablement jamais eu l'occasion de discuter avec un
homme vraiment cultivé et de faire l'expérience vivante d'un
échange d'idées discipliné, d'un système de pensée systématique [12]. »

A quelques rares exceptions près, ni les biographes ni Hitler
lui-même ne nous ont révélé le contenu des lectures entreprises
tout au long de sa vie. Hitler ne s'arrête jamais à des indications concrètes telles que noms d'auteurs ou titres d'ouvrages.
Il nous explique simplement dans *Mein Kampf* qu'il a lu pendant son enfance quelques ouvrages militaires et une édition
populaire sur la guerre franco-allemande de 1870/1871 [13]. Parmi
les journaux qui l'impressionnent ou l'intéressent après la fin
de ses études, il cite la *Neue Freie Presse* (autrichienne), le
journal viennois *Tageblatt* et le *Deutsche Volksblatt* [14]. Dire qu'il
a acheté à Vienne aussi les brochures antisémitiques et que ses
concepts sur le judaïsme datent de cette époque [15], n'épuise
certainement pas le sujet. Une remarque d'Hitler, dont le reper-
toire de slogans politiques sur les problèmes austro-germaniques
reflète d'une manière frappante le jargon du journal autrichien
Alldeutsches Tageblatt, a amené de nombreux auteurs [16] à la
conclusion que ses idées antisémitiques se sont nourries exclusivement aux écrits incroyablement primaires de Georg (Jörg)
Lanz von Liebenfels, ce qui n'est certainement pas le cas [17].

August Kubizek prend à son compte les déclarations très
générales d'Hitler [18] et affirme que son ami a « lu énormément »
à Linz et à Vienne, qu'il est allé avec lui presque tous les jours
au théâtre ou à l'opéra. Il explique le manque d'indications
plus précises par la phrase suivante : « Si je devais énumérer,
dans l'énorme quantité de livres qu'Adolf a lus à Linz et plus
tard à Vienne, ceux qui l'ont le plus impressionné, je serais
fort embarrassé [19]. » Kubizek cite bien quelques auteurs et fournit quelques explications, mais on ne saurait s'étonner que,
quarante à cinquante ans après sa vie commune avec Hitler,
il ne se souvienne plus des détails, d'autant plus qu'il ne dispo-

sait pas lui-même, entre 1904 et 1908, de connaissances littéraires notables et qu'il avait sans doute bien de la peine à
retenir des noms d'auteur dont la plupart lui étaient inconnus *.
Le lecteur rencontre les noms de Frank Wedekind, Otto Ernst,
Arthur Schopenhauer, Friedrich Nietzsche, Stifter, Schiller,
Gotthold Ephraim Lessing, Peter Rosegger et ceux de quelques
autres auteurs du XIXe et du début du XXe siècle. Ibsen, qui
figure également sur cette liste, ne semble pas avoir impressionné
Hitler en 1908. Lui qui, plus tard, ne se lassera pas de railler
la « société bourgeoise corrompue » et qui lui déclarera une
guerre implacable, tout en en défendant farouchement les intérêts, considérait jusqu'en 1908 les thèses de l'auteur des « Appuis
de la Société » comme de simples vérités poétiques sans rapport
avec la réalité. La remarque de Kubizek qu'il « avait rarement
vu entre les mains d'Hitler des livres scientifiques... [20], que sa
soif de connaître se heurtait là à une limite manifeste... [21] »
permet tout au plus de constater qu'à l'âge de dix-neuf ans,
Hitler ne s'intéressait pas encore aux sciences. Josef Greiner,
qui cite ouvrages et auteurs dans le cadre d'un livre composé
de rapports et de témoignages qu'il présente sous la forme d'une
histoire vécue, ne se soucie jamais d'objectivité et brosse d'Hitler
un portrait fantaisiste et diabolique à souhait. C'est dans son
livre que nous lisons : « Hitler se plongeait dans les traductions
de l'ancienne littérature grecque et latine, se familiarisait avec
Sophocle, Homère, Aristophane, Horace, Ovide. Il aimait surtout
les mythologies germaniques et connaissait mieux que tel professeur les 25 000 vers de *Perceval*. Martin Luther et l'histoire

---

* Kubizek raconte : « C'était là la vie de mon ami : des livres, rien
que des livres ! Je ne puis m'imaginer Adolf sans livres. A la maison,
il les entassait autour de lui. Quand un livre le préoccupait, il ressentait le besoin de l'avoir toujours à portée de la main. Même quand il
ne le lisait pas, il tenait à l'avoir près de lui. Quand il quittait la maison,
il emportait toujours sous le bras au moins un livre. C'était parfois un
vrai problème. Mais il renonçait plutôt à la nature et à la promenade en
plein air qu'à son livre. Les livres étaient son univers. A Linz, il s'était fait
inscrire à trois bibliothèques à la fois pour pouvoir se procurer, au
moment voulu, le livre de son choix. A Vienne, il fréquentait si assidûment
la Bibliothèque de la Cour que je lui demandai un jour s'il avait l'intention
de lire tous les ouvrages du catalogue, question qui me valut d'être
rabroué. Un jour, il m'amena à la Bibliothèque de la Cour et me conduisit
dans la plus grande salle de lecture. Je fus frappé de stupeur devant
ces montagnes de livres et lui demandai comment il pouvait, dans cette
surabondance, trouver le volume qui l'intéressait. Il voulut alors me
montrer le maniement du catalogue, ce qui me troubla davantage. Quand
il lisait, rien ne le dérangeait. Mais il se dérangeait parfois lui-même ;
car, dès qu'il lisait, il se sentait poussé à parler de sa lecture. Dans ce
cas, j'étais obligé d'écouter patiemment, que le sujet m'intéressât ou non. »

de la Réforme lui tenaient à cœur ; il se sentait attiré aussi par
le dominicain Savonarole. Il avait une idée précise de l'activité
de Zwingli à Zürich, de celle de Calvin à Genève, ; il était informé
des doctrines de Confucius et de Bouddha, il savait les placer
dans leur cadre historique respectif. Il avait approfondi l'enseignement de Moïse et de Jésus, il avait lu de volumineuses études
sur le judéo-christianisme ; les œuvres de Renan et de Rosalti lui
étaient familières. Parmi les classiques, ses préférences allaient
à Shakespeare, Gœthe, Schiller, Herder, Wieland, Rückert, Dante,
et parmi les auteurs plus modernes, à Scheffel, Stifter, Hamerling,
Hebbel, Rosegger, Hauptmann, Sudermann, Ibsen et Zola [22] »
Otto Dietrich se souvient d'avoir entendu Hitler dire qu'il avait
toujours aimé Karl May [23]. Il semble qu'il ait relu en 1933/1934
toute l'œuvre de Karl May, plus de soixante volumes. Il faut
croire qu'Hitler voyait en Karl May autre chose qu'une lecture
distrayante. A son neveu Heinz Hitler, fils de son demi-frère
Aloïs, il fit cadeau, pendant les études de ce dernier dans une
Nationalpolitische Bildungsanstalt (Institution de formation
nationale-politique), de l'édition complète des œuvres de Karl
May [24]. Un admirateur aussi inconditionnel d'Hitler qu'August
Kubizek, Hans Severus Ziegler, raconte de son côté qu'Hitler
connaissait parfaitement la musique, l'histoire de l'art et « de
vastes domaines de l'histoire universelle, l'ancienne aussi bien
que la moderne, l'histoire des Germains et des Allemands, de
l'Europe et de l'Amérique. Il ne négligeait aucun détail ! L'histoire de l'Amérique l'a particulièrement passionné [25] ». Hans
Frank nous dit qu'Hitler avait beaucoup lu pendant sa détention dans la forteresse de Landsberg ; qu'il s'était plus spécialement penché sur les œuvres de Nietzsche, Treitschke, Chamberlain, Ranke, Marx, Bismarck (*Gedanken und Erinnerungen*,
« Pensées et souvenirs ») et d'autres penseurs et politiciens, qu'il
avait analysé de nombreux souvenirs de guerre d'hommes d'Etat
allemands et alliés [26].

Bien que les rapports des adversaires et des admirateurs
d'Hitler qui, à des titres divers, ont eu des contacts suivis avec
l'homme d'Etat, concordent jusque dans les détails, leurs observations ne sauraient servir de base à l'évaluation de ses connaissances littéraires et historiques, car sa méthode de travail était
très particulière. Comme Hitler avait l'habitude d'appliquer
dans la pratique ses connaissances d'autodidacte et ses idées,
de la vérité desquelles il était profondément convaincu, ou —
pour mieux dire — de faire entrer dans sa « *weltanschauung* »
les constatations et jugements de ses modèles (même si le

contexte était très différent), il faut être très attentif pour déceler les cas où les rapports des témoins divergent de la réalité. Ainsi, tout porte à croire qu'Hitler n'avait aucune connaissance approfondie de l'histoire de l'Amérique. Les propos qu'on trouve sur ce pays dans *Mein Kampf* (deuxième volume), dans des entretiens privés et des discours publics et confidentiels, semblent au contraire indiquer que les Etats-Unis se trouvaient, jusqu'en 1940, totalement en dehors de son champ visuel. Hitler, qui avait une mentalité typiquement « continentale » * et qui ignorait l'histoire de l'Angleterre au point qu'il n'en voyait pas les prolongements dans le présent et n'en tenait (pour son malheur) aucun compte [27], ne s'est probablement penché sur l'histoire de l'Amérique que le jour où les événements politiques, dont il était lui-même l'artisan, l'y forcèrent. Quinze ans après la rédaction de *Mein Kampf*, à la fin de l'été 1939, Göring était seul dans l'entourage d'Hitler à se douter des conséquences qu'une entrée éventuelle des Etats-Unis dans la guerre pouvait avoir pour l'Allemagne [28]. Même en 1939, Hitler était fermement persuadé qu'une intervention active de la part des Etats-Unis n'était pas à craindre. Il croyait pouvoir écraser rapidement les adversaires européens du Reich (y compris la Grande-Bretagne) et constituer un bloc continental sous la conduite de l'Allemagne, fournissant ainsi à l'isolationnisme américain des arguments décisifs. Jusqu'à l'été 1940, Hitler s'était fait une idée erronée des Etats-Unis, ce qui ne signifie pas toutefois que sa politique américaine ait été, *a priori* et dans ces fondements mêmes, mauvaise. Saül Friedländer remarque à ce propos, en 1965 : « Quoi qu'il en soit, on ne saurait qualifier la politique d'Hitler (à l'égard de l'Amérique) de mauvaise, même *a posteriori* [29]. »

Hitler a lui-même souvent affirmé qu'il « a beaucoup lu et beaucoup étudié » ; mais il s'est toujours contenté d'allusions générales qui ne permettent aucune conclusion concrète. Après avoir étudié, de 1919 à 1921, la vaste « bibliothèque nationale-socialiste » d'orientation nettement antisémitique du national-socialiste munichois Dr Friedrich Krohn, il déclara par exemple, le 29 novembre 1921 : ... Entre vingt et vingt-quatre ans, je

---

* Pendant toute sa vie, Hitler a été lui-même, sur le plan allemand, un « continental » qui ne comprenait pas vraiment les problèmes maritimes. Son univers se situait dans les frontières de l'ancien *limes* romain. La civilisation méditerranéenne le concernait de plus près que celle de l'Est européen. Il préférait — comme le notait Heim le 4-2-1942 — « aller à pied en Flandres qu'à bicyclette à l'Est » (cité par Picker, p. 174).

me suis de plus en plus consacré à la politique, non pas tellement en participant à des meetings mais en approfondissant
les doctrines économiques et toute la littérature antisémitique
dont je disposais à l'époque ... Depuis ma vingt-deuxième année,
je me suis jeté avec une véritable passion sur les traités de politique militaire ; je n'ai jamais négligé, au cours des années, d'étudier
à fond l'histoire universelle [30]. » « Auparavant, affirme-t-il à la
même occasion, je me suis penché sur l'histoire de l'art, l'histoire de la civilisation, l'histoire de l'architecture et sur des problèmes politiques... » D'après certains témoignages vérifiables,
Hitler a commencé, déjà à l'école, à lire des ouvrages qui avaient
peu de rapport avec les matières enseignées et qui ne relevaient pas de la doctrine officielle enseignée à l'école. C'est pourquoi il ne pouvait compter, dès avant 1905, que sur lui-même
quand il s'agissait de se procurer des nourritures métaphysiques,
d'autant plus que son père était mort en 1903 et qu'il n'entretenait pas de relations étroites avec ses professeurs de Linz
et de Steyr. De 1910 à 1914, il discutait de tout ; à partir de
1919, il « pontifiait » dans la plupart des domaines. Jusqu'en
1913, il a essayé de parfaire sa formation littéraire en lisant les
classiques, en fréquentant les théâtres de Linz et de Vienne, en
étudiant les lyriques allemands ; à l'âge de quinze ans, il a
même écrit une pièce sur l' « Association des séparés de corps
et de biens » de Linz [31]. Il est l'auteur de poèmes, de nouvelles,
de drames [32] ainsi que du livret d'un opéra inspiré de Wieland
et de Richard Wagner, dont il a lui-même composé l'ouverture [33].
A partir de 1919, il se tourne vers la « littérature utile » dont
il peut faire son profit dans la pratique. S'étant engagé dans
la voie de la politique, il considère la lecture de romans comme
une perte de temps ; quant à la poésie lyrique, il estime qu'il
peut s'en passer. Les domaines les mieux explorés par Hitler
sont l'architecture, l'art, l'histoire de la guerre, l'histoire universelle, la technique ; mais il se sent aussi à l'aise dans la musique, l'histoire de la civilisation, la biologie et la médecine,
et surprend souvent ses interlocuteurs par ses connaissances
de détail. C'est ainsi que le Dr Erwin Giesing, qui fut pendant
quelque temps son oto-rhino-laryngologiste, note le 11 novembre 1945 : Hitler « avait une bonne connaissance ... des questions médicales, ce que j'ai pu constater en parlant avec lui
d'un ouvrage d'otologie qu'il venait de lire ... Hitler possédait
les fondements de la médecine et s'appuyait sur une intuition
remarquable. Il connaissait le rapport entre la coagulation sanguine et les thrombocytes, ainsi que l'effet de la nicotine sur

les vaisseaux coronaires ; il savait qu'il pouvait y avoir un rapport entre une inflammation maxillaire et la denture. Il avait lu, aussi, l'essentiel sur les sulfamides et la pénicilline »[34].

Par une sorte d'instinct infaillible, Hitler découvre ainsi le point faible de la cuirasse de son interlocuteur et engage la discussion précisément sur ce point. Il est vrai qu'il ne craint pas non plus le dialogue avec des experts reconnus. Il arrive, plus d'une fois, que les militaires, architectes, artistes soient obligés de reconnaître la supériorité ou du moins l'égale compétence de leur « confrère » Hitler. La manière de lire d'Hitler, qui connaissait mieux que les spécialistes qui l'entouraient une bonne partie de la littérature sur l'architecture, l'art, la guerre et la technique (et ceci déjà avant sa « prise du pouvoir »), nous a été révélée par Hitler lui-même et par de nombreux témoins bien informés : il « feuilletait »[35] un livre le plus souvent en commençant par la fin, pour voir si la lecture en valait la peine. Si c'était le cas, il lisait exactement ce dont il avait « besoin » pour mieux étayer ses concepts élaborés déjà à Vienne et à Munich et pour compléter son répertoire d'exemples et de citations. Il n'étudiait sérieusement un ouvrage que quand celui-ci contenait des faits qui semblaient pouvoir lui servir un jour de preuves. Il accumulait ainsi des connaissances considérables. Des témoins dignes de confiance ont confirmé que, selon ses propres indications, il avait l'habitude d'étudier tous les jours un livre, le matin de très bonne heure et tard dans la nuit[36].

Toutefois, il n'organisait pas ses études d'une manière systématique ; il n'étudiait jamais *sine ira et studio*. Il s'agissait toujours pour lui d'accepter ou de rejeter. Ce qui ne s'accordait pas à ses vues était tout simplement écarté. Son médecin personnel, Theo Morell, rédigea après 1945 une déclaration portant le titre *Psychiatrische Daten* : « La culture générale d'Hitler, y lisons-nous, était caractérisée par l'absence de toute formation universitaire ; Hitler s'efforçait de combler ses lacunes par des lectures variées sur les sujets les plus divers[37]. » Ses connaissances d'autodidacte frappaient par leur étendue, et, sur le plan de la littérature, aussi par leur qualité. Le général de corps d'armée Jodl qui, en sa qualité de chef du G.Q.G.A. avait, autant que le docteur Morell, l'occasion de discuter avec Hitler — et non seulement après l'annonce de quelque grand succès — déclara, peu avant son exécution à Nuremberg : « Ses connaissances, son intelligence, sa rhétorique, sa volonté finissaient par triompher dans tous les débats intellectuels[38]. » On peut prouver

qu'Hitler connaissait déjà, au temps où il n'était encore qu'un obscur chef de parti, des ouvrages de référence. Une brochure de 1924, intitulée *Der Bolschewismus von Moses bis Lenin. Zwiegespräch zwischen Adolf Hitler und mir* (le bolchevisme de Moïse à Lénine. Dialogue entre Adolf et moi) — compte rendu incomplet d'un entretien entre Dietrich Eckart, un ami intime d'Hitler, et celui-ci — cite six ouvrages importants sur le judaïsme que l'auteur considère comme connus de son interlocuteur. Ces ouvrages sont les suivants : Otto Hauser : *Geschichte des Judentums* (Histoire du judaïsme), Werner Sombarts : *Die Juden und das Wirtschaftsleben* (Les Juifs et la vie économique), Henry Ford : *Der internationale Jude* (Le Juif international), Gougenot des Mousseaux : *Le Juif, le judaïsme et la judaïsation du christianisme* (traduit en allemand par Alfred Rosenberg, en 1920), Theodor Fritsch : *Handbuch der Judenfrage* (Manuel de la question juive), Friedrich Delitzsch ; *Die grosse Täuschung* (la grande illusion). Eckart, qui s'était lancé dans l'antisémitisme littéraire à partir de 1916, cite en outre les *Archives Israélites*, le *Jewish Chronicle*, le *Jewish World*, journaux juifs qu'Hitler connaissait sans doute à cette époque. Les nombreuses références du « dialogue »*, à l'Ancien Testament et au Talmud, prouvent (ce qu'Hitler avait mis en évidence lors d'innombrables entretiens publics et privés) qu'il avait une excellente connaissance de la Bible et du Talmud. Les citations d'Hitler, rapportées dans le « dialogue », d'œuvres de Cicéron, de Thomas d'Aquin, de Luther, de Gœthe**, de Fourier ne sont par contre pas très révélatrices des connaissances qu'Hitler avait de ces sources ; il est vrai que ses propos ultérieurs sur Luther et Gœthe donnent l'impression qu'il les avait soigneusement étudiés. Il connaissait certainement l'ouvrage du Juif autrichien Ludwig Gumplowitz *Der Rassenkampf* (la lutte des races), paru à Innsbruck en 1883, et très probablement aussi *L'Aryen, son rôle social*** de Georges Vacher de Lapouges. On trouve

---

* La thèse de Margarete Plewnia (*Auf dem Wege zu Hitler. Der « völkische » Publizist Dietrich Eckart.* Diss Bremen 1970), aux termes de laquelle le « dialogue » d'Eckart ne serait qu'imaginaire et entièrement inventé par lui, n'est pas convaincante. M. Plewnia est si mal renseignée sur Hitler que ses thèses n'ont que la valeur d'une affirmation gratuite. *Cf.* aussi Nolte, *Eine frühe Quelle zu Hitlers Antisemetismus* (Bibliographie). Déjà, les nationaux-socialistes avaient coutume de dire que les affirmations d'Eckart relevaient de l' « imagination pure ». *Cf.* aussi, entre autres, Wilhelm Gruen dans *Dietrich Eckart als Publizist. 1. Teil : Einführung. Mit einer Ahnentafed bis* 1938, Munich 1941.

** *Cf.* p. 169.

*** La traduction allemande de 1939 porte le titre : *Der Arier und seine Bedeutung für die Gemeinschaft.*

en effet dans les propos d'Hitler, à partir de 1919, certaines formules de Lapouges : « La notion de justice ... est une illusion » (p. 349), « La race, la nation sont tout » (p. 340).

Les premières sources certaines de l'attitude d'Hitler face aux masses — ses succès de propagande ont été admirés par ses amis autant que par ses ennemis —, de ses méthodes magistrales de conditionnement de l'opinion publique, de son mépris des foules, sont Le Bon : *Psychologie des Masses* * et Mc Dougall : *The Group Mind. A Sketch of the Principles of collective Psychology* **.

Beaucoup de passages de *Mein Kampf* et certains aspects de l'idée qu'Hitler se faisait de l'hégémonie, ainsi que sa politique japonaise, prouvent qu'il s'était familiarisé dès 1924 avec les théories de l' « espace vital » de Ratzel, Haushofer et Mackinder. On ne saurait par contre déduire du fait qu'il citait parfois le propos de Mommsen sur le « Juif, ferment de la décomposition » (*Mein Kampf*, par exemple p. 743), qu'il connaissait vraiment l'œuvre de Mommsen. De même, on ne peut rien dire de très précis sur sa fréquentation des œuvres de Treitschke et Fichte ; la question reste posée de savoir ce qu'il avait puisé dans Friedrich Nietzsche, dans quelle mesure il avait fait des emprunts à ses idées. L'hypothèse avancée parfois qu'il aurait simplement retenu les titres de quelques ouvrages, notamment *la Volonté de puissance* et *Au-delà du bien et du mal*, parce qu'ils se présentaient sous forme de formules bien frappées [39], ne peut être prouvée ni réfutée. L'étude de Sandvoss, *Nietzsche und Hitler*, montre bien que la « *weltanschauung* » d'Hitler ne saurait être déduite, comme des observateurs superficiels ont pu l'affirmer, d'une influence unique. Des convergences intellectuelles et idéologiques chez Nietzsche et Hitler, des réactions affectives analogues, telles que vengeance, haine, dégoût, jalousie, vanité, envie, cruauté, des déclarations semblables sur Dieu, l'âme, le christianisme, les hommes, quelques aspirations communes ne prouvent nullement qu'Hitler ait été le disciple de Nietzsche ; on ne peut que souscrire aux conclusions de Sandvoss : « Il est pour ainsi dire impossible de déterminer par le détail ... ce qu'Hitler a emprunté à Nietzsche... [40]. »

Entre juin 1913 et le début de l'année 1914, Josef Popp a souvent surpris Hitler en train de lire des œuvres de Schopenhauer et de Platon [41]. Schopenhauer est un des penseurs aux-

---

* Hitler a probablement lu déjà à Vienne la deuxième édition de l'ouvrage de Le Bon, paru en 1912.
** Paru en 1920 à Cambridge. Cf. Maser, *Hitlers Mein Kampf*, p. 91 et s.

quels Hitler se réfère le plus souvent [42]. Il le recommandait
comme styliste [43] et citait par cœur des passages entiers sans
dévoiler qu'il s'agissait de maximes et de formules de Schopenhauer. D'après le récit de Hans Frank, Hitler aurait, pendant la Première Guerre mondiale, toujours porté sur lui une
édition de poche (Reclam-Bücherei) de *Die Welt als Wille und
Vorstellung* [44] (le Monde comme volonté et comme représentation). Le camarade de guerre d'Hitler, Hans Mend, indique
qu'Hitler lisait souvent dans les tranchées des livres de poche
de la collection « Reclam » *.

Nous sommes moins bien renseignés sur la place de Platon
dans les études d'Hitler. Mais il semble peu probable qu'il
n'ait pas connu Platon, que Schopenhauer « commente » et
interprète souvent dans ses écrits. Il faut rejeter aussi l'idée
qu'il n'aurait connu Platon qu'à travers les livres — et le
miroir de Schopenhauer. L'avant-propos de la première édition
de *le Monde comme volonté et comme représentation* où Schopenhauer affirme que « le lecteur qui s'est formé à l'école du
divin Platon [45] sera particulièrement qualifié pour le comprendre
et le suivre docilement » aura certainement incité le jeune
Hitler à « parcourir » au moins les textes du philosophe grec.

Hitler, dont le concept de « nature » et l'attitude face à la
peinture et à l'architecture étaient diamétralement opposés à
ceux de Platon, n'a pu adopter les doctrines de celui-ci pour
lequel l'art n'était que l'imitation et le reflet des « idées » qui
représentaient « l'étant réel » (*Tim.* 52 et *Phéd.* 79). Il n'est donc
pas possible de dire ce qu'il savait de Platon. Certaines constatations et affirmations d'Hitler, après la publication de *Mein
Kampf*, indiquent cependant qu'il avait au moins une idée des
grandes lignes de la philosophie platonicienne. C'est ainsi qu'il
déclare, le 13 décembre 1941, au cours d'un banquet : « L'esprit
et l'âme retourneront sans doute, tout comme le corps, au
grand réservoir. Nous engraissons de cette manière originelle
le sol nourricier d'où naîtra une nouvelle vie [46]. » Platon appro-
fondit et développe dans *Timée* et *Phédon* les idées qu'Hitler
a seulement ébauchées. Pour Platon (*Tim.* 42) l'âme revient,
après avoir surmonté la « corporalité », à l'état « primitif » ; le
cycle de la vie s'arrête inéluctablement si l'alternance ainsi
conçue entre la vie et la mort, entre la mort et la vie, ne s'opère
plus. Ce qu'Hitler appelle le « sol nourricier » d'où naîtra « une

---

* Lettre de Mend au professeur Schmid-Noerr. Mémoire de Schmid-
Noerr du 1-4-1967.

nouvelle vie » est « l'âme du monde » de Platon, le principe moteur, la force universelle, l'unité idéale, la conscience du monde (*Tim. p. 37 et 30 b*). En parlant de l'art et de l'éducation scolaire, Hitler a parfois modifié l'idée de Platon du « beau », de la « beauté sans fin » telle qu'elle est décrite dans *le Banquet* et en a fait un idéal personnel. Le 11 novembre 1941, il déclare : « Le beau doit exercer sa domination sur les hommes, il désire maintenir sa puissance ! [47] » Le 3 mars 1942, il constate : « Eduquer les hommes pour la beauté, c'était certainement l'idéal de la civilisation grecque à son apogée [48]. »

Hitler savait cacher ses lacunes quand il discutait de problèmes littéraires ou culturels — si l'on fait abstraction de sa confiance inébranlable dans la justesse de ses vues et de son parti pris à l'égard de toutes les vérités relatives. Il craignait peut-être de commettre — en dépit de sa bonne mémoire — des erreurs en indiquant ses sources, ce qui selon lui aurait nui à son autorité.

Dans ses lettres personnelles, Hitler s'en tenait également à cette recette. C'est ainsi qu'il écrivait, le 20 mai 1931, à une Excellence dont le nom n'est pas prononcé mais qui avait critiqué dans une lettre la décision d'Hitler de laisser paraître le *Mythus des 20. Jahrhunderts* (Le Mythe du xxᵉ siècle) : « De même que le ministre d'Etat Gœthe avait le droit d'écrire, en sa qualité de poète, des considérations hostiles à l'Eglise sans pour autant entrer en conflit avec le Grand-Duc — la même remarque s'applique à des douzaines d'écrivains qui assumaient eux aussi des charges politiques * », etc. Il évitait même de nommer des personnages littéraires et mythologiques. Le 27 décembre 1943, il dit au général de corps d'armée Zeitzler, au sujet de Staline (en faisant allusion au géant grec Antée) : « Il ne faut pas croire qu'il est un géant antique qui reprend des forces nouvelles chaque fois qu'il tombe à terre ... » [49]. Mais il est plus que probable qu'Hitler tenait surtout à faire passer ses acquisitions littéraires comme l'aboutissement de ses pro-

---

* Texte dactylographié, cote H/W. (Repro.) L'original se trouve dans les mains d'un collectionneur d'autographes hollandais. Rauschning affirme (*Gespräche mit Hitler* — Entretiens avec Hitler — Zurich/Vienne/New York 1939, p. 56) qu'Hitler lui aurait dit, sur la lutte contre le christianisme : « Là (dans les grandes agglomérations urbaines — N. d. A.) nous risquons de tomber dans la sotte propagande anti-religieuse des marxistes : Bölsche *das Liebesleben in der Natur* (la vie amoureuse dans la nature) et d'autres fadaises de ce genre ... » Les indications de Rauschning ne peuvent être considérées comme des informations de première main. Leur valeur documentaire est nulle. *Cf.* les passages sur Bölsche dans ce livre.

pres cogitations, entreprise généralement couronnée de succès.
Il est vrai que les analyses historiques d'Hitler dont la pensée
était — à l'encontre de ce qu'il se plaisait à affirmer — tout
imprégnée d'idées anti-révolutionnaires et ultraconservatrices *,
qui considérait l'existence « des Juifs » et la « connaissance »
qu'il croyait avoir d'eux comme la clef de l'intelligence de l'histoire et de la politique, étaient parfois si inattendues qu'il n'est
pas toujours facile de déterminer ses sources. C'est ainsi par
exemple que l'exode des tribus de Joseph sous la conduite de
Moïse est expliqué par Hitler dans le « dialogue » d'Eckart —
avec une allusion à *Is. 19, 2-3* et *Ex. 12, 38* — comme l'aboutissement d'un attentat révolutionnaire perfide des Juifs contre
la couche dirigeante égyptienne, Moïse se présentant comme le
premier leader bolcheviste (p. 6-7). Vingt ans plus tard, le
15 mai 1942, il hasarde une exégèse aussi « originale » de ces
mêmes versets de la Bible. Il les invoque en effet pour prouver
que les « les Juifs sont les hommes les plus résistants aux conditions climatiques », qu'ils s'acclimatent comme « parasites » **
aussi bien dans les pays tropicaux qu'en Laponie. A en croire
Hitler, le récit de la Bible est destiné à mettre en évidence que
les Juifs craignaient aussi peu un séjour dans le désert qu'une
marche à travers la mer Rouge [50].

On ne saurait sous-estimer l'influence de Dietrich Eckart
sur l'évolution intellectuelle et sociale d'Hitler jusqu'à la rédaction de *Mein Kampf*. Les autres amis et adeptes d'Hitler n'ont
pas joué un rôle aussi important. Hitler n'a jamais caché qu'il
devait quelques connaissances à l'ingénieur würzbourgeois Gottfried Feder [51]. Il n'a par contre jamais avoué que l'historien
munichois Alexander von Müller *** — dont la renommée était

---

* Hitler déclare dans *Mein Kampf* (p. 533) que la Révolution
française a été préparée par des « démagogues à grande échelle »,
« par une armée d'agitateurs », que « le plus grand bouleversement
révolutionnaire de notre temps, la révolution bolcheviste en Russie, n'a
pu se faire que grâce au concours d'un nombre considérable de provo-
cateurs grands et petits qui ne songeaient qu'à semer la haine ... »
** *Cf.* les passages sur Bölsche.
*** Müller, dont le père fut secrétaire du cabinet du roi Louis II en
1879/80 avant d'être nommé chef de la Police munichoise et ministre des
affaires culturelles, était considéré par ses collègues, déjà avant la guerre,
comme un savant de grande valeur (*Cf.* HZ 109, 1911, p. 584). En 1910, il
était membre de la Commission d'Histoire, en 1917 « *privatdocent* », puis
professeur honoraire à Munich ; en 1916, il est nommé membre extraordinaire, en 1923 membre actif de la Commission de l'histoire de la Bavière
(à partir de 1917 il assume en outre la charge de « Syndic » de l'Académie
des Sciences bavaroises). De 1928 à 1945, il est membre actif de l'Académie
des Sciences bavaroise, de 1936 à 1944, son président. Il publie de nombreux

établie dès la fin de la Première Guerre mondiale et dont il a
suivi les cours en 1919 * — a profondément marqué son concept
de l'histoire et même son style. Hitler considérait, comme Müller,
« la notion fondamentale de la racine, élément féminin et passif
engagé dans le sol » [52] comme une des bases essentielles de tout
événement. Pour l'un et pour l'autre (pour Müller déjà avant
1914) les événements culturels positifs comme « l'éducation intellectuelle », les individus et les dynasties, avaient leurs « racines »
dans le sol **, dans le terroir national, qui alimente tout. Hitler
a souvent imité, surtout quand il parlait en 1919 aux soldats
bavarois, le langage « peu littéraire » et parsemé d'expressions
dialectales de Müller, qui à ses propres yeux était bien plus un
écrivain qu'un orateur. Certains mots qu'il affectionnait, parce
qu'ils avaient dans un contexte déterminé une valeur program-
matique, comme « *bodenständig* » (du terroir), « *überzeugt* »
(convaincu), « *leidenschaftlich* » (passionné), « *gesund* » (sain),
« *zersetzer* » (décomposer) se rencontrent souvent aussi chez
Hitler. Tous deux parlaient de l' « influence démoralisante du
judaïsme » [53] — Müller avait employé cette formule en 1912 dans
un article sur le baron von Stein ; Hitler, son disciple, l'imita
en 1919 ***.

L'affirmation maintes fois répétée qu'Hitler aurait subi l'influence de l'ancien officier d'état-major Hermann Kriebel et du
docteur vétérinaire Weber, ses voisins de chambre à la maison
d'arrêt de Landsberg-sur-le-Lech, où il rédigea le premier volume
de *Mein Kampf*, manque de tout fondement. Rudolf Hess [54], le
futur « remplaçant du Führer », l'assistant du professeur Haushofer, géopoliticien, et l'organisateur de groupements d'étudiants nationaux-socialistes avant sa condamnation, avec Hitler,

---

ouvrages jusqu'en 1964. A partir de 1928, il détient à Munich la chaire
d'histoire ancienne, moyenne et moderne de Bavière, de 1935 à 1944 il
est en outre directeur du *Journal historique*. Après les événements de 1933,
Hitler lui propose la charge de ministre des Affaires culturelles du Reich.
Après un temps de réflexion, Müller rejette l'offre. Communication
personnelle du professeur Priesack (1969).

* *Cf.* p. 144 et s.

** Ainsi Müller écrivait en janvier 1932 : « Toute vie organique, y
compris la vie des peuples, jette ses racines dans le sol et en accepte les
limites. » (*Die Geltung des Bauern in der Volksgemeinschaft*, 1932, p. 247
— Le rôle du paysan dans la communauté nationale). En 1933, il lançait
un appel « pour le renouvellement de la vie de notre peuple, de son noyau,
par la racine — en dépit de tous ses défauts — renouvellement qui devra
se faire par ses racines nationales les plus profondes, par son noyau
ethnique le plus intime ». (*Volkserziehung und Volksgemeinschaft*, 1933,
p. 269).

*** *Cf.* aussi chap. I.

aux arrêts de forteresse, n'a pas exercé la moindre influence
sur Hitler, bien qu'il ait apporté quelques corrections mineures
à *Mein Kampf*. Les chefs les plus en vue du N.S.D.A.P., Hess,
Göring, Esser, Streicher, Rosenberg, von Scheubner-Richter,
Liedecke, Amann, Röhm et Frank [55] n'ont jamais été les maîtres
d'Hitler, mais ses disciples. Il est vrai qu'Hitler leur devait
des relations extrêmement précieuses ; c'est par eux qu'il fit la
connaissance de ses premiers bailleurs de fonds et protecteurs
Bruckmann, Bechstein, von Seidlitz, Hanfstaengl, Borsig, Gran-
del, Thyssen, Kirdorf, le Prince Arenberg, Heinrich Class, le
prince Kyrill (—Koburg), d'industriels, de nobles fortunés, de
hauts fonctionnaires, de diplomates, de politiciens, d'organisations étrangères, de personnalités influentes [56]. Chez Elsa Bruckmann il voyait parfois le professeur Alexander von Müller, Ludwig
Klages, le conseiller privé Domhöfer, directeur de la Pinacothèque, ainsi que Ludwig Troost qui aménagea plus tard la
« Maison Brune » à Munich. L'influence d'Alfred Schuler (1865-
1923) sur l'idéologie d'Hitler est exagérée dans la plupart des
biographies. C'est ainsi que Robert Boehringer, ami intime de
Stefan George, écrit : « Wolfskehl m'a dit que Schuler ... fréquente aussi un homme ... qui porte le prénom Adolf. Dans la
première conférence que Schuler a prononcée en 1922 dans la
maison des Bruckmann à Munich se trouve la phrase suivante :
« Au centre de la vie ancienne se dresse le symbole de la swastika,
de la roue tournante » ; Schuler aurait donné une longue explication impromptue sur la question. Ainsi, un chicaneur mania-
que, personnage semble-t-il profondément bon et aimable, d'une
urbanité exquise envers tous, a inculqué ses idées confuses à
la faible cervelle d'un lourdaud hybride. La semence de Schuler
a levé et a abouti à l'anéantissement de l'Allemagne [57]. » En
réalité Hitler n'avait, en 1922, plus rien à apprendre de Schuler,
qui n'avait publié de son vivant que « quelques pensées sur la
dernière œuvre d'Ibsen, *l'Architecte Solness* (1893) — Hitler n'a
donc rien pu lire de lui. Quant à la swastika (croix gammée),
Hitler la connaissait déjà comme écolier ; il l'a souvent grif-
fonnée dans ses cahiers d'école [58]. S'il a fréquenté les Bruckmann, ce n'était pas pour y prendre des leçons, mais pour parler
et convaincre les autres invités de la maison. Il n'est pas sans
intérêt de lire les déclarations sur Hitler, que ses généraux,
conseillers et ministres ont faites vingt-cinq ans plus tard, pendant le procès de Nuremberg, qui s'est terminé par la condamnation à la pendaison de la moitié des accusés. Nous les citons
par ordre alphabétique :

Karl Dönitz (grand amiral, chef de la marine de guerre du Reich) :

« Une puissante personnalité ... douée d'une intelligence et d'une efficacité exceptionnelles ; sa culture était pour ainsi dire universelle, il débordait d'énergie et rayonnait une puissance suggestive extraordinaire. Je me suis, à bon escient, rarement rendu au quartier général, parce que j'avais l'impression que je conservais mieux ainsi ma puissance de choc ... j'avais l'impression, après plusieurs journées passées au quartier général, de devoir me libérer de l'emprise de sa puissance suggestive. (IMT, t. XIII, p. 234) ».

Hans Frank (ministre d'Etat et gouverneur général de la Pologne) :

« Il se hérissait intérieurement contre les juristes, c'était un des principaux défauts de cet homme d'une envergure extraordinaire. Il rejetait l'idée d'une responsabilité formelle. Cette remarque s'applique malheureusement aussi à sa politique ... Il considérait tout juriste comme un gêneur. (IMT, t. XII, p. 20) ».

Walter Funk (président de la Banque du Reich) :

« Dès la première rencontre, il me donna l'impression d'une personnalité exceptionnelle. Il saisissait les problèmes avec la rapidité de l'éclair et savait les exposer avec une éloquence impressionnante et des gestes expressifs. (IMT, t. XIII, p. 94) ».

Hermann Göring (maréchal du Reich) :

« Au bout d'un certain temps, après avoir eu l'occasion de mieux connaître la personnalité du Führer, je lui ai donné la main et je lui ait dit : « Je lie ma destinée à la vôtre, pour le meilleur et pour le pire ... pour les bons et les mauvais jours ... et je n'excepte pas ... le sacrifice de ma vie. » (IMT, t. IX, p. 489).

« Compte tenu du dynamisme de la personnalité du Führer, il était imprudent de lui donner des conseils non sollicités ; il fallait être en très bons termes avec lui comme je ... l'ai été ... pendant de longues années ... Il écartait sans hésiter les propositions et conseils quand il avait déjà pris ses résolutions ... ou qu'il voulait empêcher que ses conseillers finissent par avoir trop d'influence ou une position trop forte ... (IMT, t. IX, p. 413). La politique étrangère était la chasse réservée du Führer ... La politique étrangère d'une part, le commandement de la Wehrmacht de l'autre accaparaient l'essentiel de son attention et de son activité. (IMT, t. IX, S. 446). Il s'est préoccupé ici de tous les détails (IMT, t. IX, p. 446). Dans certains cas il demandait ... des documents sans que les experts aient pu en découvrir le motif ; parfois il communiquait à ses conseillers techni-

ques ses intentions et leur demandait des documents et des appréciations ... La décision n'appartenait qu'à lui (IMT, t. IX, p. 684). ... en ce qui me concerne, j'estime que le Führer n'était pas au courant des détails de ce qui se passait dans les camps de concentration ... des tortures, etc... Tel que je le connais, je ne puis le croire ... (IMT, t. IX, p. 678) ».

Alfred Jodl (général de corps d'armée, chef du haut commandement de la Wehrmacht) :

« Hitler possédait en abondance toutes les qualités d'un chef. Son savoir, son intelligence, sa rhétorique, sa volonté finissaient par triompher dans toutes les discussions intellectuelles. Il y avait chez lui un mélange rare de logique et de raisonnement réaliste, de scepticisme et d'imagination luxuriante qui prévoyait souvent les événements, qui souvent aussi se trompait. Je l'ai admiré quand, au cours de l'hiver 1941/1942, il a réussi, par sa foi et son énergie, à redresser la situation sur le front oriental chancelant ... (IMT, t. XV, p. 333). Sa vie au grand quartier général (du Führer) était vouée au devoir et au travail. Son existence était marquée d'une austérité « imposante » (IMT, t. XV, p. 333). Hitler était (de 1933 à 1938) non pas un charlatan mais une personnalité gigantesque, dont la grandeur avait à la fin quelque chose de démoniaque, mais il n'en était pas moins grand ... personnalité gigantesque ... bien qu'avec quelques réserves. (IMT, t. XV, p. 602) ... Mon influence sur le Führer n'était, de loin, pas aussi grande qu'elle aurait dû être et peut-être même pu être, compte tenu de ma position. Ce fait s'explique par les dimensions gigantesques de cet homme autoritaire qui supportait mal les conseilleurs. (IMT, t. XV, p. 411) ».

Wilhelm Keitel (feld-maréchal) :

« Hitler étudiait avec un zèle inimaginable des traités d'état-major, des ouvrages militaires, des mémoires sur des problèmes tactiques, opératoires et stratégiques. Ses connaissances en matière militaire étaient étonnantes. Il était si bien renseigné sur l'organisation, l'armement, le commandement, l'équipement de toutes les armées et de toutes les flottes de la terre qu'il était impossible de le prendre en défaut dans ce domaine. Même pendant la guerre, il approfondissait la nuit les grands ouvrages d'état-major de Moltke, Schlieffen et Clausewitz ... De là notre appréciation : seul un génie en est capable ! (IMT, t. X, p. 671 et s.) Même quand il s'agissait de questions de routine et d'organisation, de l'armement de la Wehrmacht ou de choses de ce genre, je faisais toujours figure d'élève et jamais de professeur. (IMT, t. X, p. 672). Sa décision prise, il n'acceptait

aucune objection ou suggestion émanant d'autres personnes. A partir de 1938, aucune des grandes décisions n'a été l'aboutissement de discussions ou de délibérations communes. Hitler avait l'habitude assez particulière de s'entretenir en général avec chacun des chefs de service en tête à tête. Les réunions au cours desquelles des décisions étaient prises ressemblaient, à y regarder de plus près, bien plus à des distributions d'ordres qu'à des délibérations. (IMT, t. X, p. 545) ».

Albert Kesselring (feld-maréchal) :

« Des ordres d'un caractère général n'étaient donnés que par une personne, Adolf Hitler. Les autres personnes faisaient figure d'organes exécutifs. (IMT, t. IX, p. 200) ».

Erhard Milch (feld-maréchal) :

« L'anomalie n'était pas aussi évidente qu'on aurait pu dire : cet homme ne jouit pas de toutes ses facultés mentales, cet homme est dérangé. L'anomalie ne va pas toujours jusque-là, elle peut rester invisible pour la masse et même le voisin. Je crois qu'un médecin serait plus qualifié que moi pour éclairer ce point. (IMT, t. IX, p. 107) ».

Konstantin von Neurath (ministre des Affaires étrangères du Reich de 1932 à 1938 ; inspecteur du Reich en Bohême et en Moravie de 1939 à 1941) :

« A cette époque, j'avais déjà fait l'expérience du fait qu'Hitler ne supportait pas la contradiction, qu'il était inaccessible à toutes les représentations formulées en présence d'autres personnes, car il souffrait d'un complexe qui lui faisait croire qu'il était confronté à une opposition, qu'il devait se mettre en défense. Il n'en était pas de même quand on l'abordait en tête-à-tête. Il était alors, du moins dans les premières années, accessible à des arguments raisonnables et il était possible d'obtenir de lui la modération, l'atténuation de mesures trop radicales. (IMT, t. XVII, p. 107) ».

Erich Raeder (grand amiral, chef de la Marine de guerre) :

« Hitler parlait ... vraiment beaucoup, il remontait volontiers aux sources ... mais chacun de ses discours visait toujours un objectif précis, selon le cercle auquel il s'adressait. Il était .... non seulement un maître de la dialectique ... mais aussi un maître du bluff. Il choisissait des termes forts en fonction du but à atteindre ; il laissait libre cours à son imagination et disait parfois le contraire de ce qu'il avait affirmé dans un discours précédent. On ne savait jamais quels étaient ses objectifs et ses intentions ... Il n'était jamais question de délibération, mais

d'une simple distribution d'ordres sans discussion. (IMT, t. XIV, p. 44) ».

Joachim von Ribbentrop (ministre des Affaires étrangères du Reich) :

« Ses avis étaient toujours d'un caractère conclusif et définitif ; ils semblaient venir du fond de son être. J'avais l'impression d'être en face d'un homme qui savait ce qu'il voulait, qui était doué d'une volonté inébranlable et d'une forte personnalité. (IMT, t. X, p. 257) ».

Alfred Rosenberg (« Reichsleiter », à partir de 1941, ministre du Reich pour les territoires de l'Est) :

« De plus en plus, Adolf Hitler s'entourait de collaborateurs qui n'étaient pas mes camarades mais mes adversaires (dernier mot devant l'IMT) ».

Hjalmar Schacht (ministre de l'Economie du Reich de 1934 à 1937) :

Hitler « a lu une infinité de livres, il a acquis des connaissances considérables et s'en est servi en virtuose dans les discussions et discours. Il était à certains égards un homme doué de génie. Il avait des idées que d'autres n'auraient pas conçues et qui avaient pour effet de mettre un terme à de grandes difficultés, parfois par des mesures d'une simplicité ou d'une brutalité étonnantes. Sa psychologie des foules était d'une génialité diabolique ».

« Je crois qu'originairement il n'obéissait pas exclusivement à des instincts pervers. Il s'imaginait sans doute au début aspirer à quelque chose de bien ; mais il a succombé lui-même peu à peu au charme qu'il exerçait sur les masses ... Il était un homme d'une énergie inflexible, d'une volonté faisant litière de tous les obstacles. C'est à ces deux qualités, à sa psychologie des foules et à la puissance de sa volonté qu'Hitler devait ... de compter parmi ses partisans 40 et plus tard 50 pour cent de la population allemande. (IMT, t. XII, p. 492) ».

Albert Speer (ministre du Reich) :

« Hitler était un maître d'œuvre fanatique ... S'il avait eu des amis, j'aurais été un de ses amis intimes. (IMT, t. XVI, p. 476). Au plus tard, à partir de janvier ou de février 1945, il n'était plus fidèle à son peuple. Il n'avait pas le droit de lier le destin de son peuple à la partie qu'il avait jouée et perdue. (IMT, t. XVI, p. 554). La dictature d'Hitler était la première qui se soit servie, pour exercer sa domination sur le peuple, de la façon la plus parfaite de tous les moyens techniques et qui, de

cette façon, a imposé à des millions de gens la volonté d'un seul (dernier mot devant l'IMT). »

Julius Treicher (« Gauleiter », directeur du *Stürmer*) :

« Adolf Hitler était un être à part et je crois pouvoir dire qu'il n'y avait pas d'amitié entre lui et d'autres humains, amitié dont on aurait pu dire qu'elle venait du cœur ... Quiconque désirait se faire bien voir de lui devait accomplir quelque virile prouesse. (IMT, t. XI, p. 340.)

« Il était impossible d'influencer le Führer. (IMT, t. XII, p. 352.) »

Malgré ses lectures étendues, l'intérêt d'Hitler, qui se reflète pendant les dix ou quinze dernières années de sa vie aussi bien dans le choix de ses livres que dans la composition de sa bibliothèque, était relativement limité et n'avait pas non plus, à y regarder de plus près, une orientation politique vraiment pratique. D'après les indications de sa secrétaire, sa bibliothèque privée ne contenait ni un classique ni un seul ouvrage d'envergure humaine ou spirituelle [59] ; il semble qu'Hitler avait conscience de cette lacune, car il affirmait parfois qu'à son grand regret il n'avait plus le temps de lire des œuvres littéraires et devait se borner aux ouvrages scientifiques [60]. Dans sa jeunesse, il n'en a pas été ainsi : il lisait tout ce qui lui tombait dans les mains. Il raconta à Christa Schröder qu'il avait « dévoré » à Vienne, avant 1913, les 500 volumes d'une bibliothèque municipale [61]. Ernst Hanfstaengl affirme de son côté qu'il avait vu dans la bibliothèque d'Hitler, entre autres, Hermann Stegemann : *Geschichte des Ersten Weltkrieges* (Histoire de la Première Guerre mondiale), Ludendorff : *Publikationen über den Krieg* (Publications sur la guerre), Treitschke : *Deutsche Geschichte* (Histoire d'Allemagne), Spamer : *Illustrierte Weltgeschichte* (Histoire universelle illustrée), l'œuvre la plus importante de Glausewitz : *Vom Kriege* (La guerre), Kugler : *Geschichte Friedrich des Grossen* (L'histoire de Frédéric le Grand), Chamberlain : *Vie de Wagner*, Wartenburg : *Weltgeschichte* (Histoire Universelle), August Wilhelm Grube : *Geographische Charakterbilder* (Tableaux de caractère géographique), Gustav Schwab : *Schönste Sagen des klassischen Altertums* (les plus belles légendes de l'Antiquité), Sven Hedin : *Kregserinnerungen* (Souvenirs de guerre), des romans récréatifs et policiers, ainsi que *Geschichte der erotischen Kunst* (Histoire de l'art érotique) et *Illustrierte Sittengeschichte* (Histoire des mœurs illustrée) de

l'auteur juif Eduard Fuchs [62]. A partir du moment où il ne se voyait plus obligé de briller par ses connaissances littéraires, où il lui suffisait de « bluffer » de temps en temps, pendant sa période de « *Führer und Reichskanzler* » avec toutes les obligations que cette charge comportait, l'horizon d'Hitler se rétrécissait visiblement pour se concentrer sur quelques problèmes particuliers. Comme il ressentait toujours autant de répugnance à lire des traités sur les finances, le droit public, l'administration, qu'à discuter de questions juridiques, domaine dont un politicien ne saurait se passer dans la société industrielle, ses sous-chefs, gauleiter et hauts fonctionnaires pouvaient, dans leur ressort, faire ce qu'ils voulaient, ce qui leur plaisait visiblement ; pour cette raison même, un homme comme Martin Bormann put s'assurer dans l'Etat une position de force aux effets proprement imprévisibles. A partir de 1930, après que le premier volume de *Mein Kampf* eut établi (à la différence de l'édition de 1925) le principe * que les chefs de groupes locaux de districts, de cercles et de « gaue » devaient être nommés « par l'échelon hiérarchique supérieur » et « investis de pouvoirs et d'une autorité illimitée » [63], beaucoup se croyaient des demi-dieux et tenaient à le montrer aussi par leur attitude générale. De même que les bourgeois allemands du temps de Guillaume II croyaient s'identifier à leur souverain en arborant la même barbe que lui, de même les nationaux-socialistes imitaient la moustache hautement « élaborée » d'Hitler, qui avait servi au départ à corriger un nez trop large **. Parmi les chefs de « gau » (*gauleiter*) Peter Gemeiner (Hesse et Nassau), Karl Weinrich (Hesse électorale), Wilhelm Kube (Marche électorale), Julius Streicher (Franconie), Erich Koch (Prusse orientale), Franz Schwede (Poméranie), Josef Wagner (Silésie) Heinrich Lohse (Schleswig-Holstein), Fritz Sauckel (Thuringe) portaient une moustache à l'hitlérienne.

---

* Les premières éditions de *Mein Kampf* avaient précisé que les sous-chefs devaient être élus selon les principes « d'une démocratie germanique » et que tous les comités devaient, après leur élection, leur obéir. Après l'édition de 1930, il n'était plus question de « démocratie germanique ». En lieu et place, on lisait : « Le mouvement proclame dans les petites choses comme dans les grandes l'autorité inconditionnelle du chef, alliée à un sens aigu de la responsabilité. » (Hitler, p. 378). Pour la suite, *Cf.* plus haut.

** Hitler corrigeait la forme de son nez par une moustache à la Charlot (emprunté sans doute à Dietrich Eckart) qui ne plut d'abord pas beaucoup à son entourage ; mais Hitler tint bon, non sans faire parfois, en cachette, des portraits et des caricatures de lui-même le montrant avec d'autres moustaches.

Hitler prenait toujours son temps pour lire. Même pendant la Deuxième Guerre mondiale, malgré ses charges écrasantes qui mettaient ses nerfs à rude épreuve, malgré une santé chancelante * il ne s'arrêtait pas de lire. Son médecin personnel, le professeur von Hasselbach, raconte qu'Hitler étudiait — d'après ce qu'il lui avait confié — tous les jours au moins un ouvrage important [64] : une Histoire de l'humanité, une étude scientifique de Franz Petri, *Germanisches Volkserbe in Wallonien und Nord-Frankreich* (L'héritage populaire germanique en Wallonie et dans le Nord de la France), la *Geschichte der Hanse* (Histoire de la Hanse) de Karl Pagel, l'édition en quatre volumes des discours de l'empereur Guillaume II, du général Walther Scherff, la biographie de l'empereur Hohenstaufen Frederic II par Ernst Kantorowicz et des traités de médecine **.

Jusqu'en 1945, la « *weltanschauung* » d'Hitler était essentiellement marquée — si l'on fait abstraction de la primauté qu'il attribuait toujours au phénomène historique — par la prédominance du *biologisme*, notamment du pseudo-darwinisme, du monothéisme religieux et du libéralisme anticlérical. L'affirmation d'Hitler que ses concepts intellectuels s'étaient formés d'une façon définitive avant 1914 est conforme à la vérité. Tout ce qui est venu s'ajouter après ce qu'il a appelé « l'école de Vienne » a été (si l'on ne tient pas compte des acquisitions techniques) inséré dans une vision du monde « figée » (non sans quelques simplifications et contraintes) ; ce procédé se traduisait parfois par des interprétations fantaisistes de certaines théories, comme celles de Darwin, de Bölsche et de Malthus, qu'Hitler transposait en fonction de ses vues personnelles ***.

L'idée de pouvoir maintenir contre vents et marées les représentations et appréciations tirées avant la Première Guerre mondiale de ses lectures d'autodidacte [65] a empêché Hitler de se rendre compte qu'une partie de ses concepts et connaissances étaient soumis à l'usure du temps et ne pouvaient, notamment dans le domaine scientifique, avoir éternellement force de loi. Hitler avait l'habitude de placer ses « intuitions géniales » (au moins dans le domaine des sciences humaines) au-dessus des acquisitions et expériences scientifiques, quand celles-ci gênaient ses constructions idéologiques ; de préférer son interprétation des légendes et mythes empruntés au Portique, à la science pré-

---

* *Cf.* aussi notre exposé au chap. VII.
** *Cf.* aussi notre exposé au chap. VII.
*** Voir aussi commentaires dans ce chap.

historique et à l'archéologie. Pendant tout le temps de sa vie, il considéra les résultats et aboutissements intellectuels des « héros de l'esprit » du XIXe siècle — « producteur de génies » — comme point final de l'évolution, comme repères et modèles de son temps (si l'on fait abstraction de la religion et de l'Eglise ainsi que de la technique et de l'économie de guerre).

Un exemple typique de la dépendance intellectuelle d'Hitler par rapport au XIXe siècle nous est fourni par l'idée que le maître du Troisième Reich se faisait du rôle de l'Europe et de celui, insignifiant, de l'Amérique et de la Russie. On sent chez lui l'influence de Georg Wilhelm Friedriech Hegel qui a fortement marqué les idées philosophiques du XIXe siècle, dont l'esprit vit dans l'historiographie de son temps et qui a défini l'Etat comme « le dieu qui se manifeste » ; sa méthode dialectique a servi de base au concept matérialiste de l'histoire de Karl Marx et de Friedrich Engels, qui, de leur côté, ont imprimé leur marque à l'histoire (universelle) du XXe siècle. Tout en employant chacun une formule légèrement différente, Hegel, Marx, Engels * et Hitler tenaient l'Amérique et la Russie pour des quantités négligeables. Dans ses cours sur « l'histoire de la philosophie », Hegel avait rejeté l'Amérique hors du terrain « sur lequel s'est transportée l'histoire du monde ». Ce qui s'y est passé n'était que « l'écho de l'Ancien monde et l'expression d'une vivacité étrangère » [66]. Il n'attribuait aucune importance à la Russie (il mourut en 1811 du choléra) « parce qu'elle ne s'est jamais présentée dans le monde comme un facteur autonome dans l'enchaînement des créations de la raison » [67].

Pour Hitler aussi, qui méprisait et dédaignait les Etats-Unis, l'Amérique se situait hors du « monde » civilisé qui seul, à son avis, était investi d'une mission créatrice et conservatrice [68]. Le fait qu'en 1923 Hitler ait désiré, sous l'impulsion de la famille amie des Hanfstaengl, se rendre personnellement en Amérique [69], n'infirme pas plus cette constatation que la nécessité où il se trouvait, fin 1941, de s'occuper d'une nation à laquelle il avait déclaré la guerre. En parlant des Russes, il avait coutume de dire qu'ils étaient incapables de créer un Etat [70]. Le mépris d'Hegel à l'égard de l'Amérique et de la Russie se retrouve chez Hitler, sous une forme pervertie.

---

* On peut supposer comme connue l'attitude méprisante de Marx et Engels à l'égard de la Russie. *Cf.* aussi Maser, *Marx und Lenin. Versuch einer Konfrontation*, dans *Moderne Welt. Zeitschrift f. vergl. geistesgesch. und sozialwissenschaftliche Forschung*. Cologne 1959/60, Cahier 3/4, p. 254 et s.

Peu importe qu'Hitler ait étudié ou non les œuvres d'Hegel. Et peu importe qu'il les ait comprises comme le philosophe voulait qu'on les comprît. Même Lénine, qui se disait un disciple de Marx, et Engels, qui passe pour un connaisseur en matière de philosophie et qui avait toujours le nom d'Hegel à la bouche, ont très probablement interprété Hegel dans un sens peu hégélien *.

Pour mieux situer l'attitude idéologique d'Hitler, considérons le résultat d'une « enquête » que le journal illustré berlinois : *Berliner Illustrierte Zeitung* a organisée parmi ses lecteurs à la fin de 1898, à l'époque où Hitler se préparait, à Leonding, à la rentrée à la *Realschule* de l'Etat, à Linz. Plus de 6 000 lecteurs renvoyèrent le « questionnaire » de ce premier sondage d'envergure : les rédacteurs du journal désiraient établir, par vingt-sept questions, ce que pensaient les Allemands du XIXe siècle, de leurs « grands » de la politique, des sciences, de la littérature, de l'art, ce qu'ils attendaient du XXe. Le résultat du sondage reflétait bien l'attitude idéologique de la bourgeoisie, au sein de laquelle se recrutaient la plupart des lecteurs de l'*Illustrierte Zeitung* et où le jeune fils de bourgeois Hitler s'apprêtait à faire son entrée. Ce qu'il désignera plus tard comme l'aboutissement de ses années d'études scolaires et autodidactiques à Linz et à Vienne ne correspondait pas exactement aux idées des lecteurs de l'*Illustrierte Zeitung* à la fin du siècle dernier. C'est ainsi qu'il n'aurait, en dépit de son opinion sur la guerre et de son admiration de l'empereur d'Allemagne, certainement pas affirmé qu' « Hellmuth von Moltke » était « le plus grand penseur du siècle » (1 200 voix contre 1 000 pour Kant, 800 pour Darwin, 700 pour Schopenhauer). Le même sondage désignait par 2 400 voix Guillaume II (contre 1 600 pour Bismarck) comme le « héros du siècle » **. Deux des lecteurs de l'*Illustrierte Zeitung*

---

* Lénine a avoué avoir lu Hegel dans la perspective « matérialiste » (!) On peut considérer comme typiques de lui les notes qu'il a griffonnées en marge de ses « œuvres posthumes philosophiques » : « L'idéaliste est pris la main dans le sac ! » « Hihi ! il a peur ! Lâche fuite devant le matérialiste » ; « Un modèle de calomnie et de falsification » ; « Il plaint Dieu » ; « Racaille idéaliste » ; « Sottise, mensonge, calomnie », etc. Ch. Maser : *Marx und Lenin*, p. 266.
** Cf. *Berliner Illustrirte Zeitung* du 10-2-1899. Parmi les penseurs cités figurent aussi Alexander von Humboldt, Nietzsche, Hegel, Helmholz; mais ils ne représentaient pas grand-chose aux yeux des lecteurs (pas plus d'ailleurs que le pape Léon XIII qui figure également sur la liste des « penseurs »). Hitler aurait sans doute souscrit au jugement des 4 800 lecteurs qui considéraient Bismarck « comme l'homme le plus important d'Allemagne » au XIXe siècle et Richard Wagner (4 200 voix) comme le plus grand musicien allemand.

partageaient l'opinion exprimée par Hitler après 1919 sur l'évolution politique. La rédaction du journal qualifiait ces deux lecteurs de « méchants » et d' « avaleurs de charrettes ferrées » : « Il y a aussi des hommes méchants, comme celui qui ne désire rien de moins que la conquête des Etats-Unis d'Amérique. » Un autre était plus prétentieux encore : il ne réclamait pas moins que l'écrasement de la France, de la Grande-Bretagne, de l'Autriche, de la Russie, la fin de l'expansionnisme américain, la domination de l'Allemagne sur le monde entier, sans oublier au passage l'anéantissement de la social-démocratie [71]. « Ce qui en 1899/1900 (quand Hitler avait dix ans) était considéré dans le Reich Allemand comme absurde et irréel (2 voix sur 6 000) est devenu, grâce à l'Autrichien Adolf Hitler, la foi commune de beaucoup d'Allemands et de beaucoup d'Autrichiens et l'est même resté après la fin d'Hitler et la catastrophe dans laquelle il a plongé le monde. Ainsi, un groupe de travail de l'Ecole normale de Göttingen, qui a interrogé en 1968, 5 000 élèves des quatre classes supérieures d'écoles élémentaires, d'écoles supérieures et de lycées, 5 000 étudiants de 45 écoles normales, des chargés de cours, des professeurs, des députés, a constaté que jusqu'à 45 % des élèves ont fait état de préjugés et d'intolérance à l'égard de certaines minorités. Ils étaient d'avis qu'il fallait « interner dans des camps spéciaux », « fusiller », « gazer » les tziganes, arrêter et forcer au travail les « vadrouilleurs », « chasser du pays » les travailleurs étrangers [72].

Les connaissances de détail d'Hitler semblaient inépuisables. Dönitz déclara en 1967 : « Des officiers de marine qui avaient fait partie pendant un certain temps de l'entourage immédiat d'Hitler, comme son conseiller naval, le contre-amiral von Puttmaker, m'ont raconté qu'Hitler connaissait fort bien les types de bateaux de tous les pays figurant dans l'*Almanach de la Marine* de Weyer. Grâce à sa mémoire remarquable, il était mieux renseigné sur les déplacements, l'armement et le blindage de ces navires que les spécialistes de la marine qui l'entouraient [73]. » Il avait étudié l'histoire de toutes les unités militaires de quelque importance et savait où elles opéraient [74]. Il connaissait tous les détails de l'organisation de la Wehrmacht allemande, des unités de la marine de guerre et de leurs armements [75]. Déjà, pendant la campagne de Pologne, il étonna les experts en leur décrivant tous les types de canons polonais et français [76]. « Sa compétence technique, sa connaissance des méthodes modernes de combat, écrivit Schramm, lui assuraient une position confortable pendant les discussions avec ses généraux et officiers d'état-major :

dans ces domaines, il était leur égal et même les surpassait [77]. »
Le feldmaréchal Erich von Manstein était d'avis qu'Hitler « disposait d'un savoir et d'une mémoire remarquables ; quand il
s'agissait de problèmes techniques et logistiques, il s'appuyait
sur une imagination créatrice. Il avait une connaissance étonnante de l'effet d'armes nouvelles, même ennemies, et savait
par cœur les chiffres de la production industrielle allemande et
étrangère ... Il est incontestable qu'il a pu obtenir de grands
progrès dans le domaine de l'armement grâce à son intelligence
des problèmes et à son énergie indomptable » [78]. « Lorsqu'en
1940 l'infanterie combattant dans le secteur de Narvik avait besoin
de canons antichar, nous dit Schramm sur la foi d'un témoin
oculaire, il n'y avait pas d'autre moyen de les acheminer qu'à
bord de sous-marins. La marine de guerre déclara que le type
de canon antichar utilisé par l'armée ... ne pouvait être chargé
par l'écoutille d'un sous-marin. Hitler dit alors qu'il avait eu
l'occasion de voir des pièces anti-char pendant l'entrée des
troupes allemandes en Autriche et qu'à son avis leur embarque-
ment à bord de sous-marins était possible. Coups de téléphone,
messages : on déniche un canon anti-char. Il passe effectivement
par l'ouverture de l'écoutille. Après le débarquement des alliés
en Normandie (été 1944), l'infanterie se plaignait de ne pouvoir
bouger à cause du tir d'encagement de l'artillerie de bord de la
marine ennemie. Hitler, mis au courant de la situation, désira
savoir jusqu'à quelle distance, à l'intérieur des terres, l'artillerie
de bord adverse pouvait tirer. Les trois officiers de marine présents à la réunion ne savaient que dire. Hitler, mécontent, déclara
qu'il tenait à obtenir ce renseignement dans les vingt-quatre
heures. Il ajouta qu'il fallait tenir compte du tirant d'eau des
différents types de bateaux, dont dépendait la distance minimale
à laquelle ils devaient se tenir de la côte ; la profondeur de
la mer et les calibres de l'artillerie ennemie (Hitler les cita
par cœur) entraient également en ligne de compte. Les calculs
assez difficiles... se présentèrent immédiatement devant son
esprit [79]. » Notons que les connaissances techniques et scientifiques d'Hitler ne se limitaient pas au domaine militaire et à
l'architecture. Il connaissait aussi bien que les experts les voitures et leurs moteurs. Lors d'un entretien, peu avant sa « prise
du pouvoir », avec un des dirigeants des usines « Mercedes »
qui lui présenta le dernier modèle de la marque, il lui proposa
un pari sur le poids de la voiture encore inconnue du public.
Qu'il gagnât son pari n'étonna pas son entourage [80]. Erich
Kempka, son premier chauffeur, raconte qu'il avait dû se sou-

mettre à un examen technique avant d'être engagé : « Hitler posait des questions avec une telle rapidité que j'avais à peine le temps de répondre ; c'était d'autant plus difficile que je ne m'attendais pas, de la part d'un profane, à tant de connaissances techniques [81]. » Quand un constructeur bien connu présenta à Hitler le plan de la « Volkswagen » (« voiture populaire ») encore à l'état de projet, il critiqua la forme du véhicule. Exposant à l'ingénieur ses objections, il lui dit : « Le nouveau véhicule doit avoir la forme d'un hanneton. Il suffit de regarder la nature pour voir comment obtenir une ligne aérodynamique [82]. » L'objection que le hanneton, dont les élytres repliés forment une sorte de « garage », ne se déplaçait que lentement par terre, tandis qu'il volait rapidement, se heurta à la question d'Hitler : « Et que fait le hanneton de son « garage » quand il vole ? Est-ce qu'il le laisse à terre ? [83] » Hitler, caractère artistique et visuel, qui avait l'habitude d'observer et d'interpréter les formes de la nature, y cherchait toujours ses modèles et recommandait d'en dégager les lois. Son optique « biologique » transparaissait aussi dans son appréciation des bateaux et des avions, dont le dessin et les méthodes de propulsion devaient, à son avis, s'inspirer des poissons et des oiseaux [84]. C'est sur la base de ces critères qu'il reprochait aux constructeurs de navires de ne pas respecter les formes naturelles des poissons : leur tête n'est pas pointue comme la coque d'un navire, mais elle ressemble à la forme d'une goutte d'eau. S'il est vrai, expliqua-t-il le 2 juin 1942 à l'amiral Theodor Krancke, représentant permanent de la marine de guerre au grand quartier général du Führer, qu'un bâtiment de ligne de plus de 45 000 tonneaux peut filer 30 nœuds avec un moteur de 136 000 CV et qu'un porte-avions moitié moins grand atteint, avec un moteur de 200 000 CV, à peine 35 nœuds, il doit y avoir une erreur dans le calcul des ingénieurs *. Mais Hitler ne tirait pas ses déductions techniques exclusivement de ses observations de la nature. Il avait lu de nombreux ouvrages techniques ; il est probable que, parmi ses lectures de jeunesse, figuraient aussi les romans d'anticipation technique de Jules Verne, Kurt Lasswitz et d'autres. Il projetait, entre autres, des chemins de fer de deux étages, d'un écartement de quatre mètres, qui devaient relier à 200 km/h l'Allemagne au bassin du Donetz, des autoroutes de onze mètres de largeur et des villes nouvelles

---

* On a tort, commentait Hitler, de situer l'entraînement des bateaux à la queue, puisque l'hélice produit un remous qui exerce une action de frein sur le corps du bateau, aggravant ainsi la résistance de l'eau à l'avant du navire.

avec de grandioses palais pour les gouverneurs allemands des
territoires conquis à l'est [85]. Il avait l'intention de créer des plantations d'hévéas de plus d'1,5 millions d'acres de superficie,
d'utiliser les forces hydrauliques pour l'industrie chimique, de
faire de la Norvège le principal producteur d'électricité d'Europe,
de produire du gaz d'éclairage dans d'immenses cuves de fermentation, de mettre le vent et la marée au service de la technique [86],
de modifier le climat de régions entières [87].

Les connaissances et intérêts techniques d'Hitler se heurtaient toutefois à son ignorance en matière de physique et de
chimie. C'était là des domaines qu'il n'abordait que lorsqu'il ne
pouvait faire autrement. Ainsi, il se désintéressait de la recherche nucléaire et de la technique de la haute fréquence, en dépit
de l'avertissement des experts qui l'avaient mis au courant de
leurs efforts et lui avaient expliqué le rôle décisif de la bombe
atomique. Au début de 1945, quand même les rêveurs ne
croyaient plus à la victoire allemande, Hitler fit l'éloge de la
bombe atomique allemande et la qualifia d' « arme de la victoire ». « D'ici peu de temps, j'utiliserai les « armes de la victoire », déclara-t-il à la mi-février 1945 à Erwin Giesing, le problème de la transmutation nucléaire est depuis longtemps résolu
et nous sommes capables d'utiliser cette énergie à des fins stratégiques ; ces messieurs n'en reviendront pas ! C'est l'arme de
l'avenir, et avec elle l'avenir de l'Allemagne est assuré. La Providence m'a permis de discerner dès maintenant ... ce moyen
ultime [88]. »

Malgré la prédilection d'Hitler pour les sciences naturelles,
il ne s'est jamais donné la peine d'étudier des traités scientifiques là où ne pouvaient suffire les encyclopédies qu'il utilisait
même pour des décisions historiques aussi importantes que le
pacte de Munich. « J'assistais aux tractations, raconte le colonel
Peterpaul von Donat, il s'agissait d'abord d'établir le tracé de
la frontière. On finit par convenir que la carte ethnographique
d'Autriche-Hongrie de l'Encyclopédie de Brockhaus de 1908 serait
utilisée comme critère de l'annexion des régions des Sudètes [89]. »
Hitler se renseignait sur les dates des événements historiques,
sur les mesures et plans de monuments architecturaux, la composition des remèdes, les symptômes et l'évolution des maladies
dans des ouvrages de référence et des lexiques, mais cette
méthode était insuffisante en matière de sciences.

Malgré la tournure essentiellement scientifique de son esprit,
il place au centre de ses spéculations, réflexions, avis et entretiens toujours l'histoire, même s'il s'agit de problèmes à prédo-

minance scientifique. « Celui qui n'a pas d'organe pour l'histoire, dit-il le 27 juillet 1941, est comme sourd ou aveugle *. »

Il se considère volontiers comme un des « moteurs » de l'histoire, à laquelle il se réfère régulièrement pour justifier ses propres décisions, mesures, projets, objectifs et idées ; il découvre dans ses propres réalisations des aspects de « prophéties accomplies » ou il les tient pour des interventions du « génie ». Son concept de l'histoire est évolutif, mais il fait à dessein abstraction de la préhistoire, dont les principaux faits étaient au XIXᵉ siècle déjà chronologiquement établis. L'affirmation de Percy Ernst Schramm qu'Hitler n'avait apparemment aucune connaissance détaillée de la préhistoire semble manquer de fondement sérieux **. La remarque d'Hitler que les mythologies permettent éventuellement d'explorer la préhistoire, doit être interprétée différemment [90]. « J'ai feuilleté un ouvrage sur la genèse des races humaines, raconte Hitler dans la nuit du 25 au 26 janvier 1942. J'ai autrefois beaucoup réfléchi à la question et je dois dire que ... quand on regarde ... de plus près les anciens contes, traditions et légendes on aboutit à des conclusions bizarres [91]. » Il qualifie ses « conclusions » de « bizarres » parce qu'elles ne cadrent pas avec les doctrines officielles ; mais il n'en démord pas pour autant. Dans cette perspective, il refuse de croire (malgré son intelligence de Darwin) que l'homme « n'était pas dès l'origine ce qu'il est aujourd'hui » [92]. Il admet qu'il y a « dans la nature, dans le règne animal et végétal, des modifications, des évolutions » [93] ; mais il postule : « on ne dénote nulle part à l'intérieur d'une espèce une évolution discontinue ... que l'homme aurait dû subir s'il était devenu ce qu'il est, à partir d'un état simiesque ... [94]. »

Dans un dessein volontairement restrictif, il limite la notion d'homme à l'homme conscient de son histoire et agissant sur elle : « Regardons les anciens Grecs : la beauté qu'ils savaient produire dépasse ce que nous faisons aujourd'hui. Cela s'applique aussi au monde des idées ... à la représentation artistique ... les Egyptiens qui ont précédé les Grecs se tiennent au même niveau [95]. » Hitler est sans cesse à la recherche de preuves susceptibles d'étayer sa théorie, car il lui répugne d'exclure l'homme de la préhistoire de l'histoire « faite par les hommes » [96]. Il dessine,

---

* Cité d'après Schramm (dans Picker) p. 72. La constatation de Schramm (*ibidem*), que ce propos est une allusion à la remarque de Gœthe que « celui-là restera un enfant qui ne saura rendre compte de quatre mille ans d'histoire », est basée sur une idée préconçue.
** *Ibid.*, p. 73.

ébauche, caricature la tête d'Heinrich Schliemann qui — en dépit
des doctrines officielles — cherchait à découvrir, en s'appuyant
sur Homère, les restes de Troie, Mycènes, Tirynthe, et qui, grâce
à ses efforts persévérants a pu mettre à jour la civilisation pré-
homérique du IIe millénaire avant Jésus-Christ. Mais Hitler
n'hésite pas à invoquer des « preuves » absurdes : ainsi, il cite
à l'appui de ses théories des figures mythologiques, la théorie
cosmogonique de Hörbiger *, le caractère éphémère des traditions
métalliques (par opposition aux outils de pierre), le fait que les
trois quarts de la terre sont couverts d'eau, qu'un huitième seulement de la surface terrestre est accessible ... à la recherche,
des récits bibliques qu'il interprète parfois en leur faisant violence [97]. La tradition mythologique de la chute des anges et du
« combat entre les dieux et les géants » [98] qui cadre avec sa
vision du monde est subtilisée aux Juifs et attribuée aux Baby-
loniens et aux Assyriens : pour finir, elle est incorporée à la

* Hitler déclara, dans la nuit du 25 au 26 janvier 1942, en se référant
à la théorie de la glaciation cosmogonique de Hörbiger, rejetée par la
science : « Je penche vers la théorie de Hörbiger (selon laquelle la glace
a joué un rôle important dans la formation des astres). Il se pourrait que
vers l'an 10 000 avant notre ère il y ait eu irruption de la lune. Il n'est pas
exclu que la terre ait, à cette époque, assigné à la lune son orbite actuelle.
Mais il est aussi possible que la terre ait attiré l'atmosphère de la lune,
ce qui a dû provoquer un changement radical des conditions de la vie des
hommes. On peut imaginer qu'il y ait eu des êtres capables de vivre à
n'importe quelle altitude, puisque la pression atmosphérique ne pesait
pas encore sur eux. Ou que la terre se soit crevassée et que l'irruption des
eaux dans les cratères ait provoqué des explosions gigantesques et des
pluies diluviennes auxquelles un seul couple humain ait pu échapper
dans quelque grotte au sommet d'une montagne. Je crois que ces problèmes
seront résolus le jour où un homme comprendra d'une façon intuitive
l'enchaînement des causes aux effets et montrera la voie à la science.
Autrement, nous ne lèverons jamais le voile que la catastrophe a tendu
entre nous et le monde de la préhistoire. » (« Heim protokoll, cité par
Picker, p. 167.) Quatre années plus tôt, Himmler avait reproché aux
astronomes ayant osé qualifier de « retour à un stade dépassé de la
science » la théorie de la glaciation cosmogonique, d'ignorer des découvertes qui, à son avis, pouvaient être utiles à l'humanité : « Je suis un
partisan de la libre recherche sous toutes ses formes, je défends donc
aussi la libre recherche sur la théorie de la glaciation cosmogonique »,
écrivait-il le 23-7-1938 à l'SS-Oberführer Dr Otto Wacker, qui occupait à
cette époque à titre intérimaire le poste de chef de service au ministère
du Reich pour la Science, l'Education et l'Instruction populaires. Himmler
continue : « J'ai l'intention de ... soutenir ... cette recherche et me trouve
en fort bonne compagnie, puisque le Führer lui-même ... est un partisan
convaincu de cette doctrine rejetée par les apprentis de la science.
J'insiste ... encore ... pour que le ministère de l'Education nationale
mette une sourdine au langage prétentieux de certains professeurs d'université. Il y a beaucoup de choses ... qui méritent d'être explorées ... même
par des profanes. » Cité selon Heiber, *Reichsführer ! Briefe an und von
Himmler*) p. 57. *Cf.* aussi Ackermann, Josef, *Himmler als Ideologie*
Gœttingue, Zurich, Frankfurt 1970, p. 40 et s.

légende de l'Edda et interprétée comme une « catastrophe naturelle nordique » [99]. Hitler est persuadé que la science est à jamais
incapable de répondre à toutes les questions que l'homme est
susceptible de poser. La science est, selon lui, une échelle que
le chercheur escalade sans jamais arriver au sommet. Il ne voit
que ce qu'il peut embrasser du regard à partir du niveau où il
a réussi à se hisser [100].

Hitler ne veut pas fonder l'histoire sur les seules sources
traditionnelles et regrette que les témoignages écrits ne remontent qu'à « 3 000 ou 4 000 ans » [101] si bien que « l'homme doué
d'esprit critique est forcé de recourir aux légendes en partant
de l'idée que le mot (allemand) « *sage* » (légende) dérive de
« *sagen* » (dire) et que les créateurs (de cette tradition — N. d. A.)
ont été des hommes dont le style a été semblable au nôtre » [102].
Ce n'est pas par hasard qu'Hitler réclame, dix-sept ans après
avoir quitté l'école, « une vision entièrement nouvelle de l'histoire » [103], ainsi qu'une science historique qui s'appuie sur l'Empire romain et l'antiquité grecque [104]. Dans la ligne d'un tel
concept de l'histoire, déclare-t-il le 26 juillet 1942, « il faudrait
par exemple citer comme pendant de Frédéric Guillaume Ier et
son fils Frédéric le Grand, Alexandre le Grand et son père Phi-
lippe » [105]. On comprend qu'il admire la civilisation méditerranéenne et les réalisations des hommes d'Etat romain : « A
l'époque même, dit-il le 7 juillet 1942, où nos ancêtres fabri-
quaient les auges de pierre et les cruches d'argile dont nos explo-
rateurs de la préhistoire font si grand cas, on a construit en
Grèce l'Acropole. » Citant des propos d'Hitler, Picker affirme
qu'Hitler aurait recommandé aussi « la plus grande prudence
dans les affirmations trop précises sur la civilisation de nos
ancêtres pendant le 1er millénaire de notre ère ». « Si on a trouvé
en Prusse orientale, continue Hitler, une vieille Bible latine,
cela ne prouve en aucune façon qu'elle ait été fabriquée au lieu
de sa découverte. Il est infiniment plus probable qu'elle pro-
vienne d'un pays méditerranéen et que des marchands l'ont
troquée contre de l'ambre jaune. Le berceau de la civilisation a
été le bassin méditerranéen, et cela est vrai pour les millénaires
ayant précédé notre ère comme pour le premier millénaire après
Jésus-Christ. Cela peut nous sembler invraisemblable parce que
nous jugeons les pays méditerranéens selon leur état actuel ...
L'Afrique du Nord a été jadis une région boisée, l'Italie et l'Espagne étaient couvertes de forêts à l'époque de l'hégémonie grecque
et de l'Empire romain. Il faut être prudent aussi quand on porte
un jugement sur l'histoire de l'Egypte : tout comme l'Italie et

la Grèce, l'Egypte a été au temps de son apogée un pays habitable, au climat favorable. C'est toujours un signe de la décadence d'un peuple quand les hommes opèrent des coupes sans replanter des arbres, troublant ainsi l'équilibre hydrographique d'un pays [106]. »

Les causes de la décadence du monde antique, qu'Hitler, fervent représentant de la mentalité néo-classiciste, ressent comme sa patrie spirituelle, le préoccupent au faîte de sa puissance et non seulement sous l'angle historique : il veut en tirer des leçons pour l'avenir. Au lieu de s'en remettre aux historiens de métier, il « réfléchit souvent lui-même »... [107] et échafaude des théories. Ainsi, il est persuadé que « le monde antique » a péri parce que la couche dominante inactive a produit trop peu d'enfants [108] pour s'assurer les biens matériels nécessaires à l'établissement et à la sauvegarde de sa puissance ; ainsi il y avait disproportion numérique entre elle et la couche des esclaves qui constituaient une partie de sa fortune, disproportion d'autant plus dangereuse que « le christianisme avait effacé les frontières entre les ordres sociaux » [109]. Il est impossible de prouver que cette théorie s'appuyait sur la thèse d'Edward Gibbon, que c'est le christianisme qui a provoqué le naufrage du monde romain, mais c'est là une hypothèse parfaitement valable. La place qu'Hitler assigne au judaïsme et au bolchevisme apparaît sous ce jour comme une théorie historique qu'il croit avoir comprise à temps et transposée sur le plan pratique.

Arguant du fait que les Mongols [110] et les Huns — qu'Hitler rend parfois également responsables de l'écroulement du monde antique — ont « accablé le peuple allemand depuis qu'il a pris conscience de son rôle historique » [111], Hitler craint, à partir de 1920, une attaque armée du bolchevisme dans lequel il voit — en établissant un parallèle avec les Huns — « la nouvelle organisation des hordes venues des profodeurs de l'Asie » [112]. L'époque du Saint-Empire, qu'il qualifie généreusement d'histoire des « empereurs d'Allemagne », est à ses yeux une phase historique pendant laquelle les « souverains » allemands ont tenu tête, grâce à leur sagesse et à leur clairvoyance, aux agressions de l'Est, justifiant ainsi sa « politique de l'Est » (Ostpolitik) [113]. « Si nous voulons jouer un rôle dans le monde, déclare-t-il alors que la Wehrmacht n'avance plus à l'Est, nous devons nous inspirer de l'exemple des empereurs d'Allemagne ... L'histoire des empereurs d'Allemagne est — à côté de l'histoire de la Rome antique — l'épopée la plus grandiose que le monde ait connue. Quelle hardiesse, quand on songe combien de fois ces bougres ont passé les Alpes à cheval ! C'était des hommes d'une grandeur

incomparable ! Et quel dommage que nous n'ayons pas eu, en
Allemagne, des auteurs dramatiques qui aient pris pour sujet
l'histoire des empereurs d'Allemagne ! Dire que notre Schiller
n'a rien trouvé de mieux à glorifier qu'un canardeur suisse !
(i.e. Guillaume Tell — *N. d. A.*). Les Anglais ont eu un Shakespeare. Pourtant, leurs rois n'étaient que des forcenés et des zéros
en chiffre ! [114] » En dépit de cette appréciation peu flatteuse, Hitler
admirait Henri VIII et Oliver Cromwell.

  Charlemagne, qu'Heinrich Himmler et d'autres nationaux-
socialistes de poids traitaient même après 1933 de « pourfendeur
de Saxons », est aux yeux d'Hitler (qui ne mentionne pas l'empereur dans *Mein Kampf*) « un des plus grands hommes de l'histoire
de l'humanité puisqu'il a réussi à unir les empêcheurs de danser
en rond allemands » [115]. Mais il reconnaît aussi les mérites des
successeurs de Charlemagne et leur certifie d'avoir « dominé le
monde d'alors pendant plus de 500 ans ». Tandis qu'il déclare
sur un ton d'autosatisfaction plein de suffisance : « Quand je
rencontre les chefs d'autres tribus germaniques originaires d'autres régions de l'espace allemand, ma patrie me place face à eux
dans une situation avantageuse : je peux affirmer que ma patrie
a été ... pendant cinq siècles ... un puissant empire ... et que je
n'ai pas hésité à la sacrifier à l'idée du Reich [116] ». Il condamne
Henri le Lion. Alors que quelques chefs nationaux-socialistes
ont fait de celui-ci (comme aussi d'Henri Ier et de Lothaire de
Saxe) un précurseur de l' « ostpolitik » nationale-socialiste en
l'opposant à l'empereur et à sa politique italienne, Hitler lui
reproche en 1942 d'avoir été un « petit colon » [117] désobéissant,
sans le moindre sens de l'histoire et d'avoir « slavisé ... le sang
allemand » [118]. Le climat et la structure politique de l'Europe
justifiaient aux yeux d'Hitler — qui préférait selon son propre
aveu « aller à pied en Flandre qu'à bicyclette à l'Est [119] » —
l'attrait que la Méditerranée exerçait sur les empereurs « allemands ». « Nous savons aujourd'hui, dit-il le 4 février 1942,
pourquoi nos ancêtres n'ont pas poussé vers l'Est mais se sont
rendus dans les pays méridionaux : toute la contrée s'étendant
à l'Est de l'Elbe se présentait à eux exactement comme la
Russie se présente aujourd'hui à nous. Ce n'est pas sans motif
que les Romains avaient horreur de passer les Alpes, que les
Germains ont préféré le Midi. La Grèce était une immense forêt
de chênes et de hêtres, les oliviers ne sont venus que plus tard
... Pour se déployer vraiment, l'esprit germanique avait besoin
de la Grèce et de l'Italie ! Il a fallu des siècles pour qu'on soit
parvenu à instaurer dans le climat nordique des conditions de

vie acceptables ... La mutation en Germanie était pour les
Romains ce qu'est pour nous un déplacement temporaire en
Poznanie ... des pluies continuelles, des marécages... A une époque
où les autres avaient des routes empierrées, il n'y avait pas
trace d'une civilisation dans notre pays. Les Germains restés
en Holstein étaient, 2 000 ans plus tard, encore des demi-sauvages
tandis que leurs frères installés en Grèce avaient accédé à la
plus haute culture ... Je suis très sceptique quand on exhibe des
découvertes sur notre sol : les Germains de la côte étaient
capables d'obtenir toutes ces choses en échange de l'ambre jaune.
Ils occupaient le même niveau culturel qu'(aujourd'hui) les
Maori [120]. »

    « Je plains tous ceux, admet-il sans ambages, qui sont obli-
gés de supporter toute leur vie les inconvénients de régions inhos-
pitalières. Mais nous avons humanisé le haut plateau de Bavière,
nous viendrons à bout de tout [121]. » « Aussi nous autres nationaux-
socialistes, écrit-il dans *Mein Kampf*, biffons-nous délibérément
l'orientation de la politique extérieure d'avant-guerre. Nous com-
mençons là où l'on avait fini il y a six cents ans. Nous arrêtons
l'éternelle marche des Germains vers le Sud et vers l'Ouest de
l'Europe, et nous jetons nos regards sur l'Est. Nous mettons un
terme à la politique coloniale et commerciale d'avant-guerre et
nous inaugurons la politique territoriale de l'avenir. Mais si
nous parlons aujourd'hui de nouvelles terres en Europe, nous ne
saurions penser d'abord qu'à la Russie et aux pays limitrophes
qui en dépendent [122]. » La constatation d'Hitler que les Germains se sont exclusivement déplacés vers le Sud et vers l'Ouest
ne peut se justifier que dans l'hypothèse où toute l'histoire germanique se limite à l'époque des grandes migrations des peuples
entre 375 et 568, ce qui n'est certainement pas le cas. L'histoire
des Hérules, qui poussèrent jusqu'à la mer Noire, des Vénètes,
des Mordvines, des Esthiens et des Antes du Caucases, des Ostro-
goths, s'inscrit en faux contre l'exégèse historique tendancieuse
d'Hitler. Tout aussi exagérée est l'affirmation de celui-ci que
l'expansion allemande vers l'Est aurait été arrêtée depuis six
cents ans : la politique à l'Est des Habsbourg et des Hohenzollern prouve le contraire. Les trois partages de la Pologne en
1772, 1793 et 1795 entre la Prusse, la Russie et l'Autriche, à l'issue
desquels la Prusse sous Frédéric le Grand et Frédéric Guillaume II obtint la Prusse Occidentale, l'évêché d'Ermeland, le
district de la Netze (1772), Dantzig, Thorn, Poznan, Kalish (1793),
la Masovie avec Varsorie, le territoire s'étendant entre la Vistule,
le Bug et le Niémen, une partie du district de Cracovie, attestent

que l'historiographie d'Hitler était une falsification conforme à
ses objectifs. La politique de l'empire allemand, le traité de
Brest-Litovsk (mars 1918) qui obligeait la Russie à renoncer à
sa souveraineté sur la Pologne, la Lituanie, la Courlande, le
traité supplémentaire du 27 août 1918 qui consacrait le détachement de l'Estonie et de la Finlande réfutent également les
affirmations d'Hitler *.

On ne peut pas prouver, mais on peut supposer, que les
connaissances historiques d'Hitler n'allaient pas très loin, à une
époque où toute son attention était accaparée par les « Aryens »
qu'il tenait pour les seuls créateurs de civilisations [123], et par
l'effet prétendûment bénéfique du « sang allemand » sur la culture et l'histoire. Il est par contre certain qu'il était revenu
de la guerre comme « Européen continental » et qu'il avait refoulé
de son horizon politique ce qui l'avait fasciné à Munich avant
1914, à savoir la mer et la marine ** ; aussi son concept de l'armée
allemande correspondait-il à ses visées pangermaniques acquises
à Linz et à Vienne, que partageaient et proclamaient publiquement un certain nombre de politiciens en vue sous Guillaume II,
comme par exemple Tirpitz et le chancelier Bethmann Hollweg.
Il était donc parfaitement conforme à sa logique qu'il rejetât
le rétablissement des frontières de 1914 comme insuffisant et
absurde [124]. « Nous devons, déclare Hitler dans *Mein Kampf*,
contrairement à l'attitude des représentants de l'époque actuelle,
nous faire à nouveau les champions de cette conception supérieure de la politique extérieure, c'est-à-dire mettre en accord
le territoire et le nombre de la population [125]. »

La tentative d'Hitler de se mettre, en novembre 1923, à la
tête d'un nouveau gouvernement ayant abouti, à Munich, à un
sanglant échec, Hitler passe d'abord par une phase de découragement qui le fait douter de son infaillibilité ; mais à la forteresse de Landsberg, il constate qu'il n'a pas à réviser ses
anciennes idées sur l'avenir du Reich. De fait, il n'a jamais
apporté jusqu'à la fin de sa vie, en dépit de tous les événements
politiques, les moindres corrections de principe à son concept
de la politique étrangère de l'Allemagne qu'il avait déduit, avant
1914, à Linz, Vienne et Munich, de l'histoire de la politique étrangère et du rapport des forces politiques en Europe. Il a toujours
envisagé la possibilité d'alliances avec l'Italie et l'Angleterre, il a
toujours considéré la France comme l'ennemie de l'Allemagne

---

* Il s'agit là de quelques exemples qui pourraient être complétés
par d'autres faits historiques.
** *Cf.* p. 177 s.

qu'il s'agissait de neutraliser par une habile politique d'alliances
— ou même par la guerre —, il a toujours entrevu en Russie
l'espace dont le peuple allemand avait besoin pour son expansion. C'est pourquoi il ne se donne même pas la peine de juger
équitablement les succès du gouvernement républicain allemand
en matière de politique étrangère. Ses interprétations du Traité
de Versailles, des conférences de Spa (5 au 16 juin 1920), de Gênes
(10 avril au 19 mai 1922), des traités de Rapallo (signé le 16 avril
1922) et de Locarno (1er décembre 1925) sont tendancieuses, il
traite les sociaux-démocrates de « Juifs » [126] et les accuse de pratiquer une « politique d'asservissement anti-allemande », « de vouloir amadouer les vainqueurs par une soumission volontaire » [127]
et de nuire ainsi au peuple allemand. Pour caractériser d'une
manière particulièrement saisissante la « décadence » organisée,
selon lui, par les « Juifs » il compare la situation de l'Allemagne
après la guerre de 1914 à la « remontée » de la Prusse entre 1806
et 1813 : « Sept années avaient suffi ... pour remplir la Prusse
effondrée d'une nouvelle ... ardeur au combat [128]. » Etablissant
un parallèle entre l'Allemagne sept ans après « novembre 1918 »
et la Prusse d'alors, il qualifie de « mesure de répression, d' « édit
d'asservissement » le traité de Locarno qui comportait pourtant
des garanties à l'Ouest et à l'Est, qui assurait l'inviolabilité des
frontières du Reich, qui instituait un procédé d'arbitrage entre
l'Allemagne et la Belgique, entre l'Allemagne et la France, qui
contenait la promesse alliée de l'évacuation de la zone de
Cologne.

Les réflexions d'Hitler « sur la forme que doit prendre,
dans un avenir palpable, la vie de la nation allemande, et comment on peut ensuite assurer à ce développement les fondements
nécessaires et la sécurité requise, dans le cadre des relations
générales des puissances européennes » [129], se fondaient nécessairement sur les idées qui s'étaient dégagées de son étude de
l'Histoire de l'Autriche et de l'Allemagne. « Déjà avant 1913,
constate-t-il en 1924 dans *Mein Kampf*, je connaissais mieux
cette situation que la diplomatie dite officielle, qui comme presque toujours, marchait en aveugle à son destin [130]. » « Si, en
Allemagne, on avait seulement étudié un peu plus clairement
l'histoire et la psychologie des peuples, s'exclama-t-il dix ans
après avoir quitté l'Autriche en parlant de la politique d'alliance de Guillaume II, on n'aurait pu croire à aucun moment
que le Quirinal et le Palais impérial de Vienne pussent jamais
aller côte à côte au combat. » L'Italie, dans laquelle il avait toujours placé de grands espoirs, « eût été un volcan, avant qu'un

gouvernement ait pu seulement essayer de pousser un seul soldat
italien autrement qu'en adversaire sur le champ de bataille de
l'Etat des Habsbourg si fanatiquement haï ... Il n'y avait pour
l'Italie que deux *modi vivendi* avec l'Autriche : l'alliance ou
la guerre. Tout en choisissant le premier, on pouvait tranquillement se préparer au second. Depuis surtout que les rapports
de l'Autriche et de la Russie tendaient de plus en plus vers une
explication par les armes, la politique allemande d'Alliances était
aussi dépourvue de sens que dangereuse » [131]. Sa version des rapports historiques entre l'Autriche et le Reich d'une part, entre
l'Autriche et l'Italie et la Russie de l'autre, ne correspond pas
dans tous ses détails et modalités à la réalité historique. Ainsi, il
affirme par exemple que « la Duplice entre le Reich et l'Autriche
... a eu pour conséquence l'inimitié de la Russie [132] ». Il ajoute :
« Cette initimité de la Russie ... était la raison pour laquelle
le marxisme, sans toutefois couvrir la politique étrangère de
l'Allemagne, s'est néanmoins opposé à toute autre réalité [133]. »
En vérité, la Duplice entre l'Empire allemand et l'Autriche-
Hongrie en tant que garantie contre des attaques russes ou
soutenues par les Russes, n'était pas la cause de l' « inimitié »
de la Russie, mais la conséquence de la dégradation des relations
germano-russes en 1879 après la conférence de Berlin. Le fait que
la transformation de la Duplice en Triplice par l'extension de
l'alliance à l'Italie n'ait pas éloigné la Russie des puissances
centrales mais l'en ait au contraire rapprochée, contredit également la vision hitlérienne de l'Histoire. Très contestable est
la remarque d'Hitler sur les « marxistes », puisque les sociaux-
démocrates ne comptaient en 1881 que 12 députés au Reichstag
sur 400 et en 1890, six ans après la promulgation de la loi sur
les socialistes, 24. Hitler interprète le traité dit de « Réassu-
rance » que Bismarck conclut en 1887 avec la Russie, à la suite
du non-renouvellement de l'Alliance des Trois Empereurs (conséquence des tensions entre l'Autriche-Hongrie et la Russie),
comme une manœuvre par laquelle le chancelier entendait libérer
l'Allemagne de ses obligations envers l'Autriche-Hongrie pour le
cas d'une guerre entre l'Autriche et l'Empire des tsars [134]. En
réalité, le traité prévoyait la neutralité des partenaires en cas
d'une guerre contre des pays tiers et son abrogation si l'Allemagne attaquait la France ou la Russie l'Autriche. Hitler reproche à la dynastie des Habsbourg « d'avoir attenté au cours des
siècles, d'une manière monstrueuse, à la liberté et à l'indépendance » [135] du peuple italien, alors qu'en réalité il ne pouvait en être question qu'à partir de 1820, après l'intervention

des troupes autrichiennes à Rieti (1821), au Piémont, à Bologne et à Parme (1831). Hitler partage avec les Hongrois nationalistes et la plupart des huit millions d'Autrichiens allemands des Etats héréditaires de la maison d'Autriche, qui côtoient 42 millions de non-Allemands, l'opinion que la monarchie habsbourgeoise et plus spécialement François-Ferdinand ne traitent pas sur un pied d'égalité les treize nations composant la monarchie double, mais qu'ils désavantagent les Allemands et les Autrichiens allemands, ce qui n'est pas le cas. A partir de 1920, Hitler défend avec persévérance l'idée d'une alliance italo-allemande, qu'il considère comme une des tâches les plus urgentes de la politique étrangère de l'Allemagne [136]. Ces considérations font complètement abstraction du fait mussolinien. Certes, depuis la fameuse « marche sur Rome » qui montra la voie aussi au « führer allemand » [137] et qui amena les affidés d'Hitler à le fêter le 3 novembre 1922 comme le « Mussolini allemand » [138], Hitler reproche aux Juifs et aux marxistes de combattre, parmi tous les Etats soumis à un régime autoritaire, la seule Italie [139] : ce faisant il apporte un appui moral au mouvement qui tentait, depuis la fin de l'année 1922, d'instaurer en Italie le régime dont il rêvait, dans les grandes lignes, pour l'Allemagne. Par suite de l'évolution politique générale, Mussolini s'offrait à Hitler comme l'allié naturel, mais l'alliance avec l'Italie n'était pas conditionnée par la présence de Mussolini à la tête de l'Italie. Il va sans dire qu'Hitler approuvait l'initiative de Mussolini. Hitler s'en tint d'ailleurs, jusqu'en 1945, à son concept de politique étrangère formulé prématurément, même après que l'alliance avec l'Italie se fut révélée fort onéreuse. En 1939, Mussolini proclame sa neutralité. Après l'offre de capitulation française du 17 juin 1940, il entre dans la guerre aux côtés de l'Allemagne ; mais après quelques succès initiaux, sa « campagne de France » s'enlise lamentablement à Menton ; en novembre 1942, à Stalingrad, les Russes enfoncent le front italo-roumain et encerclent la VIᵉ armée ; en 1943, le gouvernement Badoglio déclare la guerre au Troisième Reich. L'attachement d'Hitler aux concepts datant d'avant la guerre de 1914 prouve qu'il les situait au-dessus de toutes les contingences réelles. Aussi n'est-ce qu'au début de 1945 qu'il admet que l'alliance avec l'Italie n'a pas tenu toutes ses promesses : « Notre alliance avec l'Italie, déclare-t-il en février 1945 en imputant la faute de la défaite à Mussolini, a bien plus aidé nos ennemis que nous. Pendant que j'allais à Montoire, Mussolini a profité de mon absence pour commencer sa malheureuse campagne en Grèce. Nous étions obligés d'inter-

venir militairement, à notre cœur défendant, dans les Balkans, ce qui a provoqué le retard inévitable de nos préparations pour la campagne de Russie. Si nous avions attaqué la Russie déjà le 15 mai, la guerre aurait pris une autre tournure [140]. »

Les idées d'Hitler sur une alliance *anglo-allemande*, qui aurait dû protéger les arrières du Reich pendant sa « nécessaire » expansion vers l'Est, reposaient pour l'essentiel sur des rêves. Elles n'avaient que de lointains rapports avec les réalités historiques. Les alliances entre l'Allemagne et l'Angleterre pendant la guerre de la Succession d'Espagne (1701-1714) entre Guillaume d'Orange et l'empereur germanique, la Prusse, le Reich et plus tard le Portugal et la Savoie, et pendant la guerre de Sept Ans (1756-1763) entre l'Angleterre et la Prusse, visaient à combattre l'expansionnisme français. Hitler, qui voyait dans la France l'ennemi héréditaire du Reich, dont les objectifs divergeaient grandement de ceux de la Prusse et de l'Angleterre, croyait du domaine du possible d'engager l'Angleterre dans la voie d'une alliance permettant à l'Allemagne de faire exactement ce que l'Angleterre et la Prusse avaient voulu empêcher par leur alliance : les agressions d'Etats trop entreprenants ! Selon lui, les faits historiques prouvaient que l'Angleterre était disposée, à l'époque de la monarchie, à permettre, moyennant quelques concessions économiques [141] de l'Allemagne, une « nouvelle croisade des Germains » [142] dans le cadre européen, c'est-à-dire au détriment de la Russie. A en croire Hitler, l'Allemagne n'avait, dans le passé, que deux possibilités ... « Si nous ne pouvions poursuivre une politique de conquêtes territoriales en Europe autrement qu'en nous unissant à l'Angleterre contre la Russie, de même une politique coloniale et de commerce mondial n'était possible que contre l'Angleterre et avec la Russie. Mais dans ce cas, il fallait adopter cette politique avec toutes ses conséquences, et surtout lâcher l'Autriche au plus vite. De quelque manière qu'on l'envisageât, cette alliance avec l'Autriche était déjà vers 1900 une véritable folie [143]. » Il est difficile de dire à partir de quel moment Hitler recommandait l'alliance avec l'Angleterre, aussi, pour l'avenir. On sait cependant qu'elle ne le préoccupait pas encore quand il se prononça, le 1er août 1920, pour la première fois en faveur d'une alliance avec l'Italie [144]. Il est probable que la perspective d'une alliance avec l'Angleterre s'est précisée dans son esprit à partir du printemps 1923, après avoir constaté avec satisfaction qu'elle avait refusé son accord à l'occupation de la Ruhr par les troupes françaises et belges sous le prétexte que l'Allemagne n'aurait pas livré assez

de charbon, et qu'elle se distançait à partir de cet événement de
toutes les représailles à l'encontre du Reich. S'appuyant sur la
leçon de l'histoire du XVIIIᵉ siècle, Hitler était en outre d'avis
que l'Angleterre et la France étaient au fond des nations ennemies, en dépit de l'Entente cordiale de 1907 et de la fraternité
d'armes de 1914-1918, et qu'il devait être possible de gagner les
bonnes grâces de l'Angleterre en affichant une hostilité marquée
envers la France. Il pensait que l'Angleterre « souhaitera toujours ... d'empêcher qu'une puissance continentale quelconque
accroisse ses forces au point de pouvoir jouer un rôle important dans la politique mondiale ... » [145] et que cette puissance
était en premier lieu la France. Ainsi, l'Angleterre ne pouvait
sous aucun prétexte permettre que la France s'empare des mines
de fer et de charbon de l'Ouest européen [146]. Il en déduisait les
lignes de conduite suivantes pour une politique allemande intelligente et prometteuse : « L'Angleterre désire que l'Allemagne ne
soit pas une puissance mondiale : la France ne veut pas qu'il
existe une puissance qui s'appelle l'Allemagne ; la différence est
considérable ! Mais aujourd'hui nous ne luttons pas pour recon-
quérir la situation de puissance mondiale ; nous avons à combattre pour l'existence de notre patrie, pour l'unité de notre
nation, et pour le pain quotidien de nos enfants ... Si tirant la
conclusion de ces prémisses, nous passons en revue les alliés
que peut nous offrir l'Europe, il ne reste que deux Etats :
l'Angleterre et l'Italie [147]. » On sait qu'Hitler n'a jamais pu réaliser cette alliance ; l'obstacle décisif ayant été les considérations
sur la politique étrangère contenues dans *Mein Kampf* — considérations dont Hitler regrettait lui-même vivement la publication [148]. La réaction de la presse britannique à la version
anglaise, parue en 1939, est à cet égard assez éloquente. Le
Daily Telegraph du 23 mars 1939 et le *Times* du 25 mars 1939
prouvaient que les dirigeants politiques et l'opinion publique
anglaise avaient fort bien saisi le rôle que le concept d'Hitler
réservait à la Grande-Bretagne. Un rapport de Joachim von
Ribbentrop, adressé au ministre des Affaires étrangères du Reich,
Konstantin von Neurath, rapport daté de décembre 1936, avait
déjà mis en garde Hitler en annonçant la décision probable
de la Grande-Bretagne au cas où l'Allemagne déclencherait une
guerre [149]. La déclaration de guerre britannique du 3 septembre 1939 fut la confirmation brutale des « conclusions » que
Ribbentrop avait rédigées le 2 janvier 1938 [150] ; Hitler comprit
qu'il avait fait fausse route et que l'Angleterre n'acceptait pas
(en échange du renoncement de l'Allemagne à des colonies et de

la limitation de sa puissance maritime) la guerre de rapine contre l'Est qu'il préconisait depuis vingt ans. Il est vrai qu'il avait fait la part du feu déjà le 23 mai 1939, un jour après la signature du « Pacte d'Acier » entre l'Allemagne et l'Italie : « Nous devons rompre tous les ponts derrière nous et préparer la guerre contre l'Angleterre [151]. » Reste à savoir dans quelle mesure cette décision a été déterminée par les « conclusions » de Ribbentrop, qui disaient entre autres que l'Angleterre ferait la guerre à l'Allemagne dès qu'elle serait plus forte que le Reich, parce qu'elle n'admettait pas l'existence au cœur de l'Europe d'un Troisième Reich trop puissant [152]. Après l'écrasement de la Pologne, Hitler revint à ses intentions premières en offrant « une affaire » à la Grande-Bretagne : il lui proposait de renoncer à tous ses objectifs à l'Ouest en échange de la liberté d'action à l'Est ; mais une fois de plus, il dut se détromper. Son espoir de gagner l'Angleterre à sa cause par l'anéantissement de la France se révéla aussi illusoire que celui de voir les Russes sous la domination bolcheviste déposer les armes.

Dès le début de sa vie politique, Hitler afficha à l'égard de la France des sentiments de méfiance et d'hostilité [153]. Son exposé sur la politique étrangère de l'Allemagne dans *Mein Kampf* est caractérisé par un ressentiment très vif à l'endroit de la France. Son argumentation contre les stipulations du traité de Versailles, ses propos sur la reconquête des territoires allemands cédés, sur les alliés possibles de l'Allemagne reflètent une attitude violemment anti-française. Déjà le 6 juin 1920, il avait constaté : Pour nous, l'ennemi se tient de l'autre côté du Rhin, non pas en Italie ou ailleurs [154]. » Il accusait la France ouvertement de vouloir démembrer l'Allemagne en un conglomérat de petits Etats et la détruire, d'aspirer à l'hégémonie en Europe [155]. Dans *Mein Kampf*, il reproche en outre à la France « de contaminer ... la race blanche, au cœur de l'Europe, par l'afflux de sang nègre sur le Rhin » [156]. « Le rôle que la France, aiguillonnée par sa soif de vengeance et systématiquement guidée par les Juifs, joue aujourd'hui en Europe, est un péché contre l'existence de l'humanité blanche et déchaînera un jour contre ce peuple tous les esprits vengeurs d'une génération qui aura reconnu dans la pollution des races le péché originel de l'humanité. » « En ce qui concerne l'Allemagne, le danger que la France constitue pour elle lui impose le devoir de rejeter au second plan toutes les raisons de sentiment et de tendre la main à celui qui, étant aussi menacé que nous, ne veut ni souffrir ni supporter les visées dominatrices de la France ... En Europe, il n'y a pour tout

l'avenir que nous pouvons embrasser du regard que deux alliés possibles pour l'Allemagne : l'Angleterre et l'Italie [157]. » Hitler était persuadé qu'il fallait écraser la France coupable d'une attitude foncièrement anti-allemande et d'intentions d'hégémonie, pour assurer l'unité de la nation allemande et la conquête « nécessaire » de son espace vital à l'Est. C'est en accord avec ces principes qu'il écrit dans le deuxième livre de *Mein Kampf* : « Si l'Allemagne a le choix entre la France et l'Italie, seule l'Italie ... peut entrer en ligne de compte. Car une victoire avec la France sur l'Italie nous rapportera le Tyrol du Sud et une France ennemie plus forte encore qu'auparavant. Une victoire sur la France avec l'aide de l'Italie nous rapportera dans la pire des hypothèses l'Alsace-Lorraine ... et dans la meilleure la liberté pour la mise en œuvre d'une politique de conquête sur une grande échelle [158]. » Hitler n'a jamais modifié ses vues sur la France, arrêtées dès la fin de la Première Guerre mondiale [159].

Hitler a rejeté pour des raisons idéologiques l'alliance avec la Russie pendant qu'il dictait *Mein Kampf*, c'est-à-dire de 1924 à 1926 ; il a maintenu cette attitude de 1920 [160] à 1939 et de 1941 à 1945 en invoquant les mêmes raisons. Ce n'est que pendant un bref laps de temps qu'il a dévié, pour des motifs *d'opportunisme*, de sa ligne de conduite. Au fond, Hitler se souciait peu des personnalités qui détenaient le pouvoir en Russie. Même le fait que ce fussent les bolchevistes (qualifiés par lui de « Juifs ») n'a pas beaucoup influé sur son attitude. C'est ainsi qu'il déclara en 1925 : « ...en tant que politicien raciste qui juge la valeur d'une nation à des critères racistes, je n'ai pas le droit d'enchaîner les destinées de notre propre peuple à celles des nations dites « opprimées » dont l'infériorité raciale ne saurait faire de doute ... la Russie actuelle, qui a perdu sa couche dirigeante d'origine germanique, ... n'est pas une alliée dans la lutte pour la liberté de la nation allemande [161]. » Alors qu'il rejette toute idée d'alliance avec les Russes et d'autres peuples établis de ce côté de l'Oural parce qu'étant Slaves ils sont incapables de former un Etat, il reproche aux Soviétiques, « instruments de la juiverie internationale », de vouloir instaurer dans le monde entier « un règne juif ». C'est ainsi qu'il affirme par exemple : « Le bolchevisme russe représente la tentative de la juiverie d'accaparer, au XXe siècle, le gouvernement du monde [162]. » Ribbentrop déclara, peu avant son exécution à Nuremberg : « Après mon retour de Moscou (en septembre 1939 — N. d. A.) j'ai souvent parlé avec Hitler (du problème de la bolchevisation du monde prétendûment organisée par les Juifs — N. d. A.) et j'ai

eu l'impression qu'il se rapprochait — du moins en 1939 et
1940 — de ma manière de voir (i.e. qu'il n'en était pas ainsi).
Il est vrai que ses avis variaient souvent, mais j'ignore dans
quelle mesure il obéissait à des considérations tactiques, pour
m'influencer ... Au cours de la guerre, le Führer est revenu à
son concept primitif en se plaignant de l'efficacité de la prétendue conjuration juive internationale [163]. » Le 17 septembre 1944, 240 jours environ avant son suicide, quand la fin de
la guerre approchait à grands pas, après l'écroulement du front
allemand dans le Sud de l'Union soviétique jusqu'à la mer Noire
— les Russes occupant la Bulgarie (depuis le 9 septembre),
une délégation finlandaise séjournant à Moscou pour négocier
un armistice —, au moment même où les Allemands venaient
d'évacuer le Péloponnèse et les îles Ioniennes, où la Wehrmacht
allemande reculait sur tous les fronts, Hitler expliqua à son
médecin, le docteur Giesing : « J'ai entrepris ... en juin 1941, la
lutte contre le Moloch bolchevique et je la mènerai à une fin
victorieuse. Le seul adversaire qui soit à peu près de ma taille
est Staline. Je ne puis lui refuser mon estime ... quand je considère ce qu'il a fait de la Russie ... même sur le plan militaire.
Mais, à la fin, la marée bolchevique s'écrasera contre l'airain
de l'idéologie nationale-socialiste, et j'anéantirai cette engeance
d'Asie orientale. Mes deux autres adversaires, Churchill et Roosevelt, ne représentent rien, ni politiquement ni militairement.
L'Angleterre succombera et il ne restera rien de son empire.
L'Amérique annexera le peu qui en restera, et l'empire britannique sera rayé du livre de l'Histoire. Je ne comprends pas la
sottise de ces gens. Ils ne se rendent pas compte du danger que
représente le bolchevisme — et qu'ils scient la branche sur
laquelle ils sont assis. J'aimerais que ces deux puissances comprennent, avant qu'il ne soit trop tard, qu'elles combattent du
mauvais côté ; je distingue très nettement le moment où je
ferai pencher la balance entre les Russes d'une part, les Anglo-
Américains de l'autre. La Providence m'a montré qu'aucun compromis n'est possible avec le bolchevisme et je ne tendrai jamais
la main aux Russes [164]. »

L'alliance germano-soviétique, la « trahison » passagère d'un
point essentiel de la doctrine hitlérienne en matière de politique
étrangère était une simple mesure tactique, conséquence de la
situation politique du moment. N'oublions pas qu'Hitler avait
naguère constaté que la Russie était le seul partenaire possible
pour faire une politique mondiale dirigée contre la Grande-
Bretagne [165]. Lorsqu'il reprit, le 22 juin 1941, son ancienne ligne

de conduite, il se croyait à l'abri de toute attaque venant de l'Ouest et était sans doute heureux de ne plus être obligé de cacher ses sentiments intimes *. Sa tactique consistant à encourager le Japon à une action contre les Etats-Unis [166] au lieu de lui recommander la plus grande retenue, fut une erreur fatale, car l'attaque japonaise contre Pearl Harbor (le 7 décembre 1941, 180 jours après l'établissement par Hitler de ce « deuxième front » dont il avait lui-même dénoncé les inconvénients) et la déclaration de guerre allemande aux Etats-Unis marquèrent le début d'une évolution qui devait conduire à la défaite de l'Allemagne.

Ainsi, en 1939, la répartition des puissances sur l'échiquier européen était très différente de celle qu'Hitler avait définie au début des années vingt comme la condition *sine qua non* de l'expansion de l'Allemagne et de l'accomplissement de sa destinée historique. Ainsi, il avait lui-même commis la faute qu'il avait reprochée à Vienne et à Munich dans ses considérations sur la politique étrangère, à la politique allemande et habsbourgeoise d'être en contradiction avec le sens de l'histoire [167] **. Qu'il n'ait pas reconnu sa faute, qu'il ait imputé la responsabilité de l'échec de sa politique étrangère non pas à lui-même mais exclusivement à ses alliés européens [168] s'explique par son incapacité à reconnaître et avouer ses erreurs (sauf pour Stalingrad). Ne pouvait être faux à ses yeux que ce qui ne concordait pas avec ses vues dogmatiques. Sa conviction inébranlable d'avoir bien approfondi l'histoire et d'en avoir tiré les meilleurs enseignements possibles devait, étant donné son interprétation du passé, entraîner des conséquences catastrophiques.

La « *weltanschauung* » et le caractère d'Hitler excluaient toute étude *objective* de l'Histoire, toute appréciation tant soit peu réaliste des différentes classes sociales, couches professionnelles et confessions. A une époque où rien ne l'y obligeait, il lançait des invectives gratuites contre les « dix mille membres de la haute bourgeoisie », insultant « les rois et les princes » et plus spécialement les membres de la famille impériale — qualifiés par lui de « racaille des Hohenzollern » —, il criblait de ses sarcasmes les professeurs et instituteurs ***, surtout le

---

* *Cf.* Constatation au dernier chap.
** Ainsi, il écrivait en février 1915 au juriste munichois Hepp dont il avait fait la connaissance en 1913 : « L'Autriche aura le destin que je lui ai toujours prédit ... » *Cf.* Maser, *Die Frühgeschichte der NSDAP* tableau 4, p. 81 Doc. aux archives fédérales, Coblence, NS 26/4.
*** Suivant en cela son « maître » Bölsche.

personnel enseignant des écoles primaires, détestait les juristes, soupçonnait de concussion et d'escroquerie les milieux financiers, méprisait les ecclésiastiques des deux confessions. Mais il méprisait aussi la bourgeoisie dans son ensemble, qui avait pourtant rallié ses rangs et formait la majorité du N.S.D.A.P. * ; il détestait la « masse » à laquelle il avait sans cesse fait appel de 1919 à 1933. Seuls, les hanséates trouvaient parfois grâce à ses yeux. Tandis que Karl Marx avait admis dans son « manifeste communiste » que la « bourgeoisie avait joué au cours de l'histoire un rôle hautement révolutionnaire » [169], Hitler n'était pas disposé à lui reconnaître le moindre mérite historique : « Aucune couche de la population, dit-il en 1942, n'est plus stupide ... en matière politique, que cette soi-disant bourgeoisie [170]. » Il lui reprochait surtout, sur un ton irrité et ironique, de ne pas comprendre sa manière de pratiquer l'antisémitisme et de la désapprouver en secret [171].

Hitler n'a cessé d'affirmer qu'il avait bien compris la leçon de l'Histoire et que sa politique était l'application la plus adéquate et la plus conséquente de ses « connaissances » historiques. « Si l'humanité se donnait la peine d'étudier l'histoire, dit-il le 27 janvier 1942, les conséquences en seraient incalculables ! [172] ». L'affirmation de Percy Schramm que « beaucoup des politiciens n'ont même pas eu des concepts erronés de l'histoire » si bien qu'il ne faut pas juger les connaissances historiques d'Hitler « selon les critères d'un examen scolaire » [173] ne tient pas compte du fait que la politique d'Hitler n'a jamais été pragmatique et que ses études historiques n'ont pas eu le caractère d'un simple passe-temps. Hitler, qui se prenait pour un penseur, a souligné expressément qu'il considérait ses visions historiques comme le fondement de sa pensée et de son action politiques. Il n'est pas non plus vrai — comme l'affirme Schramm — qu'il a simplement accumulé des détails historiques [174]. Il avait parfaitement le droit de relever tels faits isolés susceptibles d'éclairer sa vision de l'histoire. Celle-ci, qu'il considérait comme le reflet objectif de la réalité, était à plus d'un égard déformée, elle ne tenait aucun compte de la recherche historique scientifique et portait les traits d'une interprétation fortement teintée d'individualisme. Comme les généraux, officiers de première ligne, artistes et autres commensaux d'Hitler — les Martin Bormann, Albert Speer, Theo Morell, Heinrich Hoffmann et divers collaborateurs et assistants — étaient en matière d'histoire des

* *Cf.* p. 219.

ignorants ou presque, les propos historiques d'Hitler ne risquaient guère de susciter des protestations. Ses auditeurs écou-
taient ses « révélations », le sentaient très sûr de lui et croyaient
voir le soleil soulever le voile de l'histoire. Ajoutons qu'à quelques rares exceptions près, Hitler était littéralement incorrigible.
C'est ainsi que son médecin Erwin Giesing écrivait six semaines
après sa mort : « Hitler ne croyait pas, en dépit de toutes les
preuves scientifiques, au besoin de l'organisme d'un minimum
de protéines. Il ne croyait pas que c'était là la raison de la faim
qui le tenaillait souvent, il préférait manger deux fois par jour,
avec une tasse de thé, trois ou quatre morceaux de gâteau.
Toutes ses opinions, tous ses avis même sur des points aussi
secondaires étaient prononcés sur un ton si dogmatique et
péremptoire qu'il était inutile de lui montrer la fausseté de ses
opinions les plus sottes. Pourtant, il avait une bonne intelligence
des innovations en matière médicale [175]. »

L'affirmation de Schramm que les connaissances historiques
d'Hitler se limitaient au « culte des héros » et à la « glorification du germanisme » ne correspond pas à la réalité. Nous
avons vu qu'Hitler a critiqué à plus d'une reprise le « culte des
Germains » [176], qu'il lui opposait la civilisation gréco-romaine,
où il se sentait spirituellement chez lui, qu'il traitait de « sottes »
les personnes qui ne se rendaient pas compte que les Germains
n'ont pris part que tardivement à l' « histoire de la culture » *.
L'Autrichien Hitler a formulé, à partir de 1933, tant de critiques
à l'égard de la « mentalité allemande » (*Deutschtum*) qu'il aurait
perdu tout crédit en Allemagne s'il avait publié ses remarques
en cette matière. Vexé, il lança un jour : « Pourquoi attirer
l'attention du monde sur le fait que nous n'avons pas de passé ?
Ne suffit-il pas de savoir que nos ancêtres logeaient dans de
misérables huttes de terre quand les Romains construisaient
déjà de grands édifices ? Himmler a-t-il besoin de déterrer ces
villages de terre battue et de s'extasier devant chaque tesson,
devant chaque hache de pierre qu'on déterre ? Tout cela prouve
que nous nous servions de haches de pierre, que nous nous
accroupissions devant un feu ouvert quand la Grèce et Rome
avaient déjà atteint le sommet de leur civilisation. Nous aurions
de bonnes raisons de faire le silence sur notre passé ! [177] »

---

* Schramm, cité par Picker, p. 78. La constatation de Wolfgang
Hammer qu'Hitler n'aurait connu que fort peu l'histoire autrichienne
ne reflète pas non plus la réalité. C'est ainsi qu'Hitler affirma, le 4 février
1942 : « ...ma patrie a été un puissant empire pendant cinq cents ans ... »
« Heim-Protokoll », cité selon Picker, p. 173. Il nous semble inutile
d'ajouter d'autres preuves.

Le programme qui devait faire de l'Allemagne une « puissance mondiale » [178], la « conquête pacifique » de territoires européens, l'installation d'un « empire continental allemand » par une suite de « guerres-éclair », l'acquisition de colonies en Afrique et de points d'appui en Océanie, la création d'une marine puissante et de la base économique d'une « guerre mondiale » remontent à l'époque viennoise et sont, pour bizarre que cela paraisse, en partie l'aboutissement d'une interprétation originale des aspects cosmopolites de la philosophie stoïcienne. Hitler a puisé ses concepts dans les publications politiques de son temps. C'est ainsi qu'il a pu lire dans *Grossdeutschland* (la grande Allemagne) et *Deutsche Weltpolitik* (la politique mondiale de l'Allemagne), publications éditées à Vienne, ce qu'il retrouva plus tard, comme soldat allemand, dans les discussions sur les buts de la guerre. De l'avis des « pangermanistes allemands » * dont l'influence sur la « *weltanschauung* » d'Hitler ne saurait être négligée, le Reich allemand devait comprendre : l'Empire Allemand, le Grand-Duché de Luxembourg, la Hollande, la Belgique, la partie alémanique de la Confédération helvétique, l'empire autrichien [179]. Ernst Hasse, professeur connu de statistique à l'Université de Leipzig, président de l'Association pangermanique allemande, avait exigé déjà en 1895, quand Hitler fut inscrit à l'école de Fischlham, l'extension de l'Empire jusqu'au golfe Persique [180]. Les pangermanistes prétendaient inclure dans le Reich la Suisse tout entière, les Balkans, l'Asie mineure, les sept départements de l'Est de la France [181].

La doctrine historique d'Hitler, qui se ressent de la lecture de Malthus, Darwin, Kjellén, Bölsche, Gobineau, Carlyle, Plœtz, Alexander von Müller et probablement aussi d'Edward Gibbon, a été élaborée dans ses grandes lignes déjà à la *Realschule* de Linz. Son professeur d'histoire, le Dr Leopold Pœtsch, qui représentait au conseil municipal de Linz les Nationaux-Allemands, dont les idées provenaient de la région germano-slave de l'Autriche méridionale, a inculqué à ses élèves les théories de l'association pangermanique, sa manière d'interpréter l'histoire, son habitude d'utiliser certains détails historiques à l'appui d'idées préconçues, et en a fait des ennemis de l'Autriche. « Qui aurait pu étudier, dit Hitler en 1924, l'histoire de l'Allemagne avec un tel professeur sans devenir l'ennemi d'un Etat dont la dynas-

---

* Les concepts des pangermanistes allemands différaient sensiblement de ceux des pangermanistes autrichiens. *Cf.* Maser, *Die Frühgeschichte der NSDAP*, p. 93 et s.

tie exerçait une influence si néfaste sur les destinées de la
nation ? * » Arrivé au sommet de sa puissance, il couvre d'éloges
— bien qu'il accepte la victoire de la Prusse sur l'Autriche et la
rénovation du Reich par la Prusse — Rodolphe de Habsbourg
d'avoir sauvegardé quelques Etats héréditaires de la maison
d'Autriche, d'avoir battu Ottokar de Bohême, d'avoir accédé
avec beaucoup de réticence aux demandes de l'Eglise [182], d'avoir
rendu au Reich son unité ; il accorde à la monarchie habsbourgeoise, qu'il avait poursuivie encore en 1924 de ses sarcasmes,
« qu'elle a su maintenir la tradition allemande à une époque ...
où le Reich se désagrégeait en petits Etats et se trouvait littéralement déchiré par les intérêts dynastiques » [183].

     « Ma vie entière a peut-être été déterminée par le fait que
j'ai eu un professeur d'histoire qui comprenait, comme bien
peu de gens, l'intérêt primordial à attribuer à ces considérations
pour l'enseignement et les examens : le Dr Leopold Pœtsch ...
personnifiait tout cela de manière idéale. C'était un digne vieillard d'aspect résolu mais plein de bonté. Sa verve éblouissante
nous enchaînait et nous enlevait à la fois. Aujourd'hui encore,
je n'évoque pas sans émotion cet homme grisonnant, qui si souvent, dans le feu de son exposé, nous faisait oublier le présent,
nous transportait magiquement dans le passé et rendait une
vivante réalité à quelque souvenir historique desséché qu'il
dégageait des brumes des siècles. Nous demeurions assis, l'esprit
illuminé, émus parfois jusqu'aux larmes ... Plus heureusement
encore, ce professeur savait non seulement éclairer le passé par
le présent, mais aussi tirer du passé des enseignements pour le
présent. Mieux que personne, il expliquait les problèmes d'actua-
lité qui nous tenaient haletants... il faisait souvent appel à notre
sentiment national de l'honneur pour ramener, plus vite que
par tout autre moyen, l'ordre dans nos rangs... Un tel professeur fit de l'histoire mon étude favorite. Il est vrai qu'il fit aussi
de moi ... un jeune révolutionnaire [184]. » Cela, Hitler le faisait
sentir pendant ses années d'école aux professeurs qui ne lui

---

     * Hitler, p. 13. Pœtsch est le seul professeur qu'Hitler cite nommément
dans Mein Kampf (p. 12 et s.) et dont il parle en termes élogieux. On ne
sait si Hitler a entretenu des relations personnelles avec Pœtsch. Il semble
par contre certain que l'attention de Pœtsch a été attirée par son élève
Hitler. Le 20 juin 1929, vingt-cinq ans après sa dernière rencontre avec
Hitler, Pœtsch lui écrit « qu'il se souvient avec plaisir de son ancien
élève » et lui demande de lui laisser une copie du passage de Mein Kampf
où il le nomme, comme « testament » pour sa famille. (Lettre de Pœtsch
à Hitler du 20-6-1929. Repro. anciennes archives princip. du NSDAP.
Archives fédérales, Coblence. NS/25/15. Doc. cité par Maser : Hitlers
Mein Kampf, p. 264).

plaisaient pas. « A l'instant même, raconte-t-il à ses invités dans la nuit du 8 au 9 janvier 1942 à la *Wolfsschanze*, où Schwarz (le professeur de religion — *N. d. A.*) entrait dans la salle, la classe était comme transformée : un esprit nouveau l'emportait, l'esprit révolutionnaire ... Pour l'agacer, je m'étais procuré des crayons aux couleurs de la Grande Allemagne (noir-blanc-rouge — *N. D. A.*) « Enlevez-moi tout de suite ces crayons aux couleurs affreuses ! » « Hou ! » hurlait toute la classe. « Ce sont les idéaux nationaux ! » dis-je. « Les seuls idéaux nationaux que vous devez héberger dans votre cœur, sont notre patrie et la dynastie des Habsbourg ! [185] »

Jeune homme, Hitler ressentait déjà une vive antipathie pour la maison d'Autriche : sa désaffection pour Vienne, qu'il partageait avec beaucoup de compatriotes de Linz, d'Innsbruck, de Vorarlberg, de Graz, semble avoir pris naissance à Linz. Linz, dominée par la bourgeoisie libérale et nationale-allemande, localité de caractère presque villageois qui ne fut industrialisée qu'après l'Anschluss et dont Hitler comptait faire après la victoire une « métropole sans exemple de l'art et de la culture » *, a déterminé pour une large part sa « *weltanschauung* » et sa vision de l'histoire. Les souvenirs de Linz sont fort sensibles dans *Mein Kampf*. Sa polémique contre la « tchéquisation » des Autrichiens par les Habsbourg, son rappel répété de l'influence du clergé catholique sur la population, son nationalisme morbide à prédominance pangermanique et antisémitique dérivent d'expériences personnelles faites à Linz.

Hitler admet cependant, en 1942, qu'il ne comprenait pas encore tout à fait les théories compliquées dont il fit la connaissance à Linz et qu'il était incapable d'en entrevoir les prolongements. « J'ai souvent poussé au désespoir le professeur de religion (le Père Sales Schwarz — *N. d. A.*) qui ne savait plus à quel saint se vouer. J'avais lu beaucoup de choses, beaucoup de libres penseurs ; je le faisais enrager en lui déballant mon savoir ... parfois mal digéré. »

Pour Hitler, l'histoire est l'œuvre des grands hommes. Arminius, le chef des Chérusques, Théodoric, Charlemagne, quelques empereurs du Saint-Empire, Rodolphe de Habsbourg, Wallenstein, Frédéric le Grand, quelques papes, Pierre le Grand, Napoléon, Bismarck, Guillaume Ier, voilà quelques-uns des personnages éminents qui ont « fait l'histoire » dans le sens où l'enten-

---

* Cette idée préoccupait encore Hitler pendant les derniers jours de sa vie.

dait l'historiographie idéaliste du XIXᵉ siècle à la Thomas Carlyle, personnages qu'il s'agit, selon une remarque d'Hitler du
31 mars 1942, de « comprendre toujours dans le cadre de leur
temps » [186]. « Qui peut savoir, s'écrie-t-il le 31 mars 1942, si
d'ici mille ans quelque professeur de lycée stupide, si quelque
nigaud ne dira pas : « Ce qu'Hitler a fait à l'Est partait d'un
bon naturel, mais c'était à tout prendre une sottise » ?[187]. L'histoire n'est pas pour Hitler, comme pour Marx, Engels et leurs
adeptes, l'histoire de la lutte des *classes* mais celle de la lutte
des *races* [188], lutte dont l'orientation est déterminée par quelques figures exceptionnelles ; elle est le résumé de la lutte de
tous contre tous [189]. Elle ignore la pitié et l'humanitarisme. Se
référant à Moltke, Hitler affirme que les « méthodes de combat
les plus brutales » [190] abrègent les souffrances de la guerre et
sont, pour cette raison même, les plus humaines ; tous ceux
qui esquivent ce combat se retirent automatiquement de l'histoire. Hitler croit discerner dans la nature « une sélection qui
se fait par une lutte à mort », lutte qu'il qualifie de « loi d'airain
de la logique » * ; dans cette lutte, c'est le plus fort qui rem-
porte la victoire sur le plus faible, s'assurant ainsi le « droit
à l'existence » ** « Toute vie, déclare-t-il le 28 janvier 1942, doit
être achetée au prix du sang. Cela commence à la naissance.
Si quelqu'un dit qu'une telle vie ne lui plaît pas, je lui conseille
d'y mettre un terme [191]. » Huit semaines plus tôt, le 1ᵉʳ décembre 1941, après avoir surmonté les maladies qui l'avaient accablé pendant la deuxième moitié de l'année ***, les douleurs cardiaques, les crises de faiblesse, les crampes d'estomac, les frissons
démoralisants, il s'était lancé dans une méditation philosophi-
que : « On peut trouver horrible que dans la nature l'un dévore
l'autre. La mouche est tuée par la libellule, la libellule par l'oiseau, l'oiseau par un ennemi plus puissant. Celui-ci devient dans

---

* Hitler dans un discours du 30-5-1942. Cité par Picker, p. 493.
  ** *Ibidem*. Parlant de l'avenir du peuple allemand, il déclara le
28-1-1942 (Heim-protokoll. Cité par Picker, 172), en se réclamant de ce
concept : «Si cette guerre nous coûte 250 000 morts et 100 000 infirmes,
cette perte est compensée par notre excédent des naissances depuis
que nous avons pris le pouvoir. Ils renaîtront au multiple de leurs
cendres au sein des colonies que je donnerai au sang allemand
dans les territoires de l'Est ... Ce sera notre grande chance d'avoir
toujours un excédent d'enfants. Ainsi, nous serons toujours harcelés par
nos besoins. Nous ne risquerons pas de nous arrêter au stade de l'évolution auquel nous devons aujourd'hui notre supériorité. Nos besoins nous
forceront à nous tenir toujours à la pointe du progrès technique. C'est
lui qui nous garantira notre avance. »
  *** *Cf.* constatations au chap. VII.

sa vieillesse la proie des microbes. Et ceux-ci n'échappent pas
non plus à leur destin ! ... Il s'agit donc uniquement d'étudier les
lois de la nature, pour empêcher qu'on ne les viole ; car autrement, ce serait se révolter contre le firmament ! Si je crois à
un commandement de Dieu, ce ne peut être que celui du maintien de l'espèce [192]. »

Les Etats sont, pour Hitler, comme aussi pour Alexander
von Müller et Jacob Burckhardt, des organismes biologiques *
soumis à des lois naturelles et — pour Müller et Hitler — « enra-
cinés dans le sol et liés par lui à certaines frontières naturelles » [193]. Alors que Burckhardt appliquait à l'histoire des peuples les lois biologiques et leur concédait une existence de
1 200 ans à peu près, l'histoire d'un Etat ne prend fin pour Hitler
que le jour où le peuple abandonne la lutte au mépris de la
loi naturelle garantissant sa survie. « Tant qu'il se trouve, pon-
tifie-t-il le 27 janvier 1942, quelques milliers de personnes prêtes
à aller en prison pour une idée, la cause n'est pas perdue. Lorsque le dernier homme abandonne l'espoir, c'est la fin ... Dans ce
domaine aussi, j'ignore tout sentimentalisme : si le peuple allemand n'est pas disposé à faire les sacrifices nécessaires à son
autoconservation, eh bien, qu'il disparaisse ! [194]. Le surpeuplement, la lutte, la guerre, voilà les ressorts qui devront garantir
la survie du peuple allemand. »

Thomas Robert Malthus, qui mourut soixante-cinq ans avant
la naissance d'Hitler, défendait le point de vue — dont le rayonnement fut immense — que le nombre d'habitants d'une région
augmente plus rapidement que les ressources alimentaires du
sol, ce qui aboutit inévitablement au surpeuplement, aux guerres,
aux épidémies. Dans la perspective d'Hitler le problème du surpeuplement est également un facteur essentiel ; mais il en tire
des conclusions autres que Malthus. Alors que Malthus recommandait le mariage tardif, la limitation des naissances par la
continence, le développement intensif de l'agriculture, Hitler ne
voit d'autre solution que la lutte brutale, les guerre d'anéantissement et de rapines, qu'il ne glorifie pas en tant que telles,
mais en tant que nécessité imposée par les lois de la nature.
A la différence de Malthus, Hitler ne craint pas le surpeuplement mais l'appelle au contraire de ses vœux, car en créant des
besoins il force le peuple à « bouger » ** et à asservir les nations
étrangères. Comme Hitler considérait comme un fardeau inutile

---

* *Cf.* Note 193 de ce chap.
** Hitler, le 28-1-1942 à la *Wolfsschanze.* Picker, p. 172.

les connaissances * sans application pratique immédiate, la mise
en pratique de son interprétation de la doctrine malthusienne
comportait de graves dangers. Les recherches récentes en matière
de surpeuplement ont permis de dégager des vérités particulièrement intéressantes quand on les confronte avec le comportement d'Hitler à certaines occasions. C'est ainsi que le psychia-
tre écossais George M. Carstairs, professeur à l'Université d'Edim-
bourg, déclarait en 1967 au 8ᵉ Congrès de la Société Internationale pour la procréation planifiée (*International Planned Paren-
thood Federation* — IPPE) à Santiago (Chili) [195] que les hommes
des régions surpeuplées vivent parfois comme des animaux en
cage, dans un état d'apathie léthargique, ou bien ils « explosent »
sous l'influence d'énormes forces irrationnelles pour tenter de
rompre les barreaux de la « cage ». Les réactions émotionnelles
d'Hitler quand il traitait de questions ayant trait à la guerre
et à l'espace vital prenaient parfois l'allure de la « personnifi-
cation » de telles situations. Dès qu'il prononçait les mots de
« peuple » et « espace vital », son emportement avait quelque
chose d'angoissant et de pénible, il donnait l'impression d'un
psychopathe transporté de passion, soumis à des pressions ins-
tinctuelles, engagé dans un combat extatique. Le sang affluait
à sa tête et colorait sa figure. Son corps se raidissait, sa poitrine se bombait, ses mains s'avançaient brusquement comme
si elles voulaient assommer ou appréhender un adversaire, tandis qu'il hurlait d'un air menaçant ; on l'aurait pris pour l'agression en personne !

L'interprétation très spécifique de la guerre et le traitement
bestial que le concept d'Hitler réservait aux faibles et aux malades
dans le cadre de sa « *weltanschauung* », de sa vue de l'histoire,
font penser à certains modèles dont Hitler a interprété et transformé les idées à sa manière. Un de ces « modèles » est le médecin allemand Alfred Plœtz qui, dans son ouvrage *Die Tüchtigkeit
unserer Rasse und der Schutz der Schwachen* [196] (Les qualités
de notre race et la protection des faibles) qu'Hitler a sans doute

---

* Selon Picker (p. 190 et s.) Hitler aurait dit le 3-3-1942 à la
Wolfsschanze (cité d'après le texte de Picker) : « Il ne faut jamais
apprendre à un homme plus qu'il ne lui en faut ! Ce serait lui imposer
un fardeau ! Mieux vaut lui montrer la beauté ... La formation scolaire
doit avoir pour but les connaissances générales qui serviront de support
aux connaissances spécialisées. Mon éducation doit viser les grandes
choses ! Que fera un garçon qui veut être musicien, de la géométrie,
de la physique, de la chimie ? ... Je n'ai appris en moyenne que le dixième
de ce qu'ont appris les autres ... Eh bien, grand Dieu ! Il y a des gens
doués et d'autres qui ne le sont pas ! » Des remarques analogues se
trouvent aussi dans *Mein Kampf*.

déjà lu à Vienne, fait état des « graves soucis que lui inspirent les dangers que la protection des faibles fait courir aux qualités de notre race » [197]. Par « race », il entend expressément la race aryenne [198]. Les idées de Plœtz, qui obtint après 1933 une chaire de professeur et introduisit en Allemagne l'eugénisme auquel il donna le nom d' « Hygiène raciale », étaient très proches de celles d'Hitler, ce que la citation suivante illustre abondamment : « ... L'hygiéniste racial ne s'insurgera pas contre les guerres ... Pendant la campagne, on fera bien de grouper les variantes peu réussies et de les conduire aux endroits où on aura surtout besoin de chair à canon, où la valeur individuelle n'est pas tellement nécessaire [199]. »

Comme la guerre tient un rôle capital dans l'idéologie d'Hitler * on peut se demander si l'œuvre de Karl von Clausewitz, un des classiques de la littérature de guerre, a contribué à l'élaboration de sa « *weltanschauung* ». Les conclusions des ouvrages spécialisés, qui évitent en général de parler des rapports entre Hitler et Clausewitz ou qui les traitent d'une manière superficielle, divergent **. Les militaires ont dit, après 1945, l'essentiel de ce qu'ils savaient des rapports entre Hitler et Clausewitz, de ce qu'ils croyaient en savoir, ou de ce que des considérations politiques et déontologiques leur suggéraient de dire. C'est ainsi que les généraux Blumentritt, Warlimont et Hauck affirmèrent que « l'étude » de Clausewitz était pour Hitler un sujet tabou [200]. Hauck ajouta, avec l'arrogance caractéristique d'un militaire de son rang, que l'étude de Clausewitz ne pouvait se faire que sous la direction d'un expert, « à l'occasion de l'ana-

---

* *Cf.* aussi p. 147. Le 30 mai 1943, Hitler déclara, en paraphrasant un passage d'Héraclite (« La guerre est le père, la guerre est le roi de toutes choses ») : « Une phrase d'un grand philosophe militaire nous apprend que la lutte, et partant la guerre, est le père de toutes choses » (Cit. par Domarus, t. II/4, p. 1886). On peut être à peu près certain que « le grand philisophe militaire » auquel il faisait allusion est Clausewitz. Déjà, en 1938, il aurait dit à Schmundt : « Clausewitz a parfaitement raison, la guerre est le père de toutes choses. » Wiedemann, *Der Mann der Feldherr werden wollte* (l'homme qui voulait devenir chef de guerre), p. 170. Pour Clausewitz, la guerre était « un acte de violence visant à forcer l'adversaire à accéder à nos désirs » (Von Kriege, p. 35).

** On peut considérer comme typique le fait que l'étudiant Norbert Krüger, que Theodor Schiedern, professeur à l'Université de Cologne, avait chargé d'une étude sur les relations entre Hitler et Clausewitz, ne trouva aucun éditeur disposé à publier son mémoire rédigé en 1963/64 (Communication écrite de N. Krüger : 1967, 1968, 1970). Un extrait du mémoire fut publié en 1968 dans : *Wehrwissenschftliche Rundschau*, Berlin et Francfort/Main, n° 8/68, p. 467 et s. Les informations écrites que Krüger put obtenir d'anciens militaires n'ont pas été citées par cette publication. Nous les utilisons ici en indiquant leur source.

lyse **approfondie** d'au moins *une* campagne importante » [201]. Le feldmaréchal Keitel, qui ne se contenta pas d'admirer jusqu'à sa mort la stratégie d'Hitler, mais en fit l'éloge devant le Tribunal militaire allié, était d'avis qu'Hitler étudiait la nuit ... « même pendant la guerre, les grands ouvrages militaires de Moltke, Schleiffen et Clausewitz » [202]. On peut résumer les avis des grands chefs militaires du Troisième Reich en quelques propos schématiques : « soigneusement étudiés » (feldmaréchal Keitel), « lu, mais absence d'études sérieuses et de réflexion » (général Gunther Blumentritt), « pas lu » (général de corps d'armée Ulrich Liss), « feuilleté » (général de corps d'armée Franz Halder), « peut-être lu quelques passages, mais peu » (général Alfred Gause), peut-être lu « puisqu'Hitler cherchait sans doute à parfaire sa formation militaire » (feldmaréchal Erich von Manstein), « il n'est pas exclu qu'il l'ait lu » (général Walter Warlimont) [203].

Werner Hahlweg, qui en 1969 s'intéressait bien plus à Clausewitz qu'à l'influence que celui-ci a pu exercer sur Hitler, juge ce dernier sévèrement : « La manière dont la guerre fut conduite en 1939/1945 sous la direction d'Hitler ... ne permet pas de conclure qu'on s'était inspiré des doctrines de Clausewitz. Il est vrai qu'Hitler citait souvent le philosophe de la guerre dont les idées le préoccupaient, mais il l'invoquait rarement sur le plan des principes quand il s'agissait de résoudre des problèmes stratégiques concrets [204]. » Hahlweg n'apporte de preuves à l'appui de ses dires ni dans son introduction à son édition de 1952 du célèbre traité de Clausewitz *Vom Kriege,* ni dans sa biographie de Clausewitz de 1969 ; Korfe procède de même dans son introduction à l'édition des œuvres de Clausewitz de 1957, où nous lisons : « Les chefs militaires fascistes se sont souvent réclamés de Clausewitz [205]. » La constatation de Horst von Metzsch (qui écrit avant la guerre) qu'on « remarque une identité de vue presque « classique » entre Hitler et Clausewitz » [206] est aussi peu éclairante pour la recherche historique que l'affirmation de Buchheit que « S'il est vrai qu'Hitler a lu Clausewitz, il ne l'a pas compris » [207].

C'est un fait prouvé qu'Hitler s'intéressait déjà à Clausewitz avant la Première Guerre mondiale *. Ernst Hanfstaengl qui avait remarqué avant 1923 dans la bibliothèque d'Hitler l'œuvre la plus connue de Clausewitz, le « Traité de la guerre » (*Vom Kriege*), se souvient qu'Hitler était capable de citer par cœur

---

* *Cf.* aussi p. 182.

des pages entières de cet auteur [208]. Nous savons avec certitude qu'Hitler, qui s'enthousiasmait pour Clausewitz déjà à l'époque où il faisait figure de jeune chef de parti [209], ne visait pas exclusivement à réduire au silence critiques et adversaires ou à faire étalage de son savoir quand il se référait au grand théoricien de la guerre. Hitler connaissait à fond de nombreux traités d'histoire militaire et de technique stratégique [210], bien que les sources (à l'exception de Hanfstaengl) n'indiquent jamais les titres des ouvrages [211] lus par Hitler.

Le fait qu'Hitler se réfère souvent à Clausewitz (même dans ses discours publics et des textes qu'il fait imprimer) pour justifier ses propres décisions alors que, par ailleurs, il est peu bavard sur les inspirateurs de ses idées, milite également en faveur de la thèse qu'il avait une connaissance très poussée de Clausewitz. Ainsi, nous trouvons par exemple des références à Clausewitz dans son discours du 18-9-1922, dans sa déclaration finale devant le Tribunal du peuple à Munich, du 27-3-1924, (1924/25), dans *Mein Kampf*, dans le deuxième livre de *Mein Kampf* de 1928, dans ses discours publics du 27-1-1932, du 1er-9-1933, du 8-11-1934, du 14-9-1936, du 8-11-1938, dans sa proclamation au Congrès du Parti de 1938 (lue par le gauleiter Wagner), dans son message radio au général de corps d'armée Paulus du 30-1-1943, dans son allocution radiophonique du 10-9-1943, dans son radiotélégramme au général de corps d'armée Paulus du 30-1-1943, dans ses propos au cours d'une réunion d'information du 25-4-1945, dans son « testament politique » du 29-4-1945 [212].

La remarque d'Hitler (faite sur un ton de reproche et de fière assurance) du 8 novembre 1934 au *Bürgerkellerbräu* (Brasserie des Bourgeois) à Munich : « Vous tous n'avez pas lu Clausewitz, et, si vous l'avez lu, vous ne savez pas appliquer sa doctrine au présent ! » [213], sa déclaration du 23 août 1941 à ses généraux : « Mes généraux connaissent Clausewitz mais ils ignorent l'économie de guerre. En ce qui me concerne, je connais Clausewitz et sa maxime : « Il faut d'abord anéantir les armées ennemies avant d'occuper leur capitale » [214], les propos d'Hitler rapportés par son chef d'état-major Heinz Guderian : « J'ai étudié Clausewitz et Moltke, j'ai lu tous les plans de concentration de Schieffen. Je suis mieux informé que vous ! » [215] sont, à côté des déclarations de Keitel à Nuremberg et des rapports de Hanfstaeng [216], des indications concrètes qui semblent indiquer qu'Hitler avait une connaissance approfondie des œuvres

de Clausewitz ; Hitler lui-même était formel : « Je n'ai pas seulement *lu* les traités de Clausewitz ; je les ai *étudiés* *. »

Pour compléter son concept de l'Histoire, Hitler y insère — suivant en cela son professeur ** Alexander von Müller — sa vision du judaïsme qu'il considère comme un « ferment de décomposition » et professe un antisémitisme biologique dont l'application pratique fait partie, à ses yeux, de la lutte impitoyable pour l'existence. « Est-il vrai, dit-il le 1er décembre 1941, que la nature l'a créé (i.e. le Juif) pour qu'il mette en branle les autres peuples par sa décomposition ? Dans ce cas, Paul et Trotzsky sont les Juifs les plus respectables, puisqu'ils y ont le plus contribué. Par leur activité, ils ont suscité la réaction de défense. Celle-ci suit leur action comme le microbe suit le corps qu'il achève [217]. » Selon Hitler, le judaïsme est en outre « l'ennemi mortel de toute lumière » [218], « il empoisonne le sang des hommes » [219], « il suce leur sang, les dupe, les fourvoie, les asservit, les détourne de la lutte nécessaire pour l'existence et aspire à la « victoire de la démocratie » [220] qu'il utilise pour détruire les peuples ».

Hitler nous décrit avec une abondance relative de détails la manière dont il s'est approprié un concept primitif et morbide qu'il qualifie du terme typique de « victoire de l'intelligence sur le sentiment » [221]. La lecture de son récit est instructive : « Il me serait difficile aujourd'hui ... de dire à quelle époque le nom de *Juif* éveilla pour la première fois en moi des idées particulières. Je ne me souviens pas d'avoir entendu prononcer ce mot dans la maison paternelle du vivant de mon père. Je crois que ce digne homme aurait considéré comme arriérés des gens qui auraient prononcé ce nom sur un certain ton. Il avait, au cours de sa vie, fini par incliner à un cosmopolitisme ... qui avait pu s'imposer à son esprit ... A l'école, rien ne me conduisit à modifier les idées prises à la maison ...

« A la *Realschule,* je fis la connaissance d'une jeune Juif avec lequel nous nous tenions tous sur nos gardes ... ni mes camarades ni moi, nous ne tirâmes de ce fait des conclusions particulières. Ce fut seulement quand j'eus quatorze ou quinze ans que je tombai fréquemment sur le mot Juif, surtout quand on causait politique. Ces propos m'inspiraient une légère aversion et je ne pouvais m'empêcher d'éprouver le sentiment désagréable qu'éveillaient chez moi, lorsque j'en étais témoin, les querelles

---

* *Cf.* note 215 dans ce chap.
** *Cf.* aussi p. 170 et s.

au sujet des confessions religieuses. A cette époque, je ne voyais pas la question sous un autre aspect.

« Il n'y avait que très peu de Juifs à Linz *. Au cours des siècles, ils s'étaient européanisés extérieurement et ils ressemblaient aux autres hommes ; je les tenais même pour des Allemands. Je n'apercevais pas l'absurdité de cette illusion, parce que leur religion étrangère me semblait la seule différence qui existât entre eux et nous. Persuadé qu'ils avaient été persécutés pour leurs croyances, les propos défavorables tenus sur leur compte m'inspiraient une antipathie qui, parfois, allait presque jusqu'à l'horreur ...

« J'arrivai ainsi à Vienne. Tout saisi par l'abondance de mes sensations dans le domaine de l'architecture ... Je n'eus pas, dans les premiers temps, le moindre coup d'œil sur les différentes couches composant la population de cette énorme ville ... Ce n'est que lorsque, peu à peu, le calme se rétablit en moi et que ces images fiévreuses commencèrent à se clarifier, que je songeai à regarder plus attentivement le monde nouveau qui m'entourait et, qu'entre autres, je me heurtai à la question juive.

« Je ne veux pas prétendre que la façon dont je fis sa connaissance m'ait paru particulièrement agréable. Je ne voyais encore dans le Juif qu'un homme d'une confession différente et je continuais à réprouver, au nom de la tolérance et de l'humanité, toute hostilité issue de considérations religieuses. En particulier, le ton de la presse antisémite de Vienne me paraissait indigne des traditions d'un grand peuple civilisé. J'étais obsédé par le souvenir de certains événements remontant au Moyen Age, et que je n'aurais pas voulu voir se répéter. Les journaux dont je viens de parler n'étaient pas tenus pour des organes de premier ordre. Pourquoi ? Je ne le savais pas alors au juste moi-même. Aussi, les considérais-je plutôt comme les fruits de la colère et de l'envie, que comme les résultats d'une position de principe arrêtée, fût-elle fausse [222]. »

Voilà le récit autobiographique d'Hitler. Contrairement aux indications d'Hitler, Kubizek [223] croyait se souvenir que le père d'Hitler n'était en aucune manière un cosmopolite tolérant, mais un adepte de Schönerer et un antisémite décidé [224]. Kubizek s'inscrit aussi en faux contre l'affirmation d'Hitler qu'il n'a pas observé à la *Realschule* de tendances antisémitiques. En effet, Kubizek affirme avoir été frappé, quand il fit sa connaissance

---

* Cette affirmation d'Hitler est inexacte. *Cf.* aussi p. 214, ainsi que Kubizek (chap. III).

en 1904, par son attitude franchement antisémitique. C'était donc à l'époque où ils fréquentaient la *Realschule* [225].

Rappelons, à ce propos, quelques faits que nous avons déjà évoqués : la notice nécrologique publiée par l'organe libéral *Tagespost* du 8 janvier 1903 qualifiait Aloïs, le père d'Hitler, « d'homme aux idées avancées », ... d'ami de l'école libérale, relativement cultivé, de « défenseur du droit et de la justice » *. Il apparaît donc que les indications d'Hitler sont, sur ce point, plus près de la réalité que les récits de Kubizek. Cette remarque s'applique aussi à d'autres passages de *Mein Kampf*. Ainsi, nous avons vu qu'Hitler prétend n'avoir connu à la *Realschule* de Linz qu'un seul élève juif et que l'antisémitisme ne jouait, à l'école, qu'un rôle tout à fait secondaire. De fait, quinze élèves sur les trois cent vingt-neuf que comptait l'école étaient de confession israélite. Deux cent quatre-vingt-dix-neuf se réclamaient, comme Hitler, du catholicisme romain, quatorze appartenaient à la confession réformée, un seul à l'Eglise orthodoxe russe. La classe 1 B qu'Hitler fréquentait comptait en 1902 vingt-huit catholiques, six juifs, cinq protestants [226].

Deux conclusions sont possibles : ou bien Hitler trompe le lecteur, ou bien son récit prouve que l'antisémitisme était peu sensible à la *Realschule* de Linz, A la *Wolfsschanze*, Hitler disait à ce propos, dans la nuit du 8 au 9 janvier 1942 : « A Steyr, nous n'avions qu'un seul Juif (le professeur d'allemand Sieg-fried Nagel — *N. d. A.*) ; nous l'avons enfermé dans son labo-ratoire. C'était un chahut indescriptible ... Il ne savait pas se faire respecter, alors qu'on disait de lui que les élèves le crai-gnaient autrefois parce qu'il hurlait comme un fou. Mais quel-qu'un l'a vu rire après un tel éclat ... et ce fut la fin ! ... Un jour, j'ai lu un livre sur les maladies des champignons. Il s'est précipité, m'a arraché le livre des mains et l'a flanqué par terre : « Vous devriez faire comme moi ... Je ne lis que des romans à quatre sous ! [227] »

Il est exclu qu'Hitler ait fait la connaissance de l'antisé-mitisme seulement à Vienne. Il est bien plus probable qu'à Vienne, il a réfléchi plus intensément à la question. Hitler raconte dans *Mein Kampf* qu'avant sa « conversion » à l'antisémitisme, il lisait à Vienne la *Neue freie Presse* et le *Wiener Tagblatt* — tous deux appartenant à des Juifs — dont il appréciait « l'impar-tialité » et le « ton distingué » [228]. Sa seule critique était la façon indécente dont cette presse faisait sa cour au gouvernement.

---

* *Cf.* pp. 36 et 233.

« Il ne se passait pas à la Hofburg le moindre événement qui ne fût rapporté aux lecteurs ... on saluait avec la plus grande humilité le moindre cheval des équipages de la cour et tombait en extase si l'animal remuait la queue ... »[229] ... « Ce qui, de plus, me donnait sur les nerfs, c'était le culte répugnant que la grande presse avait alors pour la France. On avait honte d'être Allemand ! »[230]. Ainsi, Hitler porta son choix sur des journaux reflétant mieux ses opinions. En lisant le *Deutsche Volksblatt*, de tendance nettement antisémitique, grâce auquel il fit aussi la connaissance de Karl Lueger et de son parti, il eut l'impression que le journal « était un peu plus décent »[231] que la grande presse viennoise, parce qu'il n'attaquait pas Guillaume II, dans lequel « je voyais non seulement l'empereur d'Allemagne, mais surtout le créateur de la flotte allemande »[232]. Hiter n'approuvait pas, affirme-t-il, l'antisémitisme agressif du *Volksblatt*[233]. Bientôt, il s'intéressa à Lueger et au parti chrétien-social auquel il avait marqué, en arrivant à Vienne, une franche hostilité. Mais, peu à peu, l'ennemi de Lueger se transformait, par un étrange retournement, en un admirateur de Lueger[234]. Hitler, qui interprète ce changement de mentalité comme la preuve d'une meilleure connaissance du problème des Juifs[235], note à ce sujet : « Mais si, de même, mon jugement sur l'antisémitisme se modifia avec le temps, ce fut bien là ma plus pénible conversion. Elle m'a coûté les plus durs combats intérieurs et ce ne fut qu'après des mois de lutte, où s'affrontaient la raison et le sentiment, que la victoire commença à se déclarer en faveur de la première. Deux ans plus tard, le sentiment se rallia à la raison pour en devenir le fidèle gardien et conseiller.

« Pendant cette lutte acharnée entre l'éducation qu'avait reçue mon esprit et la froide raison, les leçons de choses que donnait la rue à Vienne m'avaient rendu d'inappréciables services. Il vint un temps où je n'allais plus, comme pendant les premiers jours, en aveugle à travers les rues de l'énorme ville, mais où mes yeux s'ouvrirent pour voir, non plus seulement les édifices, mais aussi les hommes. Un jour, où je traversais la vieille ville, je rencontrai tout à coup un personnage en long kaftan avec des boucles de cheveux noirs[236]. » Kubizek, qui se soucie de confirmer et de compléter beaucoup de récits de son ami de jeunesse, ajoute ici un commentaire : Hitler aurait visité pendant ses « études » sur le judaïsme une synagogue et aurait témoigné à la Police contre un « *handelee* » (Juif de l'Est habillé d'un kaftan et de bottes, comme on en voyait souvent qui vendaient des boutons, des lacets, des bretelles, etc.) qui s'était

livré à la mendicité [237]. Selon Kubizek, la Police aurait trouvé
3 000 couronnes dans les poches du colporteur [238]. Hitler nous
dit avoir « étudié », après sa rencontre avec le Juif au kaftan
(dont quelques biographes ont dressé un tableau fantaisiste) *,
tous les livres sur lesquels il pouvait mettre la main afin d'en
apprendre davantage sur les « Juifs ». « Le ton de ces livres
m'inspirait de nouveaux doutes, raconte Hitler, car les arguments mis en avant étaient souvent superficiels et manquaient
complètement de base scientifique [239]. » A l'en croire, il n'aurait
plus cru, depuis cette époque, à une simple différence confessionnelle entre Allemands et Juifs, même s'il ne comprenait
pas toujours les arguments des textes antisémitiques ; « car
ils partaient — selon Hitler — malheureusement tous de l'hypothèse que leurs lecteurs connaissaient déjà dans une certaine
mesure la question juive, du moins en son principe [240]. »

D'après Wilfried Daim, il s'agissait surtout de la revue
Ostara, éditée à partir de 1905 par le raciste fanatique Georg
(Jörg) Lanz von Liebenfels, qui ornait souvent ses écrits de croix
gammées. Le programme de la revue, qui aurait atteint par
moments un tirage de 100 000 exemplaires, a été exposé dans
le numéro 29 (automne 1908) : « *Ostara* est la première et
unique revue qui se propose d'explorer et de promouvoir le
racisme héroïque et les droits de l'homme, d'appliquer dans la
pratique les résultats de la science des races pour protéger la
race supérieure héroïque, par la sélection planifiée et le droit
de l'homme, de son anéantissement par des chambardeurs socialistes et féministes [241]. »

Ce texte se passe de commentaire. L'œuvre principale de
l'animateur de la revue *Ostara*, Lanz von Liebenfels, écrivain
extrêmement prolixe qui avait fondé en 1900 l' « Ordre du Nouveau Temple » (O.N.T.) qui n'acceptait dans ses rangs que des
hommes « blonds et bleus » s'engageant à épouser des femmes
« blondes et bleues », est un pamphlet publié pour la première
fois en 1905 et réimprimé entre 1928 et 1930 dans la revue *Ostara* ;
il portait le titre : *Theozoologie oder Die Kunde von den Sodoms
Afflingen und dem Götter-Elektron. Eine Einführung in die
älteste und neueste Weltanschauung und eine Rechtfertigung
des Fürstentums und des Adels* (La théozoologie ou la Science
des Sodomo-Simiidés et de l'Electron des dieux. Une initiation
à l'idéologie la plus ancienne et la plus récente et une justification de la principauté et de la noblesse). Les « Sodomo-Simii-

---

* *Cf.* aussi chapitre III.

dés » étaient pour Lanz les rejetons basanés des « races inférieures », créations bâclées des démons, qu'il opposait aux
« héros aryens », « bleus et blonds », chefs-d'œuvre des dieux,
êtres dotés d'organes électriques, d'émetteurs d'énergies électriques, ancêtres du genre humain et de la race humaine. Par
une « sélection raciale rigoureuse », il comptait ressusciter les
dieux toujours vivants mais dormant dans les « cercueils de
chair des corps humains » [242] et rendre à la race nouvelle, née
de la souche héroïco-aryenne, leurs anciens organes divins d'essence « électro-magnétique-radiologique » grâce auxquels elle
recouvrerait l' « omniscience », la sagesse suprême, la « toute-
puissance » [243] qui, dans les temps les plus reculés, avaient été
l'apanage des dieux.

Lanz, qui se vantait d'avoir eu pour disciples des politiciens
ayant changé le cours de l'histoire, revendiquait non seulement
Hitler [244] mais aussi Lénine qu'il tenait, à côté de Lord Kitchener,
pour le seul à avoir vraiment compris sa doctrine et à en avoir
tiré les « conclusions » qui s'imposent [245]. Cette prétention absurde
de Lanz von Liebenfels, moine cistercien défroqué ayant quitté
l'abbaye de Heiligenkreuz dans la Forêt viennoise, qui s'était
lui-même attribué le titre de « baron » et le grade de « docteur »
se passe de tout commentaire. Daim n'apporte aucune preuve
à l'appui de sa thèse que cet imposteur, qui s'appelait en réalité
Adolf Josef Lanz (1874-1954) et qui était le fils de l'instituteur
Johann Lanz originaire de Penzing dans le 14ᵉ district de Vienne,
était non seulement l'auteur des écrits ayant donné du fil à retordre au jeune Hitler mais encore « l'homme qui fournissait à
Hitler ses idées » [246]. Il est fort probable qu'Hitler a lu à Vienne
les pamphlets de Lanz *, bien qu'il ne les mentionne nulle part
comme, par exemple, les *Protocoles des Sages de Sion*, dont il
serait, selon Alexander Stein **, le disciple. Mais les « doctrines »
de Lanz, qui ne fut plus autorisé à publier ses œuvres après
l'occupation de l'Autriche par la Wehrmacht [247], n'ont certainement pas joué un rôle déterminant dans la « conversion » d'Hitler
à l'antisémitisme.

---

* Titre de l'ouvrage de Wilfried Daim (*cf.* bibliographie).
** Comme August Kubizek, interrogé par Daim (Daim p. 29), ne se
souvient pas d'avoir vu chez Hitler des numéros de la revue *Ostara*, on
peut supposer qu'il l'a découverte après sa séparation d'avec Kubizek
en 1908 ou 1909. Les numéros qu'Hitler a pu lire contenaient entre autres
les articles suivants : « *Antlitz der Rasse, ein Abriss der rassenkundlichen
Physiognomik* » (n° 28) (Le visage de la race ; précis de physiognomie
raciale), « *Allegemeine rassenkundliche Somatologie* » (n° 30) (Somatologie
raciale générale), « *Besondere rassenkundliche Somatologie II* » (n° 31)
(Somatologie raciale spécifique II).

Les bases, arguments et formules idéologiques sur lesquels Hitler fondait — d'après des documents irréfutables — au plus tard depuis septembre 1919 * ses idées sur le judaïsme se trouvaient dispersés dans d'innombrables livres, brochures, revues, tracts et articles d'auteurs « célèbres » ou inconnus, dont les contenus concordent et qui ont joué un rôle néfaste dans les pays de langue allemande.

Les tendances antisémitiques d'Hitler se ressentent fortement de l'influence des pangerministes autrichiens ; leur chef était un certain Georg Ritter von Schönerer à qui Hitler avait voué, déjà à Linz, un véritable culte et qui était — comme le père d'Hitler — originaire des environs de Spital. Peu avant le départ d'Adolf Hitler pour Vienne, Heinrich Class, avocat de Mayence et antisémite militant, fut nommé président de l'Union Pangermaniste ; mais dès avant cette nomination, Schönerer avait commencé à donner à la section autrichienne du mouvement pangermaniste une orientation nettement antisémitique [248]. Les Pangermanistes à l'intérieur du Reich, vers lesquels allaient les préférences du jeune Hitler déjà pendant ses années scolaires, avaient été, de leur côté, gagnés par de telles tendances. Ernst Hasse, le chef des Pangermanistes jusqu'en février 1908, avait constaté dans sa *Deutsche Weltpolitik* (Politique mondiale de l'Allemagne) que ... « notre avenir se fonde sur notre sang »..., qu'il « était fort bizarre qu'on n'ait pas tenu compte jusqu'ici de cette réalité pourtant si simple » [249]. Peu après la traduction par le pangermaniste Ludwig Schemann de l'*Essai sur l'inégalité des races humaines* de Gobineau (paru en France au milieu du XIXe siècle) et la publication de la version allemande des *Fondements du* XIXe *siècle* de Houston Stewart Chamberlain, l'Union Pangermaniste s'était faite aussitôt le défenseur de l'idée raciale. La « doctrine libérale de l'égalité de tous les hommes » fut peu à peu remplacée par « l'intelligence de l'importance de la structure raciale d'une nation » [250].

Adolf Hitler, partisan décidé des concepts de Schönerer, s'était intéressé à Linz autant qu'à Steyr ou à Vienne aux publications, tendances et orientations de l'Union Pangermaniste. Quand l'Union Pangermaniste proclama en février 1919 — six mois avant la rédaction par Hitler de son « expertise » sur la question juive à Munich — à son Congrès de Bamberg l'*antisémitisme biologique*, Hitler connaissait ses programmes et arguments depuis plus de dix ans. Le 5e point du programme pan-

---

* *Cf.* p. 153 ; *Cf.* Hitler, pp. 329-362.

germaniste de 1919, qui spécifie que la « lutte contre l'influence du judaïsme, source de décadence et de discorde, est une question de race sans le moindre rapport avec l'appartenance confessionnelle »[251], se retrouve dans ses grandes lignes aussi dans l'« expertise » d'Hitler.

Dans *Mein Kampf*, publié cinq ans après la rédaction de l'« expertise », Hitler se sert, dans son exposé sur la question juive, de formules, de notions, d'images qui ne lui étaient sans doute pas encore familières en 1919. Parmi les « nouveautés », citons les termes de « parasite »[252], « parasite des peuples »[253], « microbe »[254], « porteur de germes »[255], « vampire »[256], « schizomycètes de l'humanité ». Ailleurs il dit : « Si le Juif étend son règne sur les peuples de ce monde notre planète recommencera à parcourir l'éther comme elle l'a fait il y a des millions d'années : il n'y aura plus d'hommes à sa surface[257]. » A une époque où le parti d'Hitler compte parmi ses membres environ 28 % de fonctionnaires et d'employés (parfois de formation universitaire), 20 % de commerçants et chefs d'entreprises, 7 % d'universitaires[258], Hitler ne peut plus se permettre d' « avouer son ignorance en quoi que ce soit ». C'est ainsi qu'on voit apparaître dans *Mein Kampf* l'ombre des « disciples » de Darwin, Ernst Haeckel et son partisan Wilhelm Bölsche (sans que leurs noms soient cités). En 1921, Hitler a pu lire la deuxième édition de l'ouvrage de Bölsche (paru en 1899) *Vom Bazillus zum affenmenschen*[259] (Du bacille au pithécanthrope) dans lequel Bölsche expose « la lutte de l'espèce zoologique de l'homme »[260] contre « la forme la plus primitive de la vie organique » pour sauvegarder son existence ; il prédit à l'homme du XXᵉ siècle « la lutte décisive » contre le « Troisième Reich » des bacilles[261] et lui explique qu'ayant « conquis le règne de la terre »[262] il sortira « selon toute probabilité humaine »[263] vainqueur de ce combat. L'idée que le microbe met en danger l'existence de la race humaine qui « a ignoré jusqu'il y a quelques décennies son ennemi le plus horrible »[264], a été intégrée sous une forme originale dans la « *weltanschauung* » hitlérienne : dans l'antisémitisme d'Hitler, « le Juif » a perdu tous ses traits humains. « La découverte du virus juif ... est une des plus grandes révolutions que le monde ait accomplies. » « Le combat, dit Hitler, que nous menons, ressemble à celui que Pasteur et Koch ont engagé au siècle précédent. D'innombrables maladies ont pour cause le virus juif... Nous ne recouvrerons la santé que si nous éliminons le Juif[265]. » Dans *Mein Kampf*, dont le titre a peut-être été inspiré par le motif du « combat » tel que le décrit Bölsche, nous lisons :

« ... aussi n'ont-ils jamais été des nomades, mais toujours des parasites vivant sur le corps des autres peuples... La coutume qu'a le peuple juif de s'étendre toujours au loin est un trait caractéristique des parasites ; il cherche toujours pour sa race un nouveau sol nourricier. ... Il est et demeure le parasite type, l'écornifleur, qui tel un bacille nuisible, s'étend toujours plus loin, sitôt qu'un sol nourricier favorable l'y invite. L'effet produit par sa présence est celui des plantes parasites : là où il se fixe, le peuple qui l'accueille s'éteint au bout de plus ou moins longtemps [266]. »

Ce ne sont pas seulement les idées sur le judaïsme (qui se sont traduites à la fin par des mesures d'extermination au moyen de produits insecticides, comme « Cyklon B ») qu'Hitler a empruntées à Bölsche, mais aussi sa peur de se salir, de contracter une maladie contagieuse, sa manie de se laver sans arrêt les mains — qu'il gardait dans un état de propreté méticuleuse *.

Grâce à son concept du judaïsme, Hitler ne se tient pas pour un assassin (ou l'instigateur du meurtre) d'innombrables Juifs, mais pour un sauveur historique de l'humanité qu'il définit d'une manière étrange **. Les Juifs n'en font tout simplement pas partie, les Russes sont — depuis qu'il a donné à la Deuxième Guerre mondiale une tournure idéologique pervertie — des « chiens » et des « cochons » [267] ou, dans la meilleure des hypothèses, des « sous-hommes » dignes de pitié, puisque (selon Moltke) le traitement le plus humain de l'ennemi consiste à l'occire pour abréger ses souffrances. Il est plus que douteux qu'Hitler eût été capable de tuer de ses propres mains, ce qu'il exigeait pourtant des autres comme une chose allant de soi ***. Même pendant la « période des combats », des réunions politiques se terminant souvent en pugilat, il ne prenait jamais part aux rixes malgré la cravache qu'il portait toujours sur lui. Une seule fois, le 9 août 1921, on l'a vu frapper un adversaire politique [268]. Il n'a jamais assisté à un meurtre ou à une exécution, si l'on fait abstraction de ses expériences de la guerre de 1914-

---

* Il n'est par contre pas certain que sa manie d'attaquer les savants et de donner la préférence à des théories s'opposant « à la science installée des super-intelligences » soit due à l'influence de Bölsche. *Cf.* p. ex. les propos d'Hitler à la *Wolffschanze* du 12-4-1942, Picker, p. 272 et s.

** Hitler écrivit en 1924 : « En me défendant contre le Juif, je combats pour défendre l'œuvre du Seigneur. »

*** Comme l'auteur a pu le prouver en 1971, on a tué à Hadamar aussi des soldats allemands dont les blessures ne pouvaient être guéries. Ce sort était réservé à des pilotes de « stuka » (avion de combat en piqué), souffrant de troubles mentaux, et à des combattants ayant perdu les deux bras et les deux jambes.

1918. Ayant vu tomber dans la soirée du 9 novembre 1923 quelques-uns de ses camarades, il pensa au suicide et fut pris d'un
tremblement nerveux qui le tourmenta pendant de nombreuses
années et qui réapparut après la catastrophe de Stalingrad. Ernst
Röhm, qui connaissait Hitler depuis 1919, savait fort bien pourquoi il demanda en 1934 à son Führer de le tuer de ses propres
mains. On sait qu'il était très difficile d'obtenir pendant la
campagne de Russie qu'Hitler se rendît personnellement aux
postes de commandement des groupes d'armées, bien qu'il ne
risquât guère d'y voir des morts et des blessés. Ce qui le retenait, ce n'était pas seulement sa peur de devoir dire adieu une
fois pour toutes à ses rêves de victoire auxquels il avait *in petto*
cessé de croire depuis 1941/1942. Ce n'était pas non plus la peur
pour sa propre vie ! Beaucoup de militaires et de personnes de
son entourage étaient persuadés qu'il évitait les visites au front
parce qu'il supportait mal la vue des morts et des blessés [269],
bien qu'aucun sentiment humain ne le liât à ses soldats qu'il
considérait comme de simples instruments, dont il évaluait les
pertes en se fondant sur le nombre des « fusils flanqués en
l'air » [270] et des chars ou avions allemands détruits.

Après les événements du 20 juillet 1944, Hitler, fou de rage
et assoiffé de vengeance, donna l'ordre de pendre les mutins
comme des quartiers de bœuf à des crocs à viande : les exécu-
tions qui devaient avoir le caractère de tortures humiliantes [271]
furent photographiées et filmées : l'entourage d'Hitler pensait
généralement que ces documents devaient être montrés, le cas
échéant, à des adversaires ou à des personnages peu sûrs en
guise d'avertissement [272]. On s'étonna qu'il se fît présenter ces
bandes alors qu'il ne supportait même pas la vue de villes bom-
bardées. « Est-ce que vous croyez, demanda-t-il à son médecin,
le Dr Brandt, en mars 1945, que mon imagination ne suffit pas
pour me les représenter ? [273] » Le fait qu'il n'osât même pas dire
à une de ses cuisinières, chargée de la préparation de ses repas
de régime, qu'il la congédiait parce qu'on avait découvert qu'une
de ses grand-mères était juive [274], semble indiquer que sa cruauté
inhumaine envers les Juifs n'existait que dans la mesure où il
ne se trouvait pas en présence de ses victimes. Il eut avec Gretl
Slezak une amourette, bien qu'il sût qu'elle avait une Juive pour
grand-mère *. Hitler passait outre à ses sentiments parce qu'il
était convaincu que ses connaissances et idées bizarres lui
livraient la clef de l'histoire et de la réalité.

---

* *Cf.* aussi Hanfstaengl, *Zwischen Weissem und Braunem Haus*,
p. 285 et s.

HITLER : PROJET DE DISCOURS [275]

« Les Juifs affameurs des peuples »

Inquiétude

Mécontentement   Effervescence   Méfiance

Une migration des peuples : l'esprit et les faits qui la provoquent.
Les catholiques se changent en socialistes radicaux.
Les communistes deviennent des biblicistes.

Des recherches partout

Misère — détresse — augmentation du coût de la vie — famine
en dépit des mesures prises pour y remédier.

Les petits moyens

Qui est responsable ?
1) *Le gouvernement* (Kahr, Pöhner, Heim)
      en Saxe ? en Prusse ? en Rhénanie ?
2) *Les Prussiens ?* Et l'Autriche ?
3) *Le système capitaliste* — et la Russie ?

   La nature ?

elle provoque des catastrophes mais ne se détériore pas lentement —
peut être compensée par les transports modernes, etc.

   Non, il doit y avoir des causes plus profondes

Kahr — **la Prusse** — le capitalisme, etc., ne sont pas

partout

mais

les Juifs ?

Antiquité

Egypte — Rome — Palestine/Moyen Age — Epoque moderne
Là où le règne des Juifs s'établit les peuples sont affamés
A qui la faute ?
Le Juif n'est jamais responsable.
Problème à examiner.

Un peuple millénaire de vagabonds   {L'Egypte
                                     {La Palestine
                                     {Babylone
                                     {Rome
                                     {L'Europe

toujours un peuple
« national » sans frontière
partout « étranger »
donc toujours comme aujourd'hui
Le Juif est asocial

---

* Archives fédérales Coblence NS 26/49.

c'est-à-dire matérialiste :

> Attitude face au travail
>
> Egoïsme et devoir

Tremplin en vue de s'assurer   Toujours pareil
des revenus sans travailler   (jardins ouvriers à Berlin)
> la Bible

L'individu ne peut s'assurer des revenus sans travailler
que s'il vit en *parasite* avec des gens qui travaillent
Les peuples ne peuvent vivre sans travailler que s'ils mènent
une existence de « peuple-parasite »
Quand les Juifs s'emparent du pouvoir ils affament les peuples
Les Juifs sont pauvres quand ils restent entre eux
(Ils ne prospèrent que quand ils vivent en parasites)
> (L'effet est le même que celui qu'une plante parasite)
Etat dans l'Etat à toutes les époques
Antiquité — Moyen Age — Epoque moderne
Toujours persécutés
Toujours détestés

Les peuples ne sont pas méchants mais ils recourent à l'auto-
défense
Le parasitisme économique équivaut à la

DOMINATION TOTALE
La domination économique permanente n'est possible que par
> la domination politique
C'est ce qui explique la tendance à la « domination mondiale »
Le Juif en tant que « facteur mondial » = et = « puissance »
> *Les prophéties de Yahwé ne sont que*
l'expression de cet objectif qui va de soi.
C'est là la conséquence des dispositions naturelles
> des Juifs

Pas de pouvoir ou tout le pouvoir : c'est pourquoi toutes les
créations juives visent à instaurer la DOMINATION MONDIALE des Juifs
Comment le Juif mène-t-il ce combat ?
A la fois sur le plan
économique et politique
> travail intellectuel préparatoire :
> Susciter la compassion au plan
individuel et collectif
> Action économique
1) Il s'empare de *l'économie* du *pays*
Dictature boursière — formation des prix
> monopole des matières premières

Non pas *possession terrienne* mais *contrôle*
(terrain en fermage)   (Livre d'Esther)

MOYEN AGE   *Contrôle de toute la production*
INTERDICTION D'ACQUÉRIR DES TERRES
Conséquence de la lutte économique :
hausse des prix — lente asphyxie du peuple-hôte
(plante parasite)

Lutte politique
D'abord protéger les petits
(comme au plan individuel)

En cas d'aristocratie   démocratie
de démocratie   dictature
de monarchie   république
de république   dictature

Semer la division dans le peuple
diviser, puis assommer

Les Juifs en tant que schizomycètes

La division en classes.

Les Juifs créent la classe des riches
et provoquent ce ce fait les protestations des déshérités.
(Schopenhauer — Maîtres dans l'art du mensonge)
Les Juifs sapent l'unité intérieure
du peuple

(Jéricho)   contre

1) Le caractère
2) la décence
3) la morale
4) les bonnes mœurs (traite des Blanches)
5) religion — bibliciste, raison
6) valeur de la personnalité
7) la confiance de soi

Arts   8) *la pensée nationale*
sciences   9) les héros nationaux
presse
littérature   10) la morale en affaires - (*Juifs chrétiens*)
théâtre   11) il détruit le sentiment de la justice
cinéma
etc.   *Le droit des Juifs*

                          Le droit foncier
                          le droit des gens [travailleurs (suit un
                          mot illisible) — le « capitalisme »]

La destruction de tout attachement au sol
La patrie est partout
slogan

l'Etat mondial
a besoin du

mélange des peuples
de la profanation de la race = conséquence :
cosmopolitisme
presse mondiale
littérature mondiale
bourse mondiale
civilisation mondiale
langue universelle

―――――――――――――――――――――――――――――

C'est-à-dire : le monde est soumis
à un seul maître
      la
révolution mondiale
   veut dire :
La soumission de la terre entière à
la dictature de la bourse mondiale et de
        ses seigneurs :
        le judaïsme
Présuppose :
        la suppression de toute
        intelligence raciste (völkisch)
Le suicide racial
        pour y parvenir il faut instaurer
        la folie des masses
par la misère des masses — *la famine*
la famine est l'arme de combat de tous les temps
La famine au service des Juifs
        détruit la force physique et la santé
        obscurcit l'intelligence
La hausse des prix conduit à la famine générale intentionnelle-
ment provoquée :
   1) En Allemagne avant la guerre
   2) pendant la guerre
   Après la guerre

Les causes de la hausse des prix	Révolution
Armistice	(de la
Le laisser-aller économique	(Bourse
Traité de paix	(mot illisible)

Comment y porter remède ?
La solution de la question juive.
La création d'un Etat social

Notre programme
Apôtre d'une vérité nouvelle

La lutte contre nous
Berlin.

L'Allemagne sera libérée.

L'évolution et la continuité de l'antisémitisme hitlérien sont faciles à mettre en lumière et à décrire, mais la question de savoir comment un homme aussi original, aussi doué, aussi cultivé et informé a pu succomber à une hérésie aussi insensée échappe à toutes les explications. Les concepts antisémitiques d'Hitler découlent d'une série d'éléments plus ou moins précis dont l'un est certainement la tradition, aussi ancienne que funeste, de l'antisémitisme autrichien et allemand.

Beaucoup de stations de l'affreux calvaire que l'hitlérisme infligea aux Juifs avaient leur équivalent dans des faits historiques dont nous rappelons ici brièvement quelques exemples :

Le 1er avril 1933, a lieu dans tout le Reich une action de boycottage des Juifs : des S.A. en uniforme prennent position devant l'entrée des magasins juifs et expliquent, à l'aide de panneaux, aux passants et acheteurs éventuels qu'un « citoyen allemand » n'achète pas chez des Juifs.

A partir de l'été 1935, les Juifs sont déclarés « indésirables » dans certaines localités, parcs publics, cafés, restaurants, magasins. A partir du 10 octobre 1941, les Juifs ont besoin d'une autorisation spéciale pour quitter leur logement ou utiliser les transports en commun.

A peu près 110 ans plus tôt, le 14 décembre 1821, tous les Juifs vivant à Karlsbad sont sommés « ... d'évacuer, sous peine d'avoir à payer les amendes prévues par la loi, toutes leurs marchandises jusqu'au 20 du mois et de quitter la ville de Karlsbad. En cas d'inobservation de ce décret, ... leurs marchandises seront confisquées et expédiées là où elles doivent être ; les propriétaires ayant loué des appartements à des Israélites s'exposent à de lourdes peines ... » [276]. La population de Reichenberg est informée « ... qu'aussitôt après la publication de cet avis ... tous les Juifs doivent quitter la ville à l'exception des commerçants juifs pouvant justifier d'une autorisation temporaire d'exercer leur métier. Les commerçants tolérés temporairement n'ont pas le droit de laisser pendant toute l'année leurs serviteurs dans la ville, et je charge la municipalité d'interdire, sous peine d'arrestation, aux villageois d'accueillir des Juifs, et je lui recommande la plus grande vigilance » [277]. Aucun habi-

tant n'avait le droit, sous peine de 25 florins d'amende, d'héberger d'autres Juifs que ceux bénéficiant d'une autorisation de séjour temporaire dont il fallait signaler la présence aux autorités[278]. « Pendant les périodes de marché et en voyage, il fallait les envoyer dans les auberges autorisées à accueillir des étrangers et les renvoyer au bout de trois jours[279]. » L'administration ajouta cette mise en garde : « Nous avertissons les habitants et leur rappelons qu'il est interdit sous peine de 25 florins d'amende de donner refuge à un Juif[280]. »

250 000 Juifs allemands quittèrent l'Allemagne jusqu'au printemps 1939, la plupart en abandonnant leur fortune. Depuis le 19 juin 1941, des Juifs allemands notables furent déportés vers l'Est.

Le 9 décembre 1836, 14 Juifs furent expulsés de Karlsbad ; le 16 février 1839, 10 autres sommés de quitter la ville avant 48 heures[281].

En 1866, après la victoire des Prussiens sur les Autrichiens et Saxons à Sadowa, les Juifs roumains furent déclarés « étrangers »[282].

A partir du 17 août 1938, quelques mois après l'annexion de l'Autriche par Hitler, tous les hommes juifs furent affublés d'office du prénom injurieux d' « Israël » alors que les femmes juives devaient porter le prénom de « Sarah », considéré comme déshonorant.

Encore au XVIIIᵉ siècle, on comptait en Autriche beaucoup de Juifs dépourvus de noms patronymiques, dont le choix fut réglementé au XIXᵉ siècle. C'est ainsi qu'un décret du 18 février 1802 interdisait aux Juifs d'adopter les noms de la haute aristocratie[283]. Une autre loi de 1887 interdit aux Juifs d'adopter des noms « tirés de leur propre langue », par exemple de l'Ancien Testament, ou de localités autrichiennes[284].

Malgré tous ces détails, la cause ultime de l'antisémitisme d'Hitler n'est pas explicable. Ni l'interprétation de ses états pathologiques successifs, ni l'analyse de tous les faits et documents historiques et culturels, ni les conclusions psychologiques et psychiatriques ne sont capables d'expliquer ce phénomène d'une manière totale et convaincante. Citons, dans la foule des interprétations erronées tentées par des psychologues et des psychiatres, celle d'Alexandre Mitscherlich qui prétend qu'Hitler aurait développé entre 1912 et 1914 un « délire de la persécution » (« manie obsessionnelle ») qui aurait déterminé dans une large mesure ses décisions et comportements[285]. Mitscherlich suppose que ce délire de la persécution fut déclenché par la rencontre

du Juif au kaftan décrite dans *Mein Kampf* [286]. Que ce récit ne
soit autre chose qu'une démonstration de propagande d'allure
« littéraire » servant à expliquer la genèse d'un antisémitisme
fanatique chez un jeune homme éduqué dans la tradition bour-
geoise-libérale a complètement échappé à Mitscherlich et à ses
adeptes. Hitler était antisémite en arrivant à Vienne. Les traits
pathologiques et maniaques de cet antisémitisme, tels que Mitscherlich les voit ou les suppose, n'apparaissent que douze ans
plus tard. Entre 1909 et 1913, Hitler fait encore de nombreuses
affaires avec les Juifs, il charge même un Juif de vendre ses
tableaux et partage avec lui les bénéfices *. Il se rend presque
tous les jours avec Kubizek à l'Opéra de la cour de Vienne [287],
dont le directeur, le chef de l'orchestre philharmonique et com-
positeur Gustav Mahler, est Juif. De même que Mitscherlich,
Alan Bullock exagère l'importance du récit d'Hitler [288] dont
August Kubizek fait également état [289]. Il considère comme décisive la rencontre avec le Juif au kaftan, rapportée dans *Mein
Kampf*, ainsi que l'idée que se faisait Hitler de la prostitution,
« affaire » juive et moyen d'anéantir la race aryenne [290]. William
Shirer [291], Hans Gernd Gisevius [292] et Max Domarus [293] abou-
tissent à des conclusions analogues. Gisevius, qui donne à une
partie de sa biographie d'Hitler le titre de *Juif au kaftan* [294],
en arrive, en réinterprétant le récit d'Hitler, à la conclusion suivante : « Il faut donner au récit de cette rencontre fatidique un
sens diamétralement opposé. Hitler est depuis longtemps à la
recherche d'un bouc émissaire. Il faut bien que quelqu'un soit
responsable de sa misère et du malheur qui le menace : non
pas une institution, un ensemble malencontreux de circonstances, une idée erronée et encore bien moins une carence personnelle ! Non, le responsable doit être une personne en chair
et en os [295]. » Cette interprétation, qui prend comme point de
départ la version hiltérienne de son « existence misérable » [296] à
Vienne, passe à côté de la réalité. Ce même reproche est à faire
à la théorie reprise par Olden [297], Bullock [298] et Shirer [299] selon
laquelle l'antisémitisme d'Hitler serait l'effet d'une sorte de
jalousie sexuelle [300] (que ces auteurs lui attribuent). L'hypothèse
de Percy Ernst Schramm que l'antisémitisme d'Hitler (interprété par cet auteur comme un « court-circuit intellectuel »)
tire son origine de précoces impressions de jeunesse [301], « naturellement » renforcées pendant les années de Vienne et inten-
sifiées pendant sa « période de lutte », se fonde également pour

---

* *Cf.* p. 480 et s.

l'essentiel sur les indications de *Mein Kampf* dont on sait qu'elles
déforment parfois grossièrement la réalité. L'idée puisée par
Franz Jetzinger dans Hans Frank, qu'Hitler aurait sévi contre
les Juifs avec une brutalité d'autant plus sauvage qu'il était
lui-même d'origine juive, est tirée par les cheveux. La tentative
de l'historien américain Rudolph Binion d'expliquer l'antisémitisme d'Hitler par la mort de sa mère, survenue à la suite
d'une opération faite sous « anesthésie par un gaz », et par la
grave intoxication par l'hypérite, qu'il a lui-même subie aux
environs de La Montagne [302], est tout aussi fantaisiste et ne
mérite aucune considération.

Or, nous avons vu qu'Hitler mena jusqu'au début de la
Première Guerre mondiale une vie confortable et sans soucis :
il faut donc écarter d'emblée toute explication de son antisémitisme, fondée sur l'idée qu'il était toujours à la recherche
d'un « bouc émissaire » responsable de ses échecs et de ses
déceptions. Si son genre de vie déviait tant soit peu des
« normes » bourgeoises, la faute n'en incombait pas — si l'on
fait abstraction de la mort de ses parents — à des coups du
destin. Hitler, qui se destinait à la carrière de peintre ou d'architecte, ne *tenait pas* à une existence bourgeoise, il était doué,
persévérant, dynamique, même s'il n'a pu se faire admettre,
au premier essai, à l'Académie des Beaux-Arts de Vienne, sort
qu'il partageait d'ailleurs avec le futur directeur de ladite Académie. Hitler disposait de ressources importantes et ne manquait
de rien. L'affirmation qu'il ne pouvait, en 1918, réussir en Allemagne qu'en se faisant le porte-parole d'un antisémitisme radical
et impitoyable, présuppose que son antisémitisme était de pure
tactique, ce qui n'était certainement pas le cas. En affirmant
« qu'en se défendant contre le Juif, il combat pour défendre
l'œuvre du Seigneur » il exprime sa conviction intime [303]. Qu'il
ait pu douter « dans une heure de méditation tranquille » de sa
« mission » et même de sa doctrine, comme l'affirme Heinrich
Heim, le confident de quelques-unes des pensées les plus secrètes
d'Hitler (qu'il notait secrètement avec l'accord de Bormann),
ne prouve pas le contraire. A en croire Heim, Hitler aurait
confié à quelques intimes en 1941, après les succès éclatants
de ses premières campagnes, arrivé au sommet de sa puissance,
qu'il nourrissait quelques doutes sur la « justesse historique »
de sa manière de traiter la question juive. Les propos non publiés
d'Hitler sur le sujet importent peu face à la somme des faits
historiques. Si Hitler a vraiment dit au cours de cette conversation que la pensée lui pesait parfois d'avoir peut-être contrarié

« le sens de l'histoire » par sa politique antisémitique, la con-
damnant ainsi à l'échec *, sa personnalité — n'a-t-il pas affirmé
au cours de ce même entretien que l'existence du judaïsme
s'opposait dialectiquement à celle des autres peuples ? — n'en
apparaît que plus mystérieuse. La crainte exprimée par Hitler,
à l'occasion de ce même entretien, que les générations futures
ne puissent mal interpréter sa politique d'extermination des
Juifs parce qu'elles ne pourront plus connaître les Juifs par leur
propre expérience [304], ne saurait être interprétée dans le même
sens. Elle prouve au contraire qu'Hitler était résolu à laisser
après lui un Reich débarrassé de ses Juifs — et qu'il songeait
déjà à son « image de marque » dans l'histoire du peuple allemand. On peut considérer comme certain qu'il n'a jamais eu
les moindres doutes sur le bien-fondé de son point de vue.
Dans son testament, qui contient les pensées qui l'agitaient peu
avant son suicide, il invite ses successeurs à s'en tenir à sa doctrine officielle : « En premier lieu, j'engage les chefs de la
nation et les citoyens à observer scrupuleusement les lois raciales
et à combattre sans pitié l'empoisonneur mondial de tous les
peuples, le judaïsme international [305]. »

Arrivé au seuil de la mort, il a revisé les idées qu'il avait
proclamées pendant toute sa vie sur les peuples de l'Est ; mais
il n'a pas voulu démordre de son concept du judaïsme : « Si je
conforme ma vie aux vues de l'intelligence que Dieu m'a donnée,
déclare-t-il le 13 septembre 1941, je puis me tromper, mais je ne
mens pas ! [306] »

Après ces considérations, on peut se poser la question des
rapports entre Hitler et l'Eglise. Disons en passant qu'il est
impossible, malgré ses affinités avec les doctrines stoïciennes et
rationalistes du Siècle des Lumières, de lui assigner un « maître » déterminé : le fait qu'Hitler se tenait pour un homme religieux et « pieux dans la profondeur de son âme » [307], qu'il voyait
d'un œil favorable la religion et la foi religieuse tout en reje-
tant l'Eglise qu'il confondait pourtant souvent, dans la conversation, avec la religion, rend plus compliqué encore le problème
de ses maîtres à penser et de ses modèles. En apparence, il était
totalement irreligieux. D'une façon démonstrative, il tourne le

---

* Renseignement personnel de Heinrich Heim (6-7-1968). Hitler a
formulé ses anciens scrupules sous une forme analogue : « Est-ce qu'à
ce peuple, qui n'a toujours vécu que pour la terre, cette terre aurait été
promise comme récompense ? Le droit que nous estimons avoir de lutter
pour notre conservation est-il réellement fondé, ou n'existe-t-il que dans
notre esprit ? »

dos à l'Eglise sans toutefois la quitter officiellement jusqu'à sa mort ; il tenait les doctrines religieuses de l'Eglise pour « complètement stupides »[308], la menaçait, la combattait publiquement et raillait ses ministres. A son avis, l'homme moderne au courant des derniers développements de la science ne peut plus prendre au sérieux l'Eglise[309], ce qui ne l'empêchait pas de considérer la foi religieuse comme une bénédiction pour l'humanité. « Rien n'est plus merveilleux pour l'homme, constate-t-il en novembre 1941, où il ressent les premiers contrecoups de la guerre, qu'une méditation tranquille[310]. » Déjà en octobre quand, harcelé par la maladie, il croyait ses jours comptés, il avait dit : « Le fait est que nous sommes des créatures abouliques ... qu'il y a une puissance créatrice ... Le nier serait une sottise. Celui qui a une fausse croyance est supérieur à celui qui n'a pas de croyance du tout[311]. » Bien qu'il voulût imposer à tout le monde ses vues idéologiques, il pensait dans son for intérieur que la religion et la « piété authentique » (qui était pour lui la pieuse acceptation du divin) correspondaient à « l'intelligence profonde de l'homme de son insuffisance foncière »[312]. « Je n'ai pas l'intention, professa-t-il à la même époque, d'imposer ma philosophie à une pauvre paysanne. La doctrine de l'Eglise est aussi une sorte de philosophie, bien qu'elle soit peu soucieuse de la vérité. Mais ce n'est pas grave étant donné l'incapacité des hommes à comprendre les grandes idées. Tout aboutit toujours à la connaissance de l'impuissance de l'homme face aux lois éternelles de la nature. Il n'y a aucun mal à cela, pour peu que nous comprenions que ... l'homme ne peut être sauvé que s'il essaie de pénétrer les mystères de la Providence et s'il ne s'insurge pas contre la Loi. C'est une chose merveilleuse qu'un homme qui se soumet humblement à la Loi[313]. » Hitler avait pris l'habitude, surtout vers la fin de sa vie, de remplacer le terme de « Dieu » par celui de « Providence », par lequel les stoïciens désignaient une puissance intelligente qui règle les événements du monde et de la vie humaine ; souvent aussi, il évoquait la « puissance créatrice ». L'affirmation de Schramm qu'Hitler faisait dériver la « Providence » de ses concepts biologiques[314], qu'il l'utilisait « pour se donner de l'assurance »[315], qu'il en avait fait un élément de son « culte du moi »[316], se fonde sur des propos d'Alfred Jold et de Karl Brandt dont les jugements ne sont guère valables dans ce contexte. Hitler entendait par « Providence » (« *Vorsehung* ») la « providentia » des stoïciens, qui « prévoit » tout, qui maintient et dirige le monde créé par elle selon ses vues. De nombreux témoins ont attesté

que, pour Hitler, la « Providence » n'était pas un simple prétexte. C'est ainsi qu'il déclara à son rhinolaryngologue, Dr Erwin Giesing, le 23 août 1944, au sujet de la défaite de Stalingrad dont il assumait expressément la responsabilité * : « La fortune changeante de la guerre réserve souvent aux combattants des revers comme Stalingrad ; je sais que la Providence en a abreuvé aussi l'adversaire et l'en abreuvera à l'avenir [317] » ; le 21 septembre 1944, il dit à un médecin militaire en parlant des événements du 20 juillet 1944 : « Si j'ai jamais pu nourrir des doutes sur la mission que la Providence m'a confiée, ils se sont dissipés maintenant. J'ai tous les jours un peu plus l'impression d'avoir échappé par miracle ... à cet amas de décombres ! [318] » En février 1945, peu avant son suicide, il tranquillisa son médecin tombé en disgrâce : « La Providence m'a jusqu'ici bien guidé, et je poursuivrai mon chemin sans me laisser troubler par des incidents quels qu'ils soient [319]. » En raison de ses rapports tendus avec les Eglises — qui, à son avis, abusaient du nom de Dieu — et de l'influence du rationalisme scientiste sur ses concepts religieux, il évitait en public de remplacer le mot « Providence » par « Dieu ». Mais entre intimes, il parlait de Dieu et même du « bon Dieu ». « On n'a pas tort de dire, expliqua-t-il le 24 octobre 1941, que c'est le bon Dieu qui fait la foudre. Mais le bon Dieu ne dirige pas la foudre selon les vues de l'Eglise. La définition de l'Eglise est un abus visant des fins terrestres [320]. » Selon Hitler, il est impossible de déterminer avec certitude le moment de l'apparition de la religion. Interprétant les mythes et les légendes, il estimait qu'elle doit son origine au besoin des hommes « de donner un aspect concret à des souvenirs vagues et effacés comme des ombres », de les « habiller intellectuellement de concepts permettant aux Eglise d'imposer aux hommes leur règne » [321]. Cette interprétation est assez proche de celle d'Engels qui — née de la critique du concept de Ludwig Feuerbach de la nature de la religion — croit pouvoir s'appuyer, chez les peuples indo-européens (Indiens, Perses, Grecs, Romains, Germains) et, dans « la mesure où les documents l'attestent », aussi chez les Celtes, Lituaniens, et Slaves, sur la mythologie comparée (point de vue qui était aussi celui d'Hitler) **. Tandis qu'Engels affirme que la religion, après avoir

---

* *Cf.* aussi le dernier chap.
* *Cf.* Engels, Friedrich, *Herrn Eugen Dührings Umwälzung der Wissenschaft*. Berlin (Est), 1948, p. 393 et s. Karl Marx, par contre, affirme dans sa *Kritik der Hegelschen Rechtsphilosophie* (1843) que l'homme est lui-même l'artisan de sa religion, qu'elle représente « la conscience et le

influencé favorablement le processus de l'évolution, sera nécessairement éliminée par le communisme et les changements économiques qu'il entraînera, Hitler ne croit nullement à une telle
élimination et ne la juge même pas souhaitable. Il souhaitait,
sinon le maintien de l'Eglise, du moins celui de la religion, qui,
selon lui, « aurait été plus humaine à ses débuts » [322] ; Hitler
voyait dans la religion un instrument de l'asservissement de
l'homme et un précieux auxiliaire du pouvoir et de son extension [323]. Quant à l'Eglise, il ne lui reconnaissait aucun rôle positif
dans l'histoire : « La période s'étendant du IIIe siècle jusqu'au
milieu du XVIIe, déclara-t-il en évoquant l'Eglise du Moyen Age,
marque sans doute les bas-fonds les plus cruels de la décadence que l'humanité ait connue. Elle était dominée par une
sauvagerie sanglante, par une bassesse sans nom, par le mensonge [324]. » A la différence d'Engels, il était d'avis qu'il faudrait
exterminer un jour l'Eglise par la force. « Je ne crois pas que
quelque chose doive subsister parce qu'il a existé un jour. La
Providence a donné l'intelligence à l'homme pour qu'il agisse
conformément à son intelligence. Mon intelligence me montre
qu'il faut briser le règne du mensonge. Mais elle me montre
aussi que cela n'est pas possible pour le moment. Pour ne pas
me faire le suppôt du mensonge, j'ai tenu le goupillon à l'écart
du Parti. Mais je ne reculerai pas devant le combat que je
livrerai s'il le faut, dès que les circonstances s'y prêteront ! [325] »
En décembre 1941, Hitler s'exprimait ainsi à ce sujet : « Dans
ma jeunesse, j'étais d'avis que l'Eglise devait être exterminée
sur-le-champ, brutalement, impitoyablement, comme emportée
par une charge de dynamite. Mon plan actuel vise à installer
sur la chaire rien que des imbéciles prêchant à quelques « petites
vieilles », à faire « pourrir l'Eglise comme un membre gan-
grené » [326]. »

On peut prouver que l'attitude positive du jeune Hitler
face à l'Eglise — qui lui semblait pendant ses années d'école à
Lambach et à Leonding une telle autorité qu'il se proposait de
devenir abbé [327] — se dégrada déjà à Linz sous l'influence de
l' « esprit libéral » de son père. Il est tout aussi certain qu'Aloïs
Hitler n'était pas le seul à influencer son fils dans le sens de

---

sentiment de soi de l'homme » qui « ne s'est pas encore trouvé lui-même
ou s'est reperdu », qu'elle est « la réalisation fantasmagorique de l'être
humain » qui n'a « aucune réalité authentique ». Cf. Karl Ofarx, *Die
Frühschriften*. Stuttgart 1953, p. 207 et s. *Cf.* aussi Maser, *Genossen betet
nicht. Kirchenkampf des Kommunismus* (« Camarades, ne priez pas ! La
lutte du communisme contre l'Eglise »), Cologne 1963, p. 10 et s.

l'éloignement de l'Eglise. Hitler et ses camarades de classe ont reproché précisément aux professeurs de religion Silizko et Sales Schwarz d'avoir détourné, par leur sottise et leur manque de psychologie, 90 p. 100 des élèves de l'Eglise catholique et de la religion [328]. Le récit de l'enseignement religieux de Schwarz qu'Hitler nous a laissé, est particulièrement instructif à cet égard : « L'enseignement religieux, dit-il dans la nuit du 8 au 9 janvier 1942, d'après les notes de Heim, nous était dispensé exclusivement par des prêtres. Je ne cessais de poser des questions. Je savais sur le bout du doigt la matière du programme. Impossible de me prendre en défaut. Mes notes d'enseignement religieux étaient toujours « bonnes » et « excellentes », mais j'étais « nul » en tenue. Dans la Bible, j'ai toujours choisi les sujets les plus scabreux : « Monsieur, qu'entendez par là ? » — Réponse évasive. J'insistais obstinément jusqu'à ce que le professeur Schwarz, excédé, me dît : « Eh bien, asseyez-vous ! »

« Un jour, il me demanda : « ...est-ce que tu dis ta prière matin, midi et soir ? » — « Non, Monsieur, je ne prie jamais ; je ne crois pas que le bon Dieu s'intéresse à la prière d'un élève de la *Realschule !* »

« Schwarz se servait d'un grand mouchoir bleu qu'il portait dans la doublure de son veston ; quand il le dépliait, il y avait de l'orage dans l'air. Un jour il l'avait oublié dans la classe. Le voyant avec d'autres professeurs, je m'approchai de lui et lui tendis son mouchoir en le tenant de deux doigts, par un bout. « Monsieur, vous avez oublié votre mouchoir ! » Il s'en saisit en me fusillant des yeux. Tollé dans la classe. A ce moment, entre le professeur Huebner : « Monsieur Hitler, si vous trouvez un autre mouchoir, vous le rendrez autrement ! » — « Impossible, Monsieur ! »

« (Schwarz) avait dans la Steinstrasse une parente qui tenait une mercerie ... nous y allions et demandions des choses impossibles, comme des cache-sexe pour femmes. Elle nous répondait qu'elle n'en avait pas. Nous sortions en hurlant : « Quelle boutique arriérée, on n'y trouve rien ! » ... A Pâques, confession obligatoire. Nous en riions. Notre confession consistait à nous accuser d'avoir eu des pensées désobligeantes à l'égard de nos professeurs, d'avoir fait bisquer Untel. Schwarz survint : « C'est un péché grave de bâcler son examen de conscience ! »... Nous convînmes de nous accuser de crimes monstrueux. Des histoires comme des gamins savent en inventer. Pendant la récréation, j'écrivis ma confession au tableau noir. « Copiez-moi ça ! » C'était un roman délirant dépassant largement l'horizon d'un

garçon de treize ans. Pendant que j'écrivais ... coup de sifflet.
Nous avions un guetteur ... Je retournai le tableau noir et regagnai précipitamment ma place ... Le lendemain c'était jour de
confession ... Puis, les vacances. Tout est oublié. Quelqu'un est
invité à écrire quelque chose au tableau. Il s'avance, retourne
le tableau ... « J'ai commis un péché contre nature ... » Le professeur regarde le texte, réfléchit ... « Mais ... je connais bien
cette écriture, pardi ! Est-ce que ce ne serait pas la vôtre, Hitler ?
Qu'est-ce qui vous prend ? » — « C'est un exemple d'examen
de conscience ! Le professeur Schwarz nous a dit qu'il fallait
bien examiner nos consciences ! » — « Gardez vos « exemples »
pour vous ! Sinon, je vous collerai une retenue ! Pour faire
un exemple ! »

« Souvent, j'ai pris la résolution d'être plus réservé à l'avenir.
Mais c'était plus fort que moi. Je n'ai jamais pu supporter l'hypocrisie. Je le vois encore devant moi, avec son long nez. Ça m'a
toujours tellement agacé que j'ai fait une nouvelle sottise. Un
jour, ma mère vint. Il se précipita sur elle et lui dit que j'étais
une brebis galeuse : « Malheureux de vous ! » s'exclama-t-il en
me désignant. « Je vous demande pardon, Monsieur, je ne
suis pas malheureux ! » — « Tu verras ça dans l'au-delà ! » —
« Voyons, Monsieur, je connais un professeur qui doute de l'existence de l'au-delà. » — « Veux-tu... ? » — « Pardon, Monsieur,
vous n'avez pas le droit de me tutoyer ! » — « Vous n'irez pas
au ciel ! » — « Mais, si je gagne une indulgence ? »

« A dire vrai, j'aimais assez aller à la cathédrale, je me sentais attiré sans le savoir par l'architecture. Quelqu'un a dû le lui
dire. Il se demandait sans doute ce que je pouvais bien y faire
et me suspectait de quelque mauvais coup. En réalité, je me
promenais respectueusement à l'intérieur de l'Eglise. En sortant,
je tombai sur Schwarz qui me dit : « Et moi qui te croyais
perdu, mon fils ; heureusement, il n'en est pas ainsi ! » C'était
à une époque où son opinion ne pouvait me laisser indifférent,
puisque la remise des carnets de notes était proche. C'est pourquoi je me suis bien gardé de le contredire.

« Quand j'avais quinze ans, j'ai dicté à ma sœur une pièce
de théâtre. A Linz, il y avait une association groupant les séparés de corps et de biens ; le divorce n'existait pas en Autriche.
L'Association organisait des réunions de protestation contre
cette barbarie. Les manifestations publiques étaient interdites.
L'Assemblée de l'Association pouvait se tenir, conformément au
paragraphe 2, mais seuls les membres étaient admis ... J'entrai
après avoir signé à la porte ma « carte de membre », j'écoutai et

fus pris d'une sainte colère. L'orateur nous décrivait des hommes d'une bassesse inimaginable auxquels leurs femmes se trouvaient enchaînées parce que la loi interdisait le divorce. Je me dis : Il faut que ce scandale soit porté à la connaissance du grand public ! Mon écriture étant illisible, je dictai donc la pièce à ma sœur, en arpentant la chambre. J'enchaînai scène après scène, en faisant appel à mon imagination débordante. « Ta pièce est injouable ! » s'écria Mme Hammitzsch. Je dus en convenir. Un jour, elle (la sœur d'Hitler) s'est mise en grève ; elle refusa de continuer. Je n'ai pu terminer. C'est à un sujet qui aurait ébranlé les nerfs du professeur Schwarz. Emporté par mon indignation, je pris la parole dès le lendemain. Lui : « Je ne sais, Hitler, où vous trouvez ce genre de sujets ? » — « Ce sont des sujets qui m'intéressent ! » — « Cela ne doit pas vous intéresser ! Votre père est mort ! » — « Mais je suis membre de l'Association ! » — « Qu'est-ce que tu es ? Va t'asseoir ! » Je l'ai eu (Schwarz) pendant trois ans. Avant, nous avions un certain Silizko ... l'ennemi juré de toute la classe [329] »

Pendant son séjour à Linz, qui a vu se préciser les premiers contours de sa « *weltanschauung* », Hitler était comme fasciné par le slogan de Schönerer lancé à l'époque : « *Los von Rom* » (Détachons-nous de Rome) (Hitler : « Une attaque formidable ... de nature à écraser la citadelle ennemie »), qui résumait en quelque sorte les arguments du chauvinisme politique des pangermanistes contre l'Eglise catholique. A Linz, à Vienne, à Munich, les critiques d'Hitler ne visaient pas encore la doctrine et les dogmes de l'Eglise, ce qui s'explique d'ailleurs par son manque de connaissances en cette matière. Même en 1924, Hitler se contentait de notions simplistes, ce qui ressort de certaines formules qu'il emploie dans *Mein Kampf* : ainsi il parle, en évoquant le schisme avec Rome, « de paroisses tchèques et de leurs pasteurs spirituels » [330]. Dans *Mein Kampf*, son ressentiment contre les Habsbourg est une réaction contre l'attitude anti-allemande de cette « dynastie sans scrupule » [331] et la prétendue « slavisation » de l'Etat autrichien avec le soutien de l'Eglise catholique téléguidée à partir de Rome ; Hitler reproche à l'Eglise de se servir du clergé tchèque pour parvenir à ses fins. Il ne formule des objections doctrinales et dogmatiques qu'après avoir compris que la publication de *Mein Kampf* a été une erreur politique [332]. Ce qu'Hitler n'a jamais critiqué, ce qu'il a même admiré jusqu'à la fin de sa vie, c'est la « constitution » de l'Eglise catholique, son organisation, la dignité de ses ministres, les fastes de sa liturgie. Sur ces quelques points, sa pensée de 1945

ne se distinguait guère de celle de 1905. Il est évident qu'Hitler
devait s'insurger contre le concept d'une Eglise, institution sacrée,
implantée dans la chair de son Reich. Il aurait bien accepté
une « Eglise allemande » représentant au plan de l'Etat la foi,
la piété, la religion telles que les concevait Hitler. Il aurait
même donné son accord à l'instauration d'une « Eglise d'Etat
officielle », telle qu'ele existe en Angleterre [333]. L'échec de la
politique anti-romaine de Schönerer en Autriche lui avait fait
comprendre de bonne heure, déjà, qu'il était impossible de transformer l'Eglise catholique en une organisation d'Eglises d'Etat
dont il rêvait. C'est ainsi qu'il faut comprendre sa remarque du
6 avril 1942 qu'il est « scandaleux que les Eglises reçoivent
de l'Etat allemand des subventions d'un montant de 900 millions de reichsmarks », somme qu'il entendait réduire après la
guerre, en ce qui concernait l'Eglise catholique, à 50 millions
de reichsmarks [334]. Il ne tenait pas pour un « partenaire de
quelque importance » [335] l'Eglise protestante qui, compte tenu
de la tradition confessionnelle de sa famille, de l'éducation qu'il
avait reçue dans la maison de ses parents, de ses expériences
d'écolier, du milieu dans lequel il avait grandi, n'occupait dans
son esprit jusqu'à sa vingtième année qu'un rôle tout à fait
secondaire [336]. Il affirmait dès 1924 que l'Eglise protestante n'offrait aucune solution aux Allemands nationaux-socialistes : « Le
protestantisme, écrit-il dans *Mein Kampf* défend donc toujours
mieux (que le catholicisme — N. d. A.) les intérêts allemands ...
puisque cela se confond, en effet, avec les principes mêmes sur
lesquels il s'appuie ; mais il combat aussitôt de la façon la plus
hostile toute tentative de sauver la nation de l'étreinte de
son ennemi le plus mortel, parce que son point de vue sur les
Juifs est plus ou moins fixé d'avance dans ses dogmes. Et c'est
juste le problème que l'on doit d'abord résoudre, sinon toutes
les tentatives ultérieures de régénération ou de relèvement allemands sont et demeureront complètement impossibles et insensées [337]. » Comme l'unification des Eglises protestantes ne s'est
jamais faite du temps d'Hitler et qu'il ne pouvait la concevoir
comme un fait historique, il n'a jamais ressenti le besoin de
reviser son opinion sur ce point. Depuis la Réforme jusqu'en
1918, il n'y avait en Allemagne que des Eglises régionales, organisées en fonction des besoins et des traditions religieuses et
ecclésiales locales. Ainsi, il n'a jamais rien entrepris, tant qu'il
en avait le pouvoir, pour faciliter l'unification des Eglises régionales (*Landeskirchen*), unification que la fin de l'empire et
des gouvernements régionaux avait pourtant rendue possible.

Pendant quelque temps, il a pu se bercer dans l'illusion de faire
de la personne du *Reichsbischof* (évêque du Reich) Ludwig
Müller, le « pape de l'Eglise protestante allemande » [338]. Lorsqu'il
eut reconnu le caractère chimérique de ce plan, il retira —
comme Napoléon Bonaparte avait fait avant lui — sa sympathie
à l'Eglise protestante et remit à plus tard, « après la victoire »,
la « solution du problème des Eglises ». Hitler traite les successeurs de Luther, sommairement, d' « épigones » et leur reproche
d'avoir préparé la voie à une nouvelle extension de l'Eglise catholique convertie, depuis le XXe siècle, à la tolérance [339] ; quant à
Luther lui-même, il le qualifie de « personnage puissant » [340]
mais l'accuse d'avoir accommodé au goût du peuple allemand,
par sa traduction de la Bible, les « sophismes juifs » et d'avoir
préparé ainsi le terrain à toutes sortes de « maladies mentales »
et de « manies religieuses [341].

« Nous avons la malchance, affirme Hitler le 1er décembre
1941, en établissant un parallèle entre son temps et l'antiquité grecque, « d'avoir une religion qui tue le sens de la beauté.
Un certain bigotisme protestant est, à cet égard, plus néfaste
encore que l'Eglise catholique * ». D'un autre côté, il défend le
point de vue du néoclassique fasciné par les sciences naturelles : « La philosophie religieuse qui se fonde sur les concepts
de l'antiquité est au-dessous du niveau scientifique de l'humanité
contemporaine [342]. » Mais il se demande aussi si la science pourra
un jour donner le bonheur à l'homme, à qui la « présomptueuse
science libérale » a voulu faire accroire au XIXe siècle [343] qu'il
était le maître souverain de toutes choses. De fait, c'est plutôt
des différentes confessions qu'il attend le bonheur des hommes.
C'est pourquoi il ne cesse d'affirmer — en contradiction flagrante
avec ses actes — qu'un politicien doit se montrer tolérant en
matière religieuse, qu'il doit abandonner la solution des problèmes religieux et ecclésiastiques à des réformateurs au nombre desquels il ne se comptait pas. Le plan « Barbarossa »
n'évoluant pas au gré de ses désirs et sa maladie lui donnant du
fil à retordre, son attitude face aux Eglises se fait de plus en
plus agressive. Ainsi, il déclare en décembre 1941 : « Je ne me
mêle pas des dogmes, mais je ne tolérerai pas qu'un ratichon
se mêle de questions terrestres. Le mensonge organisé devra
être brisé et l'Etat restera seul maître à bord ! [344] » En novem-

---

* Heim-Protokoll, cité par Picker, p. 153. Le besoin de « beauté »
d'Hitler était si marqué qu'il ne tolérait autour de lui que des adjoints et
domestiques présentant bien. La seule exception fut son médecin personnel, Theo Morell.

bre 1941, il avait encore affirmé en petit comité : « Etant donné
que toutes les secousses sont nuisibles, j'estime que la meilleure
façon de venir à bout de l'institution ecclésiastique est encore
son élimination progressive et indolore par un lent travail d'information intellectuelle. » Mais déjà, à la fin de janvier 1942,
à une époque où la Wehrmacht livrait des combats acharnés
sur le front russe, Hitler annonce qu'il déclenchera en temps
voulu la lutte ouverte contre l'Eglise * : « Après la victoire,
je ferai comprendre aux hommes d'Eglise que leur royaume
n'est pas de ce monde [345]. » Au début de la guerre, il avait
interdit à son ministère des Affaires étrangères de prendre en
considération des protestations du Vatican ayant pour objet les
affaires ecclésiastiques des territoires occupés, puisque le Vatican
ne reconnaissait pas le contrôle allemand de ces territoires ...
Bormann, qui était chargé de la lutte contre les Eglises chré-
tiennes, avait expliqué à Hitler que son ministère des Affaires
étrangères se montrait trop souple dans ses négociations avec
le Vatican. Il s'en fallut de peu que le Führer retirât à Ribbentrop les affaires du Vatican pour les confier à la Chancellerie
du Parti ou à Rosenberg [346].

Hitler révéla le 13 décembre 1941, quelques jours après l'entrée en guerre des Etats-Unis, l'idée qu'il se faisait depuis le
début de sa campagne en Russie de la solution idéale telle
qu'elle découlait de sa vision de l'histoire : « ... un Etat dans
lequel chacun sait qu'il vit et qu'il meurt pour la perpétuation
de la race [347]. » « La guerre prendra fin, ajouta-t-il avant de
révéler quelques détails de son programme. La dernière grande
tâche qui nous restera à accomplir sera la solution du problème des Eglises. C'est à cette condition seulement que l'avenir
de la nation allemande sera assuré [348]. » Dans son for intérieur,
il était bien moins rassuré qu'il ne voulait le paraître en public.
La réaction de l'Eglise catholique n'était pas sans l'inquiéter
vivement : « J'aime mieux me faire excommunier pendant quelque temps [349] », dit-il à ses collaborateurs les plus intimes, plutôt qu'être redevable de quelque chose à l'Eglise... Le problème
de l'existence, qu'après sa « prise de pouvoir » une série de
maladies place au centre de ses préoccupations, le harcèle davantage pendant la guerre : La formule sans cesse proposée aux
autres de ne vivre que pour la sauvegarde de la race ne semble pas de nature à lui rendre la paix de l'âme. Sur le plan
religieux, il est un homme qui cherche sans arrêt ; pendant

---

* *Cf.* p. 233.

quelque temps, il se sent attiré par le « ciel » de l'islamisme [350] ;
s'inspirant des Mutazilites islamiques (« les sectaires ») qui
voyaient dans la raison une source d'illumination religieuse et
croyaient que le Dieu juste ne peut demander des comptes à
des hommes soumis à sa volonté, il défend — pour justifier ses
décisions — la thèse qu'il ne peut, même s'il commet des fautes,
mentir mais tout au plus se tromper puisque ses connaissances
lui viennent de la Providence divine *. Il qualifie la doctrine
chrétienne de la « métamorphose » telle qu'elle se dégage de la
IIe Epître de Paul aux Corinthiens (V, 17) d' « idée la plus
insensée qu'un cerveau humain ait produite dans sa folie » ; la
« métamorphose » est à ses yeux une « insulte au divin » [351] ;
il reproche à l'auteur anglais Houston Stewart Chamberlain,
beau-fils de Richard Wagner dont il n'a pas seulement lu les
œuvres mais qu'il a connu personnellement, d'avoir mal compris
le christianisme et de l'avoir défini comme un « monde spirituel » [352] ; Chamberlain était pourtant un écrivain apprécié par
tous les nationaux-socialistes d'un certain niveau intellectuel.
Hitler ne croit pas au rôle messianique de Jésus — qu'il qualifie
pourtant d' « Aryen » et qu'il estime comme personnalité —, il
ne croit ni à la Trinité ni à « l'au-delà de l'Eglise » : « J'ignore
tout de l'au-delà et je suis assez honnête pour l'avouer [353] »,
dit-il en novembre 1941. « L'au-delà conçu comme une réalité
physique [354], explique-t-il en recourant à une argumentation décon-
certante, est impossible parce qu'il serait un martyre pour ceux
qui seraient forcés de tourner leurs regards vers la terre ; ils
mourraient de dépit en voyant les erreurs que les hommes n'ar-
rêtent pas de commettre [355]. » Nous ne savons rien des dispositions d'esprit d'Hitler pendant les dernières heures de sa vie.
Ilse, la sœur d'Eva Braun, s'autorise des récits d'Eva et de ses
conversations avec Hitler pour affirmer qu'il a récité des prières
avant de se suicider [356]. Le 24 octobre 1941, cinq jours après la
proclamation de l'état de siège à Moscou (que le gouvernement
avait déjà quitté) et l'appel de Staline exhortant les habitants
à la lutte à outrance, Hitler avait déclaré : « Les bolchevistes
s'imaginent ... triompher de la création ... Que nous nous réfé-
rions au catéchisme ou à notre philosophie, nous avons toujours
une position de retraite, tandis qu'ils finiront, en raison de leur
idéologie matérialiste, par s'entre-dévorer ! [357] »

On peut, en dépit du caractère original des concepts intellectuels d'Hitler, dresser le catalogue des hommes dont il a

---

* Cf. p. 231.

certainement subi l'influence, bien qu'il soit impossible de l'identifier à l'un ou à l'autre. Citons, parmi les figures les plus importantes du XIXᵉ siècle qui l'ont très fortement marqué * : Thomas Robert Malthus (1766-1834), Karl von Clausewitz (1780-1831), Arthur Schoepenhauer (1788-1860), Charles Darwin (1809-1882), Gregor Mendel (1822-1884), Robert Hamerling (1830-1889) qui était d'ailleurs de ses parents, Alfred Plœtz (1860-1940), Wilhelm Bölsche (1861-1939), Houston Stewart Chamberlain (1855-1927), Ernst Haeckel (1834-1919), Gustave Le Bon (1841-1931), Sigmund Freud (1856-1939), Rudolf Kjellén (1864-1922), William Mc Dougall (1871-1938), Sven Hedin (1865-1952), Fridtjof Nansen (1861-1930), Hanns Hörbiger (1860-1931), Alexander von Müller (1882-1964).

Toute tentative d'expliquer la « *weltanschauung* » d'Hitler comme le reflet fidèle d'un corps de doctrine cohérent ou d'une tradition scolaire définie dans des lexiques, de la rattacher à l'opinion de tel penseur, chercheur ou auteur au point de faire d'Hitler son disciple, ne saurait aboutir qu'à une déformation de la réalité. « Hitler n'est explicable ni par ses origines sociales, ni par ses expériences scolaires, ni par le milieu dans lequel il a grandi ; même son appartenance à tel peuple ne le définit en aucune manière. Toutes ces considérations peuvent servir à éclairer tel aspect partiel du personnage ; mais les raisons profondes de sa complexité nous échappent. Comprise dans sa totalité, la figure d'Hitler ne relève ni de la « petite bourgeoisie », ni du « catholicisme », ni du « germanisme ». Ce qui fait l'originalité d'Hitler ... est un ensemble unique de phénomènes dus à certaines dispositions naturelles, à une certaine destinée, à des décisions positives et négatives, à des coïncidences très particulières qui ont rendu possible son ascension. C'est cet ensemble de données applicables à ce seul personnage qui doit nous permettre de comprendre Hitler [358]. »

Un concours singulier de circonstances personnelles, nationales et internationales, l'ascendant extraordinaire d'Hitler sur ceux qui l'entouraient, sa volonté indomptable, son habileté à se servir de la puissance, à tromper le monde, à assujettir les hommes en les gorgeant d'espoir et de fierté, à leur promettre un monde nouveau et désirable, à leur offrir certaines satis-

---

* Ce que nous avons dit plus haut montre déjà que ce catalogue ne saurait être exhaustif. Il se limite aux personnages les plus significatifs de l'histoire des idées que l'on rencontre sans cesse quand on étudie la *Weltanschauung* d'Hitler.

factions, à se présenter comme l'incarnation de la « volonté du peuple » conditionnée par ses soins, ont pendant de longues années prévalu sur la raison et le sens des réalités.

Il est intéressant dans ce contexte de se demander quelles langues Hitler comprenait et quelles langues il savait lire. Il avait appris le français pendant cinq ans aux *Realschulen* de Linz et Steyr à raison de cinq heures par semaine. En juillet 1904, avant son départ pour Steyr et son passage en classe de quatrième, il dut, à l'âge de quinze ans, passer un examen de français, ce qui semble indiquer que cette langue faisait partie des matières qu'il « n'aimait pas particulièrement » (Cf. *Mein Kampf*) [359]. Le fait que le professeur Gregor Goldbacher *, qui lui avait enseigné à Steyr la géométrie et le dessin géométrique, se soit expressément référé le 29 janvier 1941 à cet examen de rattrapage, semble indiquer que le français du jeune Hitler était acceptable, car autrement Goldbacher se serait bien gardé d'en faire mention en 1941.

August Kubizek écrit dans ses « souvenirs » : « Le français a été la seule langue étrangère qu'Adolf Hitler pratiquât ou, pour mieux, dire, fût forcé de pratiquer (dans les classes inférieures) [360]. »

Des compagnons d'Hitler d'avant 1918, experts en la matière, ont confirmé qu'il savait s'exprimer assez couramment en français. Joseph Popp **, le logeur d'Hitler à Munich, qui avait vécu à Paris avant 1914 et qui parlait français, eut de multiples occasions de « mettre à l'épreuve » les connaissances d'Hitler en cette matière [361]. Hans Mend, un de ses camarades de guerre — qui, de même que Reinhold Hanisch, s'appliqua à répandre des anecdotes désobligeantes sur le compte d'Hitler *** — raconte à un de ses amis **** qu'Hitler savait pendant la guerre, même au moment du plus grand danger, s'exprimer en français avec rapidité et précision *****. Hans Mend précise qu'Hitler a profité de quatre années d'activité en France, souvent dans l'arrière-pays, comme estafette d'état-major, pour perfectionner son français en discutant avec la population civile. On sait d'autre part qu'Hitler a lu dans le texte quelques livres dont seule la version française existait avant 1914 ; il suffit pour s'en convaincre de comparer les dates de leur parution avec celles de quelques

---

* *Cf.* chapitre II.
** *Cf.* p. 107 et s.
*** *Cf.* p. 80.
**** *Cf.* note n° 56 au chapitre IV.
***** *Ibid.*

remarques d'Hitler à leur sujet ou au sujet des problèmes qu'ils traitent *.

Comme l'attestent les programmes scolaires et les carnets de notes d'Hitler, l'anglais n'était enseigné ni à Linz ni à Steyr. Il semblerait cependant que les connaissances d'anglais d'Hitler suffisaient dès 1913 « pour l'usage domestique ». On n'a jamais pu déterminer où Hitler s'était familiarisé avec la langue de Shakespeare et à partir de quelle époque il l'a sérieusement étudiée. Josef Popp (jun.), qui vivait aux Etats-Unis et parlait anglais, s'est prononcé cinquante-trois ans plus tard en termes élogieux sur les connaissances d'anglais d'Hitler. Hitler l'avait souvent chargé en 1913 et 1914 de lui chercher des revues et livres anglais dans les bibliothèques et archives munichoises [362]. Patrick Hitler affirme, dans sa déclaration du 5 août 1933 dans *Paris-Soir*, que son oncle lui aurait dit en été 1930 savoir « seulement quatre mots d'anglais », « *good morning* » et « *good night* » [363], ce qui est certainement inexact. En effet, les exposés d'Hitler (au chap. II de *Mein Kampf* et ailleurs) sur l'organisation des foules se ressentent fortement de l'influence de *The Group Mind* et des « *principal conditions* » de Mc Dougall [364] ; or cet ouvrage, paru en 1920 à Cambridge, n'a jamais été traduit en allemand. Le journaliste Karl Wiegand, qui travaillait pour des journaux américains et qui interrogea Hitler en janvier 1930 au sujet des visées antisémitiques du programme du N.S.D.A.P. [365], reproduisit dans son interview les réponses qu'Hitler lui avait faites en langue anglaise (*New York American* du 5 janvier 1930). Des témoins ont confirmé qu'Hitler aimait se faire montrer (surtout à l'époque où il était Führer et Chancelier du Reich) des films en version anglaise (américaine) ou française ; il avait aussi l'habitude de lire les journaux anglais, américains et français [366].

Des camarades d'Hitler, qui l'avaient connu avant 1924, ont d'autre part prétendu qu'il aurait étudié aussi le yiddish et l'hébreu avant d'écrire *Mein Kampf ;* mais cette affirmation ne s'appuie sur aucune preuve positive. Les « entretiens » avec Hitler et Dietrich Eckart, qui furent publiés après la mort d'Eckart sous le titre de *Der Bolschiwismus von Moses bis Lenin — Zwischen Adolf Hitler und mir* ** montrent bien qu'Hitler ne cherchait pas seulement des « preuves » historiques ou prétendûment historiques de la « justesse » de sa « *weltanschauung* »

---

* *Cf.* aussi chapitre IV.
** *Cf.* aussi p. 164 et s., et Maser, *Die Frühgeschichtte der NSDAP*, p. 86 et s., Maser, *Hitlers Mein Kampf*, p. 80 et s. *Cf.* aussi Nolte, *Eine frühe Quelle zu Hitlers Antisemitismus*, p. 584 et s.

antisémitique, mais qu'il faisait appel aussi à la philologie. Dans
le cadre de ces « Entretiens », il rattachait le nom de quelques
personnalités historiques juives à l'étymologie et à la forme de
noms hébreux, comme il fera plus tard aussi dans ses « Propos
de table ». C'est ainsi, par exemple, qu'il affirme en parlant de
l'apôtre Paul qu'il a été candidat au rabbinat et qu'il s'appelait
primitivement « Schaul » ; plus tard, toujours selon Hitler, il
aurait latinisé son nom en « Saulus » avant de porter son choix
sur « Paulus »[367], ce qui « intriguait » Hitler[368]. Il le soupçonnait
de quelque « ruse juive » confirmant ses vues des « traits caractéristiques » des Juifs, Paul a lui-même précisé qu'il « était juif,
né à Tarse » (Actes XXI, 39 et XXII, 3), Hébreu, fils d'Hébreux
et, quant à la Loi, un Pharisien (Philip. III, 5). Hitler a sans doute
déduit des Actes des Apôtres (XXII) que Paul avait été un disciple
du Rabbin Gamaliel (« c'est aux pieds de Gamaliel que j'ai
grandi ») (XXII) mais ce récit ne saurait être considéré comme
une source historique sûre[369].

Ce renvoi — objectivement superflu — au « candidat au
rabbinat » « Schaul » n'est pas seulement caractéristique de
l'argumentation d'Hitler qui visait toujours à des effets spec-
taculaires, mais il met aussi en lumière le mécanisme de ses
associations d'idées. Les parents de Paul, membres de la communauté juive, vivaient dans la diaspora, à Tarse, capitale de la
Silice ; ils étaient des citoyens de cette ville mais bénéficiaient
aussi de la citoyenneté romaine qui les protégeait de toutes les
sanctions déshonorantes et leur ouvrait la voie éventuelle d'un
recours à l'Empereur. La citoyenneté romaine, que l'on pouvait
acquérir depuis Auguste, était une chose fort importante et distinguait le jeune homme (i.e. Paul), issu d'une riche famille bourgeoise, des pauvres Galiléens qui se trouvaient à la tête de la
communauté primitive[370]. Ces constatations illustrent bien comment Hitler, qui croit découvrir un rapport entre le changement
de nom de « Schaul » en « Paul » et la manière sauvage dont
« Schaul » persécute avant sa conversion la communauté chrétienne ... encore à peine capable de voler de ses propres ailes[371],
fait violence à des faits historiques bien établis qui le gênent et
les interprète à sa manière en s'appuyant sur quelques connaissances linguistiques. Le fait qu'Hitler utilise, dans la discussion
de ces problèmes, quelques mots hébreux (dans le dialogue avec
Eckart il cite l'hébreu « rea » pour « prochain »[372] qu'il assimile
à l'usage qu'il fait du mot allemand *Volksgenosse* : compatriote,
concitoyen), qu'il en fournisse parfois une interprétation éty-
mologique ne prouve pas qu'il ait étudié l'étymologie hébraï-

que. L'affirmation formelle d'Eckart qu'Hitler a puisé ces connaissances dans la revue antisémitique fondée par lui (i.e. par Eckart) *Auf gut deutsch* [373] — qui portait le sous-titre prétentieux et mensonger de *Wochenschrift für Ordnung und Recht* (Revue hebdomadaire pour l'Ordre et le Droit) — doit être considérée comme conforme à la vérité. L'artiste peintre Hitler dont le mode de pensée était essentiellement visuel et qui s'appuyait sur une très bonne mémoire, retenait facilement les mots (et caractères hébreux) dont il pouvait avoir besoin pour ses démonstrations.

Hitler avait entre 1919 et 1924 quelques amis — Hermann Esser, Lietrich Eckart, Erwin von Scheubner-Richter * — parfaitement capables de lui traduire ou expliquer des textes étrangers qu'il ne pouvait lire ou qu'il n'avait pas bien compris. Hermann Esser, le seul d'entre eux qui ait survécu à l'année 1923, a confirmé, un quart de siècle après sa première rencontre avec Hitler, que de telles explications de textes avaient effectivement eu lieu [374].

Hitler se servait abondamment de mots étrangers, qu'il employait toujours judicieusement, même si leur orthographe lui posait au début quelques problèmes. Selon Heim, il aurait dit le 7 mars 1942 à la *Wolfsschanze*, dans ses « Propos de table » : « Nous devrions nous féliciter de disposer, grâce aux mots étrangers, de moyens d'expression nombreux et nuancés ... nous devrions savoir gré aux mots étrangers, qui expriment une idée précise, d'enrichir notre palette de quelques teintes particulières. » « Qu'on s'imagine, aurait-il dit en substance, qu'on se mette à pourchasser les termes d'origine étrangère : où s'arrêtera-t-on ? Sans même parler du danger de se tromper sur l'origine lointaine des racines ... Dès qu'un terme étranger a acquis droit de cité chez nous, il a une belle résonance et constitue un enrichissement de notre vocabulaire qui doit nous remplir de satisfaction [375]. » Pour épargner à ses contemporains les ennuis qu'il avait connus, il postulait une orthographe phonétique des mots étrangers permettant à ceux qui les lisent de les biens prononcer [376].

La cachotterie dont Hitler entourait ses connaissances linguistiques était motivée par sa conviction qu'un grand homme ne devait jamais faire état d'un savoir imparfait. Dans l'inti-

---

* Cet ami d'Hitler qui trouva la mort à Munich devant la *Feldherrnhalle* lors du *putsch*, avait mis Hitler en rapport avec de nombreux protecteurs et mécènes. *Cf.* aussi Maser, *Die Frühgeschichte der NSDAP*, p. 405 et s., et les notes sur Scheubner-Richter p. 517.

mité, il confia à sa secrétaire Christa Schröder qu'il pouvait
suivre sans difficulté une conversation en français ou en anglais
si le débit n'était pas trop rapide [377]. Quand l'interprète principal d'Hitler, Paul Otto Schmidt, affirme qu' « Hitler sentait
en quelque sorte quand l'intérêt de son interlocuteur baissait » [378]
il prouve par là qu'Hitler savait tromper même ceux qui l'approchaient tous les jours. Si les visiteurs parlaient allemand —
comme c'était le cas du Régent de l'Empire Horthy — Hitler
renonçait aux interprètes et préparait mentalement ses répli-
ques pendant qu'ils traduisaient. Car il tenait beaucoup à passer
pour un politicien prenant ses décisions avec la « rapidité de
l'éclair » et sachant les formules avec précision, même s'il avait
l'habitude de sortir du sujet et de s'attarder à des problèmes
en apparence secondaires. Andreas Hillgruber affirme dans son
ouvrage volumineux sur les rapports entre Hitler et différents
diplomates et hommes d'Etat, *Staatsmänner und Diplomaten
bei Hitler* : « Hitler était passé maître dans l'art de dissimuler
ses véritables intentions par le choix de certains mots et de
présenter les affaires de telle manière qu'elles servaient les
objectifs tactiques de ses discussions [379]. » Inutile de dire que
ses connaissances d'anglais et de français ne suffisaient pas
pour exprimer de telles subtilités.

Hitler traitait la ponctuation et l'orthographe avec la désinvolture qui caractérise beaucoup de peintres : ce manque de
soin et de précision dans ce domaine ne cessa pas avec sa vie
d'artiste. Certains mots, qu'adolescent et jeune homme il savait
écrire correctement quand il s'agissait de faire bonne impression ou d'obtenir des résultats concrets, étaient souvent mal
orthographiés quand de telles intentions n'existaient pas. Il suffit
de regarder la présentation d'une lettre pour savoir à quel usage
elle était destinée [380]. A une lettre « bien écrite » correspondait
aussi une graphie correcte. Il est difficile de dire pourquoi il
faisait parfois des fautes d'orthographe alors qu'il savait fort
bien la graphie correcte d'un mot. On a voulu voir dans cette
particularité de son comportement une révolte inconsciente
contre les « règles établies », mais nous nous trouvons là dans
le domaine de l'hypothèse pure. Ce qui est certain, c'est qu'il
s'agit d'un trait typique de son caractère que son écriture permet
d'analyser *. Hitler savait écrire sans fautes à l'époque où il
quitta l'école. Sa ponctuation par contre était — comme celle

_____

* *Cf.* p. 364 et s.

de la plupart des artistes qui envisagent inconsciemment la ponctuation et l'orthographe dans une perspective esthétique — toujours défectueuse.

Le manuscrit de *Mein Kampf* des années 1924 et 1925 comporte de nombreuses fautes d'orthographe, mais il n'est pas toujours facile d'établir si la responsabilité en incombe à Hitler, puisqu'il avait l'habitude de dicter son texte à des adeptes emprisonnés avec lui à Landsberg [381]. On aurait tort de lui imputer les 2 500 corrections, la plupart d'ordre stylistique, que la réédition de *Mein Kampf* en 1939 a nécessitées (l'ouvrage comptant environ 800 pages imprimées) [382].

Hitler est par contre seul responsable des innombrables fautes d'orthographe qu'on relève dans les notes par lesquelles il préparait après 1919 — sur des centaines de pages — ses discours [383]. Quelques-unes de ces fautes s'expliquent, il est vrai, par l'orthographe autrichienne qui divergeait quelque peu de l'orthographe allemande officielle. Lorsque l'Autrichien Hitler acquiert à Brunswick la nationalité allemande et est nommé *Regierungsrat* (Conseiller du gouvernement), son orthographe n'est ni meilleure ni pire que celle de la plupart des intellectuels et universitaires allemands de son âge. Ses lettres trahissent en général une habileté innée à appréhender le détail essentiel et le contexte général d'une situation : « On nous regardait avec étonnement », écrit-il en 1914 à sa logeuse munichoise. Puis il dépeint les premiers prisonniers de guerre qu'il rencontra pendant sa campagne : « Ces gaillards ne pensaient pas que nous avions encore tant de troupes. Par ailleurs, c'était en général des types solidement bâtis. Ils composaient les unités d'élite françaises capturées au début de la guerre [384]. » Souvent il « s'est cassé la tête des autres ». Il émet souvent des opinions personnelles, même quand les décisions ne dépendent nullement de lui. Il faisait ce qu'il ne tolérait jamais chez les autres : il ergotait, critiquait, donnait des avis et des conseils sur la réalisation desquels il n'avait pas la moindre influence : « Nous tiendrons ce front, écrit-il pendant la Première Guerre mondiale, jusqu'à ce que Hindenburg ait réduit les Russes. Puis viendra le règlement de comptes. A quelques kilomètres du front, nous avons des troupes fraîches en abondance ... Pour le moment, on les ménage et les entraîne... Puis, la danse peut commencer... [385] » « Aujourd'hui, écrit-il après avoir terminé son cours d'instruction militaire en 1914, nous allons monter en ligne ; le voyage en chemin de fer demandera quatre jours ... le but du voyage est probablement la Belgique ... J'espère que nous débarquerons en

Angleterre * » Quatre ans plus tôt, en août 1908, il écrivait à son
ami Kubizek : « Est-ce que tu as lu la résolution du Conseil
communal concernant le nouveau théâtre ? Il semble qu'on a
l'intention de rafistoler encore une fois cette vieille histoire.
Rien ne marche plus parce qu'ils n'obtiennent pas la permission
des autorités... Toute cette phraséologie montre bien que ces
messieurs y comprennent autant qu'un hippopotame au jeu du
violon. Si mon manuel d'architecture n'était pas dans un si
piteux état, je le leur enverrais avec quelques annotations sar-
castiques et provocantes [386]. »

Les lettres qu'Hitler écrit entre 1905 et 1918 montrent bien
que le scripteur est un homme qui manque de contact, qui ne
respecte les autres que dans la mesure où il les juge utiles pour la
poursuite de ses propres plans, où ils font exactement ce qu'il
juge judicieux. Il ne s'enquiert que rarement de la santé de ses
correspondants **, leur opinion ne l'intéresse absolument pas.
Il ne cherche jamais des échanges d'idées et n'accepte pas qu'on
mette en doute ses propres appréciations et jugements. Il avait
en revanche besoin d'auditeurs qui s'intéressent à ses problèmes
et acceptent sans broncher ses vues. La critique n'a que rarement et très tard compris qu'il était passé maître dans l'art de se
faire écouter. Sa manière d'écrire est celle d'un peintre : il sait
simplifier et réduire à l'essentiel ce qu'il voit autour de lui, il
choisit de préférence un langage pittoresque et imagé : « Le
pays est en partie plat — ainsi débute sa description d'un secteur du front entre Messine et Wytschaete dans une lettre à son
logeur munichois, écrite à la six-quatre-deux — en partie légèrement accidenté, il est parcouru de nombreuses haies et de
rangées d'arbres évoquant des allées. Par suite de la pluie perpétuelle (il n'y a pas de vrai hiver ici), de la proximité de la
mer, du bas niveau des terres, les prairies et les champs se
transforment en marécages sans fond, les routes et les chemins
se couvrent de boue et l'on s'enfonce jusqu'à la cheville ; c'est
dans ces marécages que se développe notre système de tranchées,
enchevêtrement d'abris munis de fentes de tir, de sapes à terre
roulante, de réseaux de fil de fer barbelés, de trous de loup,
de mines plates ... La nuit, le front tout entier se réveille et on
entend le grondement du canon. D'abord au loin, puis plus près ;
bientôt, la fusillade s'en mêle ; au bout d'une demi-heure, le

---

* Cf. infra.
** A la place de questions, il envoie des salutations ou se borne à
quelques formules de politesse.

silence se rétablit, de nombreuses balles lumineuses illuminent
'e ciel ; très loin, à l'ouest, le reflet des phares troue l'obscurité, le tonnerre de l'artillerie de marine ne s'arrête jamais [387]. »

Dans le cadre de cette étude, les 250 pages de notes pour
ses discours, qu'Hitler rédigeait à la main, au début de sa
carrière, revêtent une importance particulière. Elles révèlent au
premier coup d'œil un homme doué d'une mémoire prodigieuse,
disposant d'une surabondance de matériaux, qui connaît déjà la
fin de son exposé quand il en couche la première ligne sur le
papier. Hitler n'avait besoin de notes que pour se rappeler l'ordre
dans lequel il entendait avancer ses arguments. Quelques noms,
parfois quelques phrases très brèves, quelques images lui suffisaient. Lorsque son regard tombait sur un de ces mots, le
processus se déclenchait, automatique : il parlait, sachant toujours sur quels noms, chiffres, faits, détails, images, idées, exemples, figures de rhétorique s'appuyer : bref, il avait tout ce qui
distingue l'orateur de talent.

Par la suite et plus particulièrement après la « prise du
pouvoir », Hitler dictait ses discours — souvent d'un seul jet
et sans prendre la moindre note — à ses secrétaires qui les
tapaient directement à la machine à écrire. Sa secrétaire Christa
Schröder raconta après 1945 à l' « instructeur » français Albert
Zoler comment Hitler s'y prenait [388]. La plupart du temps, il
attendait jusqu'à la dernière minute : il fallait lui rappeler sans
cesse la date et l'heure pour qu'il se décidât. Pour gagner du
temps, il prétextait la nécessité de tenir compte, dans son discours, de quelque rapports d'ambassadeur ou des derniers développements de la situation politique. Jusqu'au dernier moment,
Hitler réfléchissait — dans l'isolement le plus complet —, prenait des notes, fixait sur le papier des idées et s'efforçait de
trouver toujours la meilleure formule. Au moment voulu,
deux secrétaires bien reposées, en général Christa Schröder et
Johanna Wolf, devaient se tenir prêtes et attendre son coup de
sonnette. Avant de dicter, Hitler faisait tranquillement les cent
pas dans son bureau, déplaçant l'une ou l'autre des petites sculptures qu'il possédait, s'arrêtant devant le portrait de Bismarck
par Franz von Lenbach, continuant sa marche avant de s'arrêter
de nouveau. Pendant ce temps, il vivait et « répétait » ses grands
éclats. Ses secrétaires avaient aussi la primeur de ses colères.
Mais le début était toujours calme, mesuré : son corps était
cependant tendu comme celui d'un « printer ». Mais bientôt,
son tempérament l'emportait, il n'obéissait plus qu'à son talent
d'orateur inné. Il oubliait son entourage, une phrase chassait

l'autre, il faisait preuve d'une hâte combative, comme s'il craignait de perdre son temps.

La dernière phrase était, pour l'homme s'animant pour ainsi dire de son propre discours, comme la délivrance d'un lourd fardeau. Il se calmait très vite, se répandait en éloges sur ses deux secrétaires complètement épuisées et les retenait même parfois à déjeuner. Après cette « décharge », il redevenait un homme « normal », son entourage pouvait également travailler d'une façon normale. Ce n'était pas pour rien que très peu de secrétaires seulement étaient capables de travailler pour lui. Beaucoup tremblaient, se sentaient inhibées, embarrassées, énervées, incapables de le suivre. Dès qu'Hitler s'en rendait compte, il interrompait son discours sous un prétexte quelconque, sans faire sentir à ses secrétaires qu'il en restait là à cause d'elles.

Quelques heures plus tard, ayant retrouvé du moins extérieurement sa sérénité et son équilibre, il corrigeait son texte qu'il remaniait parfois jusqu'au moment du discours. Parfois, il faisait à la dernière minute encore des suppressions. Alors que ses notes manuscrites du début des années vingt sont très lisibles, on n'en dira pas autant de ses surcharges et additions d'après 1933. Il lui arrivait même — probablement à cause de la baisse constante de son acuité visuelle, conséquence de l'âge — de ne pouvoir déchiffrer ce qu'il venait d'écrire.

CHAPITRE VI

LE POLITICIEN

Hitler nous confie dans *Mein Kampf*[1] que c'est peu avant la fin de la Première Guerre mondiale et le déchaînement de la révolution qu'il a pris, dans un moment de désillusion et d'incertitude — qui ne se limitait pas au seul plan personnel — la résolution d'embrasser la carrière politique[2]. Ses camarades de guerre et ses amis, qui l'avaient entendu dire que les politiciens sont des gens dont « la seule conviction »[3] est l' « absence de convictions », ne s'étonnèrent pourtant pas de sa décision[4] ; n'avait-il pas évoqué, peu avant la fin des hostilités, au front, l'éventualité de se faire lui-même politicien ?[5] « N'était-ce pas ridicule de vouloir construire des maisons sur ce fond mouvant ?[6] » C'est par ce raisonnement qu'il explique en 1924 l'abandon de son rêve d'être un jour un architecte célèbre et la préférence donnée à la carrière politique. Comme il se tenait déjà très jeune pour un génie — et plus spécialement pour un génie politique[7] —, comme les autres n'étaient pour lui que de simples « moyens pour parvenir à ses fins », son choix de la carrière politique était au fond une conséquence logique de l'idée qu'il se faisait de ses propres dons et aptitudes. Hitler, dont la pensée était toujours orientée en fonction de *l'histoire* et de la *mission* qui lui était échue, ne fut pas le seul à penser en 1918 que tous les politiciens et hommes d'Etat, qui aient jamais attiré les regards du monde, étaient « programmés » selon ce principe : la « programmation » était une notion dont Hitler se servait souvent au cours des cinq dernières années de sa vie.

Ainsi, la seule menace qui pesait sur lui avait sa source dans
ses talents et dispositions personnelles, dans sa *weltanschauung*, dont les concepts fondamentaux n'étaient pas, à
cette époque, très originaux. Mais, en 1918, Hitler ignorait probablement lui-même qu'il ne devait modifier ses idées politiques
acquises par des études autodidactiques que dans le sens d'une
exagération paroxysmique dont la conséquence inéluctable était
la culbute finale.

Dès l'instant où Hitler s'engage dans la voie politique, il
est fermement convaincu d'être l'instrument privilégié de la
« Providence » qu'il invoque sans arrêt, de détenir la clef de
l'Histoire, d'être bien plus qu'un simple « politicien ». Il n'a
jamais songé à mettre ses capacités et connaissances politiques
au service de la « réalité pratique du moment »[8], à se contenter
— dans la meilleure des hypothèses — de la gloire de son temps[9],
ce qu'il a défini dans *Mein Kampf* comme étant le sort même
du politicien. Pendant son ascension vers les sommets de la puissance, qui s'amplifie parallèlement à une sorte d'impatience
eschatologique nourrie d'un processus pathologique, d'un pres-
sentiment hypocondriaque du déclin et de la mort le poussant
vers un fanatisme toujours plus extravagant, il est persuadé de
pouvoir conquérir à la pointe de l'épée ce qui à d'autres paraît,
dans certaines situations données, hors de portée ou politiquement irréalisable. Ainsi il interprète, même en 1924 quand,
enfermé dans une forteresse, il ne peut plus prendre part à la
vie politique — devant les ruines de son parti — la célèbre définition de la politique, par Bismarck, comme « l'art du possible ».
dans un sens qui caractérise bien son propre concept politique
fondé exclusivement ou presque sur l'emploi de la force brutale. Reprochant à Bismarck d' « avoir eu une idée trop modeste
de la politique »[10] et à ses successeurs de « planifier sans but »
la politique intérieure et étrangère et de viser en toutes choses
ce qui semble « réalisable », il voudrait qu'on considère sa
conception de la politique comme le summum de la sagesse.
« Bismarck, écrit-il, voulait seulement affirmer que, pour atteindre un but politique défini, il faut employer toutes les possibilités et tout au moins y faire appel[11]. » Dans l'optique d'Hitler,
la politique « bien comprise » ne saurait être autre chose qu'une
lutte idéologique impitoyable pour la conquête de la puissance
dans le cadre d'un *struggle for life* considéré comme une loi
de la nature. C'est pourquoi ses négociations politiques, qui ne
visaient jamais à lui gagner des « partenaires » dans le sens traditionnel du terme, comportaient toujours, en filigrane, la

menace de l'emploi de la force. Pour obtenir des succès, même partiels, susceptibles de le rapprocher de ses objectifs idéologiques fixés une fois pour toutes, il n'hésitait jamais à risquer tout ce que lui-même et ses prédécesseurs avaient réussi à gagner : c'est ainsi qu'il dénonça en 1936 le Traité de Locarno que Stresemann avait considéré, il y avait à peine dix ans, comme une étape importante de la reconquête, par l'Allemagne, de sa position de grande puissance, il occupa en mars la Rhénanie et rétablit la souveraineté militaire du Reich [12], bien que la France eût pu lui infliger, sans beaucoup d'efforts, une défaite irrémédiable. En mars 1938, il s'empara de l'Autriche, en octobre de la même année, du territoire des Sudètes ; en mars 1939, il fit main basse sur la Tchécoslovaquie et sur le territoire de Memel [13] ; en septembre de la même année, après avoir marqué des points extrêmement importants et gagné à sa cause la grande majorité du peuple allemand [14], il déclencha la guerre contre la Pologne, tout en sachant que la Wehrmacht allemande ne pouvait soutenir qu'une brève « guerre-éclair » [15]. Toute autre politique était à ses yeux la conséquence d'une mauvaise intelligence de l'histoire, de la faiblesse personnelle des politiciens ou de leur habitude de suivre les consignes de la « juiverie internationale », de se mettre inconsciemment ou — quand il s'agissait de Juifs — consciemment au service de leurs plans malfaisants [16]. Son mépris du pacte de non-agression germano-polonais de 1934 et de ses propres assurances de paix illustre bien son intention de ne pas respecter ses engagements internationaux. Il avait bien spécifié dans *Mein Kampf* qu'une alliance dont l'objectif n'est pas une guerre est sans signification et sans valeur ; qu'on ne conclut des alliances qu'en vue du combat [17].

Toute politique fondée sur de tels concepts doit nécessairement engendrer de grandes injustices ; elle est vouée à l'échec si ses promoteurs ne réussissent pas à faire l'unanimité idéologique absolue de leur propre peuple et à écarter tous les risques en assujettissant tous les autres peuples et en les maintenant indéfiniment en état de soumission complète. Le fait qu'Hitler n'ait fait naufrage que relativement tard ne s'inscrit pas en faux contre cette vérité. Elle atteste simplement qu'Hitler a réussi pendant un certain laps de temps, grâce à des succès parfois inquiétants, à pratiquer une politique qui ne *pouvait aboutir* à la longue, mieux, qui était au sens propre du terme, impossible [18].

L'année 1923, qui marque le premier échec retentissant du politicien [19], revêt dans ce contexte une importance capitale :

au lieu de disparaître, comme il aurait été normal, Hitler remonte
sur la scène ; non pas comme un homme purifié et humble,
mais convaincu que ses critiques n'étaient pas qualifiés pour
le juger : « Dans le cours de l'existence humaine, enseigne Hitler
dans *Mein Kampf*, il peut arriver une fois que l'homme politique
s'unisse au créateur de programme. Plus ce mélange est intime,
plus sont fortes les résistances qui alors s'opposent à son action.
Il ne travaille plus pour des exigences évidentes, pour le premier
boutiquier venu, mais pour des buts qui ne sont compris que
d'une très petite élite. C'est pourquoi son existence est alors
déchirée entre l'amour et la haine. La protestation de ses contemporains compense la reconnaissance future de la postérité, pour
laquelle il travaille. Car plus l'œuvre d'un homme est grande
pour la postérité, moins les contemporains peuvent la comprendre ... [20] » Il est facile de déduire de ces affirmations qu'Hitler prétend réunir dans sa personne le politicien et le « programmateur » et être ainsi un phénomène historique exceptionnel, une « étoile polaire de l'humanité tâtonnante » [21]. Le
« créateur de programme », tel que le conçoit Hitler, doit fixer
les objectifs d'un mouvement [22], tandis que c'est au politicien
d'en entreprendre la réalisation. La pensée du « créateur de
programme » est guidée par « la vérité éternelle », celle du
politicien par la « réalité pratique ». Ce qui fait la grandeur
du « programmateur », c'est la « justesse de son idée dans son
principe » [23], tandis que le politicien est grand dans la mesure
où il tient compte des réalités pratiques du moment : « La
grandeur de l'un réside dans la justesse absolue au point de
vue abstrait de son idée, celle de l'autre dans la juste appréciation des réalités données et leur emploi utile, dans lequel le
but établi par le premier doit lui servir d'étoile directrice [24]. »
Hitler considérait comme allant de soi que le « programmateur »
ne s'oriente pas en fonction de l'utilité pratique (*Zweckmässig-
keit*), de la « réalité » [25]. Ce qui importe, c'est la « justesse de
l'idée » [26], la difficultés de sa réalisation pratique étant un problème secondaire. Alors qu'il voit dans les succès du politicien,
dans la réalisation de ses plans, dans ses actes les critères permettant de le juger [27], il admet que « la réalisation des ultimes
projets du créateur de programme peut ne jamais se faire, car
la pensée humaine peut concevoir des vérités et établir des buts
clairs comme le cristal, mais dont l'accomplissement intégral
doit échouer à cause de l'imperfection et de l'insuffisance
humaines » [28]. « Plus une idée est juste au point de vue abstrait,
dit-il dans *Mein Kampf*, et par ce fait grandiose, plus sa réali-

sation intégrale reste impossible dans la mesure où elle dépend des hommes » [29], ce qui, en dernière analyse, veut dire que le « programmateur » ne peut être apprécié à sa juste valeur par ses contemporains [30]. Hitler, qui croyait avoir atteint sur les deux tableaux le sommet de la perfection, a échoué tant comme « programmateur » que comme « politicien ». Mais la « marque » qu'il a imprimée à l'histoire n'en reste pas moins sans exemple. Il a procédé à la réalisation de concepts absolument inhumains, il a bouleversé de fond en comble la pensée et l'action traditionnelles, il a mis en branle une transformation si radicale du rapport des forces dans le monde que son action ne saurait être ignorée.

Le Reich allemand, dont Hitler voulait faire une puissance mondiale comme le monde n'en avait jamais vu, n'existe plus que sous forme de deux Etats partiels d'importance moyenne. L'élimination de l'Allemagne du groupe des puissances capables de faire une « grande politique européenne », élimination dont il est l'artisan, s'est traduite par la prédominance des Etats-Unis et de l'U.R.S.S., par le recul très net de l'influence de la Grande-Bretagne qui, toujours à la tête de son Commonwealth, n'en est pas moins en perte de vitesse sur le plan de la politique mondiale. Le Reich allemand et la Grande-Bretagne, dont Hitler a essayé pendant presque deux décennies de gagner les faveurs afin de pouvoir édifier sa puissance mondiale, ne sont plus que des facteurs secondaires sur l'échiquier de la politique mondiale. Hitler, l' « anglophile » tornitruant, l' « Européen » allemand, a mis un terme — probablement définitif — à la prédominance de l'Europe dans le monde ; il a retranché l'Allemagne du groupe des puissances pesant dans la balance du jeu d'équilibre entre les forces et a contribué, pour une large part, au réveil des peuples coloniaux ou semi-coloniaux, tant méprisés par lui, qui, de nos jours, revendiquent une place au soleil et constituent en tant que « Tiers-Monde » un facteur de puissance dont même les Etats-Unis et l'Union Soviétique doivent tenir compte dans leurs calculs politiques. L'idée qu'Hitler se faisait de la morale et de son application à la politique internationale n'a pas depuis, dans la pratique au moins, cédé le pas à une réévaluation essentielle. On a continué, après le procès de Nuremberg, de violer un peu partout le droit des gens. Dans cette perspective, bien des concepts d'Hitler sont moins nouveaux que beaucoup de personnes — y compris certains historiens — tentent de nous le faire croire. Ainsi, un des objectifs politiques essentiels d'Hitler, à savoir la conquête de

l'hégémonie mondiale par le Reich, se fonde sur une tradition
dont les sources ne sont nullement obscures, qui au contraire
a été défendue par quelques grandes figures de l'histoire allemande. Il est facile de reconnaître dans l'évolution historique
des quatre-vingts années d'existence de la grande puissance ger-
mano-prussienne, depuis ses origines en 1866 et 1871 jusqu'à sa
destruction par des forces extérieures en 1945, les grandes lignes
et les traits communs reliant entre eux l'Empire bismarckien,
l'ère wilhelmienne, la République de Weimar et le Troisième
Reich. La méconnaissance de cette continuité, qu'après 1945 les
représentants de l'ancienne génération d'historiens ont souvent
voulu escamoter ou dont ils ont contesté le caractère historique,
a abouti à une présentation grossièrement déformée du rôle
et de la place d'Hitler dans l'histoire de l'Allemagne. Le fait
que la « *weltanschauung* » hitlérienne ait préparé, promu et justifié dans toutes ses phases la politique nationale-socialiste de
puissance et de destruction en Europe après 1939, qu'elle ait
déterminé tous les objectifs de la politique étrangère d'Hitler,
n'est pas une preuve du contraire [31]. L'opinion [32] que les lignes
directrices du national-socialisme jusqu'en 1933, que la tactique
hitlérienne jusqu'en 1939, que les objectifs de la politique étrangère allemande jusqu'en 1943 « découlent logiquement de l'idéo-
loge nazie » [33] et qu'il vaudrait mieux appeler — pour cette
raison même — la politique étrangère allemande après 1933 la
« politique étrangère nationale-socialiste » [34], ne résiste pas à
l'analyse des faits, bien qu'il soit vrai que la dépravation intellectuelle totale du peuple allemand, l'extermination d'adversaires
et d'ennemis, le projet d'une refonte totale de l'Europe selon
les concepts idéologiques du racisme ne sont devenus qu'entre
les mains d'Hitler des éléments intégrants de la politique étrangère allemande [35].

Hitler a déjà appris comme jeune écolier que le désir ardent
des Allemands de transformer le Reich Allemand en grande
puissance ne se limitait pas, depuis l'ère wilhelmienne, à des
protestations verbales dans les manuels scolaires et les programmes de l'Union Pangermaniste [36]. Déjà avant la Première
Guerre mondiale, Hitler a maintes fois eu l'occasion de discuter
les objectifs [37] nettement définis du grand amiral Alfred Tirpitz,
défenseur passionné d'une politique de grande puissance particulièrement brutale, fêté par ses adeptes comme le « créateur
de la flotte allemande » ; depuis 1897 secrétaire d'Etat au ministère de la Marine, il démissionna en 1916 parce que l'empereur
Guillaume II n'avait pas accepté sa proposition [38] de faire atta-

quer, sans coup de semonce, aussi les bateaux neutres par les sous-marins allemands. Le plan de Tirpitz, connu sous le nom de *Risikogedanke* (idée du risque) qui visait, en politique étrangère, à arracher à la Grande-Bretagne la suprématie maritime, en politique intérieure à empêcher toute réforme sociale [39], s'inscrit dans la ligne de ce « darwinisme vulgaire » qui a modelé aussi quelques aspects essentiels des concepts politiques d'Hitler. Tirpitz voulait non seulement faire de l'Allemagne une grande puissance continentale, mais lui assurer — à côté de la Grande-Bretagne — le statut de puissance mondiale : il proclamait ces idées encore en 1924 [40] pendant qu'Hitler rédigeait dans la forteresse de Landsberg son livre *Mein Kampf*.

« Nous exigeons une place dans le monde, écrivirent le 20 juin 1915, environ neuf mois avant la démission de Tirpitz, 1 347 représentants qualifiés de la bourgeoisie allemande dans un « mémoire très confidentiel » adressé au chancelier Bethmann-Hollweg [41], qui tienne pleinement compte de notre grandeur et de notre puissance culturelle, économique et militaire. » Les signataires du « mémoire » précisaient : « Etant donné la supériorité numérique de nos ennemis, il ne sera peut-être pas possible d'atteindre d'un seul coup tous les objectifs nécessaires à notre sécurité nationale... Mais il faudrait exploiter jusqu'à la limite du possible les succès militaires obtenus grâce à de si grands sacrifices... Nous devons éliminer une fois pour toutes le danger français : car nous savons depuis des siècles quelle menace la France fait peser sur notre pays, nous avons entendu de 1815 à 1870, de 1871 à 1915 les hurlements des revanchards français. Il ne saurait s'agir pour nous de tenter une politique d'entente à laquelle la France a toujours opposé les excès de son fanatisme. Nous lançons un avertissement solennel à nos compatriotes de ne pas se bercer d'illusions. Nous devons, dans l'intérêt même de notre survie, affaiblir ce pays politiquement et économiquement, sans ménagement.

« La Russie doit nous céder des terres pour nous permettre d'établir à nos frontière de l'Est une ligne de défense solide et d'assurer à notre expansion une base territoriale. C'est à l'Est que nous trouverons les terres que nos paysans pourront coloniser, car une saine paysannerie est la fontaine de jouvence de toutes les forces populaires et étatiques.

« Si nous pouvions forcer l'Angleterre, qui sait toujours ménager son propre sang, à nous payer une indemnité de guerre, aucune somme ne serait assez élevée ! Car c'est grâce à son argent surtout que l'Angleterre a mobilisé le monde entier con-

tre nous. Le portefeuille étant la partie la plus sensible de cette nation d'épiciers, c'est donc son portefeuille que nous devons viser en premier lieu si nous en avons les moyens [42]. »

Les idées mises en avant par les chanceliers, le ministère des Affaires étrangères et l'état-major de l'époque de l'empire wilhelmien sur l'hégémonie continentale du Reich et de la monarchie austro-hongroise, ne se distinguaient des plans de Tirpitz que par une différence de degré. Tandis que le chancelier Bethmann-Hollweg s'attachait au concept traditionnel de la sauvegarde de la position de grande puissance du complexe d'Etat germano-austro-hongrois, au maintien de sa totale liberté d'action en matière de politique étrangère et à sa supériorité militaire dans le cadre limité du système des puissances européennes, les représentants du 3ᵉ haut commandement de l'armée, à leur tête le général Ludendorff, préconisaient la mainmise directe sur un territoire d'un seul tenant, de dimensions continentales.

La guerre mondiale devait permettre la création d'un grand empire allemand englobant les territoires russes économiquement les plus importants, économiquement indépendants de l'étranger, à l'abri de tout blocus et de toute entreprise militaire, qu'elle vienne d'Angleterre ou même des deux puissances anglo-saxonnes à la fois, assise inébranlable pour la guerre contre les autres puissances mondiales. Il est relativement peu important de savoir dans quelle mesure le projet de conquête territoriale et d'hégémonie mondiale d'Hitler a été influencé par les idée du 3ᵉ haut commandement de l'armée et du concept de Ludendorff de l'expansion par deux étapes [43] ; notons qu'Hitler préconisait comme Ludendorff d'instaurer d'abord l'hégémonie allemande sur le continent européen avant de s'attaquer aux territoires d'outremer.

Sous la République de Weimar, les dirigeants de la politique allemande étaient aussi fascinés par l'idée de la restauration de la puissance allemande qu'Hitler, qui était convaincu — au plus tard depuis la fin de la Première Guerre mondiale — d'assister à un grand tournant de l'Histoire [44]. Depuis qu'il avait embrassé la carrière politique, il ne doutait pas une seconde que l'époque des petites puissances maritimes avec leurs bases navales, leurs flottes d'intervention, leurs ressources tirées de leurs possessions coloniales, ne fût révolue. C'est précisément cette conviction qui le poussait à présenter dans *Mein Kampf* le « rétablissement des frontières de 1914 » [45] comme une entreprise absolument insuffisante et anachronique et à la qualifier de « non-sens politique » [46]. Le rétablissement des frontières de

1914 et la restitution des colonies allemandes, que revendi-
quaient beaucoup d'Allemands (des notes confidentielles d'hommes d'Etat britanniques mettent en évidence que les politiciens
anglais et plus spécialement le Premier ministre britannique
Neville Chamberlain étaient disposés, encore dix jours avant
l'occupation de l'Autriche par les troupes allemandes, à prendre
en considération cette exigence [47]) relevaient aux yeux d'Hitler
de la mendicité que l'Allemagne ne devait accepter sous aucun
prétexte comme objectif de sa politique. Il entrevoyait déjà
— tout comme les chefs militaires pendant les années vingt
— l'instauration d'une puissance mondiale d'un type absolument nouveau, fondée sur la domination d'un immense territoire sans solution de continuité. Il était tellement convaincu
de la justesse de son point de vue qu'il prédisait déjà à Landsberg-sur-Lech, dans *Mein Kampf*, ce statut de puissance mondiale à l'Allemagne ou à la Russie, deux pays qui étaient sortis
vaincus et ruinés de la Première Guerre mondiale. Il est vrai
qu'à son avis une Allemagne capable de se lancer à la conquête
de l'hégémonie mondiale ne pouvait procéder ni de la République de Weimar ni d'un Etat marxiste. Même la restauration
éventuelle de la monarchie ne lui semblait pas un moyen adé-
quat pour assurer l'avenir de l'Allemagne. Hitler, politicien
conservateur jusqu'à la moelle des os, reprochait à la monarchie
d'être trop conservatrice : il la considérait comme une institution ou une forme de gouvernement capable à la rigueur de
gouverner des empires mondiaux mais non de les conquérir.
Seules des révolutions à tendance idéologique, aux visées mondiales, se prêtaient selon lui à une telle entreprise. N'a-t-il pas
prouvé, déjà en novembre 1923 à Munich, qu'il se tenait pour
l'homme qui non seulement avait compris l'histoire mais qui
était aussi capable de la *faire* ?
   Le plan du général von Seeckt prévoyant le rétablissement
de la puissance militaire de l'Allemagne et de son autonomie en
matière d'alliances, qui avait vu le jour déjà le 20 décembre 1918
— après la conclusion de l'armistice — lors d'une réunion des
chefs militaires allemands dans l'immeuble de l'Etat-Major allemand à Berlin, n'a jamais été porté sur le plan pratique, parce
que la République de Weimar n'offrait, ni sur le plan intérieur
ni extérieur, les conditions nécessaires à sa mise en œuvre. Le
projet de Seeckt d'écraser la Pologne avec l'aide de la Russie,
pour s'assurer les arrières en vue d'une guerre contre la France,
n'était pas seulement illusoire mais ne correspondait pas aux
idées d'Hitler, qu'il avait exposées déjà en 1920 et défendues

jusqu'en 1945 [48]. Quelques militaires et politiciens de la République de Weimar, qui n'entretenaient pas les moindres relations avec Hitler, préconisaient avec passion ces plans d'expansion malgré leur caractère peu réaliste. Ainsi, Stresemann, « l'homme de la politique d'entente », qui voyait dans le Traité de Locarno, signé en décembre 1925 par lui et le chancelier Luther au nom de l'Allemagne, un premier pas vers le rétablissement du statut de grande puissance de l'Allemagne, avait conçu le projet d'obliger la Pologne par une forte pression économique à rendre au Reich le « corridor ». Hitler, qui ne limitait pas ses ambitions à la révision du Traité de Versailles, jugeait, après sa nomination à la charge de chancelier du Reich, le problème polonais particulièrement embarrassant. Sa manière d'y faire face était remarquable. Bien qu'il eût annoncé aussitôt après la « prise du pouvoir », à grands renforts de propagande, sa volonté inébranlable de revendiquer pour le Reich le statut de « grande puissance », le droit à l'autodétermination, la participation de l'Allemagne à toutes les grandes décisions internationales, le rétablissement de la souveraineté allemande, l'égalité des droits, une place honorable dans les grandes délibérations européennes, la protection des frontières du Reich, l'expansion de l'économie et la prospérité du peuple allemand comme les bases mêmes d'une politique de bien-être, Hitler se montrait face à la Pologne plus conciliant que bien des chanceliers de la République de Weimar. Il annonça, en sa qualité de chancelier du Reich, qu'il n'était pas intéressé par la conquête et la pénétration idéologique de territoires non-allemands. Après avoir expliqué, en avril 1933, à l'ambassadeur de France, François Poncet, que le Reich ne s'accommoderait pas indéfiniment de ses frontières orientales, il tranquillisa, en novembre de la même année, l'ambassadeur de Pologne, Lipski, en lui disant qu'il serait insensé de déclencher une guerre pour obtenir de petites corrections de frontières [49]. En décembre 1933, il alla encore plus loin en se félicitant de l'existence de la Pologne, « Etat-tampon entre la Russie bolchevique et la civilisation occidentale ». Plus tard il condamna le « bavardage » sur la « haine héréditaire » entre Polonais et Allemands. La conclusion en 1934 du pacte de non-agression germano-polonais, assortie d'une déclaration par laquelle les deux nations renonçaient à l'emploi de la force pour régler leurs différends, semblait la meilleure preuve qu'Hitler ne faisait pas de la révision des traités un dogme comme l'avaient fait les politiciens weimariens, qui s'étaient obstinément refusés à signer un tel accord avec la Pologne et à recon-

naître l'inviolabilité des frontières orientales comme ils avaient reconnu à Locarno celle des frontières occidentales [50].

Peu avant l'accession d'Hitler au poste de chancelier du Reich, Kurt von Schleicher avait essayé de réaliser un projet — conçu déjà depuis la fin de la Première Guerre mondiale — fondé sur l'abandon du principe de la prépondérance des Affaires étrangères — professé par les gouvernements de la République — et la réalisation de l'expansion de la puissance allemande par le rétablissement préalable de l'« ordre » et de la puissance économique à l'intérieur du Reich : ce projet semblait particulièrement bien adapté à la situation du moment. Il prévoyait, en effet, la défense des intérêts allemands à l'extérieur et le rétablissement de la puissance allemande sur la base d'une politique intérieure solide. Son prédécesseur, Gustav Stresemann, de tendance nettement pangermaniste, qui est entré dans l'histoire non seulement comme le « politicien de l'entente » mais encore comme le promoteur du rétablissement de la puissance allemande par la voie de l'expansion économique [51], avait réussi comme chancelier du « Parti populaire allemand » (*Deutsche Volkspartei*), après le règlement provisoire du problème des « Réparations » et la remise en marche de l'économie allemande, un immense pas en avant en direction de la « grande politique ». Quand on connaît les concepts politiques de Stresemann, on ne saurait s'étonner qu'il ait considéré la signature du Traité de Locarno, en décembre 1925, comme une étape essentielle de la révision du Traité de Versailles. Sa politique révisionniste qu'Andreas Hillgruber a fort bien définie comme un savant mélange de plusieurs éléments : la mise en œuvre habile d'une politique d'ensemble face aux exigences des chefs militaires, la continuation de la politique secrète traditionnelle, l'exploitation astucieuse des antagonismes entre les adversaires d'hier, les protestations publiques sur la scène de la Société des Nations, l'utilisation adroite du potentiel économique pour le renforcement de la puissance militaire [52], aboutit par étapes à Adolf Hitler, qui considérait aussi la puissance militaire comme le fondement de sa politique étrangère. Ce n'est pas le chancelier Adolf Hitler — jusqu'en septembre 1933, il poussa son programme de réarmement militaire avec une telle prudence qu'il encourait la critique des ministres von Neurath (ministre des Affaires étrangères) et Werner von Blomberg (ministre de la Reichswehr), partisans d'un réarmement ouvert — qui a commencé à écarter les clauses militaires du Traité de Versailles susceptibles de gêner le réarmement allemand, mais les mili-

taires, diplomates et hauts fonctionnaires politiquement actifs et agissant sous l'égide de von Schleicher. Ces derniers ont su mettre à profit avec beaucoup d'adresse la paralysie relative des puissances européennes sur le plan politique et militaire, conséquence de la crise économique mondiale de 1929 [53], pour promouvoir une politique dont ils n'avaient pas à endosser officiellement la responsabilité.

Comme l'immense majorité du peuple allemand, Hitler exigeait la suspension par l'Allemagne du paiement des réparations et l'égalité des droits sur le plan militaire, avec une insistance interdite au gouvernement du Parti du Centre sous la direction de Heinrich Brüning (1930-1931) ; car Brüning devait tenir compte, en dépit de ses sentiments personnels [54], de la situation économique du pays. Ce qui n'empêchait nullement les chefs de la Reichswehr de remplacer le réarmement secret, commencé après la dissolution de la Commission de Contrôle Interalliée (1927), par un élargissement et un renforcement ouvert et effectif des forces armées allemandes.

Von Papen et son « gouvernement de barons » [55], qui chassa le gouvernement social-démocrate de Prusse [56], livrant ainsi ce « land » aux menées antidémocratiques qui s'étaient imposées déjà dans le reste du Reich, entendait soutenir la politique étrangère de l'Allemagne par un énergique effort de réarmement, procédé qui avait paru trop risqué au gouvernement de M. Brüning. Aussi ce dernier fut-il renversé à la suite des menées du général von Schleicher et des nationaux-socialistes avec lesquels il pactisait.

Quand Hitler s'empara, le 30 janvier 1933, du pouvoir, il se montra officiellement bien plus réservé dans le domaine de la politique étrangère que ses prédécesseurs Stresemann, Brüning, Schleicher, von Papen : Hitler était, en effet, décidé à ne renoncer ni aux méthodes traditionnelles ni à l'emploi de la force armée [57]. Ainsi, ceux qui ignoraient l'homme et son idéologie pouvaient fort bien croire que le chancelier national-socialiste n'était pas près de combler les espoirs qu'ils avaient mis en lui. Il est vrai qu'il avait abordé le 17 mai 1933, dans un discours au Reichstag destiné à préparer l'opinion publique à la décision de l'Allemagne de quitter la Société des Nations, le problème de l'économie, du réarmement et des rapports du Reich avec les autres Etats, mais il l'avait fait de telle manière que ses vraies intentions n'apparaissaient pas aux yeux de tout le monde. En faisant siennes les formules employées par quelques autres chanceliers qui l'avaient précédé [58], il avait dit en

substance : « Voici, en bref, les problèmes politiques auxquels nous sommes confrontés : pendant des siècles les frontières des Etats européens ont été déterminées en fonction d'une pensée exclusivement étatique. La montée victorieuse de la pensée nationale et du principe des nationalités au cours du siècle passé a été le germe de nombreux conflits, parce qu'on n'a pas tenu compte, dans les Etats issus d'autres concepts, de ces idées et de ces idéaux nouveaux. Après la fin de la dernière grande guerre, une authentique conférence de la paix n'aurait pu trouver de tâche plus noble que de procéder, en pleine connaissance de ces faits, à un remembrement et à une réorganisation des Etats européens en respectant dans la mesure du possible ce principe ... Cette réorganisation territoriale de l'Europe dans le cadre des frontières ethniques réelles eût été une performance qui, dans la perspective de l'avenir, aurait justifié dans une certaine mesure, aux yeux des vaincus et des vainqueurs, les sacrifices sanglants de la dernière guerre ... Aucune guerre ne serait capable de remplacer la situation peu satisfaisante du moment par un ordre meilleur.

« Bien au contraire, l'emploi de la force serait incapable d'améliorer la situation politique et économique de l'Europe. Même si le recours à la guerre apportait quelque avantage à l'un des adversaires, le résultat final serait une aggravation du déséquilibre européen et ... la source de nouveaux antagonismes. Il en résulterait de nouvelles guerres, de nouvelles incertitudes, de nouvelles crises économiques. Le déclenchement d'une série infinie d'actions aussi insensées conduirait à l'effondrement de l'ordre social et étatique. Une Europe livrée au chaos communiste sombrerait dans une crise d'une gravité et d'une durée imprévisibles ... L'Allemagne a désarmé. Elle a rempli toutes les conditions que lui imposait le Traité de Versailles à un degré dépassant les limites de l'équité et même celles de la raison ... L'Allemagne serait disposée — au cas où l'on envisagerait la création d'un contrôle général et international des armements —, à condition que les autres Etats en fassent autant, à soumettre à ce contrôle nos organisations pour prouver au monde entier leur caractère absolument non militaire. Nos revendications ne visent pas à un réarmement de l'Allemagne mais au désarmement des autres Etats ... La seule nation qui ait de bonnes raisons de redouter une invasion est la nation allemande, à laquelle on n'a pas seulement interdit les armes offensives, mais à l'armement strictement défensif de laquelle on a imposé des restrictions et à laquelle on a défendu la construction de

fortifications aux frontières ... L'Allemagne ne songe pas à attaquer, elle est préoccupée de sa sécurité [59]. »

Jusqu'en septembre 1933, Hitler imposait une sourdine à ses exigences, se présentait comme le « chancelier de la paix », semblait s'écarter des doctrines d'une « *weltanschauung* » fondée essentiellement sur un enchaînement sans cesse recommencé de luttes, de guerres, d'exterminations d'êtres « inférieurs », sur un antisémitisme doctrinaire et racial. Mais c'était là une conversion spécieuse, une attitude purement tactique : « Les circonstances m'ont obligé de ne parler pendant des décennies que de paix », lance-t-il le 10 novembre 1938 dans un discours secret devant un groupe de rédacteurs en chef allemands et d'autres représentants de la presse, avant de préciser avec une grande franchise : « Ce n'est qu'en mettant en avant notre désir de paix que j'ai pu rendre, morceau par morceau, la liberté au peuple allemand et lui donner les armes dont il a besoin pour franchir les étapes suivantes. Il va sans dire qu'une telle propagande de paix comporte aussi des aspects inquiétants ; car elle peut faire naître dans beaucoup de cerveaux l'idée que le régime actuel ... est désireux et fermement résolu à sauvegarder la paix en toutes circonstances ... C'est la nécessité qui, pendant des années, m'a forcé de parler de paix [60]. »

Quand Hitler prononce ces mots, il est déjà un homme malade, tourmenté de pressentiments [61], qui se croit au terme de sa vie et s'inquiète de réaliser au maximum ses projets et ses idées. Alors qu'il était en excellente santé en 1933 et que les médecins lui assuraient encore en 1934 — malgré son avis contraire — qu'il n'était atteint d'aucun mal sérieux, il souffre, en 1938, quand il rédige son testament politique et privé, de nombreuses maladies que ses médecins soignent énergiquement et qui lui inspirent la crainte de ne pouvoir mener à bonne fin sa mission. La suite de ses décisions politiques et militaires reflète la progression de ses maladies, qui déterminent dans une large mesure l'allure, l'étendue, les modalités et la valeur relative de ses actes [62].

Comme Hitler est convaincu d'être irremplaçable, il se croit obligé de mettre à profit le peu de temps qui lui reste à vivre pour donner une forme concrète aux postulats de son idéologie, telle qu'il l'a définie le 13 novembre 1930 à l'université d'Erlangen, devant un auditoire de professeurs et d'étudiants, par une formule lapidaire : « Tout être tend à l'expansion, tout peuple aspire à la domination du monde. Seul l'homme qui ne perd pas de vue cet objectif choisit la bonne voie ! [63] » Poussé par

cette impatience qui s'exaspère, par une hâte proprement pathologique, il entreprend déjà trop de choses à la fois avant même
de commencer « sa » guerre. Tant qu'il se sentait à peu près bien
portant, ses propos reflétaient une identité d'objectif indéniable
entre les aspirations toujours en éveil de l' « ancienne couche »
dirigeante de l'ère bismarckienne et les projets de l'opposition
de la « droite » militante qui avait toujours combattu la politique étrangère officielle du temps de Guillaume II et de la
République de Weimar [64]. Les objectifs politiques d'Hitler et les
moyens mis en œuvre en vue de leur réalisation, que la plupart des historiens ont qualifiés bien à tort d' « innovations
fondamentales » dont Hitler aurait grevé la politique allemande,
étaient en réalité des phénomènes historiques, projetés dans le
présent par une mentalité présomptueuse, messianique et morbide, concrétisés par des mesures politiques inhumaines et antisémitiques, mais dont les exemples et les modèles lui avaient été
fournis par l'histoire de sa patrie [65]. Ses mesures et décisions
fondées sur l'idéologie raciale, la guerre et l'extermination des
Juifs, ses efforts en vue de remodeler le peuple allemand sur
une base biologique et d'étendre la domination de la nouvelle
couche dirigeante sur l'Europe et le monde tout entier, s'inscri-
vent parfaitement dans la ligne de l'histoire autrichienne et
allemande.

Il ressort de la lecture de *Mein Kampf* et de plusieurs
propos d'Hitler de l'époque du « combat » que, selon lui, la
conquête de l'espace vital ne pouvait se faire sans l'extermination systématique des Juifs vivant à l'intérieur du Reich et
dans les territoires occupés [66]. Il est typique de la politique
du « Führer et chancelier du Reich » qu'il a assorti ses déclarations de guerre de 1939 (Pologne) et de 1941 (Union soviétique)
d'ordres de génocides [67]. « Si l'on avait, écrit Hitler dans *Mein
Kampf* [68], au début ou au cours de la guerre, tenu une seule
fois douze ou quinze mille de ces Hébreux corrupteurs du peuple
sous les gaz empoisonnés que des centaines de milliers de nos
meilleurs travailleurs allemands ... ont dû endurer sur le front,
le sacrifice de millions d'hommes n'eût pas été vain ! » et le
30 janvier 1939, sept mois avant le début de la campagne de
Pologne, il menaça : « Si les Juifs internationaux de la finance
en Europe et hors d'Europe réussissent à plonger encore une
fois les peuples dans une guerre mondiale, le résultat ne sera
pas ... la victoire du judaïsme mais l'anéantissement de la race
juive en Europe [69]. » Depuis le début de la campagne de Pologne
il fait massacrer par un « trait de plume » des hommes que la

loi qu'il représente est censée protéger. Sous le couvert de l'armée allemande victorieuse, trente millions d'êtres humains doivent être exterminés pour que les Allemands puissent s'établir dans les régions ainsi dépeuplées [70].

Le 1er septembre 1939, Hitler ordonne à un de ses médecins personnels, aux services duquel il ne recourt par ailleurs que rarement, le docteur Karl Brandt, ainsi qu'au *Reichsleiter* Philip Bouhler ... « d'étendre les pouvoirs d'un certain nombre de médecins nominativement désignés pour que ceux-ci puissent, en cas de maladies selon les prévisions humaines incurables, procéder à des mesures d'euthanasie » [71]. Plus de 50 000 malades, débiles mentaux, Juifs, « demi-Juifs », de personnes ayant épousé des Juifs, d'étrangers — principalement des Polonais et des Russes — mais aussi quelques « citoyens » allemands invalides [72] de la Première ou de la Deuxième Guerre mondiale, périssent ainsi entre septembre 1939 et l'été 1941 à Hadamar, Brandebourg, Grafeneck, Sonnenstein et Bernbourg, victimes de la prétendue « euthanasie » [73].

Des millions de documents, de faire-part aux parents de personnes assassinées, d'expertises médicales sont systématiquement falsifiés et utilisés [74]. Le secret absolu dont cette entreprise est entourée et qui est si bien gardé, que même des chefs du Parti et des militaires du rang d'un Keitel n'en savent pas plus que les populations des localités où ces crimes sont perpétrés, prouve qu'Hitler a su mettre à exécution des projets politiques auxquels même d'anciens camarades de combat n'osaient pas vraiment croire. Ainsi, tandis que Walter Buch, « Juge Suprême » du N.S.D.A.P., écrit le 7 décembre 1940 par ordre d'Hitler au « Reichsführer Heinrich Himmler qu'il est indispensable de tenir strictement secrètes... les mesures que nous prenons pour assurer la pérennité de notre peuple... » [75], le ministre de la Justice du Reich reçoit des lettres dénonçant l'euthanasie comme illégale et exigeant la cessation de ces pratiques [76]. Le chef d'état-major du « représentant du Führer » (Rudolf Hess) doit faire face à des « protestations » [77] qui, aux termes d' « instructions de Berlin », doivent être traitées comme « secrets d'Etat » [78] et rester sans réponse [79]. Des « bruits » émanant de cercles médicaux bien informés portent à la connaissance de quelques dirigeants du Parti, de « chefs de groupes », de « chefs de district » (*Kreisleiter*), d'avocats généraux [80] et de médecins [81] des faits échappant à toute investigation. Il est interdit au ministère public de s'occuper de ces questions [82]. Himmler explique le 19 décembre 1940 au juge-N.S. Buch « qu'il

y a toujours quelques erreurs d'application si de tels faits filtrent dans le public » [83]. Nous ne savons pas à quels intervalles Hitler s'informe des progrès de son action lancée par ses « instructions » du 1er septembre 1939. Mais il ne saurait y avoir de doutes qu'il se tient au courant des moindres détails.

Tandis qu'il inspecte, le 15 août 1942, dans un camp polonais, les installations d'extermination et s'en fait expliquer le fonctionnement par Himmler et le *SS-Gruppenführer* (chef de groupe SS) Odilo Globœnik, il s'indigne de la lenteur du massacre d'humains dont il juge l'existence superflue et affirme que « toute cette action doit être menée à bien plus rapidement, beaucoup plus rapidement ! [84] » Un de ses accompagnateurs fait remarquer qu'il « serait sans doute plus prudent d'incinérer les cadavres que de les enterrer pour mieux effacer les traces de l'action » [85] ; Globœnik (qui caresse comme son chef Himmler des projets gigantesques d' « épuration raciale ») [86] lui répond que « les générations futures » ne seront certainement pas « assez lâches et faibles » [87] pour ne pas approuver « cette œuvre foncièrement bonne et nécessaire » [88], et que, pour cette raison, « il serait au contraire indiqué d'enfouir dans les fosses des plaques de bronze sur lesquelles elles liront que nous avons eu le courage de mener à bien cette action gigantesque » [89]. Et Hitler de confirmer : « Oui, mon cher Globœnik, c'est là aussi mon avis [90]. »

Cinq jours plus tard, le 26 août 1942, Hitler à qui une grave grippe encéphalitique, des douleurs cardiaques et, pour la première fois, des troubles de la mémoire [91] font craindre une mort prochaine, redoublant de fanatisme et d'entêtement, dicte dans son grand quartier général de Winnitsa un décret sur les « pouvoirs spéciaux du ministre de la Justice ». Nous y lisons : « L'accomplissement des tâches incombant au grand Reich pangermanique exige une administration vigoureuse de la Justice. Je mandate et je charge le ministre de la Justice de mettre au point, conformément à mes directives et en collaboration avec le ministre du Reich, le Chef de la chancellerie du Reich et le chef de la chancellerie du Parti, une jurisprudence nationale-socialiste et de prendre les mesures nécessaires à son application. Les nouvelles dispositions pourront s'écarter du droit en vigueur [92]. »

Il est vrai que les efforts physiques et psychiques surhumains que la guerre imposait au « Führer et chef suprême de la Wehrmacht » atteint de maux incurables [93] obligèrent le « Juge suprême du Reich », qui ne détestait rien autant que de s'occu-

per de la justice traditionnelle [94], à renvoyer « après la guerre » son arbitrage dans un conflit de compétences sévissant en mars et avril 1942 entre Heinrich Lammers, chef de la chancellerie du Reich, le ministre de la Justice et le ministre de l'Intérieur au sujet de quelques problèmes « s'écartant du droit en vigueur » tels que la dissolution de mariages entre Juifs et citoyens allemands ou la stérilisation ou l'assassinat de « demi-Juifs ». La thèse avancée récemment [95] aux termes de laquelle Hitler aurait songé à attendre la fin de la guerre [96], sur l'issue de laquelle il ne se faisait plus aucune illusion [97], pour procéder à l'extermination des Juifs, n'a pas le moindre fondement.

« La victoire d'un parti est un changement de gouvernement, déclare Hitler le 19 mars 1934 en exposant son programme, la victoire d'une idéologie est une révolution qui transforme profondément et essentiellement les structures d'un peuple [98]. » Chacun attendait donc de ce propagandiste tonitruant, d'allure martiale, qui le 14 octobre 1922 déjà traversa avec huit cents S.A. la ville de Cobourg et fit rosser par ses hommes la population qui lui manifestait de l'hostilité [99], qui deux ans plus tard proclamait dans *Mein Kampf* avec une franchise sans exemple ses idées et ses intentions, qu'il fonçât droit au but comme une flèche [100]. Ainsi, ses censeurs autant que ses amis se demandaient où il voulait en venir si, pour une fois, il n'affichait pas ouvertement ses intentions. Après et avant 1945, l'indignation justifiée, l'ignorance ou la morgue intellectuelle ont poussé certaines personnes à dénier par principe à un politicien inhumain et amoral l'intelligence, la sagesse, le savoir, la force de persuasion, le flair politique, l'adresse diplomatique, l'énergie, la détermination. Alan Bullock, qui suit déjà avant 1934 aveuglément le renégat national-socialiste Hermann Rauschning [101], effrayé par les idées d'Hitler, et qui considère le récit de ses « entretiens avec Hitler » comme une source d'information primordiale [102] — ce qu'il n'est que partiellement [103] — tient Hitler pour un politicien aspirant à la domination totale, qui en dépit de ses professions de foi doctrinales n'était attaché à aucune doctrine ; aux yeux de Bullock, Hitler est au fond un opportuniste sans les moindres visées ou principes idéologiques. Le confrère anglais de Bullock, A.J.P. Taylor, va plus loin : il croit Hitler incapable d'une action conséquente [104] et le suspecte d'avoir disposé d'une collection de concepts interchangeables assortis de théories qu'il sortait l'une après l'autre selon les besoins de la cause. Tout aussi erroné est le point de vue de l'Allemand Hans-Adolf Jocobsen, qui affirme entre autres : « Si

l'on tient absolument à découvrir des « principes » bien arrêtés
chez Hitler, je ne vois guère que le recours systématique aux
expédients, la politique de force sur le continent européen, la
manie de jouer les bons apôtres, le missionnarisme idéologique.
Car dans la politique de tous les jours, Hitler était surtout
un homme de l'improvisation, de l'empirisme, de l'expérimen-
tation, de l'inspiration du moment et aussi de l'opportunisme ;
en toutes circonstances, il se montrait brutal et déterminé, surtout quand il y allait de ses intérêts personnels [105]. »

Il est vrai que la trajectoire d'Hitler comporte des aspects
obscurs, contradictoires, fortuits. Ainsi quand, après la Première
Guerre mondiale, l'Allemagne vaincue, en proie à des troubles
intérieurs et à l'inflation, n'ayant pas réussi à se procurer sur
les marchés étrangers des moyens de paiement internationaux,
les troupes françaises et belges occupèrent le 11 janvier 1923 le
bassin de la Ruhr, Hitler adopta une attitude que même ses
meilleurs amis du N.S.D.A.P. ne pouvaient comprendre. Alors
que les activistes de droite et les radicaux de gauche faisant
cause commune avec l'extrême droite s'apprêtaient à transformer
la « résistance passive » proclamée par le gouvernement du
chancelier Cuno en « résistance active », Hitler se tint à l'écart
avec son parti qui, grâce à ses « bataillons d'assaut » (S.A.) de
6 000 hommes environ [106], disposait de l'unité de combat la plus
puissante en Allemagne. A la grande surprise de tous ses adeptes,
Hitler annonça que tout homme prenant part à la « résistance
active » contre l'occupant serait expulsé du parti. Très peu
nombreux étaient ceux qui comprenaient les intentions d'Hitler,
qui devinaient le caractère tactique de cette décision. Deux ans
plus tard, il expliqua dans *Mein Kampf* comment il comptait
utiliser la crise pour « casser les reins une fois pour toutes » [107]
aux « traîtres et assassins marxistes du peuple », comme Hitler
se plaisait à appeler le gouvernement du Reich. « De même que
l'Allemagne a dû payer par une défaite sanglante en 1918 le
fait de ne pas avoir écrasé en 1914 et 1915 la tête de la vipère
marxiste, écrit Hitler dans *Mein Kampf*, de même elle devra
payer chèrement de ne pas profiter du printemps de 1923 pour
casser les reins une fois pour toutes aux « traîtres et assassins
du peuple marxistes » ... car pas plus qu'une hyène ne lâche une
charogne, un marxiste ne renonce à trahir sa patrie [108]. » Les
mêmes communistes qu'Hitler accuse de trahir la patrie permettent qu'un de leurs agitateurs les plus remuants, Ruth Fischer,
profite de la détresse du pays pour lancer aux étudiants de tendance nationale l'appel suivant : « Quiconque dénonce le capital

juif... est un militant de la lutte des classes ... piétinez les
capitalistes juifs, pendez-les, écrasez-les ! [109] »

En 1923, Hitler n'était nullement intéressé par l'union de
toutes les forces nationales sous l'égide du gouvernement du
Reich, ce qui amenait de l'eau au moulin de ceux qui, à droite
et à gauche, suspectaient Hitler d'être à la solde de la France [110].
Son attitude mettait en évidence qu'Hitler plaçait le salut de
la nation loin derrière son succès personnel et la victoire de sa
« *weltanschauung* ». Entre sa décision de 1923 et sa remarque
souvent citée après 1945 que le peuple allemand « n'a qu'à disparaître s'il ne veut pas se battre » pour l'idéologie hitlérienne,
il n'y a qu'une différence de degré.

Quand Hitler était convaincu de ne pouvoir parvenir à
ses fins par la voie directe, il n'acceptait pas seulement des
compromis, mais il agissait aussi à l'encontre de sa propre doctrine, de l'idéologie dont il s'était fait le héraut [111]. L'opinion
des masses qu'il méprisait l'intéressait si peu que rien que
pour cette raison le cumul de pouvoirs dictatoriaux dans ses
mains présentait déjà un grand danger. « Il est, explique le
Times du 25 mars 1939, dans ses propos sur les masses aussi
cynique que ... nos rédacteurs de textes de publicité. » Il exigeait
du peuple, avec l'histoire duquel il prétendait s'identifier dans
tous ses discours publics, qu'il le crût, qu'il lui fît confiance
comme à la seule personne sachant ce qui convient le mieux au
Reich et à ses citoyens. Jusqu'à la fin, il est resté un orateur
puissant capable de persuader ses adeptes de la « justesse » de
ses décisions, même si ceux-ci les jugeaient en partie obscures
et déplacées. Il invoquait comme preuve de sa mission provi-
dentielle [112] sa chance proverbiale qui accompagna pendant longtemps toutes ses entreprises, ainsi que son assurance qui confondait les autres et qu'il qualifia lui-même en mars 1936, après
une décision particulièrement heureuse en matière de politique
étrangère, de « somnambulique » [113]. Il faisait de ses discours
et interviews, avec beaucoup d'adresse et d'à-propos, les jalons
de sa politique étrangère et de sa politique en général. La
parole vivante, qu'il préféra aussi comme politicien [114] pendant
toute sa vie à la parole écrite, avait toujours pour lui « la valeur
d'une directive, lui servait de moyens diplomatique très stylé » [115].
Le fait que ses propos fussent parfois en contradiction avec les
affirmations de *Mein Kampf* ne le dérangeait pas beaucoup, de
même qu'il refusait systématiquement de modifier ses directives
idéologiques quand elles ne semblaient plus en accord avec les
exigences du moment. C'est ainsi qu'il répondit en février 1936 à

Bertrand de Jouvenel qui lui demandait pourquoi il n'accordait pas, dans les rééditions de *Mein Kampf*, les passages manifestement antifrançais avec sa nouvelle attitude envers la France : « Vous voulez que je corrige mon livre comme un écrivain qui prépare une nouvelle édition de son ouvrage ? Eh bien, je ne suis pas écrivain. Je suis politicien. Je corrige ma politique étrangère en recherchant l'entente avec la France ... Je porte mes corrections dans le grand livre de l'Histoire [116]. » Hitler a sans doute péché par imprudence quand il a consigné par écrit, en 1924/1925, à un époque de sa vie où, âgé de trente-cinq ans, il manquait totalement d'expérience diplomatique, ce que tout politicien chevronné se serait bien gardé de claironner [117]. Mais, devenu homme d'Etat, il n'était plus disposé à révéler au premier venu ses plans et ses intentions. Comme il avait pendant des années dit et écrit beaucoup de choses qui se sont plus tard retournées contre lui, il a émis l'avis — à l'époque il est vrai où la chance l'avait abandonné — que le politicien devrait « apprendre à beaucoup parler sans rien dire » [118].

Personne ne saurait s'étonner qu'Hitler ne pût jouer cartes sur table, même après 1933 : ainsi, il lui était impossible de liquider d'un trait de plume tout l'appareil d'Etat hérité de la République de Weimar avec son ministère des Affaires étrangères, ses obligations internationales, ses usages en matière de politique intérieure. Il fut obligé de consentir pendant un certain temps des concessions tactiques dans l'intérêt même de la réalisation de ses idées racistes et idéologiques sur le plan intérieur et extérieur. La République de Weimar réservait l'ultime décision en matière de politique étrangère au Président du Reich (avec les idées duquel Hitler devait compter jusqu'à la mort de Hindenburg en 1934), au Chancelier et au ministre des Affaires étrangères agissant en accord avec le Reichstag (Parlement), la commission des Affaires étrangères, les groupes parlementaires (partis), sans négliger l'opinion publique. Hitler, qui même après la mort du Président du Reich restait soumis à la pression de certains milieux dirigeants du régime précédent, de certaines couches de la population dont il ne pouvait s'empêcher de respecter les avis, n'était pas à même de s'affranchir d'un seul coup de toutes ces entraves. C'est la raison même pour laquelle sa politique, qui semblait manquer de continuité et faire litière de plusieurs promesses de son programme d'avant 1933, apparaissait à beaucoup de ses anciens camarades de combat comme une trahison de l'idée nationale-socialiste. D'autres aussi ont pu douter de la fidélité d'Hitler à son idéologie : « Les grands

objectifs étaient fixés », écrit Jacobsen en 1968 en examinant la politique étrangère d'Hitler, pour en déduire à tort : Chaque dirigeant national-socialiste, (ou chaque groupe) s'efforçait « de donner aux intentions du Führer une forme concrète, en harmonie avec ses propres vues. Ils ne savaient pas comment, quand et dans quelles circonstances l'objectif pouvait un jour être atteint mais chacun y contribuait pour sa part, dans son champ d'activité. Empêtrés dans des conflits de compétence incessants, limités dans leur liberté d'action par des compromis acceptés à titre provisoire et par les déviations tactiques conditionnées par la politique du moment ... ils déployaient tous une activité fébrile. Sans savoir ce que faisait ... le voisin, sans connaître le but que le Führer poursuivait à tel moment donné... ils étaient animés du seul désir de deviner, en anticipant en quelque sorte l'évolution de l'histoire, les intentions du Führer, de s'assurer par leur activité la confiance et les faveurs du dictateur dont ils avaient absolument besoin pour élargir, sur le plan interne, la base de leur propre puissance. Ainsi, ils érigeaient souvent des châteaux de cartes ou caressaient de beaux rêves... Mais tout cela n'inquiétait pas Hitler ; il ne s'intéressait qu'à son succès personnel et à la domination qu'il exerçait sur tout ... Il lui aurait été facile de faire acte d'autorité, de mettre un terme à la confusion, de prendre des décisions plus nettes, de délimiter avec précision les ressorts. Mais il y renonçait à bon escient » [119].

Un des premiers historiens à reconnaître qu'Hitler suivait obstinément sa voie et s'efforçait sans arrêt de mettre en pratique les différents postulats de sa *weltanschauung*, fut l'Anglais Trevor-Roper. Ainsi, il déclara en 1950 : « On a souvent mis en doute l'action conséquente et logique d'Hitler. Du vivant d'Hitler, aucun des observateurs allemands et étrangers ne voulut y croire — soit parce qu'ils pratiquaient, comme certains hommes d'Etat occidentaux, face à ce déploiement terrifiant de puissance la politique de l'autruche, soit parce qu'ils espéraient — comme certains politiciens allemands — de mettre les énergies ainsi libérées au service de leurs propres buts partiels. Mais, même après 1945, l'action logique et parfaitement conséquente d'Hitler a été contestée par quelques témoins et historiens, à qui la nature vulgaire et inhumaine d'Hitler inspirait une telle horreur qu'ils refusaient de lui concéder le moindre trait positif, que ce soit un esprit pénétrant ou une orientation logique de l'action ... Les événements historiques se sont inscrits en faux contre l'avis des hommes d'Etat. Et je serais tenté d'affirmer que

les historiens — et parmi eux des compatriotes aussi estimés
que Sir Lewis Mamier, Alan Bullock et A.J.P. Taylor — commet-
tent l'erreur de conclure de la bassesse morale à un bas niveau
intellectuel [120]. »

L'itinéraire politique d'Hitler ne manque pas de contradictions et d'obscurités, en dépit de la continuité de ses super-
structures idéologiques fort nuancées. Ainsi, le motif qui l'a
fait embrasser — selon ses propres paroles — « contre sa
volonté » la carrière politique [121] ne semble guère typique d'une
vocation de politicien. Hitler, qui précise dans *Mein Kampf* qu'il
n'a jamais voulu faire de la politique pendant la Première
Guerre mondiale, ne se lance « délibérément dans l'activité politique » [122] qu'après en avoir reçu l'ordre et les directives de
ses chefs militaires [123]. Le fait qu'il gagna, grâce à ses connaissances et à son travail, très vite la confiance et l'estime de ses
chefs [124] dont le rang et le statut politique du moment font
apparaître une telle appréciation sous un jour assez particulier,
prouve simplement qu'ils avaient choisi un homme bien préparé
pour cette tâche, même s'il ne cessait d'affirmer que son tempérament le portait davantage à l'art et à l'architecture [125]. Son
admission au « Parti Ouvrier Allemand » (D.A.P.) [126] qui, à cette
époque, en septembre 1919, ne comptait que cinquante-quatre
membres, apparaît comme un simple « hasard », si bien qu'on
se défend mal de l'impression qu'Hitler avait l'habitude d'abandonner les décisions importantes de sa vie à d'autres instances,
dont il exploitait l'autorité pour ses propres fins en affichant
un opportunisme sans scrupules ; mais c'est là une fausse impression, que renforce encore le fait qu'Hitler ne fait pas acte de
candidature par suite d'une libre décision de sa part, mais
accepte l'insolente initiative des membres du « bureau » qui lui
attribuent « d'office » la carte de membre N° 555 d'un petit
club [127] qu'Hitler avait jugé parfaitement ridicule [128]. Or, Hitler
n'entreprenait jamais de démarches sans y avoir été invité par
un « ordre » ou une indication de la « Providence », si ceux-ci
étaient dans la ligne de ses idées et de ses objectifs. Seule, une
personne peu au courant de la vie d'Hitler pourrait croire
qu'Hitler a fait « peau neuve » en adhérant au Parti Ouvrier
Allemand et en devenant « politicien ». Affranchi de l'anonymat
de l'uniforme militaire, Hitler s'efforce aussitôt de militer dans
la sphère politique pour les valeurs qu'il a reconnues depuis
longtemps comme les seules dignes de son intérêt, même si ses
actions et ses objectifs semblent peu actuels et peu réalisables.
A partir du moment où il monte — par ordre de ses chefs

militaires — sur la scène politique, il s'y impose imperturba-
blement, avec maîtrise et virtuosité [129] ; en politicien de parti
averti, il noue des intrigues, exploite sans vergogne les faiblesses de ses égaux et de ses chefs, se sert de tel supérieur
contre tel autre et agit en tout d'une manière qui aurait fait
honneur à Machiavel.

Le talent politique d'Hitler apparaît dès les premières semaines
de son activité pour son parti, dont il fait en très peu de temps
une organisation puissante et respectée. Lorsqu'en juillet 1921
il se croit assez fort, il place les dirigeants du parti devant le
choix de l'accepter comme dictateur aux pouvoirs illimités, ou
de renoncer à l'avenir à son concours : or, les chefs du Parti
Ouvrier Allemand savent fort bien qu'ils ne peuvent plus se
passer d'Hitler [130]. C'est entre 1921 et 1923 qu'il crée (avec l'aide
de quelques-uns de ses meilleurs collaborateurs) un nouveau
« style » dont il entoure son personnage, le style de « führer »
(en allemand : guide, chef — *N. d. T.*) posant ainsi la première
pierre de sa future « légende ».

Pendant sa détention à la forteresse de Landsberg-sur-Lech,
Hitler eut tout le temps de se préparer à une activité politique
d'un genre nouveau : pour pouvoir reprendre sa carrière là
où il avait dû l'abandonner en 1923, après une lutte de quatre
ans, il jura après avoir bénéficié d'une mesure de grâce, qu'il
renoncerait à l'avenir aux risques d'un coup d'Etat et s'appli-
querait à conquérir « légalement » le pouvoir. Au demeurant,
il mit à profit les libertés que lui garantissait la Constitution
pour les détruire en se servant de sa lettre pour lutter contre
son esprit. En contradiction avec la doctrine professée jusque-là
par le mouvement national-socialiste, il envoya ses représentants
dans les parlements régionaux et au Reichstag, qualifiés par
lui précédemment de « potinières ». Il faut croire que très peu
de gens se rendaient compte qu'en agissant ainsi, Hitler n'avait
d'autre but que celui d'accélérer son accession au pouvoir :
Hitler lui-même et le Dr Gœbbels n'en faisaient d'ailleurs aucun
mystère. Ainsi, le Dr Gœbbels écrivait le 30 avril 1928 dans le
journal *Der Angriff,* dont il était le directeur : « Nous nous
installons au Reichstag pour nous approvisionner en armes à
l'arsenal même de la démocratie. Nous nous faisons députés
pour paralyser la République weimarienne, grâce à ses propres
institutions ! Si la démocratie est assez stupide pour nous allouer
des billets gratuits et des indemnités parlementaires pour ces
services de fossoyeurs, c'est son affaire ! ... Nous ne méprisons
aucun moyen légal pour bouleverser ce qui existe aujourd'hui.

Si nous réussissons à placer par des élections soixante ou soixante-dix agitateurs de notre parti dans les différents parlements, l'Etat financera à l'avenir notre machine de guerre et nous versera des émoluments ... Qu'on ne s'imagine pas que le parlementarisme soit notre chemin de Damas ... Nous venons en ennemis ! Nous faisons irruption dans votre bergerie comme des loups ! Vous n'êtes plus entre vous ! »

Le handicap que constituait pour Hitler sa situation d'apatride (il fut sans nationalité d'avril 1925 à février 1932) [131] incompatible avec sa prétention d'aspirer aux plus hautes charges de l'Etat a pu être écarté par lui et ses amis influents à l'instant même où il s'apprêtait à « se faire élire légalement chef de l'Etat allemand » [132]. Il a pu se défendre victorieusement contre toutes les tentatives de le faire expulser comme « étranger indésirable » ou de lui infliger les sanctions prévues par la loi à l'encontre d'étrangers « troublant l'ordre public » [133]. En effet, le 25 février 1932, le pays de Brunswick le nomma « Conseiller du Gouvernement » [134], ce qui lui conférait automatiquement la nationalité allemande [135].

Alors qu'en général les politiciens s'orientent en fonction de la réalité, la pensée d'Hitler visait surtout à étendre la réalité sur le lit de Procuste de son idéologie. Il a démontré l'absurdité de la théorie de l'histoire marxiste tant méprisée et combattue par lui, aux termes de laquelle les fondements économiques déterminent la superstructure idéologique, et il a essayé non sans succès de modeler le monde à l'image de ses idées parfois fort éloignées de toute réalité. Comme une telle entreprise ne pouvait être menée à bien sans l'aide d'une équipe bien rôdée, de tendance nettement antidémocratique, il s'est appliqué depuis le début de sa carrière politique à mettre systématiquement sur pied le dispositif dont il avait besoin pour réaliser ses plans. Son parti fut mené — comme plus tard l'Etat — à la manière d'une école prussienne au temps du Roi-Sergent ; chaque adhérent du parti était tenu d'obéir comme un soldat aux injonctions de ses chefs. Le parti national-socialiste, qui à partir de 1921 était organisé comme une armée, ignorait les mises aux voix, les délibérations, les objections [136]. Après 1921, Hitler faisait figure de dictateur tout-puissant de son parti [137], les « commissions de travail » n'assurant qu'une fonction purement décorative. Il n'était pas question, pour Hitler, de s'associer ou de coopérer avec des partenaires égaux en droits. Signalons à ce propos quelques exemples typiques qui marqueront aussi sa politique ultérieure ; ainsi, Hitler ne refusa pas seule-

ment l'intégration dans son parti des nombreux groupes et groupuscules politiques fondés après 1918, au sein desquels sévissaient la prétention et l'esprit de coterie, mais il opposa son veto déjà en mars 1921, avant même qu'il fût sacré « führer » du N.S.D.A.P. — contre la volonté du premier président du parti, Anton Drexler — à la fusion avec le parti allemand-socialiste, fondé en 1920 à Hanovre (D.S.P.) qui préconisait le même antisémitisme que le parti national-socialiste, mais était — à part ce détail — de tendance relativement démocratique : c'est ainsi qu'il avait participé, à la différence du N.S.D.A.P., aux élections législatives de mai 1920 [138]. Il entretenait des groupes locaux à Leipzig, Berlin, Bielefeld, Duisbourg, Kiel, Wanne-Eickel, Munich, Nuremberg, Dusseldorf et collaborait avec des nationaux-socialistes d'Autriche et d'Allemagne du Sud tandis que l'activité du parti d'Hitler se limitait à Munich [139]. Hitler étouffa dans l'œuf toutes les tentatives d'assimilation ou d'intégration du N.S.D.A.P. par d'autres groupes. Depuis le commencement de son activité politique, il s'était révélé un adversaire farouche non seulement de tous les partis politiques de tendance démocratique, conservatrice, socialiste ou communiste, mais aussi de tous les rivaux nationalistes et radicaux-nationalistes, que leurs objectifs fussent en accord ou non avec sa « *weltanschauung* » ou ses vues sur la réalisation de ses buts politiques. Il rejetait, pour des raisons tactiques autant qu'idéologiques, le rattachement du N.S.D.A.P. à la famille des groupes radicaux de droite qui n'étaient pas seulement des partis politiques mais aussi des associations de combats, des organisations secrètes et des « loges ». Il avait compris mieux que tous les autres que son parti ne serait jamais un « mouvement de masse » tant qu'on accepterait pas ses objectifs et ses dispositions. A partir du moment où Hitler s'était emparé des leviers de commandes de son parti, personne n'était admis comme membre s'il posait les moindres conditions. Hitler interdit l'adhésion de groupements entiers et dénonça l'accord de collaboration que ses prédécesseurs avaient conclu avec les « Nationaux-Allemands ».

Devenu homme d'Etat, il appliqua ces mêmes principes à l'Allemagne et à l'Europe tout entière : « Il fit du Reich, écrit fort pertinemment Hans Buchheim, ce qu'était naguère pour lui le parti : un instrument docile et toujours disponible ; pour renverser le régime, il s'était servi de la légalité et de la terreur dans la rue ; arrivé au pouvoir, il aspirait à l'hégémonie européenne et amadouait ses adversaires par un mélange de protestations pacifiques et de menaces brutales. Comme il avait sapé

les assises de la République de Weimar sans se soucier du bien
commun, il misait maintenant sur les faiblesses et les particu-
larismes des différentes nations, sans tenir compte des intérêts communs de la grande famille des peuples européens ; il
n'hésitait pas à empoisonner les relations entre nations par une
insincérité cynique et à courir le danger d'une nouvelle guerre.
Ces méthodes lui permirent de remporter en très peu de temps
quelques succès éclatants qui n'auraient pas été à la portée de
politiciens démocratiques, mais qui ébranlèrent fortement l'équilibre européen en train de se réaliser et lui valurent des ennemis
dans le monde entier. Sa répugnance à entraver sa liberté d'action par des coalitions se manifestait dans sa politique étrangère par son refus de prendre des engagements, d'adhérer à
des institutions et pactes internationaux multiléraux qui l'auraient lié à plusieurs partenaires à la fois et dont les stipulations
auraient été garanties par plusieurs puissances. Il donnait la
préférence à des négociations avec un seul partenaire, à des
traités bilatéraux, dont l'observation ne regardait qu'une seule
nation [140]. »

Depuis le début de sa carrière politique, Hitler a su mettre
à profit les intrigues, l'ambition effrénée, le passé parfois chargé
de ses collaborateurs, le besoin de se mettre en valeur si répandu
parmi les petits-bourgeois que la guerre mondiale avait jetés
hors du droit chemin, pour créer des structures et des méthodes
de commandement qu'il n'aurait jamais pu réaliser dans le
cadre des partis et systèmes étatiques traditionnels. C'est ainsi
qu'il avait l'habitude de mal délimiter l'autorité et le ressort
de certaines charges confiées à des personnes rivalisant les unes
avec les autres, dont le passé pouvait comporter quelque
« tache ». De fait, Hitler a toujours considéré le chantage comme
un auxiliaire particulièrement précieux de l'exercice du pouvoir. Il partait du principe, souvent vérifié au cours de l'Histoire,
que des dirigeants de parti, des ministres, des généraux à la
conscience chargée, toujours en lutte les uns avec les autres,
toujours tributaires de sa bienveillance et de son pouvoir discré-
tionnaire, ne se ligueraient pas contre leur « souverain » : « Les
truands qui ont quelque chose sur la conscience sont des gens
dociles, attentifs aux moindres menaces, car tout cela leur est
familier », expliqua Herman Göring à son défenseur, Haensel,
pendant le procès de Nuremberg ; il ajouta, tout à fait dans
la ligne d'Hitler : « On peut leur offrir quelque chose, parce qu'ils
ne refusent rien ... on peut les faire pendre s'ils bougent. J'aime
m'entourer de rusés compères ... à condition d'avoir le droit de

vie et de mort à leur égard [141]. » Les rapports personnels entre
Hermann Göring, Alfred Rosenberg, Joseph Gœbbels, Albert
Speer et les ambitions et mesures politiques qui en furent la
résultante attestent de manière convaincante qu'Hitler choisissait généralement les hommes qui convenaient à ses fins [142],
qu'il connaissait bien son « petit monde ». Et non seulement son
petit monde ! On reste stupéfait devant l'audace de certaines
de ses entreprises dans le parti, qu'il menait en maître absolu,
comme le capitaine son bateau, en Bavière et dans d'autres « län-
ders » du Reich. Quand il voyait se dresser devant lui, entre
1921 et 1933 à l'intérieur, entre 1933 et 1939 à l'intérieur ou à
l'extérieur du Reich, des puissances capables de lui barrer la
route, il n'eut jamais besoin de renoncer à ses objectifs fondamentaux. Peut-on s'étonner dans ces conditions, que — faisant
confiance à son idéologie et aux événements politiques qui semblaient la confirmer — il en arrivât à croire que tout ne dépendait en dernière analyse que de son esprit de décision ? Sa
conviction, dont il s'était pénétré de bonne heure, qu'il pourrait
après son accession au pouvoir diriger la politique étrangère
de son pays avec autant de désinvolture que sa politique intérieure, devait entraîner en Allemagne, où le problème des rapports entre politique étrangère et politique intérieure était resté
un sujet de discussions académiques, des conséquences très
particulières. L'acceptation par Hitler, en 1938, de la primauté
de la politique étrangère sur la politique générale revêtait pour
lui le caractère de l'accomplissement d'une phase historique [143].
Tout ce qu'il entreprenait lui-même ou par personnes inter-
posées, qu'il s'agît de l'assassinat d'Ernst Röhm et de nombreux
autres adversaires le 30 juin 1934, du cumul de la charge de
président et de chancelier du Reich le 2 août 1934, de l'exécution
des hommes et femmes de la résistance, était présenté par la
propagande nationale-socialiste comme de hauts faits historiques ; cette propagande s'épanouissait d'autant plus librement
que la critique publique ou la présentation objective des événements était impossible. Le parti national-socialiste qui avait
trouvé dans la personne d'Hitler dès l'origine un agitateur et
un propagandiste d'envergure exceptionnelle, qui s'était rapidement transformé en un instrument docile de ses ambitions, lui
obéissait au doigt et à l'œil ; grâce à lui, la phraséologie de la
propagande jouissait dans « l'Allemagne nationale-socialiste »
(Hitler avait interdit jusqu'au début de la guerre l'emploi du
terme de « Troisième Reich ») [144] de tous les prestiges du « fait
indiscutable », et les institutions, organisations et services de

l'Etat se transformaient en organes exécutifs obéissants, en assassins et en empoisonneurs du peuple par conviction.

Il n'y a jamais eu en Allemagne de politicien et d'homme d'Etat dont la politique ait eu autant besoin que celle d'Hitler, entre 1933 et 1945, du support de la propagande. Il est vrai aussi qu'aucun autre politicien ne s'est vu confronté du jour au lendemain à la tâche de tenir des promesses qu'il avait faites comme agitateur et chef de parti, dans le seul but de combattre l'Etat et de détruire ce qui existait ; or, ces promesses relevaient de la chimère : pour ne pas avoir l'air d'un menteur, Hitler se voyait amené à amalgamer si intimement politique et propagande que plusieurs de ses mesures dans le domaine militaire et dans celui de la politique étrangère, par exemple pendant la Deuxième Guerre mondiale, étaient d'emblée vouées à l'échec [145].

Mais Hitler avait un don de séducteur si unique dans l'histoire de l'humanité qu'il n'a pas seulement envoûté la grande majorité du peuple allemand, mais que son rayonnement dépassait les frontières de son pays. On a souvent mal compris son affirmation : « Ce n'est pas par modestie que je voulais « battre la grosse caisse », mais parce que c'est la seule chose qui importe, tout le reste ne compte pas ! [146] » Et pourtant, depuis les débuts de sa carrière politique, il n'a pas seulement séduit les « masses ». Il est certain que les personnes cultivées l'ont souvent suivi à leur cœur défendant, avec un sentiment de malaise ... mais le fait est là, les intellectuels ont emboîté le pas à Hitler ... L'idéologie nationale-socialiste n'a pas seulement enthousiasmé les brasseries et les rassemblements populaires, elle a troublé aussi la paix des cabinets d'études. Elle y a suscité ce mélange de consentement et d'hésitation dont s'imprègnent ceux qui se résignent aux bouleversements de leur époque. La fascination de l'idéologie hitlérienne s'est exercée aussi sur eux [147]. Hitler connaissait bien « son »peuple et les « masses » qu'il détestait ; il a ouvertement affiché son mépris des hommes, ce qui ne les a nullement empêchés de l'applaudir.

Il était pourtant manifeste qu'il ne se contenterait pas de leurs applaudissements ; dès le début, il ne voulait pas seulement dominer le peuple, mais encore le remodeler intellectuellement, le « refondre » selon ses principes idéologiques et raciaux. Le poids de cette vérité apparaît d'autant plus nettement que la recherche historique sur le fascisme, sur Hitler, son idéologie et le régime national-socialiste, n'a jamais établi — en dépit de

l'alignement d'un grand nombre de données historiques incontestables — d'une manière unanime, si le règne d'Hitler a été un régime *autoritaire* et *totalitaire* [148].

La *propagande* à laquelle Hitler, orateur génial, rompu à l'art de la simplification imagée et de l'abstraction, doit en grande partie son ascension foudroyante [149] était depuis 1919 un des aspects les plus importants de sa politique. Ce n'est pas par hasard que Gœbbels déclara, le 17 juin 1935 : « Qu'aurait été notre mouvement sans la propagande ? Où irait cet Etat si une propagande vraiment créatrice ne lui donnait sa physionomie spirituelle ? [150] » Le rôle qu'Hitler assignait à la propagande apparaît dans ses grandes lignes, déjà, dans quelques propos par lesquels il identifiait la propagande aux possibilités réelles. Ainsi, il prétendait par exemple être convaincu que l'Allemagne avait perdu la guerre en 1918 à cause de la défaillance de la propagande allemande. Hitler a fait semblant d'ignorer la défaite militaire de l'Allemagne, que les généraux les plus populaires de la Première Guerre mondiale, Hindenburg et Ludendorff, ont ouvertement admise, et il a tiré des arguments de propagande de son explication personnelle. Il savait, en effet, qu'il devait restreindre le « libre arbitre des hommes » [151] s'il voulait assurer, surtout après une guerre perdue, le succès de son idéologie et de sa politique. Son affirmation que « la propagande est un moyen » qui doit être jugé « dans la perspective de sa fin » [152] semble indiquer qu'il croyait pouvoir dénaturer les faits et réaliser l'impossible par la seule propagande. « La tâche de la propagande consiste non à instruire scientifiquement l'individu isolé, mais à attirer l'attention des masses sur des faits, événements et nécessités déterminés, et dont on ne peut faire comprendre l'importance aux masses que par ce moyen [153]. » La propagande politique, qui dans la logique hitlérienne excluait toute idée d'esthétique ou d'humanitarisme, ne pouvait avoir pour fin la recherche « objective ... de la vérité » ou de « détermination des droits respectifs » ; elle devait au contraire avec une grande « sincérité doctrinale » [154] souligner la justesse du point de vue qu'elle défendait. Ainsi, c'était selon Hitler une « très grave erreur » de « discuter la question de la culpabilité de la guerre, en disant que l'on ne pouvait attribuer à l'Allemagne seule la responsabilité de cette catastrophe... » [155]. Dans cette perspective, la question de savoir si les affirmations de la propagande correspondaient aux faits était sans la moindre importance. Hitler voulait écarter de la propagande politique toutes les demi-vérités, toutes les distinctions subtiles, suscep-

tibles de faire naître des appréciations relatives et des doutes [156]. Comme la « masse » ignore, selon Le Bon [157], aussi bien le doute en matière de vérité que le besoin de connaître la vérité, comme ses réactions sont toujours simples et excessives, comme elle n'est pas portée aux raisonnements logiques, il fallait l'endoctriner et la traiter en conséquence. « Dans le domaine de la propagande, explique Hitler, il n'y a point de nuances, mais seulement la notion positive ou négative d'amour ou de haine, de droit ou de déni de justice, de vérité ou de mensonge ; il il n'y a jamais de demi-sentiments, etc. [158] » « ... Aucune diversité ne doit, en aucun cas, modifier la teneur de ce qui fait l'objet de la propagande, mais doit toujours, en fin de compte, redire la même chose [159]. » De la même manière, l'analyse importante du mot d'ordre peut se faire dans différents éclairages, mais « le but de tout exposé doit se ramener toujours à la même formule », au contenu du mot d'ordre [160].

Toute propagande politique qui se fonde sur les doctrines de Le Bon et de Mc Dougall doit être *simple*. Hitler lui a assigné la tâche précise de s'adresser exclusivement à la masse » [161] qui est, par exemple, incapable de dire « où finit le tort de l'adversaire et où commence le nôtre » [162]. Pour Le Bon, de l'avis duquel l'effort intellectuel est inhibé par le collectif tandis que la masse est portée aux réactions affectives, l'individu est un robot aboulique dès qu'il se trouve plongé dans la masse, un être poussé par ses instincts, dépouillé de toutes ses valeurs personnelles, animé d'un héroïsme primitif, d'un dynamisme facile à mettre en branle, qu'un leader politique au verbe puissant et soutenu par un « grand prestige personnel » (un « maître des masses ») sait hypnotiser et remplir du sentiment de sa puissance irrésistible [163]. L'individu nivelé dans la masse est un barbare raisonnant par images, influençable, crédule si on lui montre des modèles, sensible aux répétitions et aux exagérations, dépourvu de tout sentiment de la justice ou des responsabilités [164]. Toutes ces thèses se retrouvent sous une forme légèrement modifiée dans Hitler. Tandis que Le Bon enseigne que « la vie psychologique consciente (dans la masse) n'est que peu de chose à côté de la vie psychologique inconsciente » [165], Hitler déclare, en modifiant légèrement cette thèse : « La faculté d'assimilation de la grande masse n'est que très restreinte, son entendement petit, par contre, son manque de mémoire est grand [166]. » S'inspirant de Le Bon, Hitler déduit de ces thèses quelques règles politiques pratiques : « Toute propagande efficace doit se limiter à des points fort peu nombreux et les faire valoir à coups de

formules stéréotypées aussi longtemps qu'il le faudra, pour que
le dernier des auditeurs soit à même de saisir l'idée. Si l'on
abandonne ce principe et si l'on veut être universel, on amoin-
drira ses effets, car la multitude ne pourra ni digérer ni retenir
ce qu'on lui offrira. Ainsi le succès sera affaibli et finalement
annihilé [167]. » « Pour les intellectuels ou tout au moins pour
ceux que trop souvent on appelle ainsi, précise Hitler avec une
ironie sarcastique dans *Mein Kampf*, est destinée non la propagande mais l'explication scientifique [168]. » Quant à la propagande, son contenu est aussi peu de la science qu'une affiche
n'est de l'art dans la forme où elle est présentée [169]. C'est pourquoi la propagande doit s'adresser, selon Hitler, « bien plus
au sentiment » qu'à ce qu'on appelle la « raison » [170] ; car « dans
sa grande majorité, le peuple se trouve dans une disposition
et un état d'esprit à tel point féminins, que ses opinions et ses
actes sont déterminés beaucoup plus par l'impression produite
sur les gens que par la pure réflexion » [171]. Hitler tenait compte
de cette théorie en entourant ses discours d'un cérémonial propre
à faire appel aux sentiments : drapeaux, roulements de tam-
bours, effets d'éclairage, la marche vers la tribune à travers le
public debout ou assis ; les chants et les hymnes faisaient partie
des discours hitlériens, comme le déploiement des enfants de
chœur (Hitler en fut un au temps de sa jeunesse) [172] fait partie
de l'office religieux célébré par un prêtre catholique.

Comme Hitler considérait la propagande non seulement
comme une nécessité en soi, mais comme un moyen en vue d'un
but précis — à savoir le déclenchement d'un mouvement politique de masses — elle devait être « populaire » et « placer son
niveau spirituel dans la limite des facultés d'assimilation du
plus borné parmi ceux auxquels elle s'adresse » [173]. Hitler parlait
de l'idée que le niveau de la propagande doit être déterminé
d'une part par l'importance du but à atteindre, de l'autre par
la capacité intellectuelle de ceux qu'il s'agissait de convaincre
et de gagner. Il en déduit que la propagande doit être d'autant
plus simple que la masse est grande et le but à atteindre élevé [174] ;
en effet, « plus sa teneur scientifique est modeste, plus elle
s'adresse exclusivement aux sens de la foule, plus son succès
sera décisif » [175]. Les quelques conseils qu'Hitler dispense aux
techniciens de la propagande traduisent bien son optique, qui
lui présentait le monde dans la perspective des objectifs qu'il
s'était assignés : la propagande doit viser les grandes masses,
elle doit se limiter à quelques points précis, elle doit les répéter
sans arrêt ; les textes rédigés sous la forme affirmative et sou-

veraine d'une thèse apodictique doivent être répandus avec une persévérance infinie, en attendant le succès escompté ... [176].

L'antipathie prononcée d'Hitler pour les intellectuels faisant de la politique, que d'aucuns ont interprétée à tort comme l'aveu inconscient de son incertitude et de son infériorité face aux spécialistes, repose sur l'idée tout aussi erronée d'Hitler que les intellectuels jettent du sable dans les engrenages de la politique [177]. Nous citons comme preuve du contraire le « journal intime » de Kurt Riezler [178], le secrétaire et conseiller intime du chancelier Bethmann-Hollweg, le même qui a précipité l'Allemagne dans la Première Guerre mondiale. Notons cependant un fait bien plus important encore : la politique d'Hitler après 1933 n'a souvent été que l'application pratique de thèses et de théories qui depuis le temps de Bismarck ont fait, en Autriche et en Allemagne, l'objet de discussions qui ne se voulaient nullement « académiques ». L'existence même de ces discussions prouve que ce qu'on affecte de trouver « horrible » dans la bouche d'Hitler, qu'on attribue à la soif de puissance perverse d'un individu peu cultivé, a été pensé et écrit avant lui par bon nombre de politiciens encensés par la postérité. La phrase : « Je juge un crime ... commis au service de la cause comme parfaitement légitime et justifié par la dureté du monde » n'a pas été écrite par Hitler mais par Riezler ; dans le « journal » de Riezler nous lisons aussi : « La confiance en Dieu ou la légèreté, la foi ou l'aveuglement, c'est la même chose ; car c'est là notre seule chance de vaincre ! [179] » Une autre phrase pourrait être d'Hitler, que Riezler a notée dans son journal après avoir discuté, en 1918, comme chef de cabinet du ministre des Affaires étrangères avec les partis politiques de la jeune république parlementaire : « Horribles, ces délibérations collégiales avec des esprits peu portés à la politique ... chacun met son grain de sel — il ne peut en sortir aucun bien ! [180] »

A la différence de Riezler, de sept ans l'aîné d'Hitler, qui — avant d'être le secrétaire de Bethmann-Hollweg — ébauchait (à l'époque où Hitler se préparait à Vienne à sa carrière d'architecte) les discours du chancelier von Bülow et qui, après la Première Guerre mondiale, dirigeait le cabinet du président de la République (*Reichspräsident*) Friedrich Ebert, Hitler était convaincu du sens de l'Histoire ; pour cette raison, on serait tenté d'attribuer son impatience maladive, qui transparaissait souvent aussi dans ses discours [181], à ses concepts historiques. Mais ce serait là une grave erreur ! Car les décisions et mesures politiques sans cesse plus précipitées qu'il prend après 1937

ne s'expliquent nullement par sa crainte d'être en quelque sorte
en retard sur l'Histoire ou de manquer le « moment historique »,
mais par l'obsession que — ses jours étant comptés — il n'aurait
peut-être plus le temps d'imprimer à l'histoire la marque de son
idéologie. Il avait prouvé pendant vingt ans qu'il savait attendre,
si la patience s'imposait pour des raisons tactiques ; mais depuis
qu'il est malade, son impatience pathologique détermine ses
actions, non seulement sur le plan politique. C'est le 5 novembre 1937 qu'il rédige son testament politique, suivi le 2 mai 1938
de son testament privé [182]. Son médecin, son entourage se rendent tous les jours un peu plus compte de cette dépersonnali-
sation qui les inquiète [183]. En politique étrangère, l'impatience
d'Hitler se manifeste pour la première fois pendant la crise des
Sudètes, mais Chamberlain et Mussolini réussissent à le détourner de son projet d'écraser la Tchécoslovaquie par une action
militaire. La fièvre qui le pousse prend des proportions terri-
fiantes au plus haut de la crise polonaise, quand il a effectivement peur qu'un « quidam » puisse l'empêcher de lancer sa
première guerre-éclair, alors que l'Allemagne n'est pas encore
militairement prête pour une telle opération. L'aggravation
rapide de son état psychique n'est pas seulement due aux progrès de son mal, mais aussi à l'évolution de la guerre, qui ne
lui permet plus d'imposer partout ses vues par l'emploi de la
force brutale et de poursuivre une politique conforme à son
idéologie de la violence ... La France est occupée ... Winston
Churchill, qui avait considéré comme inévitable la guerre contre
Hitler, n'est pas disposé, en dépit de la rapide défaite de la
France, à épouser la cause d'Hitler ; Franco montre peu d'em-
pressement à prendre part à la guerre et à attaquer Gibraltar.
Le Japon se situe hors de la sphère d'influence d'Hitler ; l'Union
Soviétique n'avait pas accepté, lors de la visite de Molotov à
Berlin, en 1940, la proposition d'Hitler d'inquiéter les Britan-
niques dans le Sud du continent asiatique ; la campagne de
Russie, déclenchée en 1941 sous le nom d' « opération Barbarossa », a montré à Hitler qu'il était impossible d'écraser l'Union
Soviétique par une « guerre-éclair » : tout cela se traduit par
une modification profonde de la personnalité d'Hitler ; la guerre
ne lui a pas apporté le calme dont il avait espéré, jusqu'en 1942,
le retour [184].

Sachant qu'il a dépassé le sommet de sa carrière et qu'il
ne sortira pas vainqueur de la conflagration [185], Hitler exige
qu'on juge le politicien en fonction de ses valeurs et mérites
positifs [186] ; quant aux pessimistes, il voudrait les pendre haut

et court [187]. Selon lui, un politicien doit être plus courageux dans son domaine qu'un soldat sur le champ de bataille [188]. Il vaudrait mieux qu'il n'ait pas d'expériences spécifiques [189], qu'il renonce à la reproduction consciente de décisions politiques du passé [190], qu'il ignore les exemples historiques ; pourtant, Hitler fait sans cesse appel à l'Histoire, il se réfère volontiers à ses expériences. Mais il se qualifie aussi de « créateur de programmes » qui donne à la politique des directives fondées sur sa connaissance de l'histoire et de son évolution future. C'est ainsi qu'il se lance, le 9 avril 1942, dans une méditation historique : « Si les Romains n'avaient vaincu les Huns sur les champs catalauniques, l'essor culturel de l'Occident eût été impossible, et la culture occidentale eût été anéantie comme est menacée d'anéantissement la nôtre par les Soviétiques [191]. » Son affirmation que le politicien idéal doit être inflexible de caractère, hardi, optimiste, tenace [192], semble indiquer qu'il se prenait lui-même pour modèle. Mais cette remarque ne s'applique certainement pas à cet autre postulat, aux termes duquel le politicien ne devrait pas accumuler trop d'expériences [193] ou trop de connaissances [194] parce que celui qui en sait trop est tenté, dans les passes difficiles, de faire des comparaisons négatives, qui limitent sa liberté d'action et lui imposent un fardeau intolérable [195]. C'est pourquoi il refusait de confier à des critiques clairvoyants de la chose publique de grandes responsabilités politiques — et encore moins des postes de ministres — parce que les intellectuels étaient à son avis trop prudents, trop tentés par le perfectionnisme, trop obliques pour être de bons politiciens [196]. Des politiciens que des « si » empêchent de prendre des décisions étaient, à l'en croire, « mal programmés » [197] ; remarque curieuse, puisque ses propres décisions comme chef militaire et stratège se ressentaient souvent de ce genre d'hésitations ; à tel point que quelques-uns de ses généraux ont voulu y voir une des causes des défaites allemandes. Mais Hitler n'avait pas l'habitude de s'embarrasser de ses propres théories et recettes. Ainsi, il avait par exemple exigé dans *Mein Kampf* qu' « un chef qui doit abandonner ses théories générales parce que reconnues fausses ... doit s'interdire l'exercice public d'une action politique ultérieure » [198]. Ayant réuni dans ses mains assez de puissance pour décider de la vie et de la mort de chaque citoyen, et même du peuple tout entier et du Reich, il fit passer de vie à trépas quiconque se référait à cette maxime et osait affirmer que la politique et l'histoire n'obéissaient pas aux lois dont Hitler avait proclamé la validité éternelle. En 1925, il avait écrit dans *Mein Kampf* : « A une heure

où un peuple succombe visiblement et est livré, de toute évidence, à l'oppression la plus dure, grâce aux actes de quelques vauriens, l'obéissance et l'observance du devoir envers ces derniers sont preuve d'un formalisme doctrinaire, et même de la folie pure ... [199] » Dans la nuit du 20 au 21 juillet 1944, après l'échec de la tentative de quelques hommes d'agir en accord avec les affirmations de *Mein Kampf* et le serment prêté par Hitler en 1933 [200], celui-ci lança au peuple allemand : « Une toute petite clique d'officiers ambitieux, sans scrupules et d'une sottise criminelle a ourdi un complot pour me supprimer et exterminer avec moi l'état-major de la Wehrmacht allemande [201]. »

Hitler, qui s'identifiait déjà avant sa « prise du pouvoir » avec le Reich, qui ne pensait qu'à lui-même quand il disait « Allemagne », a fait litière, après s'être emparé de l'Etat, de la volonté populaire, en dépit de ses serments écrits et oraux. Même après sa défaite politique et militaire décisive, il n'était nullement disposé à tenir la parole donnée qu'il se démettrait de ses fonctions s'il échouait [202]. Il est inutile de se demander si Hitler aurait eu la même réaction s'il n'était pas tombé malade, si sa personnalité n'avait pas subi, du fait de son mal, des modifications profondes. Il est tout aussi vain de constater que sa « sphère intime de la peinture et de l'architecture » s'était fortement déformée [203] entre 1937 et 1945, par rapport à ses idées arrêtées avant 1914.

Il est par contre faux d'affirmer, comme cela a été fait à plusieurs reprises, qu'Hitler serait resté un « bohémien » de la politique, qu'il aurait « détesté la discipline de ses charges quotidiennes d'homme d'Etat », qu'il aurait essayé de se soustraire à toutes les tâches administratives [204]. Les années de 1939 à 1945 prouvent qu'il s'est soumis au contraire jusqu'à la limite de ses forces à une discipline [205], que Karl Jold avait comparée devant le Tribunal de Nuremberg « à celle d'un camp de concentration. » Ce n'est pas l'habitude d'une vie de bohème ou le manque de discipline qui le poussaient à traiter certaines affaires politiques avec désinvolture ou « en marge », mais sa conviction motivée qu'un politicien de son rang n'avait pas à s'occuper de problèmes de routine et d'affaires de tous les jours. Comme il se réservait la décision dans tous les domaines, son mépris des questions juridiques, administratives et financières, devait entraîner pendant la guerre — dans laquelle il ne voyait pas, comme Bismarck, la continuation de sa politique par d'autres moyens, mais une nécessité historique et une concrétisation inéluctable de sa « *weltanschuung* », exigeant son engagement total comme

chef militaire et stratège — des conséquences très graves, qui poussaient même un Gœbbels à noter en 1943 dans son « journal intime » : « Nous pratiquons trop la stratégie et trop peu la politique. Dans la situation présente, qui ne brille pas par des succès militaires très éclatants, il serait bon que nous apprenions à nous servir un peu plus de l'outil politique [206]. » Se fondant sur des considérations idéologiques, Hitler ne tient aucun compte d'un postulat qui, depuis Polybe, s'impose à tout historien de la guerre et à tout historien tout court : « Pendant la guerre, il importe de ne jamais perdre de vue le rôle de la politique. » Une remarque d'Hitler du 4 mai 1942 est révélatrice de sa manière irréaliste d'envisager les choses. Ce jour, il affirma en effet « que le remboursement de la dette publique contractée par suite de la guerre ne posait aucun problème compte tenu des gains territoriaux du Reich » [207], alors que la dette publique, qui s'élevait en 1933 de 12 à 15 milliards de « reichsmarks », atteignait à la fin de la guerre la somme de 350 milliards [208] et que cette perte inflationniste devait être supportée pour sa plus grande part par les Allemands du Reich [209]. Une fois de plus, Hitler déformait la réalité et s'en tenait à son idée que les temps n'étaient pas mûrs pour des décisions politiques selon ses vues [210] ; il faisait remarquer (ce qui, dans sa perspective, était pour une fois réaliste) que les revers et défaites militaires l'obligeaient à renoncer à la politique [211].

Comme il l'avait déjà annoncé en 1924 dans *Mein Kampf*, Hitler est resté fidèle jusqu'à la fin de sa vie à son idéologie et à ses concepts politiques auxquels il s'était identifié à sa manière, du fait de son égocentrisme exclusif, déjà dans sa jeunesse. Qu'en tant que politicen il aspirât au pouvoir et s'efforçât de le conserver, ne saurait lui être reproché. Il est impossible de faire longtemps de la politique si l'on ne détient pas le pouvoir, de conserver le pouvoir si on ne marque pas quelques succès. Mais sa politique était contraire aux intérêts des hommes, elle était inhumaine et pernicieuse ; Hitler utilisait sa puissance légitime pour s'emparer de pouvoirs illégitimes, pour imposer aux autres ses idées personnelles, pour s'assurer une liberté d'action illimitée, pour rompre des engagements auxquels il aurait dû se soumettre. En tant que politicien et homme d'Etat dont l'idéologie se fondait sur la force à l'intérieur et à l'extérieur, il fut insatiable dans sa quête de la puissance, il chercha — poussé par des pulsions morbides [212] — à réunir dans ses mains plus de pouvoirs qu'il n'était capable d'administrer et d'insérer dans un ordre fonctionnel. C'était là une des consé-

quences néfastes de cette politique, qu'il ne put consolider ses acquisitions et conférer de la durée à ce qu'il avait édifié. Ainsi, ses succès politiques et militaires [213], facilités par un heureux concours de circonstances, étaient condamnés à se transformer en pseudo-succès, à saper les assises qui les soutenaient ; cette évolution était d'autant plus inévitable qu'Hitler se trouvait dans l'obligation, en raison de sa politique fondée sur des effets de propagande, d'assigner sans cesse de nouveaux objectifs, tant intérieurs qu'extérieurs, à sa quête de l'impossible.

ETAPES DU POLITICIEN
ET DE L'HOMME D'ETAT

12-9-1919	Hitler assiste par ordre du commandement du groupe n° 4 de la Reischswehr à une réunion du Parti Ouvrier allemand (D.A.P.).
Septembre 1919	Hitler devient membre du D.A.P. sans en avoir fait la demande. Il obtient la « carte de membre » n° 555.
13-11-1919	Début de l'activité politique : Hitler devient le « propagandiste » du Parti Ouvrier Allemand.
1-1-1919	Ouverture de la première « permanence du parti » au « Sterneckerbäu » à Munich.
24-2-1920	Proclamation du programme du « Parti Ouvrier Allemand » (D.A.P.) au « Hofbräuhaus » de Munich. Peu après, le parti prend le nom de « Nationalsozialisstische Deutsche Arbeiterpartei » (N.S.D.A.P.).

13 au 17-3-1920	Le putsch de Kapp : Hitler se rend à l'initiative d'Epp, Mayr et Röhm avec Dietrich Eckart à Berlin pour discuter d'une participation éventuelle au putsch.
31-3-1920	Hitler quitte la « Reichswehr » (Régiment de fusiliers voltigeurs n° 41).
7 et 8-8-1920	Hitler prend la parole au Congrès International des Nationaux-Socialistes des pays de langue allemande à Salzbourg.
29-9 au 11-10-1920	Orateur politique en Autriche.
17-12-1920	Le N.S.D.A.P. achète le *Völkischer Beobachter* (qui avait porté jusqu'au 9-8-1919 le nom de *Münchner Beobachter*).
11-7-1921	Pour faire pression sur les dirigeants du parti, Hitler quitte le N.S.D.A.P. Il adresse un ultimatum à la direction.
26-7-1921	Hitler adhère (de nouveau) au N.S.D.A.P. Il reçoit la carte de membre n° 3680.
29-7-1921	Une assemblée extraordinaire du parti le nomme premier président du N.S.D.A.P.
16-11-1921	Selon ses propres déclarations devant le tribunal chargé de la tenue des registres (Registergericht) Hitler est en possession de toutes les actions du *Völkischer Beobachter* et des éditions « Franz-Eher-Verlag » à Munich.
12-1-1922	Hitler est condamné à trois mois de prison pour « troubles apportés à la paix publique » : il avait perturbé une réunion du *Bayernbund* (Union Bavaroise).
10-3-1922	Le gouvernement bavarois songe à expulser Hitler. Mais il renonce à cette mesure.
24-6 au 27-7-1922	Hitler purge sa peine de prison à la maison d'arrêt de Munich-Stadelheim (il est élargi par réduction de peine).
14 au 15-10-1922	Hitler prend part à la « Journée allemande » organisée par le duc de Cobourg avec la participation des associations patriotiques allemandes. Les opposants sont attaqués dans les rues de Cobourg (c'est à Cobourg que le N.S.D.A.P. obtient pour la première fois la majorité absolue dans un conseil municipal).
20-10-1922	Julius Streicher et sa « Deutsche Werksgemeinschaft » adhère au N.S.D.A.P. (Streicher est le directeur du journal *Deutscher Volkswille*).
13-12-1922	Dix manifestations de masse du N.S.D.A.P. à Munich.

27 au 29-1-1923	Premier congrès du N.S.D.A.P. à Munich.
15-3-1923	Le pourvoi en réformation contre l'interdiction du N.S.D.A.P. en Prusse, Saxe, Bade, Mecklen-bourg-Schwerin, à Hambourg et Brême, est rejeté par le premier Sénat de la Cour d'Etat du Reich allemand.
1-5-1923	Les S.A. (sections d'assaut) hitlériennes en armes défilent sur l'Oberwiesenfeld à Munich. La manifestation est dispersée par les forces de l'ordre.
Août 1923	Hitler rend visite en Suisse à des sympathi-sants et mécènes.
1er au 2-9-1923	« Journée allemande » à Nuremberg — avec la participation du général Ludendorff. Fonda-tion du *Deutscher Kampfbund* (Union de combat allemande) à laquelle viennent se join-dre d'autres organisations d'extrême droite.
25-9-1923	Hitler devient le directeur politique du *Deuts-cher Kampfbund*.
26-9-1923	Fin de la « défense passive » dans la Ruhr. L'état d'urgence est proclamé en Bavière : Gustav von Kahr est nommé commissaire géné-ral de l'Etat (il est assassiné en 1934 lors de l' « affaire Röhm »).
27-9-1923	Quatorze manifestations de masse du N.S.D.A.P. sont interdites en Bavière.
8 au 9-11-1923	Disputes avec les séparatistes bavarois et enne-mis du Reich (von Kahr et d'autres) ; putsch à Munich. Le putsch est étouffé devant la Fel-dherrnhalle par l'intervention des forces de l'ordre. Interdiction du N.S.D.A.P. et du *Völ-kischer Beobachter*.
11-11-1923	Hitler s'enfuit. Il est arrêté à Uffing sur le Staf-felsee.
26-12-1923	Mort de l'ami et conseiller d'Hitler Dietrich Eckart.
26-2 au 1-4-1924	Procès d'Hitler à Munich.
1-4-1924	Hitler est condamné (pour haute trahison) à cinq années d'arrêts de forteresse et au paie-ment d'une amende de 200 marks-or.
7-7-1924	Pendant sa détention à la forteresse de Lands-berg-sur-le-Leich, Hitler renonce à la direction du N.S.D.A.P. (interdit).
20-12-1924	Hitler est relaxé.
4-1-1925	Hitler est reçu par le président du conseil bava-rois Held.

26-2-1925	Nouvelle fondation du N.S.D.A.P. et de son organe officiel le *Völkischer Beobachter*.
9-3-1925	Un décret du gouvernement bavarois (Held) interdit — à la suite d'un discours du 27 février 1925 — à Hitler de prendre la parole en public. La même interdiction est prononcée par les gouvernements de Prusse, de Bade, de Saxe, de Hambourg, d'Oldenbourg. Hitler peut parler dans le Wurtemberg, en Thuringe, Brunswick, Mecklenbourg-Schwerin.
11-3-1925	Hitler charge Grego Strasser de l'organisation du N.S.D.A.P. en Allemagne du Nord. Après la mort de Friedrich Ebert (28 février 1925) Ludendorff devient le candidat officiel du N.S. D.A.P. à la présidence du Reich (Hitler est de nationalité autrichienne) ; Ludendorff n'obtient que 1,06 % des bulletins valables.
26-4-1925	Le feldmaréchal von Hindenburg (qui nommera Hitler chancelier du Reich le 30 janvier 1933) est élu président du Reich au deuxième tour de scrutin.
27-4-1925	Hitler demande à être déchu de sa nationalité autrichienne auprès des autorités municipales de Linz .
30-4-1925	Le gouvernement autrichien autorise Hitler à quitter définitivement l'Autriche ; Hitler est apatride jusqu'au 25 février 1932.
18-7-1925	Publication du premier volume de *Mein Kampf* (Mon combat).
10 au 11-9-1925	Fondation de l' *Arbeitsgemeinschaft der nordwestdeutschen Gauleiter* du N.S.D.A.P. (Groupe d'études des chefs de district de l'Allemagne du Nord-Ouest).
9-11-1925	Fondation des S.S. (Schutzstaffeln = échelons de protection).
28-2-1926	Discours au « National-Club von 1919 » à Hambourg.
11-5-1926	Hitler assume la direction du National-socialisme autrichien.
3 au 4-7-1926	Deuxième « Congrès du N.S.D.A.P. » à Weimar. Fondation des « Jeunesses hitlériennes » (H. J.).
1-11-1926	Mise en place d'un « commandement suprême des S.A. ». Le Dr Joseph Goebbels commence la « conquête » de Berlin réputé « ville rouge ».

10-12-1926	Publication du deuxième volume de *Mein Kampf* (Mon Combat).
30-1-1927	Le N.S.D.A.P. obtient 2 sièges sur 56 à la diète de Thuringe.
1-2-1927	L'interdiction de prendre la parole est rapportée en Saxe.
5-3-1927	L'interdiction de prendre la parole est rapportée en Bavière.
9-3-1927	Hitler prend la parole à Munich.
1-5-1927	Hitler s'adresse à un meeting des membres du parti à Berlin au « Clou » (5 000 assistants).
19 au 21-8-1927	Troisième « Congrès du N.S.D.A.P. à Nuremberg (*Reichsparteitag*).
9-10-1927	Elections de la *Bürgerschaft* (diète) de Hambourg. Le N.S.D.A.P. obtient 1,5 % des voix et 2 sur 160 sièges.
27-10-1927	Elections du Landtag de Brunswick. Le N.S. D.A.P. obtient 3,7 % des voix exprimées et 1 sur 48 sièges.
28-5-1928	Le N.S.D.A.P. prend part aux élections du Reichstag. Il obtient 2,8 % des voix exprimées.
28-9-1928	L'interdiction de parler en public est rapportée en Prusse.
16-11-1928	Hitler prend pour la première fois la parole à Berlin au Palais des Sports.
12-5-1929	Elections du Landtag de Saxe. Le N.S.D.A.P. obtient 4,95 % des voix et 5 sur 96 sièges.
23-6-1929	Elections du Landtag de Mecklembourg-Schwerin. Le N.S.D.A.P. obtient 4 % des voix et 2 sur 51 sièges.
9-7-1929	Création du « Comité du Reich pour l'initiative populaire » (*Volksbegehren*).
1er au 4-8-1929	Quatrième Congrès du N.S.D.A.P. à Nuremberg.
27-10-1929	Elections du Landtag de Bade. Le N.S.D.A.P. obtient 6,9 % des voix et 6 sur 88 sièges.
10-11-1929	Elections de la *Bürgerschaft* de Lübeck. Le N.S.D.A.P. obtient 8,1 % des voix et 6 sur 80 sièges.
8-12-1929	Elections du Landtag de Thuringe. Le N.S.D.A.P. obtient 11,31 % des voix et 6 sur 53 sièges.
23-1-1930	Le Dr Frick est le Premier ministre national-socialiste (ministre de l'Intérieur et de l'Instruction publique de Thuringe).
1-4-1930	Création des *Nationalsozialistische Monatshefte* (Revue mensuelle, directeur Alfred Rosenberg).

22-6-1920	Elections du Landtag de Saxe. Le N.S.D.A.P. obtient 14,4 % des voix et 14 sur 96 sièges. Il est le deuxième parti du Landtag.
14-9-1930	Elections du Reichstag. Le N.S.D.A.P. obtient 18,2 % des voix et 107 sur 577 sièges. Il devient le deuxième parti du Reichstag.
	Elections du Landtag de Brunswick. Le N.S.D.A.P. obtient 22,2 % des voix et 9 sur 40 sièges. Le parti participe à la coalition gouvernementale (ministre de l'Intérieur).
15-9-1930	Hitler affirme sous foi de serment devant la Cour suprême du Reich (procès à Ulm contre les officiers de la Reichswehr Richard Scheringer, Hans Ludin et Hans Friedrich Wendt) que le N.S.D.A.P. respectera à l'avenir les règles de la légalité.

Nous lisons dans les attendus du jugement de la Cour suprême du Reich (4e chambre pénale) au sujet de la déposition d'Hitler : « Adolf Hitler a affirmé... par serment... en des termes ne prêtant pas à malentendu qu'il poursuivra ses objectifs par la voie strictement légale, qu'il avait agi en novembre 1923 à Munich « par contrainte » et qu'il ne songe pas à s'engager une nouvelle fois dans cette voie pour la bonne raison qu'étant donné la compréhension dont l'Allemagne fait preuve à l'égard de son mouvement de libération nationale, il n'a plus besoin de recourir à des procédés illégaux, et que le temps aidant le pouvoir lui reviendra légalement. »

5-10-1930	Hitler est reçu par le chancelier Brüning.
13-10-1930	Séance inaugurale du Reichstag. Les 107 députés nationaux-socialistes se présentent en chemise brune.
9-11-1930	Le N.S.D.A.P. participe pour la première fois aux élections du Conseil national d'Autriche. Le parti hitlérien obtient 5,4 % des voix.
16-11-1930	Elections du *Volkstag* (diète) de Dantzig. Le N.S.D.A.P. obtient 16,1 % des voix et 12 sur 72 sièges.
30-11-1930	Elections de la *Bürgerschaft* de Brême. Le N.S.D.A.P. obtient 25,6 % des voix et 32 sur 120 sièges.
5-1-1931	Ernst Röhm est nommé chef d'état-major des S.A.

1-5-1931	Création à Hambourg du « département étranger » du N.S.D.A.P.
3-5-1931	Elections du Landtag de Schaumburg-Lippe. Le N.S.D.A.P. obtient 26,9 % des voix et 4 sur 15 sièges.
13-5-1931	Elections du Landtag à Oldenbourg. Le N.S. D.A.P. obtient 37,2 % des voix et 19 sur 48 sièges : pour la première fois, le parti national-socialiste est le groupe le plus puissant dans une assemblée régionale (Landtag).
9-7-1931	Entretien avec Hugenberg en vue de la formation d'une « opposition nationale ».
15-9-1931	Le ministre de l'Intérieur et de l'Instruction publique de Brunswick est un membre du N.S.D.A.P. (Dietrich Klagges).
10-10-1931	Hitler est reçu par le président du Reich Paul von Hidenburg.
11-10-1931	Création du « Front de Harzbourg ».
21-1-1932	Discours au « Industrie-Club » de Düsseldorf.
25-2-1932	Hitler est nommé « conseiller du gouvernement » auprès du service culturel et topographique du Brunswick ; il est chargé de la direction d'un service à l'ambassade du Brunswick à Berlin et de la défense des intérêts économiques du Land de Brunswick. Depuis, il est citoyen allemand.
13-3-1932	Hitler est candidat aux élections présidentielles du Reich allemand. Il obtient au premier tour de scrutin 30,23 % des voix.
10-4-1932	Au deuxième tour du scrutin, il obtient 36,68% des voix (soit 13,4 millions de voix, von Hidenburg 19,4 millions de voix, Thälmann 3,7 millions).
1-6-1932	Franz von Papen forme un cabinet minoritaire
4-6-1932	Dissolution du Reichstag.
14-6-1932	L'interdiction des S.A. et des S.S. est rapportée. Hitler s'engage en contrepartie à tolérer le gouvernement von Papen.
15 au 30-7-1932	Hitler fait des discours dans cinquante villes.
31-7-1932	Elections du Reichstag. Le N.S.D.A.P. obtient plus de 37 % des voix et devient avec 230 sièges sur 608 le groupe le plus puissant du Reichstag.
13-8-1932	Hitler et von Papen sont reçus par le président du Reich. Hitler décline le poste de vice-chancelier après que le président lui a refusé celui de chancelier.

6-11-1932	Elections du Reichstag. Malgré un recul sensible (31,1 % des voix contre 38,3 % aux élections du 31-7) le N.S.D.A.P. reste le parti le plus fort de l'assemblée.
10-11-1932	Hitler renonce à ses émoluments de conseiller du gouvernement pendant la durée de la suspension.
4-1-1933	Entrevue avec von Papen (en présence de Hess et de Himmler) au domicile du banquier von Schroeder à Cologne. Préparation de la chute de von Schleicher (qui est chancelier du Reich depuis le 2-12-1932).
15-1-1933	Elections du Landtag de Lippe (dans seize localités entre le 4 et le 14-1-1933). Le N.S.D.A.P. obtient 9 sièges sur 21).
28-1-1933	Démission du gouvernement von Schleicher.
30-1-1933	Hitler est nommé chancelier du Reich par le président Paul von Hidenburg.
16-2-1933	Hitler demande au gouvernement de Brunswick d'être relevé de sa charge de conseiller du gouvernement.
5-3-1933	Elections du Reichstag. Le N.S.D.A.P. obtient 43,9 % des voix et 162 sur 422 sièges.
17-3-1933	Création de la *S.S.-Leibstandarte Adolf Hitler* (garde du corps S.S.).
21-3-1933	« Journée de Potsdam » à l'église de la garnison en présence de Hidenburg.
24-3-1933	« Loi pour remédier à la détresse du peuple et du Reich allemands » (loi sur les pleins pouvoirs).
1-4-1933	Boycottage des magasins juifs.
7-4-1933	Début de la « mise au pas » des « länder » par des mesures législatives.
30-4-1933	Nomination de « gouverneurs du Reich ».
14-7-1933	Loi sur la création de partis politiques.
20-7-1933	Pour gagner les voix catholiques : signature du Concordat du Reich avec le Saint-Siège.
31-8 au 3-9-1933	Cinquième Congrès du N.S.D.A.P. à Nuremberg.
19-10-1933	L'Allemagne quitte la Société des Nations.
12-11-1933	Elections législatives. Hitler fait plébisciter en même temps sa politique étrangère et le retrait de l'Allemagne de la Société des Nations. 92 % des voix approuvent la politique d'Hitler. A partir de là, le Reichstag n'est plus qu'une chambre d'enregistrement.

14 au **15**-6-1934	Première rencontre avec Benito Mussolini à Venise.
30-6-1934	« Röhm-Putsch ». Les S.A. sont éliminées en tant que force politique. Un grand nombre d'adversaires politiques d'Hitler sont assassinés par la Gestapo (police secrète d'Etat). Réorganisation des S.A.
20-7-1934	Les S.S. deviennent une organisation indépendante dans le cadre du N.S.D.A.P.
2-8-1934	Mort du président Hindenburg. Hitler réunit dans ses mains les charges de président et de chancelier du Reich. Il prend le titre de « Führer et chancelier du Reich ». Les membres de la Wehrmacht prêtent serment d'obéissance au « Führer et chancelier du Reich Adolf Hitler ».
19-8-1934	Référendum sur la « loi sur la présidence du Reich allemand » (« Führer et chancelier du Reich Adolf Hitler ») : 90 % des votants (participation électorale 99 %) optent pour Hitler.
4 au 10-9-1934	Sixième Congrès du N.S.D.A.P. à Nuremberg.
31-1-1935	91 % des votants approuvent le retour de la Sarre au Reich.
16-3-1935	Loi sur l' « Organisation de la Wehrmacht ». Rétablissement du service militaire obligatoire (loi d'exécution du 21-5-1935).
18-6-1935	Accord naval avec la Grande-Bretagne.
9 au 16-9-1935	Septième Congrès du N.S.D.A.P. à Nuremberg. « Loi sur la protection du sang allemand et de l'honneur allemand » (dite : lois de Nuremberg ») du 15-9-1935. Interdiction de mariages entre Allemands et Juifs. L'ascendance « aryenne » est requise pour toutes les charges officielles. « Loi sur le drapeau du Reich », « Loi sur la nationalité allemande », « Loi sur la protection du sang ».
7-3-1936	Dénonciation du Traité de Locarno et réoccupation de la Rhénanie. Rétablissement de la souveraaineté militaire allemande.
1ᵉʳ au 16-8-1936	Jeux Olympiques d'été à Berlin.
24-8-1936	Introduction du service militaire de vingt-quatre mois.
8 au 14-9-1936	Huitième Congrès du N.S.D.A.P. à Nuremberg : sa tendance est nettement anti-bolchéviste. Proclamation du « plan quadriennal ».
25-10-1936	« Axe Rome-Berlin. » Pacte antikomitern entre le Japon et le Reich allemand.

30-1-1937	Prorogation de quatre années de la loi sur les pleins pouvoirs.
6 au 13-9-1937	Neuvième Congrès du N.S.D.A.P. à Nuremberg.
5-11-1937	Hitler s'explique sur ses intentions en matière de politique étrangère et militaire (« Hossbach-Protokoll »). Hitler rédige son « testament politique ».
4-2-1938	Révocation du ministre de la Guerre von Blomberg et du chef suprême de l'armée von Fritsch. Hitler assume lui-même la charge de ministre de la Guerre du Reich. Le général d'armée von Brauchitsch est nommé commandant suprême de la Wehrmacht. Création d'un « Haut-commandement de la Wehrmacht » sous la direction du futur feldmaréchal Wilhelm Keitel. Le ministre des Affaires étrangères du Reich von Neurath est remplacé par Joachim von Ribbentrop ; ainsi se trouve renforcée l'influence du parti sur le ministère des Affaires étrangères.
11-3-1938	Les troupes allemandes envahissent l'Autriche.
13-3-1938	L'Autriche est rattachée au Reich allemand (« Anschluss »).
2-5-1938	Hitler rédige son testament privé.
3 au 9-5-1938	Rencontre avec Mussolini à Rome.
Septembre 1938	Immixtion allemande dans la crise sudète.
16-9-1938	Entrevue Hitler-Chamberlain à Berchtesgaden.
22 au 24-9-1938	Entrevue Hitler-Chamberlain à Godesberg.
26-9-1938	Discours au Palais des Sports à Berlin : Hitler exige la cession du pays des Sudètes par la Tchécoslovaquie : cette exigence est qualifiée de « dernière revendication » du Reich.
28-9-1938	Acceptation de la proposition de médiation italienne, faite sur les instances de la Grande-Bretagne : Mussolini propose de régler le conflit par une réunion à quatre à Munich.
29-9-1938	Conférence à Munich : Hitler conclut un accord avec Mussolini, Daladier et Chamberlain. (« Accords de Munich ».)
1-10-1938	Les troupes allemandes occupent le territoire des Sudètes.
9-11-1938	« La nuit de cristal. » Violences à l'égard des Juifs (destruction d'appartements, de magasins appartenant à des Juifs, incendie de synagogues etc.) après l'assassinat d'Ernst vom

	Rath, membre de l'ambassade d'Allemagne à Paris, par un Juif.
15-3-1939	Les troupes allemandes occupent la Tchécoslovaquie (à la suite de la signature d'un traité créant le « protectorat du Reich de Bohême et de Moravie » par le président tchécoslovaque Hacha et le ministre des Affaires étrangères tchécoslovaque Chwalkowski). L'armée tchèque est désarmée.
16-3-1939	« Décret sur le protectorat de Bohème et de Moravie » : la Bohème et la Moravie sont rattachées au Reich allemand.
23-3-1939	L'occupation du territoire de Klaipeda (« Memelgebiet ») par la Wehrmacht allemande.
26-3-1939	La Pologne rejette la proposition allemande (du 24-10-1938 et du 21-3-1939) de rendre Dantzig au Reich et d'accorder à l'Allemagne une autoroute et une ligne de chemin de fer exterritoriale à travers le « couloir polonais » en échange de quoi le Reich garantirait les frontières de la Pologne.
22-5-1939	« Pacte d'acier » : alliance militaire entre le Reich et l'Italie.
Juillet 1939	Négociations économiques avec l'Union soviétique.
23-8-1939	Signature du pacte de non-agression avec l'Union soviétique comportant un protocole additionnel secret. Crise polonaise-allemande.
1-9-1939	Attaque allemande contre la Pologne.
3-9-1939	La Grande-Bretagne, l'Australie, l'Inde, la Nouvelle-Zélande, la France déclarent la guerre à l'Allemagne.
28-9-1939	Traité d'amitié germano-soviétique.
6-10-1939	Offre de paix aux puissances occidentales. L'Union Sudafricaine et le Canada (le 10-10-1939) déclarent la guerre à l'Allemagne.
8-11-1939	Discours devant les vétérans du parti au Bürgerbräukeller à Munich. Attentat de Georg Elser contre Hitler (8 morts et 63 blessés).
9-4-1940	Début de la campagne allemande contre le Danemark et la Norvège.
10-5-1940	Campagne contre les Pays-Bas, le Luxembourg, la Belgique, la France.
22-6-1940	Armistice avec la France.
6-4-1941	Hitler attaque la Yougoslavie et la Grèce.

10-5-1941	Hitler attaque l'Union soviétique.
7-12-1941	Attaque japonaise contre la flotte américaine à Pearl Harbor.
8-12-1941	Etat de guerre avec la Chine (gouvernement de Tchoung-king) et la France (gouvernement de Gaulle). (Dans le cadre de cette chronologie, il n'est pas tenu compte de la date de la rupture des relations diplomatiques.)
11-12-1941	Etat de guerre entre l'Allemagne et les Etats-Unis d'Amérique du Nord. Ainsi débute réellement la Deuxième Guerre mondiale. Etat de guerre avec Cuba, la République dominicaine, le Guatémala et le Nicaragua.
12-12-1941	Etat de guerre avec Haïti, Honduras et le Salvador.
16-12-1941	Etat de guerre avec la Tchécoslovaquie (gouvernement d'exil).
19-12-1941	Von Brauchitsch est relevé de son poste. Hitler devient le chef suprême des forces armées allemandes.
20-1-1942	Conférence à Wannsee sur la « solution finale » de la question juive. Etat de guerre avec Panama (13-1), Luxembourg (gouvernement d'exil ; 15-1), le Mexique (28-5), le Brésil (28-8), l'Abyssinie (9-10).
7 et 8-11-1942	Débarquement des Alliés en Afrique du Nord.
18-11-1943 au 2-2-1943	Bataille de Stalingrad.
2-2-1943	Etat de guerre avec l'Irak (16-1), la Bolivie (7-4), l'Iran (9-9), l'Italie (gouvernement de Badoglio), la Colombie.
13-5-1943	Capitulation des restes du corps expéditionnaire allemand en Afrique du Nord.
6-6-1944	Les Alliés débarquent en France. Etat de guerre avec le Libéria (26-1), la Roumanie (16-8), la Bulgarie (8-9), San Marino (21-9), la Hongrie (31-12).
20-7-1944	Attentat de Stauffenberg.
25-9-1944	Mise sur pied du *Deutscher Volkssturm* (« milices populaires »).
16-12-1944	Début de l'offensive des Ardennes.
30-1-1945	Dernier discours radiophonique. Etat de guerre avec l'Equateur (2-2), le Paraguay (8-2), le Pérou (12-2), le Chili (14-2), l'Uruguay (15-2), le Venezuela (16-2), la Turquie (23-2), l'Egypte (24-2), la Syrie (26-2), le Liban

	(27-2), l'Arabie Séoudite (1-3), la Finlande (3-3), l'Argentine (27-3).
25-4-1945	Les troupes américaines et soviétiques font leur jonction à Torgau-sur-l'Elbe.
29-4-1945	Hitler épouse Eva Braun. Rédaction de son testament privé et politique.
30-4-1945	Hitler se suicide dans le « bunker » de la chancellerie du Reich.

CHAPITRE VII

LES FEMMES

« Je ne saurais te dire les souffrances que j'endure ... pour le Führer »[1], écrit Eva Braun à son amie Herta Ostermayr le 22 avril 1945 ; le lendemain, elle demande à sa sœur Gretl d'envelopper à l'épreuve de l'eau les lettres qu'Hitler lui a adressées et les enfouir éventuellement sous terre[2]. Bien des rivales et admiratrices d'Hitler ont empoisonné l'amour que lui portait sa maîtresse de longue date, qui, pendant les dernières heures de leur vie, devint même sa légitime épouse. Pendant les années que dura leur liaison, Hitler ne lui a pas toujours été fidèle *. Fidèle, il l'a été une seule fois, à sa jolie nièce, « Geli » Raubal de Linz ** où il tomba secrètement amoureux d'une jeune fille qui ne l'apprit que plus de vingt-cinq ans plus tard. Il raconta incidemment à ses secrétaires et à sa gouvernante munichoise, Mme Winter[3], à qui il laissa par son testament du 2 mai 1938 une « rente à vie de 150 marks par mois[4] », qu'il avait apprécié déjà à Linz le voisinage et la familiarité de jolies filles, même si celles-ci étaient accompagnées de leurs mères. On peut se demander si ce récit correspond à la réalité d'autant plus qu'Hitler affirme, le 10 mai 1942, que sa timidité l'avait empêché à Vienne de se montrer en société[5]. Rien n'indique qu'il ait entretenu avant 1914 des relations tant soit peu intimes avec des jeunes filles à Linz, à Vienne ou à Munich. Son affirmation « qu'il a rencontré (avant 1913) beaucoup de jolies femmes à

---

* Cf p. 307.
** Cf. pp. 308 et 311.

Vienne » [6] ne saurait être tenue pour une preuve. Kubizek parle, en évoquant leur vie commune à Linz, d'un amour romanesque et exalté, mais platonique [7]. Hitler, qui ne fréquentait qu'à contre-cœur l'*Oberschule* et qui assistait, déjà en 1904, aux réunions de l' « Association des séparés de corps et de biens » [8], brûlait d'un amour secret pour une jolie blonde du nom de « Stefanie », avec laquelle il n'a jamais échangé un seul mot [9]. La jeune personne qui avait passé son *Abitur* (à peu près : baccalauréat) en 1904, quand Hitler fréquentait encore l'école de Steyr, incarnait pour le jeune Hitler, âgé alors de dix-sept ans, l'idéal de la beauté féminine, et occupait son imagination qui ne portait pas encore l'empreinte des expériences de la vie. Il prit d'abord le parti de lui cacher sa flamme, car il savait qu'elle flirtait avec des officiers * et qu'il n'avait aucune chance d'être pris au sérieux par elle. Il lui adressa une seule lettre dans laquelle il lui disait qu'il était étudiant, qu'il l'admirait, qu'il lui demanderait sa main lorsqu'il aurait terminé ses études [10]. La « flamme » du jeune Hitler pour Stefanie ne se distinguait en rien des sentiments romanesques que beaucoup de jouvenceaux de quinze à dix-sept ans éprouvent pour une jeune fille parée du prestige de l'inaccessibilité. Des biographes [11], prévenus ou mal informés, ont gonflé cet épisode insignifiant et ont prétendu qu'il permettait des déductions sur le caractère d'Hitler **.

Kubizek, Greiner, le docteur Bloch, Prewatzky-Wendt, Hanisch, Honisch [12] et d'autres, notamment des camarades de classe et des maîtres et professeurs d'Hitler, nous ont laissé des témoignages directs du temps où beaucoup de ceux qui l'approchaient le considéraient — selon les propres paroles d'Hitler — comme un « original » [13]. Il est vrai que seul Kubizek aborde le problème des femmes. Ainsi, il nous raconte qu'ils avaient fait un jour, après avoir assisté à la représentation de *Frühlingserwachen* de Wedekind, à l'initiative d'Hitler, une « promenade d'études » dans la Spittelberggasse, où les filles aguichaient les rôdeurs de nuit en se montrant nues ou presque derrière les fenêtres entrouvertes [14]. A l'en croire, les deux jeunes gens se sont contentés de cette « seule promenade d'études » dans les « cloaques du vice » après avoir fait quelques autres expériences du même genre en parcourant la ville à la recherche d'une chambre pour Kubizek. Kubizek nous fait le récit de cette

---

* Stefanie a épousé plus tard un officier. *Cf.* Jetzinger, p. 142 et s.
** Jetzinger par exemple parle à la p. 148 d'un « complexe de Stefanie ».

aventure : « Nous aperçûmes alors sur une maison (dans la Zollergasse — *N. d. A.*) un écriteau portant les mots : « Chambre à louer ». Nous sonnâmes, une jeune domestique pimpante ouvrit la porte et nous conduisit dans une pièce somptueusement meublée où se trouvaient de magnifiques lits jumeaux. « J'appelle Madame », lança la jeune fille avant de disparaître avec une petite révérence. Nous comprîmes aussitôt que ce logis était trop luxueux pour nous. Mais déjà la porte s'ouvrait et « Madame », matrone opulente entre deux âges, très élégamment vêtue, nous souhaita la bienvenue. Elle portait une robe de chambre en soie ; ses chaussons, sortes de mules de facture délicate, étaient garnis de fourrure. Après avoir contemplé Adolf, elle nous pria de prendre place. Mon ami demanda à voir la chambre à louer : « C'est celle-ci ! » lança la dame en nous montrant les deux lits. Adolf hocha la tête : « Il faudrait sortir un lit, car mon ami ne peut se passer de son piano à queue », répondit-il laconiquement. La dame était visiblement consternée que ce fût moi et non Adolf qui cherchât une chambre et elle demanda si Adolf en avait déjà une. Sur sa réponse affirmative, elle lui proposa de me céder sa chambre avec le piano à queue et de venir s'installer chez elle. Pendant qu'elle parlait avec volubilité, elle défit par un mouvement trop brusque le nœud de la ceinture qui fermait sa robe de chambre ... Avant qu'elle ait pu se rajuster, nous vîmes l'espace d'un éclair qu'elle portait pour tous dessous un petit slip. Adolf rougit violemment, me prit par le bras et dit : « Viens, Gustl ! » Je ne sais comment nous quittâmes la maison, mais je me souviens qu'Adolf s'écria, plein de colère, dès qu'il eut regagné la rue : « Espèce de Putiphar ! [15] »

Kubizek calque si bien ses récits sur les indications de *Mein Kampf* que leur valeur documentaire est fort discutable. Certains comptes rendus et notes de collaborateurs scientifiques des anciennes « Archives principales du N.S.D.A.D. » ont fait état d'une convention aux termes de laquelle « Kubizek s'engageait à coucher par écrit avec tous les détails et dans un style de conversation ses souvenirs concernant le Führer » [16]. Une mention au dossier, faite par un collaborateur qui s'était longuement entretenu avec Kubizek, est assez révélatrice : « Si Kubizek est capable de fixer par écrit ce qu'il nous a raconté de vive voix de sa vie commune avec le Führer ... son exposé sera sans doute une des pièces les plus importantes des Archives centrales » ; dans une autre note, il résume l'impression qu'il a retirée de sa rencontre avec Kubizek : « On ne se trompe pas en affirmant que les rêveries de jeunesse du Führer renfermaient déjà la

vision des structures futures de la Grande-Allemagne [17]. » Le
collaborateur scientifique des Archives principales arrive à la
conclusion suivante : « A cette époque déjà, la grandeur incom-
préhensible du Führer était comme contenue dans sa jeunesse ! [18] » Le récit de Kubizek est le travail d'un artiste naïf
et relativement borné, dont l'horizon ne dépasse pas le village
ou la petite ville natale, et qui confirme dans un style plein
de sentiment et d'imagination ce que *Mein Kampf* (le fil d'Ariane
de Kubizek) ne fait souvent qu'esquisser. Kubizek ne s'écarte
jamais de la convention passée avec lui et les historiens nationaux-socialistes.

Les remarques d'Hitler dans *Mein Kampf* sur le « cloaque
du vice » (terme que Kubizek emprunte fidèlement à son ami)
et sur la syphilis ont inspiré, à des auteurs imaginatifs et peu
au courant des faits, l'idée qu'Hitler aurait contracté la syphilis
en fréquentant une prostituée et aurait lutté toute sa vie contre
la maladie. Même un Himmler était disposé, en 1942, à accepter
ce conte à dormir debout et à en nourrir ses intrigues, si l'on
en croit son masseur Felix Kersten *. En réalité, Hitler n'a
jamais eu la syphilis, et il n'a jamais souffert d'une paralysie
progressive **, ce qui est attesté entre autres par le résultat
des tests de Wassermann, Meinick et Kahn des 11 et 15 janvier 1940 ***.

L'affirmation qu'Hitler aurait été un homosexuel est du
même tonneau : Après 1945, le récit de Kubizek, paru en 1953,
n'a pas peu contribué à accréditer cette version des faits. Nous
lisons, en effet, chez Kubizek : « Au carrefour Mariahilfer Strasse-
Neubaugasse, nous fûmes un soir abordés par un monsieur fort
bien vêtu, d'allure bourgeoise, il s'enquit de nos occupations et
nous invita à dîner après avoir appris que nous étions des étudiants (« Mon ami étudie la musique, je me prépare à la carrière
d'architecte », avait expliqué Adolf) à l'hôtel Kummer. Il nous
fit apporter ce que nous désirions et nous raconta qu'il était
fabricant à Vöcklabruck, qu'il évitait le commerce des femmes
parce qu'elles ne cherchaient qu'à tirer de l'argent de tout.
J'appréciai ce qu'il disait de la musique en famille, qu'il semblait
aimer beaucoup. Nous le remerciâmes de son invitation, il tint
à nous raccompagner dans la rue, puis nous regagnâmes notre
domicile. A la maison, Adolf me demanda ce que je pensais
de ce monsieur ... « C'est un homosexuel », expliqua Adolf sur

* *Cf.* p. 330.
** *Cf. ibid.*
*** *Cf.* p. 325.

un ton très objectif ... Je trouvais absolument normal qu'Adolf se détournât avec dégoût et horreur des perversions sexuelles de la grande ville, qu'il rejetât aussi la masturbation si fréquente chez les jeunes, qu'il se soumît en matière sexuelle aux règles austères qu'il s'imposait à lui-même et qu'il comptait imposer aussi à son Etat futur [19]. »

Un des médecins qui, avant 1939, soumit Hitler à un examen radiologique * déclara en 1952 : « Les yeux d'Hitler, sa voix, sa démarche me fascinaient en tant qu'homosexuel ; mais je sentais qu'il n'était pas des nôtres [20]. » Cette déclaration se passe de commentaires.

Il n'existe pas de récits de ce genre sur le séjour d'Hitler à Munich entre mai 1913 et août 1914, permettant de déduire qu'il *aurait pu* avoir des relations intimes avec des femmes ou des jeunes filles. Mais on ne saurait se fier à la déclaration d'Hitler du 10 mars 1942 au « Grand quartier général du Führer » qu'il « aurait au temps de sa jeunesse été un original » et qu'il « s'est volontiers passé de la compagnie de ses semblables » [21]. N'oublions pas, en effet, qu'il avait affirmé six semaines plus tôt, dans le même cadre, qu'il « a rencontré beaucoup de jolies femmes à Vienne » [22]. A Munich, où le jeune Hitler âgé alors de vingt-cinq ans vit, en dépit de son entrée particulière, « sous la surveillance » de son logeur Popp, il ne conduit jamais de jeunes filles dans sa chambre ; il ne prend jamais de rendez-vous avec de jeunes personnes pouvant faire figure de partenaires sexuelles. Tant qu'il fait jour, il profite de la lumière naturelle pour peindre. Le soir, il discute avec la famille Popp de problèmes politiques et militaires [23].

Ce manque d'informations positives ne prouve pas qu'Hitler se soit abstenu, jusqu'en 1914, de tout contact sexuel. A une époque où les structures sociales avec leurs distinctions de classes très marquées passaient pour inébranlables, les jeunes bourgeois cachaient en général leurs aventures sexuelles pour ne pas compromettre leur avenir social. Selon une enquête de Meirowsky et Neisser [24] en 1912 — c'était la dernière année qu'Hitler passa à Vienne — 75 % des jeunes médecins [25] interrogés avaient eu leur premier rapport sexuel avec des prostituées, 17 % avec des domestiques ou des serveuses de café, 4 % seulement avec des jeunes filles de la bourgeoisie avec lesquelles le mariage pouvait être envisagé [26]. La remarque d'Hitler du 1er mars 1942 qu'il « avait appris plus tard seulement ... que beaucoup de

---

* *Cf.* p. 320 et s.

jeunes filles et plus spécialement des serveuses de café [27] étaient mères d'enfants naturels » est peut-être révélatrice. On comprend fort bien que les fils de bourgeois, au nombre desquels se range Hitler tant par ses origines que par sa situation financière et son activité, aient tenu secret leur commerce avec des prostituées ou d'autres femmes d'un niveau comparable par crainte d'être disqualifiés socialement. L'historien désireux d'explorer la vie sexuelle d'Hitler avant 1914 ne peut guère se fonder que sur des hypothèses qui ne remplacent jamais des documents et des témoignages précis.

On peut cependant supposer qu'Hitler ait satisfait ses besoins sexuels déjà entre 1908 et 1913 en fréquentant des femmes et des jeunes filles. Il est tout aussi possible que le jeune Hitler, qui disposait de beaucoup de loisirs, qui était financièrement à l'aise *, qui présentait bien et fascinait les femmes, qui était fougueux et sensible au charme féminin, ait choisi ses partenaires dans un milieu très différent de celui des jeunes médecins interrogés en 1912 : 45 % de ceux-ci avaient indiqué comme motif du premier rapport une « pulsion intérieure », 55 % la séduction [28]. Mais il existe aussi des arguments qui infirment cette thèse : les idées d'Hitler sur les rapports sexuels préconjugaux et extraconjugaux, son attitude face aux mères célibataires, ses dispositions naturelles, son mépris des femmes en général **.

D'août 1914 jusqu'à la fin de 1918, Hitler est soldat sur le front de l'Ouest. Il est parfaitement possible qu'il ait eu des rapports avec des femmes pendant son séjour l'hôpital militaire du 9 octobre 1916 au 1er décembre 1916, du 16 au 21 octobre 1918 [29] et pendant ses permissions du 30 septembre au 17 octobre 1917 et du 10 au 27 septembre 1918 [30] qu'il passa chez ses parents de Spital en Basse-Autriche ; la même remarque s'applique à sa « permission de service » du 23 au 30 août 1918 à Nuremberg [31]. Toutefois, pour Spital, aucun document ne vient corroborer une telle hypothèse. Un flirt n'aurait certainement pas échappé à ses proches qui connaissaient toutes les jeunes filles de la localité et s'intéressaient vivement aux allées et venues de leur « neveu » et « cousin » [32]. Aucun des camarades d'Hitler n'a jamais évoqué ses rapports avec des femmes ou des jeunes filles. Il est d'autre part certain qu'Hitler a dû apprendre bien des détails sur la vie sexuelle au front, puisqu'on sait que les

---

* Cf. p. 76.
** Cf. p. 310.

militaires se consolent volontiers de leur « célibat involontaire » en faisant le récit de leurs expériences en matière de femmes et de sexualité.

Après la fin de la guerre, Hitler s'efforce comme la plupart de ses camarades de « rattraper » ce qu'il s'imagine avoir manqué sur le plan sexuel. Pendant des années, il apparaît à ses proches, amis, partisans, adversaires, comme un homme qui ne refuse pas le plaisir. Il passe depuis le début des années vingt pour un véritable Don Juan, pour le « roi de Munich », qui voit se jeter dans ses bras les femmes les plus belles et les plus riches de la ville [33]. Evoquant cette période de sa vie, Hitler raconte dans la nuit du 16 au 17 janvier 1942 à la « *Wolfsschanze* » : « A cette époque, j'ai connu beaucoup de femmes (c'est-à-dire pendant sa « période de combat » — *N. d. A.*) Il y en a qui m'ont aimé [34]. » Il est significatif que quelques intimes se proposèrent après 1945 [35] de publier des rapports sur les « amourettes » inconnues d'Hitler.

Beaucoup de femmes — dont quelques-unes étaient mariées — passaient pour des amies intimes d'Hitler. Il est vrai qu'elles affirmaient parfois — surtout après la mort d'Hitler — avoir été « des amies maternelles » — comme Hitler les appelait pendant sa « période de combat. » Citons-en quelques-unes, parmi les plus connues : Helene Boechstein, la femme du fabricant de pianos Carl Bechstein, Viktoria von Dirksen, que des nationaux-socialistes bien informés appelaient sous cape la « Mère de la Révolution » ; Gertrud von Seidlitz, une riche protectrice d'Hitler ; Elsa Bruckmann, la femme de l'éditeur munichois bien connu Hugo Bruckmann ; Erna Hanfstaengl, la sœur d'Ernst Hanfstaengl, l'ami de jeunesse d'Hitler qui, à la suite d'une plaisanterie macabre mal comprise, préféra émigrer aux Etats-Unis [36] ; Carola Hoffmann, la veuve d'un directeur d'école de Munich ; une Finlandaise du nom de Seydl ; la princesse Stephanie de Hohenlohe, l'épouse divorcée du prince Franz von Hohenlohe-Waldenburg-Schilling ; Jenny Haug, la sœur du chauffeur d'Hitler ; Susi Liptauer, une compatriote d'Hitler ; Eleonore Bauer, une ancienne religieuse (« Pia ») dont l'enthousiasme fut tel qu'elle participa même au « putsch » de la Feldherrnhalle (son enfant élevé aux frais du N.S.D.A.P. travailla pendant quelque temps à la rédaction du *Völkischer Boebachter*, l'organe officiel du Parti nazi) ; Maria Reiter (-Kubisch) * qui visita en 1938

* Maria Reiter (-Kubisch), dont Hitler fit la connaissance en 1926, était la fille d'un des fondateurs du parti social-démocrate de Berchtesgaden. En 1927, elle tenta de se pendre (soi-disant par chagrin d'amour, à cause

à plusieurs reprises la maison des Hitler à Leonding et qui vécut
après 1945 chez la sœur d'Hitler, Paula ; Martha Dodd, fille de
l'ambassadeur des Etats-Unis à Berlin, William Dodd ; Lady
Unity Walyrie Mitford, sœur de Lord Redesdale et belle-sœur
du chef des fascistes anglais Sir Oswald Mosley ; Sigrid von
Laffert *, une belle inconnue ** ; Inga Ley, une ancienne actrice,
épouse de Robert Ley ; « Geli » (Angela) Raubal, la fille d'Angela
Hitler, ainsi que quelques jolies danseuses et actrices.

Il est impossible d'établir avec certitude lesquelles de ces
femmes qui, en ce qui concerne leur âge, auraient pu être
des partenaires d'Hitler, ont entretenu avec lui des relations
intimes. Il est toutefois invraisemblable que ses relations avec
la princesse de Hohenlohe et avec Jenny Haug aient été autres
que des relations mondaines. Les idylles avec l'épouse du consul
général de Bulgarie, Eduard August Scharrer, à Bernried près
de Tutzing (Haute-Bavière) [37], et avec la femme de Robert Ley,
Inga Ley, qui sauta par la fenêtre en 1943 après avoir écrit
une lettre à Hitler qui l'aurait « consterné » [38] sont du domaine
de l'hypothèse. Hitler a certainement été la cause de plusieurs
tentatives de suicide et d'un suicide accompli. Citons parmi
les femmes qui ont tenté de mettre fin à leurs jours à cause
d'Hitler la Viennoise Susi Liptauer [39], Lady Mitford, Martha
Dodd, la « belle inconnue », Maria Reiter (-Kubisch), Eva
Braun [40], « Geli » Raubal, qu'Hitler avait fait venir en 1928 à
Munich, où elle devint son grand amour, se tua d'une balle, le
18 septembre 1931, se croyant enceinte de lui [41].

---

d'Hitler), en 1930 elle épousa un hôtelier d'Innsbruck avec lequel elle
s'installa à Seefeld. Elle eut plusieurs rencontres avec Hitler entre 1931
et 1934 (de même qu'en 1938). En 1934, elle divorça d'avec son mari et
épousa le SS Hauptsturmführer Kubisch qui devait tomber pendant la
campagne de France, en 1940. *Cf.* aussi Gunther Peis : *Die unbekannte
Geliebte* (la bien-aimée inconnue) avec un commentaire d'Eugen Kogon
dans *Der Stern*, Hambourg 1959, n° 24. En 1938, elle visite à plusieurs
reprises la maison des parents d'Hitler à Leonding. Inscriptions au Livre
des Visiteurs. Repro. dans les mains de l'auteur.
    * Le comte Ciano écrit : « J'entendis parler pour la première fois
(le 22-5-1939), dans l'intimité, des tendres sentiments du Führer pour
une belle jeune fille. Elle a vingt ans, deux yeux clairs, une figure régulière,
un corps admirable. Elle s'appelle Sigrid von Lappus. Ils se voient souvent
en tête à tête. » Ciano n'a pas bien retenu le nom de la jeune personne
qui s'appelait en réalité S. von Laffert (née le 28-12-1916 à Damaretz dans
le Mecklembourg) ; elle était la fille d'Oskar von Laffert auf Damaretz.
    ** Heinrich Hoffmann (Erzählungen, série V) raconte qu'Hitler avait
en 1921 une liaison avec une jeune fille qui tenta de se suicider dans une
chambre d'hôtel. Cette personne s'étant mariée plus tard, l'auteur n'a pas
voulu divulguer son nom pour lui épargner des difficultés avec sa famille.

Hitler savait qu'il exerçait une grande fascination sur les
femmes et tentait d'en tirer profit. Il dit à ce sujet, le 10 mars
1942, à ses invités : « Parmi mes « amies maternelles », seule
la femme du directeur Hoffmann gardait à mon égard une
attitude de sollicitude bienveillante. Même chez Mme Bruckmann
il m'est arrivé qu'on n'ait plus jamais invité une femme de la
haute société munichoise après que la maîtresse de la maison
eut surpris le regard qu'elle m'avait lancé dans le salon de
Mme (Bruckmann) pendant que je me penchais vers elle pour
la saluer. Elle était très belle et m'a sans doute trouvé intéressant, sans plus. Je connais une femme dont la voix s'enrouait
quand j'échangeais seulement quelques paroles avec une autre
femme [42]. » Ce n'est certainement pas par hasard que des femmes
ont soutenu financièrement Hitler et son parti. Ainsi, la *Münchner
Post* du 3 avril 1923 écrit que « des femmes amoureuses d'Hitler » lui prêtaient ou lui donnaient de l'argent ou des objets
de valeur. Beaucoup de riches protectrices avaient remis à
Hitler des œuvres d'art ou des bijoux dont il pouvait disposer
à sa guise. L'une d'elle, Hélène Bechstein, aurait dit au juge
d'instruction le 27 mai 1924 « que son mari avait à plusieurs
reprises remis des sommes d'argent au chef du N.S.D.A.P. ... et
qu'elle avait elle-même remis à Hitler des objets d'art en lui
spécifiant qu'il pouvait en faire l'usage qu'il voulait ». Il s'agissait d'œuvres d'art d'une valeur considérable [43]. Gertrud von
Seydlitz déclara, le 13 décembre 1923, à la Police munichoise,
qu'elle ne s'était pas seulement dessaisie de ses propres fonds
pour soutenir Hitler mais qu'elle avait poussé des hommes de
finance allemands et étrangers à venir en aide à Hitler et au
N.S.D.A.P. [44].

Hitler se sert en général des objets de valeur que des
« femmes amoureuses » lui remettent comme garantie quand il
fait des emprunts pour soutenir financièrement son parti : la
convention du prêt que le trésorier du N.S.D.A.P. conclut en
été 1923 avec le torréfacteur de café Richard Frank (Korn-Frank,
Berlin) est à cet égard significative : « Comme garantie du
prêt de 60 000 francs suisses M. Adolf Hitler transfère à
M. Richard Frank la propriété des objets de valeur ... déposés
dans les coffres de la banque Heinrich Eckart à Munich ... soit
un pendentif en platine garni d'émeraudes et de diamants, avec
une chaînette en platine ... une bague en platine ornée de rubis
... une bague en platine ornée de saphirs et de diamants ... un
solitaire, des diamants sertis d'argent, une bague en or 14 carats
... une dentelle vénitienne du XVIIe siècle, montée à la main,

longue de 6,50 m, large de 11,5 cm ... une couverture de piano espagnole en soie rouge brodée d'or [45]. »

Dans l'intimité, entre hommes, Hitler parlait souvent en termes méprisants du mariage et des femmes en général. C'est ainsi qu'il déclara le 25/26 janvier 1942 : « Le côté déplaisant du mariage c'est qu'il crée des droits. Il est infiniment plus sage de prendre une maîtresse ! » Mais ce privilège, il ne l'accorde qu' « à des hommes de valeur » [46]. « Un homme doit être capable d'imposer sa manière de voir à n'importe quelle fille. La femme ... ne demande que cela ! [47] » Le 1er mars 1942, il dit : « Quand une femme se met à réfléchir aux problèmes de l'existence ... c'est mauvais ; elle est alors facilement exaspérante ! [48] » Dix jours plus tard, il se lance dans une méditation psychologique : « Le monde de l'homme est grand comparé à celui de la femme ... Le monde de la femme, c'est l'homme. Il est rare qu'elle pense à autre chose ... L'amour de la femme peut être plus profond que celui de l'homme. L'intellect d'une femme est sans importance [49]. » « Les femmes sont animées du désir, explique-t-il le 10 avril 1942 aux militaires de son entourage, d'être admirées de tous les hommes sympathiques [50]. Déjà, le 1er mars, il avait dit : « Quand une femme se fait belle, elle est souvent poussée par le désir secret d'en agacer une autre. Les femmes ont le don, qui fait défaut à nous autres hommes, d'embrasser une amie et lui donner en même temps un coup d'épingle. Inutile d'essayer de les amender sur ce point. Laissons-leur cette petite faiblesse ! Tant mieux si elle fait le bonheur de plus d'une femme ! Il vaut mille fois mieux qu'une femme se livre à ce genre d'occupation que de la voir se lancer dans la métaphysique ! [51] »

Malgré son mépris profond des femmes, Hitler fait croire à chacune d'elles qu'il la trouve belle, qu'il l'admire, qu'il lui rend hommage. Jouant les « charmeurs autrichiens », il baise la main des femmes, même de ses secrétaires mariées [52]. Il ne rudoie jamais ses sténodactylos, même si elles font des fautes grossières. Avec elles il est d'une patience infinie, les appelant « ma belle » ou « ma belle enfant ». En toutes circonstances, il salue les femmes respectueusement et leur cède le pas. En leur présence, il ne s'assied jamais le premier, bien qu'il l'ait fait parfois avec des hommes d'Etat étrangers, notamment avec Chamberlain et Daladier à Munich, en 1938. Quand il s'adresse à une femme, sa voix ordinairement rauque se fait douce et caressante. Beaucoup de femmes, qui croyaient trouver en Hitler un rustre sans manières, le quittaient ravies et enthousiasmées.

Quand une femme portait la moindre écorchure, il se montrait intéressé et compatissant. Il pardonnait aux femmes la transgression de certaines règles de conduite, par exemple l'interdiction de fumer en sa présence, dont il exigeait la plus stricte observation de la part des hommes, même importants comme Gœbbels, Speer, Bormann, etc. Les femmes pouvaient se permettre des propos qui auraient coûté à des hommes la liberté et pis ! Alors qu'il répondait par une réserve méfiante aux avis d'intellectuels et plus spécialement d'universitaires érudits pour peu que leur point de vue divergeât du sien, parce qu'il supportait mal les jugements fondés sur des raisonnements relativistes et dialectiques, il se montrait souvent patient, attentif et confiant quand une femme lui disait des choses désagréables. Ainsi, il se contenta de rabrouer vertement Henriette Hoffmann von Schirach qui lui reprochait le traitement inhumain des Juifs [53] ; Ilse Baun s'entendit dire à la suite d'une remarque analogue que, de toute évidence, « chaque Allemand avait un Juif qu'il aimait, alors qu'il n'y avait pas assez de Juifs en Allemagne pour que chaque Allemand puisse en aimer un » [54].

Il n'est pas vrai qu'Hitler fût incapable d'aimer sincèrement et profondément. L'annonce en 1931 du suicide de sa nièce « Geli », de dix-neuf ans plus jeune que lui, le frappe cruellement *. Il parle de se brûler la cervelle **, s'isole de son entourage ***, souffre de dépressions, se fait d'amers reproches. Depuis cet événement, il ne mange plus de viande ou de plats préparés avec de la graisse animale ****. Seuls Hitler et sa gouvernante, Anny Winter, ont le droit de pénétrer dans la pièce que « Geli » occupait dans son appartement munichois de Prinzregentenplatz

---

* Le suicide de « Geli » Raubal est un fait historiquement établi. Ce qui n'a pas empêché des auteurs à sensation de présenter Hitler comme l'assassin de sa nièce.

** *Cf.* p. 320.

*** Ses propres parents ne l'ont jamais vu, ni avant ni après cet événement, dans un tel état. Le 23-12-1931, il envoie à son neveu préféré, Leo Raubal, le frère de « Geli », comme cadeau de Noël un mandat accompagné d'une carte de vœux ainsi libellée : « Cher Leo ! A toi et à tante Marie mes souhaits les plus cordiaux pour cette triste fête de Noël ... Ton oncle Adolf Hitler. » L'original appartient à Leo Raubal qui l'a mis à la disposition de l'auteur. Hitler ne prend pas part à l'inhumation de « Geli » à Vienne, parce qu'il en est physiquement et psychiquement incapable (Communication personnelle de Leo Raubal de 1967). Mais il se rend secrètement à Vienne le 18-9-1932, trois mois avant son message cité ci-dessus. Gœbbels note à ce sujet dans son livre *Vom Kaiserhof zur Reichskanzler* (3ᵉ édition, Berlin 1934, p. 167) : « le Führer est allé à Vienne pour une visite privée. Personne n'a été informé, pour éviter les attroupements. »

**** *Cf.* p. 321.

n° 16 [55]. Le sculpteur Joseph Thorak est chargé d'exécuter un buste de la défunte, qui sera placé plus tard dans la Nouvelle Chancellerie du Reich ; le peintre Adolf Ziegler, qu'Hitler apprécie à cause de ses opinions politiques *, fait le portrait de la jeune fille qui aura droit, au *Berghof*, à une place d'honneur et à des fleurs. Dans son testament privé du 2 mai 1938, Hitler se souvient de sa bien-aimée : « Le mobilier de la pièce de mon appartement à Munich, où habitait ma nièce Geli Raubal, écrit-il de sa propre main, sera remis à ma sœur Angela **. » Le fait qu'Hitler surmonte — du moins extérieurement — ce choc grave (environ 15 mois après le suicide de « Geli », Eva Braun tente de se suicider ***) ne prouve pas qu'il n'en ait pas souffert.

Hitler rencontre Eva Braun pour la première fois en 1929 chez un camarade de combat, le photographe et ami Heinrich Hoffman, à Munich, Schellingstrasse, 50. Bien qu'il aime « Geli », qu'il a installée depuis un an dans son appartement, il se sent aussitôt attiré par cette jeune fille blonde, âgée de dix-sept ans, fille d'un pédagogue munichois qui vient de sortir d'une école de religieuses. S'il se rend chez Hoffmann, il tâche toujours d'y rencontrer la jeune Eva qui — à l'inverse de son père et de sa sœur Ilse, qui occupa la charge d'hôtesse d'accueil chez le médecin juif Martin Levi Marx — raffole d'Hitler. A partir de la fin de 1930, Hitler la voit de plus en plus souvent. Il la conduit, dans la journée, au cinéma, l'invite à manger à l'*Ostaria Bavaria*, va avec elle à l'Opéra, excursionne aux environs de la ville [56]. Son attachement à la jeune fille se précise, bien que la fille de Hoffmann, Henriette, jeune personne plantureuse et agréable, née trois jours avant Eva Braun, la future épouse du *Reichsjugendführer* (chef de la jeunesse du Reich) Baldur von Schirach, se mette toujours en avant et tente d'attirer l'attention d'Adolf Hitler [57]. Le manège d'Henriette Hoffman ne le détourne pas d'Eva Braun. Hitler entretient avec Henriette des relations amicales, la conduit dans les musées, plaisante avec elle ; mais il la traite comme la fille d'un ami, de la confiance duquel il

---

* Peintre de nus, Hitler le qualifiait parfois ironiquement de « peintre de la région pubienne allemande ».

** Dans l'original, la virgule manque après le mot *Wohnung* (appartement).

*** Eva Braun tente, le 1er novembre 1932, de se tuer en se tirant une balle dans la nuque. Dans la nuit du 28 au 29-5-1935, elle essaie encore une fois de mettre fin à ses jours en prenant du *Vanodorm*. Cf. Gun, p. 78 et s. Ilse Braun, la sœur d'Eva, a confirmé ces faits (communication personnelle d'Ilse Braun du 18-3-1969).

ne songe pas à abuser *. Ses soirées et ses nuits appartiennent
à « Geli » Raubal, qui sent instinctivement et qui sait que son
oncle a une amie qu'elle ne tient pas à rencontrer. Hitler aime
« Geli » Raubal, il flirte un peu trop avec Eva Braun. Les deux
jeunes filles, qui s'ignorent réciproquement, souffrent de cette
situation et réagissent chacune à sa manière : Angela se suicide
en septembre 1931 ; Eva Braun sait profiter de la dépression
d'Hitler pour l'entourer de sa tendresse et gagner son amour.
Il sort avec elle le soir, l'entraîne dans son appartement et en
fait sa maîtresse au début de 1932 [58]. A partir de là, elle lui
sera dévouée pour le meilleur et pour le pire, bien qu'elle res-
sente parfois une jalousie compréhensible à l'égard d'Hitler
qu'elle appelle dans les lettres à sa sœur le « Führer » [59]. Conformément aux instructions qu'il lui prodigue, elle se tient à l'ar-
rière-plan, parfait sa formation, suit des cures d'amaigrissement,
fait de la gymnastique, puis s'installe au *Berghof* — mais elle
ne sera jamais rien d'autre que l' « ombre fidèle » du Führer
dont la photo orne sa table quand elle mange, seule [60]. Pendant
treize ans, elle a l'occasion d'apprendre quelle piètre opinion
il a du mariage. « Il faut bien se dire, déclare-t-il le 1er mars 1942,
que le mariage ne tient en aucune manière ce qu'on se promet
de lui : l'accomplissement de la grande nostalgie de la vie.
Le vrai bonheur, c'est quand deux êtres se rencontrent, que la
nature a faits l'un pour l'autre [61]. »

Après la mort de « Geli », Joseph et Magda Gœbbels, chez
lesquels Hitler aime à prendre ses repas, essaient d'une manière
discrète de le mettre en présence de femmes attrayantes. C'est
ainsi qu'ils invitent un jour Gretl Slezak, une femme de trente ans
à peine, fille du célèbre chanteur d'opéra, pour distraire et
égayer Hitler. On ignore jusqu'où sont allées les relations entre
Hitler et la blonde Gretl Slezak, dont la grand-mère était juive.
Mais nous savons qu'ils ont passé des heures ensemble, leurs
tête-à-tête ayant été soigneusement préparés et protégés par
Gœbbels [62]. Après l'idylle avec Gretl Slezak, Gœbbels organisa
des rencontres entre Hitler et la charmante et intelligente actrice
Leni Riefensthal, qui obtint des privilèges exorbitants et fut
même autorisée à tourner à Berlin, en 1936, le film officiel sur
les Jeux Olympiques bien que des cinéastes expérimentés et de
renommée internationale comme Luis Trenker aient fait acte
de candidature [63]. Nous ne savons pas grand-chose de la nature
des relations entre Hitler et Leni Riefenstahl [64]. Une autre amie

---

* Cf. *Infra.*

d'Hitler, Mady Rahl, une actrice blonde, intelligente, quelque peu excentrique, qu'on disait la « favorite » d'Hitler, n'a jamais voulu rompre le silence qu'elle garde depuis la mort d'Hitler [65].

L'affirmation souvent colportée qu'Hitler aurait été incapable de satisfaire physiquement une femme relève de l'imagination pure. Il est vrai que les rapports publiés par une commission de médecins russes (qui affirment avoir identifié « selon toute apparence » le cadavre d'Hitler en mai 1945) indiquent qu'on n'a pu trouver l'un des testicules [66], ni dans la bourse, ni dans le cordon spermatique, ni dans le canal déférent ou le petit bassin, ce qui a donné lieu, depuis la publication des comptes rendus, à des conclusions fantaisistes [67]. Morell a examiné à plusieurs reprises les organes sexuels d'Hitler et établi des rapports : « Les organes sexuels, y lit-on, n'avaient rien d'anormal ou de pathologique, les caractères sexuels secondaires étant normalement développés [68]. Les médecins qui ont examiné Hitler le 11 et le 15 janvier 1940 n'ont, eux non plus, rien noté d'anormal [69]. Si Hitler n'avait eu qu'un seul testicule, cela n'aurait pas forcément amoindri sa faculté de coïter. La monorchidie et la cryptorchidie * sont des anomalies relativement fréquentes, qui n'empêchent pas les rapports sexuels même si elles sont parfois accompagnées de stérilité. Il semble hors de doute que la vie sexuelle d'Hitler ait été parfaitement normale [70]. Une note dans le journal intime d'Eva Braun, de mars 1935, est significative à cet égard : « Il (Hitler — N. d. A.) n'a besoin de moi que pour certaines choses ... autrement, ce n'est pas possible ... Quand il dit qu'il m'aime, il ne pense qu'à cet instant [71]. » Le médecin personnel d'Adolf Hitler, le docteur Theo Morell, déclara au cours de ses dépositions devant plusieurs commissions U.S., qu'Hitler avait eu, de toute évidence, des rapports sexuels avec Eva Braun [72]. En même temps, il confiait à un de ses anciens clients, l'ambassadeur Dr Paul Karl Schmidt, qu'Eva Braun l'avait souvent pressé au cours de ses visites au

---

* La cryptorchidie est l'anomalie d'un individu chez lequel les testicules ne sont pas descendus dans le scrotum. Elle entraîne la stérilité. Il est intéressant d'étudier les conséquences de la cryptorchidie dans le règne animal. On sait que des chevaux et des chiens, frappés de cette anomalie, sont d'une méchanceté telle qu'il faut soit les tuer, soit les couper. Les cynologues ont récemment établi qu'il s'agit là d'une tare héréditaire qui se rencontre dans certaines races et dans certains produits de rapports consanguins. Parmi les chiens, ce sont les races naines et les races au crâne raccourci comme les boxers allemands, qui y sont sujettes. Cf. aussi Dein Hund, revue pour amateurs et éleveurs de chiens, Hambourg 1968, N+ 47 et 48, p. 39 et s. et 47 et s.

Führer, dont la libido se trouvait, pendant les dernières années de sa vie, de plus en plus sublimée par une suite ininterrompue de maladies [73], le surmenage, les multiples tâches et responsabilités, par le poids toujours plus accablant des défaites, de la réactiver par des stimulants [74].

Tout aussi fantaisiste est l'affirmation, souvent répétée, que les femmes avec lesquelles Hitler entretenait des relations intimes étaient de préférence des « poupées blondes » [75]. « Geli » Raubal, par exemple, était un type slave aux cheveux noirs. Les « femmes d'Hitler » étaient noires, brunes, rousses ou blondes. « Stefanie », son idole de jeunesse, était blonde. Eva Braun l'était aussi, mais comme disait le dentiste d'Hitler, le docteur Blaschke, qui avait soigné les dents d'Eva : « .. un peu oxygénée ; elle n'était pas d'un blond très clair, et avait sans doute donné un coup de pouce à la nature [76]. »

En ce qui concerne la silhouette de ses amies et maîtresses, Hitler donnait la préférence aux bustes bien développés ; il avait une prédilection pour les types de femmes comme Maria Reiter (-Kubisch), Sigrid von Laffert ou Lady Mitford qui se tira, le 3 septembre 1939, après la déclaration de guerre britannique, deux balles dans la tête, mais qui en réchappa *. Eva Braun, qui était moins plantureuse mais qui connaissait évidemment les goûts d'Hitler, renforçait au début ses soutiens-gorge avec des mouchoirs pour simuler une poitrine plus étoffée [77]. Le 10 mai 1935, elle consigna dans son journal intime quelques réflexions tristes et désabusées : « Madame Hoffmann vient de me confier, avec la gentillesse et le manque de tact qui la caractérisent, qu'il a maintenant une remplaçante. Elle s'appelle Walkyrie et en a la silhouette, les jambes non exceptées. Mais c'est là la stature qu'il aime. Je suppose qu'elle maigrira bientôt de dépit, à moins qu'elle n'ait le don de grossir par le chagrin [78]. » Les maîtresses d'Hitler avaient en général une vingtaine d'années de moins que lui. « Geli » est née en 1908, Maria Reiter (-Kubisch) en 1909, Eva Braun en 1912, Lady Mitford en 1914, Sigrid van Laffert en 1916.

Hitler aimait tout simplement s'entourer de jolies femmes, surtout entre 1921 et le début de la Deuxième Guerre mondiale **.

---

* Unity Mitford mourut en 1948.
** Pendant la guerre, Hitler renonça dans la mesure du possible à toutes les rencontres privées avec des femmes. L'entrée du « grand quartier général du Führer » : *Wolfsschanze*, était même interdite à Eva Braun. Des sténodactylos et des cuisinières spécialisées dans la préparation de plats de régime étaient les seules femmes qu'il y rencontrât. Au *Berghof*, il recevait parfois (en plus d'Eva Braun) les épouses de ses hôtes.

« Je ne supporte pas d'être seul et j'aime mieux prendre mes
repas en compagnie d'une femme [79]. » Souvent, dans l'isolement
de son grand quartier général de Prusse Orientale, il évoqua ses
rencontres avec les femmes : « Que certaines femmes sont
belles ! » s'écria-t-il dans la nuit du 25 au 26 janvier 1942. Il
ajouta sur un ton d'enthousiasme romanesque : « Nous nous
trouvions au restaurant de l'Hôtel de Ville de Brême. Soudain,
une femme entra. C'était comme si l'Olympe s'était ouvert !
Quelle apparition rayonnante ! Les convives déposèrent leurs
couteaux et leurs fourchettes. Tous buvaient des yeux cette
femme ! Une autre fois, c'était à Brunswick. Après, je me suis
fait d'amers reproches ! Tous mes hommes ont eu la même réaction que moi : une fillette blonde se précipita sur ma voiture
pour me tendre un bouquet de fleurs. Tous ont assisté à la
scène, mais personne n'a eu l'idée de demander l'adresse de la
jeune fille, pour que je puisse lui envoyer un mot de remerciements. Elle était blonde, grande, merveilleuse ! Mais voilà : il
y avait la foule ; nous étions pressés, je le regrette encore
aujourd'hui ... Au *Bayrischer Hof*, j'assistais un jour à une fête
que rehaussait l'éclat de beaucoup de jolies femmes parées de
joyaux et de brillants. Puis, une femme fit son apparition, à
côté de laquelle toutes les autres s'effaçaient. (Elle ne portait
aucune parure). C'était Mme Hanfstaengl. Je l'ai vue un jour avec
Erna Hanfstaengl et Mary Stuck : trois femmes, l'une plus belle
que l'autre : quel tableau ! [80] »

Il arrivait — surtout avant 1933 — qu'Hitler ressentît le
besoin d'échapper à son entourage de « rustres mal dégrossis » [81] ;
dans ce cas-là, il fallait de toute urgence lui amener des femmes.
Quand son pilote Hans Bauer — qui affirmait, encore en 1962,
tout ignorer de la vie privée d'Hitler — lui avoua un jour qu'il
le plaignait parce qu'il ne voyait les femmes que de loin, Hitler
répondit : « Ce sont des choses que je ne puis me permettre :
les femmes ne songent qu'à faire de moi un argument de publicité ; or, en tant qu'homme d'Etat exposé à tous les regards,
je dois prendre mes précautions. Si vous vous permettez un
écart de conduite, personne ne s'en soucie ; si j'en faisais autant,
je devrais bientôt me cacher. Les femmes sont incapables de
se taire [82]. » « A cette époque et plus tard aussi à d'autres, continue Bauer, je parlais naturellement avec des femmes et des
jeunes filles d'Hitler. Toutes étaient enthousiasmées, fanatiques,
hystériques. Ce soir-là, la conversation avec ma voisine roulait
exclusivement sur « Hitler ». Elle m'avoua être amoureuse d'Hitler et avoir peur de ne pas trouver de mari, parce qu'elle compa-

rait tous les hommes à Hitler et qu'aucun ne lui plaisait. Je ne pus m'empêcher de lui révéler ce qu'Hitler ... m'avait dit ... Elle me fixa du regard, décontenancée ... « Est-ce vrai qu'il a dit cela ? Dites-lui que je ne soufflerais mot, que je préférerais me laisser arracher la langue ! » Lorsque je racontai le lendemain la scène à Hitler, il s'esclaffa [83]. »

A mesure que les années passaient et plus encore pendant la guerre, Hitler avait d'autres soucis que de se livrer aux plaisirs de l'amour : ses rapports avec les femmes souffraient aussi du fait qu'il dût s'entourer de mesures de sécurité sans cesse plus sévères. Par ailleurs, la maladie, le travail, le poids des responsabilités sublimèrent peu à peu sa libido. Il est vrai que « les femmes » restaient un sujet de conversation et de discussion préféré. C'est à de telles occasions que se révélait parfois la pensée intime d'Hitler. Après la prise de Benghazi et d'El Gazala par Rommel qui préparait l'attaque du fort de Bir Hakeim, rendant un peu d'espoir à la *Weltanschauung* d'Hitler, celui-ci émit sur les rapports préconjugaux et les enfants illégitimes des avis qui ne concordaient pas tellement avec ses vues essentiellement conservatrices. Trente années plus tard, le gouvernement social-démocrate de Willy Brandt réalisa ce qu'Hitler préconisait déjà le 1er mars 1942 : « Une jeune mère célibataire qui prend soin de son enfant représente plus à mes yeux qu'une vieille fille. Le préjugé social est en train de disparaître. La nature reprend ses droits. Nous nous sommes engagés dans la bonne voie [84]. » La motivation d'Hitler trahit ses origines : « L'Eglise catholique a tenu compte depuis des siècles de ces « circonstances » en tolérant ce qu'on appelle « l'essai préconjugal »... à l'approche du terme, le prêtre rappelle au père de l'enfant son devoir d'épouser la mère. Malheureusement, les protestants ont rompu avec cette excellente coutume ... ouvrant la voie à l'hypocrisie morale, en présentant, grâce à des lois écrites ou non écrites, le mariage conclu à l'ombre d'une naissance prochaine comme condamnable [85]. »

La conviction d'Hitler, qu'un grand homme a le droit de s'attacher, pour satisfaire ses besoins physiques, une jeune fille [86] et de la traiter comme une enfant dépendante et presque dépourvue de droits, qu'il peut en user à sa guise, sans la moindre compassion et sans le moindre sentiment de responsabilité, est caractéristique de son attitude à l'égard des femmes.

Hitler vécut dans un total repliement sur lui-même, pour lequel il payait un tribut trop lourd — dont son entourage faisait en premier lieu les frais. En 1907, il perdit sa mère, en

1931, « Geli » Raubal, après 1937/1938, à une époque où il se
croyait déjà très malade, il se détacha aussi de ses camarades de
combat et de ses anciens collaborateurs *. Au plus tard avec
la mort de « Geli », il vit s'étioler et mourir son aptitude à
comprendre les autres, à établir avec eux des contacts psychologiques profonds. Son pouvoir de communication n'existait plus
— malgré ses rapports avec Eva Braun — que jusqu'à un
certain point. Il se suffisait à lui-même. Abstraction fait de
« Geli » Raubal et d'Eva Braun, les femmes ne l'intéressaient
que comme partenaires sexuelles ou interlocutrices compréhen-
sives dans certaines conversations. Eva Braun s'en est plainte
à plus d'une reprise, ce qui ressort des témoignages des secrétaires d'Adolf Hitler et de sa gouvernante Anny Winter [87]. A part
les exceptions mentionnées plus haut, Hitler ne s'est jamais
senti lié à une femme, à un homme, à des parents, des amis **,
ou à des groupes sociaux. Son « charme autrichien », qui agissait
sur beaucoup avec une rapidité étonnante, ne lui a jamais servi
à nouer des liens plus profonds. Il n'avait ni la patience ni
probablement la volonté d'attendre les fruits de l'impression qu'il
faisait sur les autres. Il est psychologiquement compréhensible
qu'il ait essayé de refouler ces dispositions, surtout au moment
où les premiers signes de la vieillesse se faisaient sentir chez
lui, sans toutefois entamer la lucidité de son esprit. Notons
comme trait significatif que le sentiment qu'il avait de sa propre
valeur se révoltait, même à l'époque de sa plus grande puissance
et de ses plus grands succès militaires, contre le traitement qu'il
avait subi de la part d'un père énergique et volontaire [88] qui,
en sa qualité de fonctionnaire de l'Etat autrichien, fier de ses
succès, ambitieux, émotif, n'arrivait pas à oublier la modestie
de ses origines paysannes. Les expériences qu'Adolf Hitler avait
faites au cours de sa vie n'eurent pas, à cause de son manque
de contact avec les autres, une influence « normalisatrice » sur
son évolution. Le sentiment, auquel Hitler savait s'adresser
comme personne avant lui, et qu'il savait si bien mettre au service de ses projets, cédait chez lui le pas à la volonté qui dominait son être ; il n'acceptait les sentiments que lorsqu'il s'en
promettait des avantages. C'est pourquoi les plus terribles « coups
du sort », les plus graves maladies, les revers personnels, les
déceptions et obstacles ne l'ont que rarement décidé à remplacer
les objectifs qu'il s'était assignés — ou les personnes dans
lesquelles il avait mis sa confiance. A cet égard, il était persé-

---

* *Cf.* p. 325 et s.

vérant, mais aussi entêté et incorrigible. Ni la mort précoce de ses parents, ni ses échecs à l'Académie des Beaux-Arts de Vienne en 1907 et en 1908, ni son déracinement après la guerre perdue, ni l'effondrement de son putsch en novembre 1923 et les vingt morts qu'il avait coûtés, ni son emprisonnement à Landsberg-sur-le-Lech, ni d'autres « points noirs » dans sa carrière ne l'ont sérieusement fait douter du succès de ses entreprises. Presque toujours, il a pu atteindre ses objectifs, remporter la victoire, mais sans jamais se purifier et réviser fondamentalement ses idées.

CHAPITRE VIII

LES MALADIES DU FUHRER, CHANCELIER DU REICH ET CHEF SUPRÊME DE LA WEHRMACHT

En 1925, après la libération de la forteresse prison de Landsberg, Hitler écrit dans le deuxième volume de *Mein Kampf* : : « ... Si l'esprit est sain, il le demeurera en règle générale et à la longue seulement dans un corps sain[1]. » Pendant qu'il émet cet avis, Hitler n'est pas en bonne santé : il souffre de tremblements du bras gauche et de la jambe gauche. Vingt ans plus tard, son médecin personnel, le Dr Morell, déclarera que la maladie d'Hitler était peut-être due à des troubles psychiques *. L'échec de son putsch devant la Felderrnhalle à Munich, sa coresponsabilité de la mort de vingt personnes, la dissolution de son parti, son arrestation l'ont marqué. Des amis politiques et compagnons de combat — Rudolf Hess, Hermann Esser et quelques autres putschistes emprisonnés avec lui — lui ont expliqué qu'il n'est pas responsable de ce qui est arrivé, qu'on a besoin de lui, qu'il n'a pas le droit de se laisser aller au découragement et de mettre fin à ses jours[2]. Il a fallu des années pour que s'arrêtât le tremblement de son bras ; quant à sa jambe, elle a rapidement guéri **.

---

* Le rapport du Dr Morell (« Morell-Protokoll »).
** « Rapport Morell ».
L'article de Gerhard Grimm sur les maladies d'Hitler dans *Sæculum, Jahrbuch für Universalgeschichte*, vol. 20, année 1969 (Fribourg et Munich), p. 144 et s. ne présente pas beaucoup d'intérêt. Grimm, qui ne disposait d'aucune documentation sérieuse, parvient à des conclusions sans rapport avec les faits établis (et exposés en partie dans des publications parues depuis des années). Il est inutile de passer en revue ici et de réfuter ses affirmations et hypothèses.

Au printemps 1934, un an après sa nomination comme Chancelier du Reich, les médecins de l'hôpital berlinois de « Westend » lui attestent qu'il ne souffre d'aucun mal organique. Hitler n'en est pas tellement convaincu. A partir de 1935, il s'imagine être gravement atteint. Des gastralgies et des ballonnements fréquents, dus selon les médecins à un régime alimentaire fantaisiste qu'il qualifie lui-même d'insuffisant, semblent confirmer ses craintes [3]. Il dort mal et se plaint parfois de douleurs cardiaques [4]. Son état n'est cependant pas alarmant [5]. Il est enroué, ce qui l'inquiète à juste titre : sans sa voix aux multiples ressources il ne serait jamais devenu ce qu'il est. Ernst Hanfstaengl, qui l'entendit parler pour la première fois en 1922, écrit cinquante ans plus tard : « A cette époque, sa voix de baryton avait encore de l'éclat et de la résonance, il disposait de modulations qui émouvaient, ses cordes vocales ne portaient pas encore de traces d'usure et donnaient à sa voix des nuances d'un effet incomparable. De tous les politiciens dont j'ai entendu les discours — les virtuoses les plus extraordinaires dans ce domaine étaient Théodore Roosevelt, le sénateur aveugle de l'Etat d'Oklahoma, Gore et Woodrow Wilson, l' « homme à la voix d'argent » —, aucun n'a jamais pu produire, pour notre malheur et pour le sien, les effets d'Adolf Hitler [6]. » Le laryngologue Dr von Eicken opère Hitler, qui craint de subir le sort de l'empereur Frédéric III, d'anodins polypes muqueux des cordes vocales. Depuis qu'Hitler sait qu'il n'a pas de cancer, il se sent soulagé d'un lourd fardeau, mais il n'en est pas pour autant libre de tous soucis. Des douleurs gastriques et rénales, des ballonnements et des gonflements de l'épigastre le tourmentent : le docteur Theo Morell (né en juillet 1886 à Traisa en Hesse) qui s'est établi à Berlin au « Kurfürstendamm » comme dermatologue et spécialiste des maladies vénériennes de la haute société berlinoise, examine Hitler et explique les malaises dont il souffre par une hypertrophie du lobe droit du foie [7].

Hitler a fait la connaissance de Morell en 1936 par Heinrich Hoffmann qui aime rendre visite, le dimanche et les jours de fête, au « Führer et Chancelier » et qui l'invite aussi parfois à déjeuner. Albert Speer, qui partageait l'antipathie de la plupart des chefs nazis pour Theo Morell, raconte dans ses « souvenirs » de 1969 qu'Hoffmann était tombé « gravement malade » en 1935 et que Morell lui avait sauvé la vie par un traitement à base de sulfamides [8]. Il est probable que même Hitler ignorait la nature précise de la maladie de son « photographe ». Après 1945, Morell déclara, en violation du secret professionnel, qu'il avait

traité Hoffmann d'une gonorrhée avant de devenir le médecin personnel d'Hitler [9].

Theo Morelle a derrière lui une carrière mouvementée quand il rend visite à Hitler au *Berghof*. Il a étudié à Giessen, Heidelberg et Paris, avait été en 1912 médecin assistant à Munich et Bad Kreuznach ; en 1913, il s'était engagé comme médecin de bord à la « Hamburg-Südamerika-Linie » et au « Norddeutscher Lloyd » ; en 1914, il avait ouvert un cabinet d'omnipraticien à Dietzenbach près d'Offenbourg. En 1915, pendant une période où l'on confiait de grandes responsabilités à des médecins sans qualifications particulières, il avait été nommé « chirurgien » sur le front occidental ; plus tard, il avait assuré des postes analogues dans plusieurs hôpitaux allemands. En 1918, il s'était établi à Berlin comme « électrothérapeute et urologue » sans avoir reçu la moindre formation dans ces spécialités. Ce qui ne l'empêchait pas d'être en 1920 un médecin fort connu dans certains milieux berlinois et de compter parmi ses clients plusieurs membres de la Commission Interalliée. En 1922, l'année où Walther Rathenau fut assassiné dans la rue par Hermann Fischer et Erwin Kern, où fut proclamée la « Loi pour la protection de la République », où l'inflation avait définitivement ébranlé la confiance dans la monnaie allemande, Theo Morell était si bien nanti qu'il pouvait refuser un poste de médecin personnel du shah de Perse. Malgré les troubles politiques et les difficultés économiques où se débattait l'Allemagne à l'époque de la République de Weimar, il avait toujours connu l'aisance *. Praticien habile, connu pour son sens des affaires et sa cupidité, mieux au courant des cours de change que des derniers développements de la science médicale, dont le fichier comportait les adresses de tous les confrères et instituts qui pouvaient lui être utiles, il a pu se hausser jusqu'en 1936 au rang de médecin mondain de la haute société berlinoise.

Hitler ne met pas beaucoup de temps à se convaincre des capacités du docteur Morell. Le fait que l'étrange personnage aux yeux à fleur de tête, qui porte des lunettes, n'ait rejoint les rangs du N.S.D.A.P. qu'après 1933, ne le dérange pas. Mieux : Hitler, dont le souci de propreté relève de la pathologie, ne se sent pas sérieusement incommodé par la saleté de son médecin, qui passe auprès de ses amis pour un « sagouin malodorant » et dont Eva Braun prétend « qu'il lui donne la nausée » [10].

---

* Ainsi, il refuse l'offre de la Légation roumaine qui veut l'engager comme médecin officiel (Rapport Morell).

En 1936, Hitler qui figure au fichier de son nouveau médecin et dans sa correspondance avec des confrères qu'il consulte parfois, sous le nom de « client A », mesure 1,75 m environ et pèse 70 kg. Il fait partie du groupe sanguin A. Son pouls, sa température et sa respiration sont normaux. Il porte un eczéma à la jambe droite dû, selon le diagnostic du docteur Morell, à une mauvaise digestion. Morell fait procéder dans l'institut bactériologique du Dr Nissle à Fribourg-en-Brisgau à un examen bactériologique des selles. Il apparaît qu'Hitler souffre d'une dysbactérie que Morell traite avec du « Mutaflor ». Hitler absorbe le premier jour une capsule jaune, du deuxième au quatrième jour une capsule rouge et à partir de là (avec quelques brèves interruptions) jusqu'en 1943, tous les jours deux capsules rouges. Morell ne tient aucun compte du fait que Nissle, dont les traitements consistent à peu près exclusivement dans la régulation de la flore intestinale, est considéré par beaucoup de tenants de l'orthodoxie médicale pour un monomane et un sectaire.

Hitler, qui porte des lunettes à partir de 1935, souffre aussi d'une gingivite qu'il combat avec de la vitamine C et des collutoires antiseptiques. Sa langue est souvent chargée, sa pression artérielle variable, le ventricule gauche dilaté. Des bruits aortiques sont perceptibles, ses traits paraissent souvent tirés, sa figure gonflée. Morell réussit grâce à son traitement par le « Mutaflor » à soulager les troubles digestifs de son client, mais de temps en temps, des douleurs violentes surviennent après les repas. Des injections intramusculaires de « Progynon » (hormones folliculaires) doivent activer la circulation sanguine dans les muqueuses stomacales et prévenir les spasmes des vaisseaux sanguins de l'estomac [11].

Malgré le traitement du docteur Morell qui a toute la confiance d'Hitler, Hitler se sent de plus en plus malade et a l'impression d'être arrivé au terme de sa vie. Il se plaint de douleurs cardiaques et est convaincu d'avoir le cœur malade. Son entourage est frappé par son impatience maladive [12] : il a peur de manquer de temps et de mourir avant d'avoir atteint tous ses objectifs. Abandonnant (pour beaucoup) du jour au lendemain sa « politique de paix » souvent proclamée et prise aussi à l'étranger pour de l'argent comptant, il parle maintenant ouvertement de sa « politique d'expansion ». Il presse son architecte Speer de réaliser ses projets vieux de plus de vingt-cinq ans * et fait comprendre, en 1932, à sa maîtresse Eva Braun

---

* *Cf.* aussi indications au chap. III.

qu'elle devra bientôt se passer de lui[13]. Ses appréhensions se précisent à tel point qu'il évoque le 5 novembre 1937, à l'occasion d'un exposé sur son programme d'avenir, la possibilité de sa mort prochaine ; il esquisse un testament politique[14] qui sera suivi, le 2 mai 1938, d'un testament autographe détaillé.

Entre-temps, Hitler a pris du champ par rapport à un entourage qu'il domine de très haut, il s'est installé sur un piedestal où personne n'a le droit de le rejoindre. La distance qui le sépare même de ses anciens camarades de combat, de Frank, Rosenberg, Hess, Esser et d'autres, est infranchissable. Le chef de parti, qui naguère a glorifié la camaraderie et la fidélité, a adopté les traits d'une divinité à la tête de méduse, que seul celui-là qui fait acte d'humble soumission peut contempler. Personne n'a plus le droit de le contredire, personne n'a le droit de lui donner des conseils non sollicités. La conviction d'être malade, de n'avoir plus que peu de temps à vivre, détermine tout ce qu'Hitler pense, projette, fait. Ce changement d'attitude, décrit en détail par Deuerlein, est un fait ; sa motivation appartient au domaine de l'hypothèse[15].

La préoccupation première d'Hitler est maintenant la politique étrangère : elle s'explique par sa volonté de réaliser dans le peu de temps qui lui reste le plan qu'il s'est tracé, à savoir l'hégémonie mondiale justifiée par le rôle de l'Allemagne en Europe et sur les bords de l'Atlantique, renforcée par l'acquisition de territoires en Afrique. Dès avant le déclenchement de la guerre dont il a glorifié les mérites déjà dans sa jeunesse *, il a la mentalité de l'homme malade qui voudrait mettre de l'ordre à ses affaires avant de mourir, mais qui sent, devant la démesure de ses prétentions, qu'il n'en aura pas le temps. « Ses affaires », ce n'est pas le « Reich », c'est l'hégémonie mondiale.

A partir de 1937, Hitler évite tout effort physique. Bien qu'il fût à Linz un excellent skieur **, Eva Braun ne peut même pas obtenir de lui qu'il l'accompagne aux sports d'hiver.

Hitler accepte ce qu'il a refusé jusqu'ici sans indication de motifs : il se fait radiographier. Il est impatient, pressé, sa hâte se sent dans chacune de ses paroles, dans chacun de ses gestes. Quand il déclenche, en septembre 1939, la guerre contre la Pologne bien que le Reich ne puisse supporter, étant donné sa situation économique et son impréparation militaire, qu'une campa-

---

* *Cf.* aussi p. 114 et s. et p. 152 et s.
** L'affirmation souvent avancée qu'Hitler n'aurait fait ni du ski ni du cyclisme est fausse. *Cf.* aussi à ce sujet les mentions dans les carnets militaires d'Hitler. Archives fédérales, *Coblence*, NS 26/12.

gne de courte durée, il a l'impression d'avoir déjà mis à découvert son compte « temps », d'avoir déjà été pris de court. Quatre
mois plus tard, en janvier 1940, alors que l'optimisme règne
parmi les conseillers civils d'Hitler à cause de la rapide victoire
sur la Pologne et le succès des négociations de Moscou qui a
surpris le monde entier, le docteur Morell s'inquiète de son illustre client auquel il prescrit, depuis 1938 (jusqu'en 1940) du
« Glyconorm » pour favoriser la digestion des produits végétaux
et combattre les ballonnements, depuis 1936 (jusqu'en 1940) du
glycose pour lui procurer des calories supplémentaires et pour
soutenir l'effet de la strophantine, depuis 1938 (jusqu'en 1944)
selon Morell — en combinaison avec d'autres médicaments —
du « Vitamultin-Calcium », depuis 1936 du « Mutaflor » et depuis
1939 de l' « Euflat » pour combattre les troubles digestifs *.

Hitler, qui est accablé de troubles divers et qui prend
depuis des années des quantités anormales de médicaments,
s'imagine être à l'article de la mort et invite son médecin personnel à lui dire sans aucun ménagement la vérité sur son état.
Morell procède avec l'aide de plusieurs spécialistes à un examen
approfondi de son client, examen qui prend plusieurs jours.
Les tests les plus importants ont lieu les 9, 11 et 15 janvier. Ils
se terminent le 18 janvier par l'examen de la flore intestinale
par le laboratoire du docteur Nissle. Hitler et Morell attachent
la plus grande importance à cet examen [16].

Voici le rapport des spécialistes sur le « client A » :

9 janvier 1940 : formule hématologique : normale ; Pouls :
72 ; tension artérielle : 140/1000
11 janvier 1940 : urine : sucre-albumine : négatif. Meinicke
(MKII) (syphillis) = négatif. Urobilinogène :
augmentation. Wassermann (syphilis) =
négatif.
sédimentation urinaire : modérée. Carbonate
de calcium. Quelques leucocytes.
15 janvier 1940 : Glycosurie : négatif. Meinicke (MKR II)
(Syphilis) = négatif. Kahn (syphilis) :
négatif [17].

La tension artérielle est trop élevée. Morelle obtient une tension stolique de 170 à 200 mm, une pression diastolique de 100 mm

---

* « Rapport Morell ». De 1936 à 1943, Hitler prit des « Antigas-
Pillen » du Dr Köster.

quand son client est excité, de 140 mm quand il est calme[18]. Normalement, la pression diastolique ne doit pas dépasser 90 mm. Morell s'inquiète du cœur d'Hitler et lui conseille de le ménager.

Abstraction faite de l'hypertension artérielle et des complications cardiaques qui en sont le corollaire (dilatation du ventricule gauche et bruits aortiques) ainsi que quelques troubles digestifs, l'état de santé d'Hitler est satisfaisant ; mais il se sent malade, feuillette sans arrêt des publications médicales, étudie des ouvrages de médecine et se fait réexaminer le 21 décembre 1940. Le résultat est un peu moins favorable que le précédent, sans présenter le moindre caractère de gravité. Mais pour Hitler, il confirme ses craintes d'hypocondriaque ; il est persuadé d'avoir plus que jamais besoin des soins d'un médecin. L'affirmation erronée de Bullock qu'Hitler était « à peu près en bonne santé ... jusqu'en 1943 »[19] s'explique par l'impossibilté où Bullock se trouvait de consulter des documents authentiques.

Lorsqu'en 1941, son client lui montre des œdèmes aux mollets et à la jambe, Morell lui prescrit 10 gouttes par semaine de « Cardiozol » et de « Coramin »[20], médicaments agissant sur le centre circulatoire du cerveau, sur les nerfs vasculaires et les centres respiratoires. L'administration de ces médicaments n'était pas indiquée du point de vue médical. Mais Hitler ne prend pas seulement du « Coramin » et du « Cardiazol ». Morell lui donne aussi de la caféine et du « Pervitin »[21]. Sous l'effet de ce traitement, l'habitus du malade se transforme parfois complètement. Ses yeux, qui jusque-là avaient fasciné ceux qui l'approchaient, brillent d'un éclat menaçant, sa détermination se transforme en agressivté, ses propos trahissent un manque de maîtrise de soi. Au Palais des Sports à Berlin, il traite, le 4 septembre 1940, dans un discours de propagande bien conçu et parsemé d'allusions spirituelles à ses victoires, Churchill, Eden, Chamberlain, Duff Cooper, de « bavards » et de « *Krampfhennen* » (à peu près : « gascons »). Il menace la Grande-Bretagne de faire larguer sur le pays, en une nuit, un million de kilos de bombes ; quand il fera imprimer le texte de son discours, il remplacera le million par « 400 000 kilos et davantage »[22] parce que la quantité énoncée sous l'effet de la drogue lui paraît par trop exagérée. Dans la conversation, il expose parfois des projets chimériques qui font oublier ses connaissances techniques souvent admirées par les spécialistes. A la différence de ce qu'il avait fait en 1935, il ne se contente plus de la concrétisation de ses plans, mais, ignorant

les limites du possible, demande à ses experts de préparer la réalisation de ses projets les plus irréels.

A cette époque, il donne aussi des instructions pour la « solution finale » du problème juif en Europe. Le 2 avril 1941, Hitler invite Rosenberg. Il lui annonce des décisions que celui-ci n'ose même pas consigner dans son journal intime. « Ce que je ne veux pas marquer ici mais que je n'oublierai jamais » [23], note Rosenberg dans son « journal » après une entrevue de deux heures avec Hitler qui lui a probablement soumis son plan d'extermination des Juifs. Le 20 mai 1941, le rapport IV B 4 d'Adolf Eichmann sur « la solution finale imminente du problème juif » [24] ordonne à tous les échelons de la Police d'Etat dans le Reich et en France de mettre un terme à l'émigration des Juifs de France et de Belgique et de réserver les dernières possibilités de passage aux Juifs du Reich, compte tenu de l' « imminence de la solution finale du problème juif » [25].

Eva Braun [26], Speer [27], Gœbbels et d'autres personnes de l'entourage d'Hitler apprennent de sa bouche qu'il s'inquiète très vivement de son cœur. En juillet 1941, après le déclenchement de l'opération « Barbarossa », il porte au cours d'une discussion animée la main sur son cœur et prétend redouter une attaque cardiaque ... ou même la mort [28]. Le 31 juillet 1941, Heydrich est chargé par Göring de prendre en main « la solution finale du problème juif » [29]. Eichmann et Höss essaient à Auschwitz des méthodes d'extermination rationnelles par des fusillades en masses, des gaz d'échappement des moteurs à explosion ou des gaz toxiques [30]. Heinrich Himmler, qui observe Hitler avec méfiance, sait depuis longtemps que le Führer est un homme malade. Mettant une sourdine à ses scrupules, il charge des médiateurs suisses de sondages en Grande-Bretagne pour connaître la réaction des Alliés à une offre de paix de compromis si l'interlocuteur n'était plus Hitler mais Himmler [31].

Le soir, après le dîner du 2 août, Hitler parle de la Russie, de Staline, du bolchevisme, des pays Baltes, du national-socialisme, de la démocratie, mais aussi des sources d'énergie futures : l'eau, le vent, la marée, les plantations d'hévéas, la production de gaz dans des cuves de fermentation [32]. Puis, il se retire. Pendant une semaine, il ne prend plus part aux repas en commun. Heinrich Heim, qui prend en sténo la conversation à table, note qu'Hitler a l'air pâle, faible, déprimé, usé [33]. Les photos qui montrent Hitler aussitôt après la chute de Smolensk (6 août 1941) confirment cette impression [34]. Hitler y a l'air souffrant, fatigué, pensif.

Le 9 août il est de nouveau disposé à parler à ses invités. Ses propos ont trait à son programme, ils ont un caractère de testament. Hitler médite sur le concept de l'honneur du corps des officiers, sur le sentiment d'appartenance à la nation allemande, le courage, la fidélité, la vérité, la sincérité, l'accomplissement du devoir, la moralité, l'honneur des femmes, le mariage, l'honneur [35]. Hitler ne se sent pas bien. Il se plaint de gastralgies, de flatulence, de frissons, d'accès de faiblesse. La diarrhée vient s'ajouter à ses misères. Morell constate qu'il a des œdèmes aux mollets et aux jambes [36]. Le 14 août, on fait un électrocardiogramme (E.C.G.) qui révèle une sclérose coronaire progressive [37]. Morell prescrit à son client en plus du « Cardiazol » et du « Coramin » du « Prostrophanta », de l'acide nicotinique, du « Strophantin » [38] dont on lui injecte, de 1942 à 1945, en 2 à 3 cycles d'une semaine, 0,2 mg par voie intraveineuse, ce qui correspond aux méthodes de traitement de ce temps. Peu après, ce traitement est complété par 10 gouttes de « Sympathol » [39] par jour pour augmenter le volume-minute du cœur, pour stimuler son activité et compenser l'insuffisance vasculaire.

Rongé d'impatience, préoccupé de son état de santé, Hitler reproche à ses généraux de ne pas progresser assez vite à l'Est. Pour bien marquer le point, il commence son ordre stratégique du 21 août 1941 par la phrase suivante : « La proposition de l'armée pour la poursuite des opérations à l'Est du 18-8 n'est pas conforme à mes intentions [40]. »

Ce n'est que le 8 septembre que le « chef » (c'est ainsi que ses collaborateurs les plus intimes l'appellent) reparaît à table. Personne ne remarque que ses propos du 8, du 9 et aussi du 11 septembre ont un caractère de « testament », qu'Hitler y développe — contrairement à ses déclarations du 2 et 9 août — des problèmes de politique globale à l'échelle continentale [41] : « Ce que l'Inde a été pour l'Angleterre, lance-t-il, les espaces de l'Est le seront pour nous. Si je pouvais faire comprendre au peuple allemand ce que ces espaces représentent pour notre avenir ... Nous transplanterons les Norvégiens, les Suédois, les Danois, les Néerlandais dans ces territoires, tous feront partie du Reich ... En ce qui me concerne, je ne vivrai pas ce jour, mais je me réjouis pour le peuple allemand, qui verra l'Angleterre et l'Allemagne unies marcher contre les Etats-Unis ... Si quelqu'un prie pour la victoire de nos armes, c'est bien le shah de Perse : dès que nous serons arrivés chez lui, il n'aura plus rien à craindre de l'Angleterre ... Quand on songe à la somme des forces créatrices qui sommeillent dans l'espace européen, en Allemagne, en

Angleterre, dans les pays nordiques, en France, en Italie, il faut bien admettre que l'Amérique représente vraiment peu de choses ... Ce sera là la clef de notre puissance qu'il n'y aura à travers le nouveau Reich qu'une seule wehrmacht, qu'une seule SS, qu'une seule administration [42]. »

Hitler se remet peu à peu, bien que la situation en Afrique n'évolue pas selon ses désirs. Le 28 novembre, les derniers 28 000 Italiens capitulent à Gondar, en Abyssinie. Ailleurs, en Afrique, les Alliés prennent également le dessus. Le 10 septembre, Tobrouk est occupé par les Britanniques, Benghazi est évacué le 26 décembre. Le 3 janvier, les défenseurs de Bardia capitulent, le 18 ceux de Sollum. Tous ces revers n'ont pas d'effet sur l'état de santé d'Hitler. Quand ses souffrances reprennent, Rommel a repris Benghazi le 30 janvier, El Gazala le 2 février, et investi le fort de Bir Hakeim qui tombe le 11 juin. Hitler se plaint de maux de tête et admet pour la première fois que sa mémoire l'abandonne. Peu avant le transfert de son grand quartier général de la Prusse orientale du Sud à Winnitsa, où il n'arrive pas à se protéger de la lumière du soleil qui, dans les clairières, se reflète dans les immenses champs de tournesols, il contracte une grippe encéphalitique [43]. A la *Wolfsschanze*, en Prusse orientale, Hitler se rétablit. De retour à Winnitsa en février 1943, il retombe aussitôt malade. C'est encore une infection de nature grippale. Cette fois-ci, la catastrophe de Stalingrad dont il assume seul la responsabilité [44], et les défaites en Afrique du Nord entament ses forces vives. En peu de temps, il devient un homme différent : ses yeux sont ternes, proéminents, son regard est fixe. Ses joues sont marquées de taches rouges. Son maintien se ressent d'une légère cyphose des vertèbres dorsales et d'une scoliose peu prononcée, mais la symétrie de sa silhouette ne s'en trouve pas affectée [45]. Comme après le putsch de novembre 1923, un léger tremblement affecte son bras gauche et sa jambe gauche qu'il traîne. La coordination de ses mouvements est visiblement dérangée. Il est plus irritable qu'autrefois, répond par des colères à des objections ou à des situations qui lui déplaisent. Il se cramponne avec opiniâtreté et acharnement à des idées et concepts que son entourage juge parfois déplacés et faux. Quand il parle, il renonce à toute explication nuancée. Il se répète et revient toujours, comme un vieillard, à son enfance et aux débuts de sa vie politique ; mais il garde sa lucidité [46]. Ses réponses et ses questions sont rapides comme autrefois [47]. Mais Himmler, qu'Hitler vient de doter le 18 août de nouveaux pouvoirs [48], estime que l'état d'Hitler ne fait que confirmer ses

craintes et ses intentions. Quand un de ses amis intimes, le chef du SD (_Sicherheitsdienst_ : Service de Sécurité du Reich) Schellenberg lui propose [49], dans son bureau de commandement de campagne à Winnitsa, de remplacer Hitler et d'essayer de conclure une paix séparée avec les Alliés, la consternation d'Himmler est feinte. Depuis belle lurette Himmler ne croit plus que le Führer, rongé par la maladie, soit capable de remporter la victoire ; depuis avril [50], le comte Ciano est au courant des efforts d'Himmler en vue de la conclusion d'une paix séparée. En octobre 1942, alors qu'Hitler se prépare à Winnitsa, après sa pénible grippe, à regagner la Prusse orientale, Himmler apprend de ses collaborateurs de la Gestapo, qu'il avait chargés pendant l'absence d'Hitler d'Allemagne (de mars à octobre) de recherches sur les ancêtres du Führer [51], qu'ils n'ont rien trouvé. Mais Himmler, qui enferme les résultats insignifiants de ses mouchards dans son coffre-fort, a pris ses précautions [52]. Pendant que ses « généalogistes » opéraient en Autriche, d'autres membres de la Gestapo rassemblaient sur son ordre tous les documents qu'ils pouvaient découvrir sur Hitler et sa maladie. Le « médecin » personnel d'Himmler, le masseur Felix Kersten, prétend avoir appris en 1942 de son chef que celui-ci possédait un dossier de 26 pages prouvant qu'Hitler avait contracté la syphilis et était menacé de paralysie progressive [53]. Si un tel dossier a vraiment existé, il ne pouvait contenir que des pièces inventées ou falsifiées, car, comme nous avons vu précédemment, Hitler n'a jamais eu la syphilis.

Hitler finit par connaître beaucoup de médicaments, détails de maladie et symptômes, aussi bien que son médecin et il essaie parfois de le prendre en défaut, ce qui lui réussit de temps en temps, car le docteur Morell a une fort mauvaise mémoire. Morell n'est pas toujours capable de répondre aux questions d'Hitler, ce qui rend ce dernier méfiant. Il suit les conseils de son médecin qui réussit à profiter de sa situation pour augmenter son influence et finit par acquérir quelques laboratoires pharmaceutiques ; mais en général, Hitler ne prend les remèdes prescrits qu'après avoir vérifié quels pouvaient être leurs effets [54]. « Un jour, raconte Christa Schröder, Morell s'exclama « ... Mon Führer, j'assume la responsabilité de veiller sur votre santé. S'il vous arrivait un accident ? » Hitler perça son médecin d'un regard sinistre où brillait une flamme démoniaque. Puis il dit lentement, en martelant chaque syllabe avec une joie cruelle : « Morell, s'il m'arrivait un accident, votre vie ne vaudrait plus cher ! [55] »

Quand Hitler regagne en mars 1943, quelques semaines avant la capitulation des Allemands en Tunisie (15 mai), la Prusse orientale en venant de Winnitsa, il est un vieillard. Pour stimuler son appétit, pour vaincre sa fatigue, pour augmenter la résistance de son organisme, il prend deux fois par jour (de 1942 à 1944) des comprimés d' « Intelan » (vitamines A, D et glucose), du « Tonophosphan » [56] (un sel sodique de l'acide diméthylaminométhyle-phénylephosphinique) ainsi que, pendant un certain temps, les « Antigas-Pillen » du Dr Köster [56a] et du « Mutaflor », qui fut remplacé par le « Trocken-Coli-Hamma » [57]. Hitler absorbe de plus, pour activer sa digestion (de 1939 à 1944), de l' « Euflat » et, à partir de 1943, un jour sur deux, deux ampoules de « Prostacrinum », extrait de vésicules séminales et de prostates ; de 1938 à 1944, il prend en outre, en combinaison avec d'autres médicaments un jour sur deux du « Vitamultin-Ca » (4,4 cc) en injections intramusculaires [58].

Depuis la fin de 1942, Hitler n'a plus d'idées stratégiques [59]. Si l'on peut encore parler d'un « plan de guerre », il est embryonnaire. L'affirmation du général Warlimont que les « capacités de stratège d'Hitler » n'ont « jamais subi d'éclipse brusque » [60] est contredite par les faits. A partir de 1942, Hitler ne prend plus de risques militaires, il renonce à des opérations mobiles à longue portée, il n'évacue de son propre chef aucun territoire occupé (ce que la situation militaire aurait parfois exigé à partir de 1943), il refuse de dégarnir des théâtres d'opérations secondaires au profit de positions essentielles, il diffère les décisions désagréables même là où il aurait fallu agir sans perdre une minute. Alors qu'en 1935, il semblait poussé par une impatience maladive, il est maintenant d'une prudence tâtillonne et sénile et érige, comme Staline en 1941 devant Moscou, la défense de chaque pouce de terrain en principe unique de sa stratégie [61]. Staline renonce en 1942 à une tactique qui a failli perdre l'Union Soviétique : Hitler se confine dans une attitude de méfiance et ne tire aucun enseignement des expériences passées. Il considère les suggestions, d'où qu'elles viennent, non pas comme des idées complémentaires parfois utiles, mais comme des tentatives de l'asservir. La plupart de ses généraux sont les victimes de sa méfiance maladive, de ses accès de rage, de sa manie de vouloir toujours avoir raison : tous les commandants en chef de l'armée, von Hammerstein, von Fritsch, von Brauchitsch, tous les chefs d'état-major de l'armée : Beck *, Halder, Zeitzler **, Gude-

---

* Suicide en rapport avec les événements du 20 juillet 1944.
** Halder et Zeitzler tombèrent en disgrâce et furent limogés.

rian *, 11 sur 18 feldmaréchaux **, 21 sur 37 généraux de corps d'armée ***, tous les commandants en chef du groupe d'armée Nord (à l'exception de Schörner) lors de la campagne de Russie : von Leeb ****, von Küchler, Lindemann et Friessner *****.

A partir de février 1944, Hitler se plaint d'une brusque baisse de l'acuité visuelle de son œil droit. Il affirme avoir senti une douleur lancinante et de voir depuis une quinzaine de jours comme à travers un voile [62]. Morell se met en rapport avec le professeur Walther Löhlein, directeur de la Clinique universitaire de Berlin, qui examine Hitler [63]. Son diagnostic : une infiltration de sang dans le corps vitré, mais l'examen du fond de l'œil ne révèle pas d'altérations pathologiques, ce qui prouve que l'hypertension ne présente par un caractère de malignité [64]. Löhlein recommande un traitement par les rayons et les applications d' « Homatropin » pour l'œil droit, de « Veritol » pour l'œil gauche [65]. Après un entretien avec Morelle, il lui conseille (ce qui est illusoire étant donné la situation militaire) d'épargner à Hitler des émotions, de lui administrer moins de calmants, de lui proposer avant de s'endormir des lectures distrayantes [66].

Bien que Löhlein prescrive de nouvelles lunettes à Hitler, il déconseille « pour des raisons psychologiques » [67] d'autres examens ophtalmologiques. Il veut seulement « jeter un regard » sur l'œil droit d'Hitler dans six ou huit semaines [68].

L'affirmation fantaisiste de David Irving et d'autres biographes qu'Hitler n'aurait « à peu près rien vu » [69] de son œil droit est contraire aux faits. En réalité, l'acuité visuelle de l'œil droit d'Hitler s'est trouvée réduite pendant quelques semaines seulement (dans la deuxième moitié de février 1944).

L'apparition inopinée de troubles du corps vitré de l'œil droit d'Hitler s'accompagne de réactions psychiques très graves. La

* Le dernier chef d'état-major Krebs fut tué pendant la bataille de Berlin.

** Y compris von Brauchitsch. Seuls Keitel et Schörner conservèrent la faveur d'Hitler jusqu'à la fin de la guerre. Trois moururent pour avoir trempé dans les événements du 20-7-1944 : von Witzleben, von Kluge, Rommel ; deux furent tués : von Reichenau, Model, un fut fait prisonnier : Paulus.

*** Y compris von Fritsch, von Hammerstein, Gauderian. Hitler n'en maintint que quatre jusqu'à la fin de la guerre : von Vietinghof, Hilpert, Rendulic, Jodl. Trois moururent à la suite de l'attentat échoué du 20 juillet 1944 : Fromm, Hœpner et Beck ; six tombèrent ou périrent autrement : von Schobert, Dietl, Hube, Haase, Dollmann, Heitz ; un fut fait prisonnier : von Arnim. Halder et Zeiztler furent chassés par Hitler.

**** Von Leeb figure aussi au nombre des onze feldmaréchaux.

***** Lindemann et Friessner figurent aussi au nombre des 21 géné- de corps d'armée.

méfiance, un de ses traits les plus caractéristiques, s'accentue d'une manière effrayante. C'est ainsi qu'il accable sans motif valable le chef de l'Etat hongrois, le Vicaire de l'Empire Nicolas Horty, et l'accuse ouvertement de mener des négociations secrètes avec les Anglo-Saxons et les Russes [70]. L'attitude un peu flottante du gouvernement et de quelques échelons de commandement hongrois [71], dont la combativité était visiblement en baisse, ne justifiaient en aucune manière des accusations grossières et fort maladroites sur le plan politique. Le conseil « diplomatique » de Löhlein de tenir compte de la « psychologie du Führer » n'était pas une simple formule de politesse.

La déviation de la colonne vertébrale frappe maintenant tous ceux qui voient le Führer debout ou marchant. Alors qu'Hitler affirme qu'il ne peut plus croire que ce qu'il voit, il est confronté sur le front oriental aux conséquences de sa stratégie de défense rigide. Le 25 mars 1944 (son traitement à l'« Homatropin » lui a rendu l'acuité visuelle de son œil droit et il se sent plus libre), il cède aux instances du feldmaréchal von Manstein qui réclame une plus grande liberté d'opération et le droit de constituer des centres de gravité stratégiques [72]. Mais peu après cette déviation de sa ligne de conduite, Hitler met un terme au conflit par une mesure « diplomatique », il relève von Manstein de son poste.

Si Hitler renonce dans cette phase de la guerre à toute mesure opérative, cette attitude n'est pas seulement une conséquence de son état physique et psychique : en réalité, il ne peut plus se permettre de donner son accord à des propositions hasardeuses de ses généraux [73] qui veulent renouer avec la stratégie de 1939 ; les opérations de ce genre comportent trop de risques sur les autres secteurs du front et pourraient avoir des répercussions fâcheuses sur la politique, l'économie et l'économie de guerre [74]. Après avoir déclaré, le 12 décembre 1942, que Stalingrad ne sera plus jamais reprise si elle est abandonnée, Hitler sait et sent que la course à l'abîme ne peut plus être freinée [75]. « Si ma vie s'était terminée le 20 juillet 1944, affirme-t-il le 31 août 1944, ç'aurait été pour moi la délivrance de mes soucis, de mes nuits blanches, de mes graves troubles nerveux [76]. »

Les maladies, les souffrances, les médicaments, la vie déprimante du « bunker », la monotonie de son alimentation végétarienne, le manque de sommeil (pendant les derniers temps, Hitler ne dormait plus que deux ou trois heures par jour), les défaites sur les fronts, le bombardement des villes allemandes, les efforts physiques et psychiques continuels ruinent son orga-

nisme et empoisonnent sa vie, qui lui apparaît de plus en plus comme un fardeau insupportable.

Le 14 mai, c'est la perte de la Crimée. Deux jours plus tard, Hitler ordonne pour la mi-juin [77] le bombardement des Iles Britanniques par des fusées. Sa décrépitude physique se précise de jour en jour. Il souffre de gastralgies. Sa main gauche tremble plus que jamais depuis le printemps. Morell continue de lui administrer des injections de « Testoviron » (préparation à base d'hormones sexuelles), de « Tonophosphan », de glucose, il lui prescrit des extraits de cœur et de foie, lui donne comme auparavant des comprimés à base de « Pervitin » et de caféine ainsi que les « Antigas-Pillen » du Dr Köster. En outre, il lui fait respirer deux ou trois fois par jour de l'oxygène pur et l'autorise (après que Löhlein avait constaté que la pression sanguine d'Hitler n'était pas maligne) à prendre à sa guise du « Cardiazol ».

Le 1er janvier 1944, Hitler, fatigué et malade, avait déclaré : « L'année 1944 exigera de lourds sacrifices de tous les Allemands. Le gigantesque brasier de la guerre s'approche d'une crise [78]. » Dans la nuit du 20 au 21 juillet, immédiatement après l'attentat manqué de Stauffenberg, Hitler publie l'ordre du jour souvent cité après 1945, où nous lisons entre autres : « Un petit cercle de saboteurs sans scrupules ont attenté à ma vie et à celle de l'état-major de la Wehrmacht pour pouvoir s'emparer du pouvoir de l'Etat. La Providence a fait échouer ce crime [79]. » Hitler a eu la vie sauve, mais le coup l'a fortement ébranlé. Il n'est plus capable de se tenir debout de toute la journée. De nombreux éclats de bois ont percé sa peau. Rien qu'aux jambes, il faut lui en extraire plus de cent. Sa figure est légèrement tailladée. Il porte une écorchure au front, des ecchymoses au coude droit et à la main gauche. Il s'est foulé le poignet droit. Les cheveux de l'occiput sont brûlés. Le tympan des deux oreilles est blessé. Les deux conduits auditifs saignent. Hitler est passagèrement sourd de l'oreille droite, il entend mal de l'autre. Il se plaint d'avoir à la bouche un « goût de sang », de fortes douleurs aux oreilles, mais il constate avec surprise que son « affection nerveuse », c'est-à-dire le tremblement de la jambe gauche, s'est à peu près arrêtée à la suite du choc subi [80]. Mais ce mieux est de courte durée : bientôt ce n'est plus seulement la jambe et le bras, mais toute la moitié gauche du corps qui est agitée par un tremblement continuel. Hitler ne marche plus qu'avec peine. Ses mouvements s'accomplissent comme au ralenti. Ses yeux palpitent. Pour la première fois, il souffre de

troubles de l'équilibre. Au cours d'une brève promenade il se déporte brusquement sur le côté. Le médecin major, Dr Erwin Giesing, traite les oreilles d'Hitler depuis le 22 juillet. Il cautérise — à la demande d'Hitler — les bords du tympan sans anesthésie et constate que le nez de son client présente des anomalies. Hitler souffre d'un rétrécissement congénital, le cornet gauche est hypertrophié et déformé, la cloison nasale est déformée à plusieurs endroits et épaissie à la base [81]. Mais si l'on fait abstraction de quelques rhumes, Hitler — qui évitait comme la peste les personnes enrhumées — n'a jamais souffert de son nez.

L'affirmation de Trevor-Roper : « Bien que les événements du 20 juillet aient été la manifestation extérieure d'une crise militaire, politique et psychologique, ils n'affectèrent que modérément le physique d'Hitler » [82] ne reflète pas la réalité.

En septembre, Hitler, qui est torturé par des maux de tête (surtout au front) que le Dr Giesing combat sans grand succès avec de la cocaïne, contracte un ictère : sa peau se colore, la sclérotique jaunit. Les urines prennent une teinte brune provoquée par des biliverdines [83]. Hitler souffre probablement du foie. Il se plaint de douleurs dans la région de la vésicule biliaire ; Morell lui administre du « Gallestol » [84]. Il ne quitte plus l'abri bétonné et voit partout du danger. Les céphalgies et l'hépatite l'affaiblissent considérablement. A quoi viennent s'ajouter des troubles cardiaques, des maux de dents, des soucis accablants du fait de la situation militaire : le 15 août, les Alliés ont débarqué sur la Côte d'Azur, le 25 août, les troupes du général de Gaulle ont fait leur entrée dans Paris ; Grenoble, Toulon, Marseille tombent à la fin du mois. Vers le milieu du mois, après le débarquement des Alliés près d'Arnhem et de Nimègue (le 17 septembre), Hitler s'effondre. Une crise cardiaque le cloue sur son lit. Le docteur Blaschke nous a laissé le récit de ses impressions : « Quand je lui rendis visite, il était alité, mais ses yeux n'avaient pas perdu leur éclat. Il parlait d'une voix très faible ne disant que l'indispensable. Tous les jours je rinçai sa plaie (provoquée par une extraction de dent) ; quelques jours plus tard, je le trouvai sur une chaise ; peu après, il était de nouveau debout [85]. »

Vers la mi-septembre on prend trois radiographies de la tête d'Hitler * et on procède à un examen électrique du cœur

---

* Rapport Morell et compte rendu U.S. de l'interrogatoire des médecins. Le 21 octobre 1944, deux autres radiographies furent faites de la tête d'Hitler (compte rendu U.S. de l'interrogatoire des médecins).

(électrocardiogramme). L'enregistrement ne permet pas de déterminer avec certitude si la crise qui avait terrassé Hitler avait
été provoquée par un infarctus du myocarde, mais cette hypothèse semble vraisemblable.

Après l'examen de l'électrocardiogramme par le directeur de
l'Institut de Cardiologie de Bad Nauheim, le docteur Karl Weber,
à qui Morell avait fait parvenir l'ECG de son client, le médecin
personnel d'Hitler peut simplement conseiller à celui-ci, qui est
allongé et semble apathique, de ménager ses forces.

Les radiographies révèlent une inflammation du sinus maxillaire gauche et une ethmoïdite. Le docteur von Eicken prodigue
ses soins à Hitler et l'opère (comme en octobre 1935) d'un polype
des cordes vocales. Le malade, qui est très affaibli, ne quitte plus
guère son lit de camp, parle d'une voix éteinte et ne semble
plus animé d'aucune volonté de vivre. A la suite d'une nouvelle
infection grippale, il contracte une sinusite ; il est pris de ver-
tiges et de transpirations abondantes. Il mange très peu, la soif
le tourmente, il souffre de crampes d'estomac et perd, du 28 au
30 septembre, trois kilos. Le lendemain, 1ᵉʳ octobre — les Britanniques et les Américains viennent de traverser la frontière
du Reich —, il a pendant le traitement que lui administre le
Dr Giesing une attaque de faiblesse : après 17 heures, son
pouls devient irrégulier, Hitler perd conscience. Quelques jours
après le suicide de son client, Giesing raconte cet incident dra-
matique : « Hitler rejeta la couverture et retroussa sa chemise
de nuit ... pour que je puisse examiner ... son ... ventre ... Celui-ci
était quelque peu gonflé et montrait à la percussion des signes
de météorisation (accumulation de gaz dans l'intestin). Dans la
région du ventre, il n'y avait pas de sensibilité à la pression.
L'épigastre droit et la région de la vésicule biliaire n'étaient
pas non plus sensibles à la pression. J'examinai ensuite les
réflexes abdominaux à l'aide d'une épingle double ... Ils me
semblaient très vifs. Je demandai ensuite au malade la permission de procéder à un examen neurologique de contrôle ... (il)
était d'accord. Je recouvris alors son ventre de sa chemise de
nuit et je tirai la couverture ... Je n'avais pu constater aucune
anomalie de ses organes génitaux ... le prépuce était rentré, le
gland ... sans réflexe ... pas de syndrome du faisceau cortico-
spinal, réflexes de Babinski, Gordon, Rossolimeau, Oppenheim,
négatifs. Le client étant alité, j'ai renoncé au test de l'hémia-
trophie faciale progressive ... à en juger par les tests précédents,
il aurait sans doute été négatif. Je demandai ensuite à Hitler
de retirer sa chemise de nuit, ce qu'il fit avec mon aide et celle

de Linge. Je fus frappé ... par la sécheresse relative ... de sa peau blanche. Même à l'aisselle, je ne notai aucune transpiration. Le réflexe tricepts et le réflexe périostéal du radius (réflexe du bras) étaient très marqués, les réflexes spastiques des extrémités supérieures (Léri, Meyer et Wartenberg) ... négatifs. Il n'y avait pas d'adiodochocinésie. D'autres symptômes cérébelleux étaient également absents... l'examen du réflexe facial par la percussion de la partide ... aboutit à un tressaillement dans le sens du phénomène de Chwostek ; Kernigh et Lasège étaient certainement négatifs ; je ne constatai aucune raideur de la nuque. Les mouvements de la tête se faisaient dans tous les sens. Les muscles du bras présentaient un certaine rigidité pendant les mouvements, flexions et allongements du bras ... Hitler suivit cet examen neurologique avec beaucoup d'intérêt et me dit : « Abstraction faite de cette excitabilité nerveuse, j'ai un système nerveux très normal et j'espère que tout s'arrangera dans les plus brefs délais. Mes crampes intestinales s'atténuent. Morell a provoqué hier et avanthier des selles ... par des lavements à la camomille, et je devrai faire plus tard un autre lavement ... Pendant les trois derniers jours, je n'ai presque rien mangé ; l'intestin est pratiquement vide ... Il a pu se reposer pendant ce temps » ... Nous l'aidâmes, Linge et moi, à enfiler sa chemise de nuit. Puis Hitler dit : « Pendant que nous discutons, n'oublions pas le traitement ! Regardez encore une fois mon nez et mettez-y votre truc à la cocaïne. Mon larynx est mieux, mais je suis toujours enroué »... Je lui appliquai alors le traitement demandé : le malade restant allongé, je lui badigeonnai la narine gauche d'une solution de cocaïne à 10 % environ ... ensuite j'examinai encore .... les oreilles et le larynx. Au bout de quelques instants, Hitler me dit : « J'ai l'impression que ma tête se dégage, je me sens si bien que je pense pouvoir me lever bientôt. Il est vrai que je suis assez exténué, ce qui provient sans doute des fortes crampes intestinales et du jeûne prolongé. » Quelques instants plus tard, je remarquai qu'Hitler fermait les yeux ... et que sa figure assez rougie virait au blanc. Je lui tâtai le pouls ... qui était rapide et mou. Le rythme était de 90 pulsations environ... mais il me semblait plus débile que d'habitude. Je demandai à Hitler comment il se sentait et n'obtins pas de réponse. Un léger collapsus ... avait fait perdre connaissance au malade ... Linge était allé ... vers la porte de la petite pièce d'Hitler, puisqu'on avait violemment frappé ... Je n'ai été seul avec Hitler que pendant quelques instants ; quand Linge revint, j'étais encore en train de badigeonner sa narine gauche ... Linge se posta au pied du lit

et me demanda quand j'en aurais terminé avec mon traitement. Comme j'étais plongé dans mes pensées, j'eus un sursaut et répondis : « Ce sera tout de suite fini. » Pendant que nous parlions la figure d'Hitler avait encore pâli ; elle était parcourue de contractions fulgurantes. En même temps Hitler ramenait les deux jambes vers le ventre. Quand Linge s'en aperçut il dit : « Voilà que le Führer est repris de coliques ; laissez-le tranquille maintenant ! Il veut dormir ! » Nous ramassâmes en silence les instruments et quittâmes rapidement la pièce [86].

Après l'incident du 1er octobre, l'état de santé d'Hitler se dégrade encore plus rapidement. Mais comme il entend bientôt de nouveau des chuchotements à une distance de six mètres [87], il est plus facile de communiquer avec lui. En septembre, Morell a de graves ennuis : Giesing et Brandt apprennent qu'Hitler prend les « Antigas-Pillen » du Dr Köstler et jugent ce traitement dangereux *. Après avoir longuement conféré avec le Dr Giesing, Hitler se range à l'avis de Morell. Le docteur Karl Brandt (condamné à mort par Hitler à la mi-avril 1945) et son remplaçant, le docteur Karl von Hasselbach, sont renvoyés ; quant à Giesing, Hitler n'a plus recours à ses services à partir du 7 octobre. Hitler ne veut plus se faire soigner par des médecins dont les avis s'opposent. A sa demande, Himmler cherche un remplaçant pour Brandt et Hasselbach. Il recommande au Führer le docteur Ludwig Stumpfegger, médecin de valeur, diplomate habile, qui voue au médecin d'Himmeler, le docteur Karl Gebhardt, un culte inconditionnel et obséquieux ; celui-ci est qualifié par quelques amis d'Himmler de personnage répugnant, sans scrupules, corrompu, cupide [88]. On ne peut que deviner les intentions d'Himmler quand il envoie, sur le conseil de son infâme confident, Stumpfegger en Prusse orientale, au grand quartier général du Führer. Il espère sans doute introduire ainsi dans l'entourage d'Hitler un personnage servile dont il pourra se servir, le moment venu, pour écarter Hitler. Si c'était là son plan, il a mal calculé son coup. Stumpfegger, qui arrive le 31 octobre au grand quartier général du Führer, prend aussitôt le parti de celui-ci ; Hitler aime se promener avec lui, et il le garde auprès de lui jusqu'à la fin, alors qu'il envoie même Morell, le 21 avril 1945, à Berchtesgaden.

Hitler ne sait rien des plans d'Himmler, mais il se méfie ; malgré son état de santé, il tient solidement en main les rênes du gouvernement. Il veille jalousement à ce que rien ne se

---

* Giesing en parle longuement dans ses deux rapports.

fasse sur les théâtres d'opération sans son accord et encore bien
moins contre sa volonté. Sa déchéance physique, qui apparaît
maintenant aux yeux de tous, semble se ralentir vers la fin de
1944. Le 20 novembre, il a quitté pour toujours la Prusse orientale. Jusqu'au 10 décembre, son grand quartier général se trouve
à Berlin, où il a remporté ses plus grands succès entre 1935 et
1939. Puis il s'installe au « grand quartier général du Führer »,
« *Adlerhorst* » (Nid d'Aigle), à Ziegenheim dans le Taunus, qui
l'attend depuis 1939. Le 16 décembre débute l'offensive des
Ardennes, dont les succès initiaux remplissent Hitler d'aise et
lui donnent l'impression de ne pas être un « homme mort ».
Le 31 décembre, le docteur von Eicken, après une absence d'un
mois, rend visite à son client au « Nid d'Aigle » et s'étonne de
l'amélioration de son état. Hitler parle normalement [89], il a l'air
vigoureux et confiant. Il est de nouveau capable de se tenir droit,
mais, pour y parvenir, il doit faire d'immenses efforts. Son dos
est irrémédiablement voûté, sa figure couleur de cendre. Il avance
péniblement, la moitié gauche de son corps est agitée par un
tremblement continuel. Quand il veut s'asseoir, il faut lui glisser
une chaise sous son séant. Il n'est plus capable de faire lui-
même ce geste. La lumière lui fait mal aux yeux. Bien que son
esprit semble encore frais, vif et entreprenant — si l'on fait
abstraction d'une certaine lassitude générale —, il n'est plus
guère que l'ombre de ce qu'il a été autrefois. Sa mémoire retient
toujours une infinité de choses, il jongle avec des chiffres, des
dates, des noms. Mais ses raisonnements sont marqués d'une
certaine rigidité, d'un manque de contrôle. Il ne peut plus rien
entreprendre de vraiment important. « L'éminent stratège de la
première phase de la guerre, dit le feldmaréchal von Runstedt
en parlant d'Hitler, est devenu un capitaine de second rang [90]. »
Physiquement, il ressemble si peu à l'Hitler de 1939 que des
visiteurs, qui l'ont vu entre 1937 et 1939, s'effraient et ont de
la peine à le reconnaître. Même le docteur Giesing, qui l'a
traité jusqu'au début d'octobre 1944, est abasourdi : « Quand
j'ai vu il y a peu (à la mi-février — *N. d. A.*) la figure d'Hitler,
j'ai été surpris par le changement. Il me semblait vieilli et plus
voûté que jamais. Son teint était d'une extrême pâleur, il avait
des poches sous les yeux. Sa voix était claire mais très faible.
Je remarquai aussitôt le tremblement intense de son bras et
de sa main gauches, qui s'accentuait dès que la main manquait
d'un support ; c'est pourquoi Hitler s'efforçait toujours de s'appuyer sur une table ou une banquette ... J'avais l'impression qu'il
avait des absences et n'arrivait plus à se concentrer. Il semblait

totalement épuisé et lointain. Ses mains étaient également très pâles, ses ongles exsangues [91]. » A partir de là, la déchéance physique d'Hitler fait de rapides progrès. Un ancien officier d'état-major qui, après plusieurs années d'intervalle, l'aborde le 25 mars dans le « bunker » de la Chancellerie du Reich, est effrayé de ce qu'il voit : « Avant de me rendre pour la première fois à la Chancellerie du Reich, raconte-t-il après 1945, je fus averti par un des officiers d'état-major que je devais m'attendre à voir un personnage très différent de ce qu'ont pu m'apprendre des photos, des films ou des rencontres précédentes : Hitler, m'expliqua-t-il, est aujourd'hui un homme vieux et usé ! Mais la réalité dépassa de très loin tout ce que j'ai pu craindre après cette mise en garde. J'avais vu Hitler deux fois : une fois au cours d'une cérémonie officielle devant le Monument aux Morts, en 1937, une autre lors de la parade militaire à l'occasion de son anniversaire en 1939. L'Hitler dont j'avais gardé l'image dans ma mémoire ne ressemblait en rien à l'épave que je vis le 25 mars 1945 et qui me tendit une main tremblante ... Sa décrépitude physique était effrayante à voir. Il se traînait péniblement de sa chambre dans la salle de réunion, le thorax penché en avant, les jambes suivant à grand-peine. Il avait perdu le sens statique ; si quelqu'un l'abordait sur son bref parcours (20 à 30 mètres), il devait s'asseoir sur un des bancs disposés à cet usage ou s'accrocher à son interlocuteur ... Ses yeux étaient ecchymosés ; bien que tous les documents lui fussent présentés avec des caractères trois fois plus grands que ceux des machines à écrire ordinaires (on se servait de machines spécialement construites à l'usage du Führer), il ne pouvait les déchiffrer qu'à l'aide de fortes lunettes. La salive s'échappait des commissures de ses lèvres : c'était un spectacle d'horreur et de détresse. Au point de vue mental, Hitler avait encore tous ses moyens, ce qui constrastait avec sa déchéance physique. Il se fatiguait plus facilement, mais gardait en beaucoup de circonstances sa mémoire étonnante ... Il savait reconnaître l'essentiel dans la variété des informations et opinions qu'on lui présentait... Il flairait des dangers qui s'esquissaient à peine et prenait des mesures pour y parer [92]. » En réalité, la « mémoire étonnante » d'Hitler avait beaucoup baissé, ce que l'officier ignorait, parce que n'étant pas un familier d'Hitler il ne pouvait se faire une idée de ses anciennes performances. Giesing avait remarqué, déjà en février, qu'Hitler répétait des questions auxquelles le médecin venait de répondre. A partir de février 1945, Hitler n'est plus qu'une loque. En dépit de son entêtement sénile, il tolère

maintenant qu'on lui présente des objections, qu'on le contre-
dise, ce qui autrefois eût été inconcevable. C'est ainsi qu'il a,
le 13 février 1945, une entrevue orageuse avec Guderian, dont
celui-ci nous a laissé le récit suivant : « La figure cramoisie de
colère, les poings levés, l'homme se dressait devant moi, fou
de rage et démonté. Après chaque accès de colère, Hitler se
promena le long du bord du tapis, s'arrêtant à chaque passage
devant moi pour m'accabler de reproches. Il forçait la voix, ses
yeux sortaient de leurs orbites, les veines de ses tempes se gon-
flaient. » Comme Guderian ne se départit pas de son point de
vue, Hitler se mit à sourire et lui dit d'un air aimable : « S'il
vous plaît, continuez votre exposé. L'état-major a gagné aujour-
d'hui une bataille [93]. » Ainsi, l' « état-major » venait de « gagner »,
peu avant la fin de la guerre, une bataille contre le chef des
armées malade et se contenta de cette « victoire ».

Heinrich Himmler, qui n'a jamais osé rompre en visière
avec Hitler, tente de conspirer contre lui après que celui-ci eut
humilié ses SS * et que le médecin lui eut fait part des inquiétudes que lui inspirait l'état de santé du Führer. En effet, au
début d'avril, Schellenberg avait rendu visite à son ami Max
de Crinis, directeur de la clinique psychiatrique de la Charité,
qui lui déclara (déclaration qu'il répéta peu après en présence
de Himmler) que le Führer (que Crinis n'avait jamais soigné)
souffrait de la maladie de Parkinson [94]. Cette information était
un argument de plus pour Himmler, qui avait formulé le projet
tout théorique de forcer, le moment venu, le Führer à abdiquer
ou même de le faire arrêter ou assassiner. Himmler n'est pas
encore décidé à aller si loin, mais il accepte la proposition
de Crinis de faire administrer à Hitler, par Stumpfegger, un
médicament préparé par ses soins (i.e. Crinis) ; mais la chance
est toujours avec Hitler. Stumpfegger ne prend pas livraison
du médicament.

Ainsi, ni les conspirateurs, ni les maladies, ni, d'ailleurs
son propre genre de vie ne sont capables de faire tomber Hitler
... C'est lui-même qui, quelques jours plus tard, se donne la
mort ...

Le docteur Theo Morell quitte, le 21 avril, Berlin et son
« client A » qui fait les derniers préparatifs pour la fin. Pendant
les derniers jours il dispose — même sans le concours de
Morell — de médicaments qui lui permettent de tenir. Il connaît

---

* Hitler avait donné l'ordre à la « Leibstandarte Adolf Hitler », après
une mission sur le cours supérieur du Danube, d'enlever leurs galons.

l'arsenal médical et prend ce qu'il juge nécessaire. Quand on lit les propos qu'il tient dans le cadre des dernières réunions d'information du 23, 25 et 27 avril (qui ont également été pris en sténo [95]), on découvre immédiatement la source des tableaux fantasmagoriques et irréels qu'il dépeint pendant cette dernière phase de son existence. Lassitude et euphorie, épuisement et exaltation due au dopage se suivent à une cadence rapprochée et reflètent la dépendance d'Hitler aux stimulants de Morell. Le 22 avril, Eva Braun écrit à son amie Herta Ostermayr : « ... il a perdu la foi »... Le 23 avril, alors que la situation est encore plus désespérée, elle écrit : « Je crois que lui aussi envisage l'avenir aujourd'hui avec plus d'optimisme [96]. »

Quelques jours plus tard, Hitler se suicide. L'affirmation de Besymenski (1968) qu'Hitler s'est empoisonné ne s'appuie sur aucune preuve [97]. Morelle ne survit que de peu au Führer. Quand l'ambassadeur Paul Karl Schmidt lui rend visite à l'infirmerie du camp de prisonniers américain de Dachau, il gît, paralysé et couvert d'ecchymoses, sur un lit de camp ; il se plaint de douleurs cardiaques et raconte ses misères à son ancien client sur un ton larmoyant [98]. En 1948, il meurt dans un hôpital militaire sur les bords du « Tegernsee », après avoir mis à la disposition des autorités américaines tous les documents, diagnostics, recommandations, expertises, rapports médicaux ainsi que sa correspondance avec les confrères consultés au sujet d'Hitler et ses souvenirs personnels sur son célèbre « client A » [99].

LA JOURNÉE ET LE MENU D'HITLER *

10 heures :   Hitler (habillé d'une chemise de nuit) va chercher sur une chaise placée devant la porte de sa chambre les journaux du matin, télégrammes peu importants, nouvelles, informations, messages, rapports personnels, etc., que son valet (de 1934-1939, Wilhelm Krause, de 1939-1945, Heinz Linge) y a déposés à son intention. Puis le Führer regagne son lit et examine rapidement ces papiers. Puis, il se lève, se rase lui-même (plus tard, quand ses mains tremblent, il se fait raser) et s'habille.

---

* Des écarts nécessités par la guerre ont été relevés dans le texte.

Vers 11 heures : le valet frappe à la porte verrouillée et dit :
« Bonjour, mon Führer. C'est l'heure ! »

Entre 11 heures et midi : Hitler sonne pour demander son
petit déjeuner. Au début, il se compose en général
d'un verre de lait et de pain croustillant, plus tard
d'un pain au lait sucré, d'une infusion de pomme,
de menthe ou de camomille (additionnée, quand il
est enrhumé, d'un dé de cognac) et d'une pomme.
Parfois il demande aussi du fromage (de préférence du Gervais). En 1944-1945, il absorbe, au petit
déjeuner, de grandes quantités de gâteaux et du
chocolat, ou bien il mange une bouillie composée
de flocons d'avoine trempés dans du lait, d'une
pomme râpée, de quelques noix, d'un citron et de
germes de blé.
Son adjoint apporte à Hitler les messages les plus
importants et fixe l'heure des réunions de la journée. Dans l'abri de la Chancellerie du Reich, Hitler
ne se couche qu'à 8 heures du matin (après son
petit déjeuner « aux gâteaux » et après avoir joué
avec son jeune berger « Wolf »). L'alerte aux avions
termine en général vers 11 heures son bref « repos
nocturne ».
Avant que la guerre n'ait bouleversé la journée
d'Hitler, celui-ci recevait, peu après midi, ses collaborateurs et conseillers, les membres du gouvernement et d'autres visiteurs.

Entre 14 et 17 heures : Déjeuner, fruits, potage (jamais à base
de viande), haricots, carottes, autres légumes,
pommes de terre, toujours de la salade assaisonnée
au citron. Hitler aime le « plat unique » à base
de haricots blancs, de pois secs jaunes, de lentilles.
Il aime aussi les pommes de terre en robe de chambre qu'il plonge dans du beurre après les avoir
pelées. Quand Hitler mange avec des invités et qu'on
sert du bifsteck, il se fait servir un « faux bifsteck »
à base de légumes. D'une manière générale, il mange
ce que mangent ses invités, mais il refuse la viande
et la graisse animale (à l'exception du beurre). A
partir de 1941, il mange aussi des sardines à l'huile.
Mais à part les « boulettes au foie » il ne touche
à aucune nourriture animale. Ses légumes sont
préparés au beurre frais (pendant la guerre, étant

donné la pénurie de beurre, il accepte aussi du sain-
doux). Pendant un certain temps, il s'est laissé tenter par des œufs au caviar. Mais ayant appris le
prix du caviar, il renonce définitivement à ce luxe.
Hitler aime aussi manger des œufs sur le plat et
du pain azyme sans croûte.
Il accepte de manger plusieurs jours de suite des
boulettes de pain blanc à condition qu'elles soient
préparées et assaisonnées différemment.

Entre 20 et 24 heures : Dîner : le dîner d'Hitler se compose
la plupart du temps d'œufs à la coque, de pommes
de terre en robe de chambre et de fromage blanc.
Après le dîner, Hitler se repose pendant une heure
(cette pause n'est pas toujours possible pendant la
guerre). Après Stalingrad, il boit un ou deux verres
de bière parce qu'il espère trouver ainsi plus facilement le sommeil. Mais il renonce à cette tentative
lorsqu'il constate que la bière le fait grossir.

Après la « pause » : avant la guerre, « causerie au
coin du feu », plus tard, réunions d'information qui,
à mesure que la guerre s'amplifie, se prolongent jusqu'à l'aube et même jusqu'à six heures du matin
(surtout à Berlin). En 1944/1945, Hitler s'attarde
souvent jusqu'à 8 heures avec ses secrétaires, son
adjoint ou son médecin personnel Morell.

On a à plusieurs reprises accusé le docteur Morell d'avoir
eu recours, en sa qualité de médecin attitré d'Hitler, à des
« remèdes à effet rapide »[100], à des préparations secrètes fantaisistes[101] » qui n'ont jamais pu être identifiées par les médecins
personnels d'Hitler, Erwin Giesing[102], Hans Karl von Hasselbach et Karl Brandt ; on a reproché à Morell d'avoir utilisé des
« médicaments insuffisamment testés »[103], d'avoir essayé des
« méthodes prophylactiques dangereuses »[104], de s'être livré à
des « expériences de charlatan et de guérisseur »[105]. Or, seule
une petite partie de ces accusations se fonde sur des faits prouvés. Entre 1936 et 1945, Morell a prescrit à son client une
trentaine de médicaments[106] dont voici la liste, par ordre alphabétique.

Brom-Nervacit (bromure de potassium, diéthylbarbiturate
de sodium, pyramidon) : Calmant, administré tous les deux mois
pour assurer à Hitler un meilleur sommeil : 1-2 comprimés.

Cardiazol (pentaméthylène-tétrazole) et Coramin (diéthyla-mide de l'acide nicotinique) comme stimulant du centre circu-latoire, du système vaso-moteur et des centres de la respiration ; après 1941 (après la formation d'œdèmes aux jambes) dix gouttes par semaine d'une solution du produit en cas d'apparition d'œdèmes.

Chineurin (produit à base de quinine, remède contre la grippe), par voie buccale en cas de rhume.

Cortiron (acétate de désoxycorticostérone, dérivé de l'hor-mone des surrénales) ; administré en injections intramusculaires (d'après Morell une seule fois) pour remédier à la faiblesse musculaire et pour faciliter l'assimilation des lipides et le méta-bolisme des hydrates de carbone.

Les « Antigas-Pillen » du Docteur Köster (extr. nuc. vom. ; extr. bellad, aa 0,5 extr. Gent. extrait de noix vomique, de bella-done, de gentiane pour combattre les ballonnements : de 1936 à 1943 (avec quelques interruptions) avant chaque repas.

Eubasin (sulfamide) utilisé en injections intramusculaires (5 ccm) contre les infections et la collibacillose.

Euflat (extraits de bile actifs, radix angelica, papavérine, aloès, charbon de café, pancréatine, fel tauri), pilules utilisées pour activer la digestion et combattre les ballonnements.

Eukodal (chlorhydrate de dihydroxycodéinone préparé à partir de la thébaïne), narcotique et analgésique antispasmo-dique.

Eupaverin (dérivée de l'isoquinoléine) pour combattre les crampes et les coliques.

Glucose (en injection combinée, solution de 5 à 10 %) pour suppléer au manque de calories et renforcer les effets de la stro-phantine. Administré en injections intramusculaires à raison de 10 ccm tous les deux ou trois jours.

Glyconorm (ferments du métabolisme contenant des cozi-mases I et II, des vitamines et des acides aminés). Administré entre 1938 et 1940 (« rarement » selon Morell) sous forme d'in-jections intramusculaires de 2 ccm.

Homatropin POS-Augentropfen (collyre) : bromhydrate d'ho-matropine 0,1 g chlor. de sodium 0,08 g aqua dest. ad 10 ml pour le traitement de l'œil droit.

Intelan (vitamine A, D3, B12,), pour stimuler l'appétit, aug-menter la résistance du corps aux infections, défatigant ; de 1942 à 1944 sous forme de comprimés, deux fois avant les repas (mêmes effets thérapeutiques que le « Vitamultin »).

Lavements à base de camomille : au gré du malade.

Luizym (préparation d'enzyme, ferment digestif : cellulase, hémicellulase, amylase, protéase) contre les digestions pénibles (troubles de la digestion des protéides) et les ballonnements : un comprimé après les repas.

Mutaflor (souche de colibacilles) pour le traitement de maladies (météorisme, excémas, migraines, états dépressifs) dues à une dysbactérie du gros intestin ; le docteur Morell a administré à Hitler de 1936 à 1940 des capsules solubles dans l'intestin (env. 25 milliards de germes par capsule) ; le premier jour une capsule jaune, du deuxième au quatrième jour une capsule rouge, à partir du cinquième jour deux capsules rouges.

Omnadin (mélange de protéines, de lipoïdes d'origine biliaire et de graisses animales) parfois combiné avec du « Vitamultin-Calcium » contre les rhumes et infections, administré sous forme d'injections intramusculaires de 2 ccm.

Optalidon (marque déposée) analgésique à base de barbiturates et d'amidopirines (acide isobutylallyl-barbiturique = 0,5 g, diméthyl-aminophénazone, pyramidon = 0,125 g, caféine = 0,025 g) contre les céphalgies : 1 à 2 comprimés par voie buccale.

Orchikrine (extrait des vésicules séminales de jeunes taureaux additionné d'hormones sexuelles mâles), remède contre l'impuissance sexuelle, l'épuisement physique et les états dépressifs. En injections intramusculaires de 2,2 ccm (d'après Morell : administré une seule fois).

Penicillin-Hamma : après l'attentat du 20 juillet 1944 administré sous forme de poudre pendant 8 à 10 jours pour le traitement de la main droite.

Progynon B-oleosum (ester benzoïque de l'hormone folliculaire) pour l'amélioration de la circulation sanguine des muqueuses stomacales et pour combattre les crampes d'estomac. Administré sous forme d'injections intramusculaires de 1937 à 1938.

Prostacrinum (extrait de vésicules séminales et de prostate) contre les états dépressifs. Deux ampoules à intervalle de deux jours en injections intramuscuaires en 1943.

Prostrophanta (injection combinée : 0,3 mg de strophantine, glucose, vitamine B et acide nicotinique). Administrée comme de la strophantine.

Septoïd, contre les infestions des organes respiratoires (Morell pensait pouvoir enrayer avec ce produit les progrès de l'artériosclérose) ; dose maximale : 20 ccm sous forme d'injections.

Strophantine (alcaloïde tiré du strophantus gratus) pour combattre le sclérose coronaire : de 1941 à 1944 pendant 2 à trois semaines 0,2 mg par voie intra-veineuse.

Sympatol (paraphydroxy-phényl-méthylaminoéthanol) pour augmenter le volume-minute du cœur et pour remédier à l'insuffisance vasculaire et cardiaque : depuis 1942, 10 gouttes par jour (avec quelques interruptions).

Tonophosphan (sel de sodium de l'acide dimethylaminométhylphosphinique ; dérivé non toxique du phosphore) pour compléter les besoins en phosphore et stimuler la musculature lisse : de 1942 à 1944, occasionnellement sous forme d'injections sous-cutanées.

Utraseptyl (sulfamide) contre les infections des voies respiratoires supérieures 1 à 2 comprimés par voie buccale. Pour prévenir des concrétions (par exemple : calculs rénaux) ; après les repas avec de l'eau ou du jus de fruit.

Veritol (C4-Hydroxphényl 2 méthylamino-propane α (p. hydroxyphényl) β méthylamino-propane) : 0,01 g par ampoule de 1 ml : L, 0,2 g de sulfate de veritol. Pour le traitement de l'œil gauche à partir de mars 1944.

Vitamultin-Calcium (A, complexe B, C, D, E, K, P) en combinaison avec d'autres médicaments de 1938 à 1944 un jour sur deux sous forme d'injections de 4,4 ccm.

De ces médicaments — dans la liste desquels ne figurent pas les comprimés « dorés » de Vitamultin contenant du « Pervitin » (marque déposé) et de la caféine, fabriquées par le docteur Morell —, on trouve encore aujourd'hui en pharmacie (sans parler de la camomille) : Brom-Nervacit, Cardiazol, Cortiron, Euflat, Eukodal, Eupaverin, Glucose, Homatropin POS Augentropfen (collyre), Intelan, Luizym, Mutaflor, Omnadin, Optalidon, Progynon B-oleosum, strophantine, Sympatol, Veritol [107]. Les autres médicaments ont été retirés du commerce ou remplacés par des produits plus récents. Aucun de ces remèdes ne justifie les critiques formulées par Trevor-Roper, Brandt et d'autres [108]. Ils ne sont ni des « préparations secrètes fantaisistes » ni des « remèdes de bonne femme ». Il va sans dire qu'ils peuvent présenter un danger s'ils sont mal dosés ou administrés à tort et à travers. Or, les doses prescrites par Morell étaient correctes, remarque qui s'applique aussi aux médicaments à action rapide. Son indication prête à critique en ce qui concerne l'administration du Cardiazol et du Coramin [109].

Hitler qui ne fumait pas et qui ne prenait pas de boissons alcoolisées avait l'habitude de se servir de stimulants pharmaceutiques. C'est ainsi qu'il aimait sucer avant ses discours et d'autres efforts physiques et intellectuels les « Kola-Dallmann-Tabletten », comprimés à base de cola, de caféine, de sucre. Le docteur Giesing ayant badigeonné le nez d'Hitler avec une solution de cocaïne, Hitler avait l'impression que la cocaïne lui « dégageait la tête ; il demanda au docteur Giesing de lui appliquer de temps en temps ce traitement bien qu'il dût à la longue entraîner des effets nocifs. Hitler avait l'habitude d'absorber des quantités de caféine et de « pervitin » jugées « effrayantes » : or, il était manifeste que l'abus de ces produits nuisait à son système nerveux ; Hitler les prenait en combinaison avec le « Vitamultin » du docteur Morell. C'est ainsi que le docteur Ernst-Günther Schenk, conseiller à la direction des services de Santé du Reich, déclara : « Un jour, dans le courant de l'année 1942 ou 1943, une personne digne de confiance me remit quelques « tablettes dorées », c'est-à-dire des comprimés de forme carrée, de 3 cm de côté environ, de 0,4 à 0,5 cm d'épaisseur, enveloppés dans du papier doré ; la personne en question me fit remarquer que seul le Führer recevait ces « tablettes dorées » du docteur Morell... J'écrasai... personnellement ces comprimés dans un mortier... et les fis analyser ... sous un mot convenu... par un institut de l'Académie de médecine militaire... sur leur teneur en alcaloïdes et en substances stupéfiantes. On me fit savoir que la poudre contenait de la caféine et du « pervitin »... La concentration de ces produits me parut... effrayante [110]. » L'affirmation de Brandt que Morell aurait administré au Führer des « préparations secrètes » ne saurait s'appliquer qu'aux comprimés de « Vitamultin » : en effet, Morell n'a jamais voulu révéler la composition de ce remède ni les quantités administrées à Hitler.

La charge du Dr Morell, médecin attitré du Führer, qui gagnait environ 60 000 DM par an, n'était guère enviable. Il s'est souvent plaint des difficultés auxquelles il se heurtait en sa qualité de médecin d'Hitler, parce que celui-ci dictait, en dernière analyse, aussi à son médecin ce qu'il avait à faire [111]. Morell était donc forcé de chercher des compromis. Il ne pouvait « envoyer au lit » son client ou lui « prescrire du repos ». Il était obligé de lui administrer des stimulants quand il en avait besoin ou quand il en demandait. Ainsi, la constatation de Brandt que Morell aurait donné, pour des motifs prophylactiques, trop d'injections [112] à Hitler est à côté de la question.

En avril 1945, dix jours avant l'offre de paix séparée qu'Himmler fit transmettre aux Alliés occidentaux à l'insu d'Hitler par le
comte Folke Bernadotte, l'ami de Schellenberg, de Crinis émettait l'avis — après l'étude de photos et de films documentaires
sur Hitler — que ce dernier (que de Crinis n'avait jamais
compté parmi ses clients) était atteint de la maladie de Parkinson (« parkinsonisme ») [113]. Le successeur du docteur Brandt,
l'ancien protégé d'Himmler, le docteur Stumpfegger, qui avait
soigné Hitler depuis octobre 1944, ne partageait pas cet avis [114].
Après 1945, le docteur Brandt n'a jamais voulu se prononcer
d'une manière nette [115]. Morelle évoqua la possibilité d'une « maladie psychogène » d'Hitler ; mais lui aussi s'est abstenu de tout
avis catégorique [116]. « Il serait important de savoir, écrivait
Schramm en 1965, si Morell a utilisé des remèdes anti-spasmo-
diques et s'il l'a fait parce qu'il supposait Hitler atteint de
la maladie de Parkinson » [117]. Or, il y a réponse à cette question :
Morell a effectivement administré à Hitler des médicaments anti-
spasmodiques, à savoir l'Eukodal et de l'Eupaverin. Mais son
traitement ne visait pas la maladie de Parkinson mais les
troubles gastriques de son client. Hitler n'a jamais pris de la
« belladonne 606 » utilisée à l'époque contre la « paralysis agi-
tans ». Le rapport détaillé de Morell sur le fonctionnement du
système nerveux central d'Hitler et tous les réflexes importants
excluent complètement l'hypothèse qu'Hitler était atteint de
parkinsonisme [118]. Morell a déclaré que le cerveau d'Hitler fonc-
tionnait normalement, qu'Hitler ne montrait aucun signe d' « euphorie » ou de « trouble de la personnalité ». Sur le plan des
réactions motrices, il déclara Hitler libre de « spasmes », de
« convulsions », de « paralysie de la glotte » [119]. Le cervelet et la
moelle épinière ne se signalaient par aucune anomalie [120].

Morell souligne qu'il n'a jamais été amené à reviser les
résultats de ses tets sur les réflexes d'Hitler [121].

Les symptômes qui semblent confirmer la thèse que le tremblement d'Hitler — que ce dernier qualifiait de « troubles nerveux graves » [122] — était dû à la maladie de Parkinson étaient :
sa démarche traînante et à petits pas pendant les trois dernières
années de sa vie, ses mouvements saccadés, son attitude pen-
chée, ses traits figés (rappelant un masque), ses difficultés d'élo-
cution, la rigidité de son habitus, de sa pensée, l'uniformité
progressive de son écriture. Le tremblement de ses membres
gauches peut passer pour une preuve supplémentaire bien que
ce symptôme ne soit pas très caractéristique : la maladie de
Parkinson affectant presque sans exception les deux côtés du

corps. Les symptômes de la paralysie agitante ne sont pas non plus intermittents comme c'était le cas des tremblements d'Hitler. Parmi les maladies qui peuvent déclencher la maladie de Parkinson, la sclérose cérébrale et la grippe encéphalitique, Hitler a certainement été atteint de cette dernière (1942).

L'analyse des examens neurologiques de Morell ne permet pas de maintenir la thèse de la maladie de Parkinson.

Le tremblement des membres gauches d'Hitler avait fait sa première apparition après l'échec du putsch qui devait donner à sa vie une tournure négative. Il a disparu pour reprendre vingt ans plus tard, après qu'Hitler eut prédit une situation décisive, le 12 décembre 1942, dans le courant d'une analyse de la situation militaire : « Nous ne devons sous aucun prétexte le lâcher (Stalingrad, l'auteur) car nous le reprendrons jamais ! » *. Le tremblement qui cessa pendant un certain temps à la suite du choc du 20 juillet 1944 relève sans aucun doute d'une névrose s'apparentant au tremblement des combattants de la Première Guerre mondiale ; il a été interprété comme une maladie psychogène [123] due à une réaction primitive de l'instinct de conservation. De même que la névrose motrice disparaissait chez les soldats de première ligne dès que le danger cessait, de même le tremblement des membres s'effaça progressivement chez Hitler après 1923, quand il ne se sentait plus en danger. S'il n'en a pas été de même après 1942/1943, la raison en était sans doute l'évolution de la guerre et les conséquences qu'elle entraînait sur le plan personnel pour Hitler.

---

* Pendant la Première Guerre mondiale, Hitler n'avait pas été atteint de névrose motrice. Les documents prouvent qu'abstraction faite de ses différentes hospitalisations (9-10-1916 au 1er-12-1917 : éclat d'obus à la cuisse gauche, 15-10 au 16-10-1918 : intoxication par les gaz ; registre matricule de la 7e comp. 1er bat. de rés. du 12e rég. d'inf. bavarois, t. XXII ; Archives fédérales, Coblence, NS 26/12) et de ses permissions (30-9 au 17-10-1917 : permission pour rentrer chez soi ; 23-8 au 30-8-1918 : permission de service ; 10-9 au 27-9-1918 : permission pour rentrer chez soi ; *ibidem*) il a toujours suivi son unité, prêt à entrer en action. Il est en revanche possible qu'il ait eu quelques réactions hystériques à la suite de son intoxication par les gaz en octobre 1918. Qu'il ait été sujet à des chocs et des états dépressifs montre l'exemple de sa dispute avec Gregor Strasser en 1932, mais il ne faut pas oublier qu'à cette époque il était encore sous l'impression du suicide de sa nièce « Geli ». Il n'a jamais complètement surmonté ce coup du destin. Depuis la mort de sa nièce, il n'a plus jamais mangé de la viande. Mais il n'a connu des chocs et états dépressifs que quand son existence personnelle n'était pas en jeu.

HITLER ET NAPOLÉON

Compte tenu du déclenchement, du déroulement et de l'issue de sa campagne de Russie, on a souvent comparé Hitler à Napoléon et on a pu mettre en évidence des ressemblances troublantes *.

Mais on n'a jamais comparé leurs dispositions innées pour bien déterminer ce qu'ils avaient en commun et ce qui les séparait. Le tableau dressé par Lange Eichbaum sur Napoléon (p. 413) fait état des similitudes comme aussi des dissemblances :

NAPOLEON	HITLER
Démesuré en tout.	Démesuré en tout.
Usait déjà comme élève d'un style bizarre et exalté.	Usait déjà comme élève d'un style bizarre et exalté.
Calculateur et égocentrique, il se trouvait toujours au centre de ses préoccupations.	Calculateur et égocentrique, il se trouvait toujours au centre de ses préoccupations.
Imagination créatrice et fureur passionnée.	Imagination créatrice et fureur passionnée.
Accès de colère spontanés et calculés.	Accès de colère spontanés et calculés.
Impatience et excitabilité extrême.	Impatience et excitabilité extrême (toutes deux exacerbées par la maladie).

---

* Par exemple Hans Franck, dans ses « Confessions » : *Im Angesicht des Galgens* (Face à la potence), où on lit (p. 111 et s.) : « ... on peut établir un parallèle avec la vie de Napoléon, l'empereur des Français, et on constatera que la vie politique d'Hitler correspond, à une distance de cent vingt-neuf ans, exactement aux différentes étapes de la vie de Napoléon. » Et Frank de mettre face à face certains événements de la vie de l'un et de l'autre : 1789 la Révolution française, cent vingt-neuf ans plus tard, en 1918 : Révolution en Allemagne. 1790-1794 : activité intense de Napoléon qui est passagèrement jeté en prison, cent vingt-neuf ans plus tard, Hitler s'engage dans la politique de parti ; après son putsch de 1923, il est incarcéré (1924). 1795 : Napoléon est « neutralisé » ; cent vingt-neuf ans plus tard, Hitler est détenu à Landsberg-sur-le-Lech. 1796-1804, Napoléon reprend son activité politique et devient le chef de l'Etat, d'abord comme Consul, ensuite comme Empereur. Cent vingt-neuf ans plus tard : Hitler lutte pour le pouvoir par des voies « légales » ; il est nommé Chancelier du Reich en 1933. Cent vingt-neuf ans après le couronnement de Napoléon, Hitler assume la charge de l'Etat (août 1934). Napoléon est à Vienne en 1809, Hitler s'y rend cent vingt-neuf ans plus tard (1938). En juin 1812, Napoléon lance sa campagne de Russie ; Hitler envahit l'Union Soviétique en juin 1941 (cent vingt-neuf ans plus tard). 1815 : Waterloo ; 1944 : invasion alliée.

Concepts moraux très personnels.

Il a corrompu toutes ses sœurs.

Pleurait souvent sous l'emprise
de l'émotion.

D'un égoïsme farouche. Enfant,
on le qualifiait de « sauvageon
méchant ».

Menteur depuis la plus tendre
enfance.

L'ambition est le ressort principal de son action.

Il est insupportable : ses proches le considèrent comme une
« plaie ».

Concepts moraux très personnels.

Grande maîtrise en matière
sexuelle. Il traitait ses sœurs
d' « oies blanches stupides » et
les méprisait. Refusait, à quelques exceptions près, tout
contact avec les membres de sa
famille.

Cela lui arrivait également parfois.

Très égoïste. Enfant, il était des-
potique (mais pas méchant) ;
sauvageon aux idées radicales et
perverties.

Enfant, ses idées n'avaient que
peu de rapports avec la réalité ;
il regardait le monde dans une
perspective très personnelle et
considérait ses vues comme
vraies, immuables, irréfutables.
Il recourait — même sur le plan
personnel — au mensonge, par
utilitarisme, après avoir embrassé la « carrière » politique. Grâce à un « dosage savant » de
vérités déformées et de vérités
partielles, il parvenait à donner
l'impression de la véracité.

Ce qui le pousse, ce n'est pas,
comme chez Napoléon, l'ambition à l'état pur ; mais il veut
prouver qu'il est investi de la
mission historique de sauver
l'Allemagne et de libérer le
monde du judaïsme. Même
comportement dans sa jeunesse.

Pendant la Première Guerre mondiale, il est un bon camarade, serviable, fidèle, désintéressé, mais
il rejette le « culte de la camaraderie », on le tient pour un « original ». De 1919 à 1923, il tient à
être un « citoyen » décidé, extrêmement actif, qui défend ses
convictions face aux autres et qui

autrement que chez Napoléon. Il
aurait (fut) casqué mais n'abatt- [...] pas à détruire l'art qu'il n'ai [...] [...]mait pas. Le massacre s'explique [...] que d'entraîner [...]'effondre[...] un [...]cle de vandalisme mais une [...] [...]conséquence de sa volonté fina [...] [...]re.

Accès de rage : manifestations [...] plus « contrôlées » que chez Na [...] poléon. [...]venait bientôt de [...] repart [...]

[...]mobilité. [...] servait de (lui [...] [...]vait) masque(ait) de poing mais [...] ne se lassait pas aller. Chez [...] Napoléon.

[...] jour jusqu'à la mort [...] sou[...] [...] maintenait très [...]

[...]up de méfiance [...] de plai[...] [...]ce de travail connaissant [...] [...]ment contrôlée, couve [...]

a conscience de sa valeur. Déjà à
cette époque, il semble à quelques-uns impénétrable et inaces-
sible ; (jusqu'en 1921) il se signale
par une certaine gaucherie. Très
peu de ses partisans entretiennent
des relations personnelles (privées) avec lui. 1924 : il passe
pour un bon camarade auprès
de ses intimes ; (à partir de 1937-
1938) il se hausse au niveau d'un
homme déployant une grande
activité diplomatique, il est le
« führer » qui refuse tout contact personnel avec qui que
ce soit. A mesure qu'il vieillit
(et que la maladie le ronge), il
devient un lourd fardeau pour
son entourage.

La précipitation n'est qu'apparente.

Pas superstitieux. Mais il accepte des collaborateurs superstitieux (comme Hess).

Précipitation en toutes choses.
Très superstitieux.

Se lançait dans des prophéties.
Racontait des histoires de fantô-
mes et y croyait.

Faisait des prophéties politiques
(souvent contre sa propre
conviction). Son orientation était
très terre à terre.

Grande indigence intellectuelle.
Ses dons sont d'ordre stratégique.

Doué d'imagination créatrice, il
lit beaucoup et s'intéresse à beaucoup de problèmes intellectuels
mais il n'est pas disposé à corriger ses concepts et encore moins
à les abandonner. Il s'intéresse
plus spécialement à l'histoire, à
l'art, à l'architecture, à la technique, domaines où ses connaissances sont parfois remarquables.
Tendance au dilettantisme. Ses
dons de stratège parfois contestés
étaient pourtant réels.

Tête chaude, personnage coléri-
que. Avait une aversion prononcée pour les problèmes financiers
et juridiques. Vandalisme. Sé-
vissait contre le mobilier, les en-

Tête chaude, personnage coléri-
que. Avait une aversion prononcée pour les problèmes financiers et juridiques.

Vandalisme : il se manifestait

fants, les œuvres d'art, les animaux, les plantes rares.

autrement que chez Napoléon. Il aimait l'art engagé mais n'hésitait pas à détruire l'art qu'il n'aimait pas. Le massacre systématique d'enfants juifs n'était pas un acte de vandalisme mais une conséquence de sa *weltanschauung*.

Accès de folie furieuse : frappait, fouettait, donnait des coups de pied.

Accès de rage : manifestations plus « contrôlées » que chez Napoléon. Invectivait, hurlait, menaçait.

Terrorisait son entourage. Inquiétude intérieure.
Se vautrait parfois par terre de rage.

Idem.

Invectivait (se servait de jurons), menaçait du poing, mais ne se laissait pas aller comme Napoléon.

Dur jusqu'à la cruauté.
Sourire et regard fascinants.
Sa pénétration intellectuelle et sa puissance de travail étaient étonnantes.
Quand il avait satisfait ses besoins sexuels, il était brutal avec les femmes.

Dur jusqu'à la cruauté.
Sourire et regard fascinants.
Pénétration intellectuelle (en beaucoup de matières) et puissance de travail étonnantes.
D'une grande courtoisie envers les femmes qui le trouvaient charmant, prévenant, chevaleresque. Mais il ne les prenait pas très au sérieux (si l'on fait abstraction de sa mère, de « Geli » et jusqu'à un certain point d'Eva Braun). Les femmes étaient pour lui de jolis joujoux. Beaucoup de liaisons à partir de 1921.
Grand comédien.
Savait exploiter les hommes.
Mégalomane... il se croyait invincible et infaillible.

Grand comédien.
Savait exploiter les hommes.
Mégalomane... il se croyait invincible et infaillible.
« Je ne ressemble pas aux autres hommes, les lois de la morale et de la bienséance ne sauraient s'appliquer à moi. »

Idem.

Indiscipliné, sans scrupules, il ne supportait aucune rivalité.

Idem.

« ... quelques traits archaïques en dépit d'une intelligence supérieure : pulsions déréglées et démesurées, tendances chiméri-

Mêmes traits, mais aucune tendance à la superstition.

ques et mystiques, supersti-
tions ; les tendances psychopa-
thiques sont très prononcées :
émotivité à fleur de peau, égocentrisme effréné, agitation intérieure, tendance à la dépression
et à l'insatisfaction. »

« ... offre un exemple typique de
la valeur culturelle du domaine
psychopathologique : on ne saurait s'imaginer un Napoléon calme et lucide, doué d'une grande
intelligence militaire ou politique : seuls la démesure et le
déséquilibre de la psychopathie
pouvaient produire un phénomène sociologique comme le « génie de Napoléon ».

Ces remarques s'appliquent aussi à Hitler, dont le comportement est fortement conditionné
par la maladie.

CHAPITRE IX

LE COMMANDANT EN CHEF ET LE STRATÈGE

Le 3 février 1933, quatre jours avant d'être nommé Chancelier du Reich, Hitler avait déclaré aux chefs de la Reichswehr : « L'époque la plus dangereuse sera celle de la création d'une force armée. C'est là qu'on verra si la France dispose de véritables chefs d'Etat ; si oui, elle ne nous laissera pas le temps, elle nous tombera dessus [1]. » A la différence de Konstantin von Neurath et de Werner von Blomberg qui préconisaient le réarmement ouvert, il se montre réservé en cette matière jusqu'en septembre 1933. Mais c'est bien avant cette date qu'il se croit un chef militaire et un stratège * et qu'il se propose de tenter sa chance aussi sur les champs de bataille en faisant confiance à son « programme » ** qui lui avait assuré le succès politique de ses entreprises ; il est décidé à mettre au service de la chose militaire ses talents, ses connaissances, ses capacités, son intuition, ses facultés. Quand éclata en septembre 1939 la Deuxième Guerre mondiale, Hitler avait à son actif des réalisations qu'il invoquait dans toutes les phases difficiles de son existence et auxquelles il se référait pour exiger et pour imposer ses vues [2]. Il avait, en l'espace de six ans et de six mois, conquis les pleins pouvoirs (24-3-1933), commencé sur le territoire du Reich la persécution des Juifs [3], il avait supprimé les syndicats ouvriers

---

* *Cf.* aussi à ce sujet p. 361 et s.
** Par « programme » nous n'entendons pas ici le programme du NSDAP mais le « programme en vue de l'hégémonie mondiale de l'Allemagne ». Cf. aussi p. 358.

(2-5-1933), imposé l' « autodissolution » aux partis politiques
(juin/juillet 1933), signé le concordat entre le Reich et la Curie
romaine (22-7-1933), promulgué la loi sur la « réorganisation
du Reich » (30-1-1934), réglé le conflit entre les chefs des SA et
la Reichswehr à l'avantage de cette dernière (30-6-1934), obtenu
le titre de « Führer et Chancelier du Reich » (2-8-1934) et fait
prêter aux troupes le serment de fidélité au nom d' « Adolf
Hitler, Führer du peuple allemand et du Reich » [4], réuni
sur lui et son parti 90 % des voix lors des élections du
19 août 1934, réalisé le rattachement de la Sarre à l'Allemagne
à une majorité de 91 % des voix (13-1-1935), il avait établi le
service militaire obligatoire et restauré la souveraineté militaire
allemande en réoccupant la zone démilitarisée de la Rhénanie
(7-3-1936), annexé l'Autriche et le Territoire des Sudètes (mars
à octobre 1938), occupé en mars 1939 la Bohême et la Moravie
et installé le « protectorat du Reich ».

Les soldats allemands obligés de marcher contre la Pologne
ne montraient aucun enthousiasme ; mais ils trouvaient normal
de risquer leur intégrité physique et leur vie pour les idées
d'Hitler qui, pendant les premières années de son règne, n'avait
fait qu'affirmer sa volonté de paix ; en 1939, on le considérait
encore comme un grand politicien et homme d'Etat à la main
heureuse, sans ambitions militaires et stratégiques [5]. La version
de Jodl devant le Tribunal militaire international de Nuremberg,
selon laquelle les chefs militaires allemands « et avec eux toute
la Wehrmacht » se seraient trouvés confrontés en 1939 « au problème insoluble de faire une guerre qu'ils n'avaient pas voulue,
sous le commandement d'un chef dont ils n'avaient pas la
confiance et auquel ils n'accordaient qu'une confiance limitée » [6],
ne reflète que partiellement la vérité.

Six ans et six mois avant le 1er septembre 1939, il n'y avait
en Allemagne ni autoroutes, ni prêts aux jeunes ménages, ni
allocations familiales, ni vacances bon marché grâce à l'organisation « Kraft durch Freude », ni de facilités pour les paysans
allemands désireux d'acquérir une ferme, ni d'écoles « Adolf
Hitler », ni d'instituts de formation politique ; on ignorait le
sport militaire de la jeunesse, le service national du Travail, la
« réconciliation des classes sociales » ; il n'y avait pas de Reich
groupant tous les peuples d'expression allemande, il n'y avait
pas de fierté nationale (exacerbée), ni de pain et de travail pour
chacun : pour beaucoup, le « national-socialisme » était l'œuvre
exclusive d'Adolf Hitler. La totalité des soldats — et beaucoup

de généraux * — croyaient ce qu'Hitler leur avait dit le 1er septembre 1939 : « L'Etat polonais a rejeté l'établissement, par des voies pacifiques, de relations de bon voisinage qui étaient le but de mes efforts. Il a préféré faire appel aux armes [7]. »

Jamais ils n'ont appris de la bouche d'Hitler la vérité sur les événements ; car même en sa qualité de chef militaire et de stratège, Hitler était avant tout un propagandiste ; déjà en 1938, il avait écarté du pouvoir les partisans d'une politique de grande puissance traditionnelle « se bornant » à l'établissement d'un puissant Etat allemand en Europe centrale ; il avait chassé aussi les tenants d'une « orientation libérale-impérialiste » **. Balayant l'influence des chefs de la politique étrangère et des chefs militaires, il avait mis un terme au dualisme qui avait marqué jusque-là la politique étrangère allemande. En dépit de *Mein Kampf* et de nombreuses autres déclarations transparentes d'Hitler, les Allemands n'ont jamais appris de sa bouche qu'il désirait l'élargissement progressif de l'espace allemand en Europe par des mesures politiques « pacifiques » et plus tard, après l'épuisement de cette possibilité, par des « guerres-éclair » contre *un* adversaire à la fois ; ils ne savaient pas qu'il avait décidé — en contradiction avec les affirmations contenues dans *Mein Kampf* — de conquérir des colonies en Afrique centrale, de créer les bases économiques d'une « deuxième guerre mondiale » et de transformer le Reich en « puissance mondiale » régie par des principes idéologiques et racistes imposés par la

---

* Cf. entre autres Manstein, *Verlorene Siege* p. 17 et s., et p. 69 ; de même que Jodl (cité par Schramm, *Hitler als militärischer Führer*, p. 149). Gœbbels a pu dire le 5-4-1940 : « Jusqu'ici nous avons réussi à cacher à nos adversaires les objectifs véritables de la politique allemande, de même que nos adversaires de l'intérieur n'ont pas eu la moindre idée de nos intentions ; ils ignoraient que notre serment de légalité n'a été qu'un stratagème. Nous voulions nous *emparer* légalement du pouvoir, mais nous n'avons jamais songé à nous en *servir* légalement... en 1933, le président du Conseil français aurait pu dire (et je l'aurais dit si j'avais été le président du Conseil français) : « L'homme qui a écrit *Mein Kampf* où l'on peut lire telle ou telle chose vient d'être nommé Chancelier du Reich. Ou bien il s'en va, ou bien nous attaquons. » Ç'aurait été parfaitement logique. Or, cela n'a pas été dit. On nous a laissés faire. On nous a laissés traverser la « zone du risque » sans nous gêner ; ainsi nous avons pu contourner les écueils les plus dangereux ; quand nous étions prêts, bien mieux armés qu'eux, ils nous ont fait la guerre. » (Cité selon Hillgruber, *Hitlers Strategie* p. 14).
** Hjalmar Schacht fut le dernier représentant de l'orientation « libérale-impérialiste ». *Cf.* à ce sujet entre autres Hildebrand, K, *Vom Reich zum Weltreich. Hitler, NSDAP, und koloniale Frage 1919-1945*, Munich 1969, p. 204 et s. Voir aussi Hillgruber, Andreas, *Kontinuität und Diskontinuität in der deutschen Aussenpolitik von Bismarck bis Hitler*, Dusseldorf 1969.

force brutale [8]. Pour réaliser ces plans, il cachait soigneusement
son jeu et prenait le parti de mentir quand il aurait mieux valu
dire la vérité. C'est ainsi qu'il imputait aux Polonais, aux Juifs,
aux Italiens, aux Anglais, aux Allemands de la génération de la
Première Guerre mondiale * la responsabilité d'une guerre
déclenchée par lui mais qu'il avait « programmée » pour un peu
plus tard. Le 19 septembre 1939, trois semaines après avoir signi-
fié à l'ambassadeur de Grande-Bretagne Henderson qu'il acceptait la médiation britannique entre la Pologne et le Reich et
qu'il était disposé à recevoir le 30 août à Berlin un plénipoten-
tiaire polonais, il s'écria : « Je ne sais dans quelles dispositions
d'esprit se trouvait le gouvernement polonais quand il refusa
ces propositions... les Polonais répondirent ... par la mobilisation.
En même temps le régime de terreur fut instauré. Le ministre
des Affaires étrangères polonais rejeta ma demande de venir me
voir à Berlin pour discuter encore une fois de ces problèmes.
Au lieu de venir à Berlin, il se rendit à Londres ! [9] » Hitler se
garda bien de préciser que la Grande-Bretagne avait conclu le
25 août 1939 **, deux jours après la signature du traité d'alliance
germano-soviétique (que les Japonais considéraient comme une
violation du Pacte anti-komintern), un traité d'assistance réci-
proque. « Une guerre cruelle et impitoyable nous a été imposée
par le judaïsme éternel » [10], déclara-t-il le 21 mars 1943, quelques
jours après la défaite catastrophique de Stalingrad ; le 29 avril
1945, il marquait dans son « Testament politique » : la guerre
a été « voulue et fomentée exclusivement par des hommes d'Etat
internationaux qui étaient eux-mêmes d'origine juive ou qui
travaillaient pour des intérêts juifs » [11]. Le 18 décembre 1940,
environ deux mois après l'occupation de la Roumanie et trois
mois après la conclusion du pacte tripartite avec l'Italie et le
Japon qui était son œuvre, il accuse l'Italie d'avoir provoqué la
guerre en proclamant en 1939 sa neutralité, affaiblissant ainsi
la position de l'Allemagne sur l'échiquier européen (dans la perspective de 1939 et 1940). « Si l'Italie avait à cette époque déclaré,
conjectura Hitler en 1940, qu'elle était solidaire de l'Allemagne,
la guerre n'aurait pas éclaté, les Anglais ne l'auraient pas commencée, les Français ne l'auraient pas commencée [12]. » En

---

* Il reprochait à ceux-ci de ne pas avoir continué la guerre en 1918 —
et d'avoir ainsi provoqué la Deuxième Guerre mondiale. *Cf.* Proclamation d'Hitler pour le Nouvel An du 1-1-1943. Citée par Domarus t. II/4,
p. 1967.
** *Cf.* au sujet de la politique d'alliances d'Hitler ; Maser, *Hitlers
Mein Kampf,* p. 177 et s.

février 1945, il dit au contraire : « L'alliance avec l'Italie a été bien plus utile à nos ennemis qu'à nous [13]. »

Comme la Deuxième Guerre mondiale — qui avait fait l'objet en 1961 déjà de plus de 50 000 publications importantes (livres et articles de revues) * — prenait jusqu'en 1941 en Europe une tournure que personne ne pouvait prévoir, Hitler finit par croire — soutenu en cela par de nombreux experts militaires — qu'il était un chef militaire et un stratège hors classe. Il l'était pour le feldmaréchal von Rundstedt pendant la première phase de la guerre, pour le grand-amiral Dönitz et le général de corps d'armée Jodl [14] avec certaines réserves jusqu'à Stalingrad, Tripoli et la guerre en Afrique du Nord française. Le feldmaréchal Günther von Kluge [15] et le feldmaréchal Wilhelm Keitel le tenaient pour un génie militaire. Le général de brigade Walther Scherff, qui se qualifiait lui-même d'« historien du Führer » voyait en Hitler « le plus grand chef d'Etat et le plus grand stratège de tous les temps » ; dans le même ordre d'idées, il appelle Hitler dans son « Journal intime » « le chef militaire, le stratège, l'homme auquel on peut faire une confiance illimitée » [16].

L'évolution ultérieure de la guerre, la partialité des chroniqueurs et « juges » ne permettent pas d'attribuer à leurs appréciations une validité universelle, d'autant plus que le concept stratégique formulé par Clausewitz, pour lequel « la stratégie est la mise à profit du combat pour les fins de la guerre » [17] a subi depuis des modifications profondes. La définition de Clausewitz n'était plus valable pour la guerre hitlérienne. « La stratégie, explique Alfred Jodl, chef de l'état-major d'exécution de la Wehrmacht (WFSt) en 1946, en application des concepts

* Cf. Gunzenhäuser, « Die Bibliographien zur Geschichte des Zweiten Weltkrieges » dans Jahresbibliographie 1961 der Bibliothek für Zeitgeschichte Stuttgart, Francfort-sur-le-Mein 1963, p. 529. Cf. aussi Hillgruber, Hitlers Strategie p. 13. Actuellement, le nombre de publications importantes sur la Deuxième Guerre mondiale dépasse sans doute de très loin 100 000 titres, à quoi il faudrait ajouter les documents des archives militaires de Fribourg sur le réarmement par terre, dans l'air et sur mer jusqu'en 1939 et les documents des archives londoniennes sur le réarmement. Les documents français ne sont pas encore accessibles, quant aux documents russes, il n'est même pas question dans un avenir prévisible de permettre leur utilisation. La carence des documents français n'est pas très grave puisque la plupart des décisions importantes ont été prises à Londres. Malgré l'abondance des écrits sur la guerre, il n'y a pas encore d'analyse historique de la guerre vraiment digne de ce nom. Cf. aussi les propositions faites à ce sujet par Jacobsen, H. A., Zur Konzeption einer Geschichte des Zweiten Weltkrieges 1939-1945, Francfort 1964, et Müller, K. J. « Gedanken zum Problem einer Geschichtsschreibung über den Zweiten Weltkrieg » dans Wehrwissenschaftliche Rundschau 1962 p. 634-651 et 729-736 Cf. aussi Hillgruber, Hitlers Strategie p. 588 et s.

d'Hitler, est la « direction suprême » de la guerre. Elle embrasse la politique étrangère et intérieure, les opérations militaires, l'économie de la guerre, la propagande, le gouvernement du peuple, et doit viser à accorder ces différents éléments aux objectifs militaires, économiques et politiques de la guerre [18]. » Il va sans dire que, dans une telle perspective, les termes de « chef militaire » et de « stratège » désignent deux choses tout à fait différentes ; car pendant la Deuxième Guerre mondiale le rôle de « stratège » ne revenait pas aux feldmaréchaux et aux généraux, mais aux chefs d'Etat gouvernant selon des principes autoritaires et dictatoriaux : Hitler en Allemagne, Staline en Russie. Dans les deux pays, les chefs militaires ne faisaient que diriger les opérations purement militaires en se conformant aux instructions des chefs d'Etat. Hitler ne portait pas seulement le titre de chef d'Etat et de chef suprême de toutes les forces armées : à partir de 1941, il était le commandant en chef de la Wehrmacht et le coordinateur attitré de toutes les puissances alliées du Reich. Chef suprême des forces armées, il a conduit la guerre préparée par lui sur le plan politique, économique et militaire selon ses connaissances et ses idées, selon son tempérament et ses facultés. Mais ce fait ne prouve pas à lui seul qu'il ait eu aussi l'étoffe d'un grand capitaine et d'un stratège.

Comme la plupart des chefs militaires allemands de l'ancienne école n'acceptaient, ni pendant la Deuxième Guerre mondiale ni après, cet élargissement de leur horizon professionnel, ils s'en tenaient, pour juger les grands mouvements d'unités militaires, à la formule traditionnelle qui identifiait le stratégique à l'opérationnel. De plus, ils surestimaient d'une manière souvent grotesque leurs propres connaissances et expériences. C'est ainsi que le feldmaréchal von Manstein — qui passe pour un expert militaire non seulement en Allemagne mais aussi à l'étranger — a pu écrire en 1964, dans son ouvrage qui porte le titre significatif : *Verlorene Siege* (Victoires perdues) : « Hitler savait fort bien que beaucoup de militaires auraient aimé me voir assumer le rôle effectif de chef d'état-major ou de commandant en chef du front oriental [19]. » L'affirmation de Besymensky « qu'on observe dans les écrits d'après-guerre la tendance d'attribuer toutes les défaites aux décisions du Führer ... et toutes les victoires à l'initiative du haut commandement des forces armées et de la Wehrmacht ou à l'état-major » [20] contient une bonne part de vérité. On ne peut que se ranger à l'opinion des historiens et militaires russes qui affirment — non sans quelques arrière-pensées idéologiques — que les généraux allemands font

« piètre figure » quand ils maudissent Hitler après l'avoir servi pendant douze ans, quand ils qualifient d' « incompétentes » toutes ses décisions militaires et lui imputent toutes les défaites, quand ils prétendent que la guerre aurait pris une autre tournure si le commandement avait été assuré par eux et non par Hitler ; car plusieurs plans stratégiques et plusieurs opérations victorieuses sont à mettre à son actif *.

Etant donné que la recherche historique sur la Deuxième Guerre mondiale n'est pas considérée en Allemagne [21] — à la différence des pays anglo-saxons [22] — comme un domaine scientifique spécialisé, que la plupart des historiens allemands de renom répugnent à inclure des questions militaires dans leurs études, les lacunes en cette matière sont si énormes (et cette situation est aggravée par leur interprétation différente des notions de base) que la délimitation du rôle exact d'Hitler dans le cadre d'un chapitre serait une entreprise téméraire. Nous nous bornerons à relever un fait dont beaucoup de biographes d'Hitler et d'historiens tels que F.H. Hinsley [23], Gert Buchheit [24], Hug Redwald Trevor-Roper [25], Percy Ernst Schramm [26], Andreas Hilgruber [27], Alan Bullock [28] et d'autres n'ont pas tenu compte parce qu'ils ont abordé le sujet avec des idées préconçues, à savoir que la maladie a profondément altéré la personnalité d'Hitler au cours de la guerre et qu'il n'était plus, à partir de 1942, l'homme qui, en 1939, avait lancé ses troupes à l'assaut de la Pologne.

Disons que déjà au début de la guerre, l'état physique et psychique d'Hitler laissait à désirer **. Sa puissance de travail était nettement en baisse à une époque où, pour des raisons d'économie et d'armement, il ne pouvait risquer une guerre même localisée. L'affirmation souvent répétée qu'il aurait rédigé, le 2 mai 1938, son testament privé *** et réglé sa succession parce qu'il avait décidé de déclencher la guerre, ne correspond pas à la réalité. Sachant mieux que quiconque que la Wehrmacht n'était pas encore un instrument de guerre efficace et parfaitement au point, il ne songeait nullement, en 1938, à ouvrir la deuxième phase de son programme d'hégémonie mondiale. Il ne voulait même pas franchir ce pas en 1939, bien que ses prédictions sur l'évolution de la situation politique en Europe (de 1938 à 1941) fussent bien plus près de la vérité que celles de

---

* Cf. notre exposé supra et p. 384 et s.
** Cf. indications au chap. VIII.
*** Ibid.

tous les autres chefs d'Etats européens (y compris Staline)[29]. Quand, après le déclenchement par Hitler de la première « attaque éclair » la guerre européenne se déchaîna, il croyait en toute bonne foi qu'elle lui avait été « imposée » : il avait en effet déduit de l'attitude de la Grande-Bretagne lors de son « coup de Prague » qu'il pouvait écraser impunément la Pologne par une campagne localisée[30]. Bullock est dans le vrai quand il affirme qu'Hitler était persuadé de prendre « un risque calculé »[31] en lançant son attaque contre la Pologne *, après avoir essayé, comme un risque-tout[32], d'organiser un nouveau Munich et d'obtenir la capitulation de la Pologne, de la France et de la Grande-Bretagne[33]. Son affirmation qu'Hitler aurait dû savoir en 1939 que la Grande-Bretagne était déterminée à remplir ses obligations d'alliance à l'égard de la Pologne[34] est une tentative à peine voilée d'excuser après coup l'attitude équivoque de la Grande-Bretagne entre 1938 et août 1939. Hitler rédigea son testament en 1938 non pas parce qu'il songeait à la guerre, mais parce qu'il avait une vue plus pessimiste de son état de santé que son médecin personnel **.

En 1939, bien des Allemands auraient hésité à remettre leur destinée entre les mains du Führer s'ils avaient été informés de son état de santé, des structures de son caractère, de l'évolution de ses dispositions naturelles, de ses règles de comportement, de ses capacités, de ses vertus et de ses faiblesses. Une expertise psychographologique fondée sur le texte manuscrit du testament d'Hitler du 2 mai 1938 est éloquente à cet égard ***. L'analyse graphologique dévoile — à côté de nombreuses constatations positives — un certain nombre de faiblesses caractérielles qui, selon l'avis de Clausewitz et de beaucoup d'autres, s'accordent mal avec les tâches d'un chef militaire et stratège : idées fausses, esprit critique et jugement atrophiés, inconstance et manque de sérieux, ambition soutenue allant de pair avec le

---

* *Cf.* l'exposé d'Hitler (consigné dans le « rapport de Hossbach ») dans le cadre d'une réunion au ministère des Affaires étrangères le ministre de la Guerre, les commandants en chef des trois armes de la Wehrmacht. *Cf.* aussi Bullock, *Second World War*, p. 270 et s.
** *Cf.* chap. VIII.
*** Le graphologue et conseiller d'entreprise Sigurd Müller reçut de l'auteur, en 1970, le texte autographe du testament d'Hitler, sans indication de provenance. L'en-tête, la date, la signature ainsi que toutes les parties pouvant révéler l'identité du scripteur avaient été supprimées auparavant. Le graphologue, qui n'apprit que huit jours après la remise de son expertise qu'il s'agissait d'un texte écrit par Hitler, avait déduit de l'étude du document qu'il émanait d'un « capitaine d'industrie » d'une cinquantaine d'années, qui exerçait son métier avec une autorité souveraine et s'entourait, par un besoin inné, de réalisations artistiques.

goût du risque, absence de contacts humains due à une attitude butée et dogmatique, manque d'égards pour les autres, démesure résultant d'un désir impérieux d'élargir son espace vital *.

Comme cette expertise psycho-graphologique révèle, dans un ordre systématique, des traits de la structure caractérielle d'Hitler qui se trouvent confirmés par la recherche historique, nous la reproduisons in extenso.

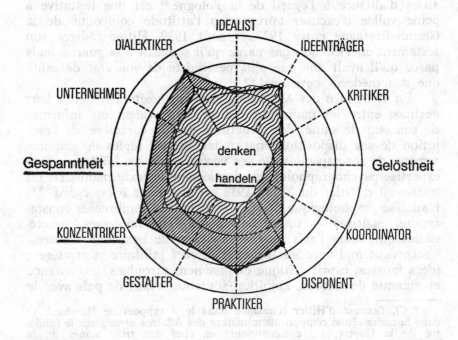

* *Cf.* les points 4, 5, 7, 10.

DIAGRAMME DE LA STRUCTURE CARACTERIELLE

Forschen = chercher.
Bedenken = réfléchir.
Planen = planifier.

Idealist = idéaliste.
Ideenträger = promoteur d'idées
Kritiker = critique.
Gelostheit = état de détente.
Koordinator = coordinateur.
Disponent = organisateur.
Praktiker = esprit pratique.
Gestalter = créateur.
Konzentriker = esprit concentré.
Gespanntheit = état de tension.
Unternehmer = caractère
                 entreprenant.
Dialektiker = dialecticien.
Versachlichen = objectiver.
Formen = former.
Produzieren = produire.

Vorstellen = imaginer.
Prüfen = examiner.
Verbessern = améliorer.

Denken = penser.

Handeln = agir.

Anpassen = adapter.
Anleiten = guider.
Ausbauen = aménager.

Positif. ———
Négatif. ∿∿∿

CLASSEMENT DES DISPOSITIONS NATURELLES

ACTIF		RÉACTIF	
Type 1.		**Type 2.**	
Idéaliste +	— illuminé	dialecticien +	— théoricien
force de per-suasion	exaltation	besoin de sa-voir	irréalisme
enthousiasme	excentricité	*esprit de re-cherche*	scepticisme
optimisme	fausse idéali-sation	*raisonnement logique*	finasserie
Type 3.		**Type 4.**	
caractère entreprenant +	— « faiseur de projets »	esprit concen-tré +	— dogmatique
esprit d'ini-tiative	spéculation	discipline	crispation

recherche de l'innovation	légèreté	approfondisse-ment	entêtement
ambition sou-tenue	excès de zèle	persévérance	obstruction

Type 5

créateur +	— poscur
don de former	crâncrie
talent d'orga-nisation	recherche de l'effet
don d'exposer	besoin de se faire valoir

Type 6

esprit prati-que +	— agresseur
recherche de l'efficacité	manque d'égards
volonté de s'imposer	caractère instinctif
talent d'impro-visation	irascibilité

Type 7

Organisateur +	— Despote
besoin d'ex-pansion	goût de l'auto-rité
Talent de chef	manie de vou-loir toujours avoir raison autoritarisme
sait donner des ordres	

Type 8

coordinateur+	— opportu-niste
Puissance d'in-tuition	avidité de jouissance
souci de se cultiver	cautèle
sociabilité	adaptation apparente

Type 9

critique +	— pédant
recherche de la perfection	ergoterie
jugement judi-cieux	mesquinerie
sens de l'éco-nomie	susceptiblité

Type 10

promoteur d'idées +	— chasseur de chimères
pensée intui-tive	illusionnisme
abondance de bonnes idées	humeur chan-geante
ingéniosité	influençabilité

positif ——————
négatif 〰〰〰〰

Critères généraux.

1) Structure caractérielle :
   Etat de tension accompagné d'un grand effort de volonté. La pensée est essentiellement orientée vers les choses pratiques.
2) Degré de maturité :
   Doué d'une certaine sagesse, née de l'expérience, qui n'a pas pu parvenir à la maturité en raison de quelques contradictions caractérielles.
3) Personnalité :
   Personnalité originale, d'une envergure peu commune.
4) Disponibilité sur le plan professionnel :
   Esprit très objectif et près des réalités, mais égaré parfois par des idées fausses.

Capacités professionnelles.

5) Capacités intellectuelles :
   Dispositions dialectiques. Tendance au scepticisme.
   Puissance de critique et d'appréciation limitée.
6) Capacités pratiques :
   Don d'exposer, puissance de travail, talent de chef.
7) Idées personnelles :
   Oui, mais manque de continuité et d'esprit de suite.
8) Contacts sociaux et aptitude à la négociation :
   Soucieux de contacts, mais crispé.
   Négociateur réaliste.

Qualités touchant au travail.

9) Puissance de travail :
   Assez vigoureuse et volontaire, tenace et persévérant.
10) Initiative et motivation :
    Ambition soutenue, tendance à la spéculation.
11) Minutie et soins du détail :
    Effort sérieux pour se discipliner.

Comportement humain.

12) Attitude face aux chefs hiérarchiques :
    Soumission volontaire.
13) Attitude face au travail de groupe (travail d'équipe) :
    Feint l'adaptation.
14) Aptitude à commander :
    Oui. Attitude dure et conséquente.

Jugement d'ensemble.

La contradiction de la structure caractérielle réside en ceci qu'une disposition innée à l'idéalisme se trouve refoulée par une attitude mentale dialectique — et parfois sceptique — d'une part, par des idées changeantes et entachées d'illusions de l'autre. La tendance innée à la communication avec les autres, au contact humain et amical, se trouve de son côté inhibée par un parti pris d'entêtement et de dogmatisme.

La force du personnage réside essentiellement dans une détermination inébranlable allant de pair avec le désir de connaître le fond des choses dans la discipline et la ténacité. Il est capable d'exposer avec une grande clarté ce qu'il a assimilé grâce à un travail acharné. Mieux, il parvient à imposer aux autres son point de vue. Le ressort secret du désir d'aller toujours au fond des choses est une volonté de puissance, qui soutient vigoureusement son talent de chef.

Il va sans dire que de telles ambitions entraînent l'élargissement continuel de son espace vital et une attitude exigeante à l'égard de lui-même et de son entourage. Mais il est tout aussi évident que son désir d'expansion le pousse parfois trop loin et compromet la réussite de ses entreprises.

Il s'agit d'une personnalité exceptionnelle, dont le manque d'égards et la brutalité sont l'expression d'une pensée froide et logique et de considérations purement utilitaires. Il serait souhaitable que la volonté manifeste de se cultiver l'emporte à l'avenir sur la volonté de puissance actuellement prédominante.

. . . .

Karl von Clausewitz [35], auquel Hitler se réfère parfois *, exige du génie militaire — comme tel, pour lequel Hitler entend, à partir de 1940, être tenu par ses généraux qu'il a, pour sa part, en piètre estime ** — qu'il apporte certaines qualités innées de l'intelligence et du cœur, qu'il fasse preuve de courage face au danger et face au « tribunal » des autorités extérieures et des

---

* *Cf.* p. 209 et s.
** Une remarque que Gœbbels notait le 9-3-1943 dans son « Journal » est très caractéristique à cet égard : « Le Führer juge avec sévérité ses généraux. Il leur reproche de le tromper du matin au soir, d'être peu cultivés et d'ignorer même le métier de la guerre qu'ils devraient pourtant connaître... Le fait qu'ils soient si mal informés des problèmes matériels de la guerre ne milite guère en leur faveur. Leur formation a été mal orientée depuis des générations... » Cité d'après **Schramm**, *Hitler als militärischer Führer*, p. 48.

instances intérieures. Le génie militaire doit, en outre, pouvoir
affronter des efforts psychiques et mentaux considérables et receler de grandes potentialités. La force, l'équilibre de l'âme et de
l'intelligence, une énergie indomptable, la persévérance, la constance, la force de caractère complètent la liste des qualités que
Clausewitz exige des chefs militaires, qualités dont le dosage respectif peut beaucoup varier d'une personne à l'autre [36]. Hitler
possédait à un haut degré quelques-unes de ces qualités. Son
intelligence n'avait rien à craindre d'une comparaison avec celle
des feldmaréchaux et généraux de la Deuxième Guerre mondiale.
Il était en outre doué d'un courage, d'une persévérance, d'une
énergie et d'une ténacité à toute épreuve [*]. Il avait « du nez »
— d'après l'expression qu'il employa lui-même le 20 mai 1943 —,
il « flairait l'approche de la plupart des événements [37] », il était
doué d'un sixième sens qui lui permettait de reconnaître aussitôt le point faible du dispositif ennemi, il savait bien mieux que
ses chefs militaires profiter du temps et de l'occasion, et imposer
ses vues. « Il savait utiliser pour ses objectifs et pour son avantage la situation défavorable des démocraties, victimes de leur
faiblesse face à la politique du Troisième Reich [38]. »

Hitler imposait sa volonté aux militaires attachés à la
tradition, avec la même vigueur souveraine avec laquelle il
dominait depuis des années les chefs subalternes de son parti
et les ministres de son gouvernement. L'appréciation de Jodl
au procès de Nuremberg est significative : « Hitler était une
personnalité de chef, d'envergure exceptionnelle. Son savoir,
son intelligence, sa rhétorique, sa volonté triomphaient, dans
toutes les discussions, de tous ses interlocuteurs [39]. » La
fascination qu'il exerçait sur son entourage était telle, jusqu'à la fin de sa vie, qu'elle agissait même sur quelques généraux humiliés et déçus qui, peu avant la fin de la guerre, avaient
trouvé le courage de lui rendre leur tablier. Eberhard von Brei-
tenbach, l'adjoint du feldmaréchal Ernst Busch, raconte que le
feldmaréchal s'est rendu à Berlin en mars 1945, démoralisé,
irrité, indigné, revêtu d'un uniforme fripé et maculé pour « dire
crûment son fait à Hitler ». Après l'entrevue, il était comme
métamorphosé et croyait à la victoire finale de l'Allemagne [40].
Mais les faiblesses et défauts du caractère d'Hitler étaient également manifestes : il lui manquait surtout une qualité qui, aux
yeux de Clausewitz, était indispensable au « génie militaire » :
l'harmonie interne des différentes dispositions caractérielles,

------

* *Cf.* p. 370.

qui devaient cohabiter dans le même personnage sans se contra-
rier réciproquement. C'est ainsi qu'Hitler, dont le mépris des
hommes se trouvait profondément ancré dans sa *weltanschauung*, fascinait son entourage d'une manière presque magi-
que, mais refusait obtinément tout contact humain, si bien qu'en
1945 personne ne pouvait se vanter d'être son ami. Alors qu'il
se distinguait par une intelligence technique exceptionnelle et
qu'il faisait fabriquer et mettre en ligne au bon moment les meilleures armes *, qu'il montrait un intérêt particulier pour les
inventions nouvelles dont l'orientation cadrait avec ses vues générales **, il s'opposait à certaines innovations relativement simples et souvent fort utiles ***, défendait des positions qui, mesu-
rés à la pénétration de son intelligence, semblaient primaires,
s'arrêtait parfois « aux bagatelles de la porte » et manquait
d'esprit de suite dans les affaires essentielles.

On peut prouver, de manière irréfutable, que l'entêtement
et l'obstination d'Hitler, que son intolérance, sa méfiance, son
refus de s'inspirer des expériences du passé, attitudes et comportements qui affaiblissaient et même annulaient parfois ses remarquables qualités de chef militaire, étaient la conséquence de ses
maladies. A en croire Hitler, c'est grâce à son régime végétarien [41]
qu'il a pu accomplir pendant la guerre, en dépit des graves maladies dont il souffrait, des performances physiques et psychiques
extraordinaires, qu'il est resté l'agent moteur de la machinerie
gigantesque de la guerre qu'il avait brillamment mise en marche
et en même temps freinée par des interventions intempestives.
Mais un de ses médecins exprime un avis opposé : « Si Hitler
a pu maintenir une activité physique et psychique assez remar-

---

* Voici le texte dicté par Jodl dans la prison de Nuremberg : Hitler
« créa le ministère des Armements et des Munitions dont la direction fut
confiée à Todt ; seules, les constructions aéronautique et navale conti-
nuaient à dépendre de la « Luftwaffe » et de la « Marine de guerre ».
Grâce à cette mesure, Hitler fixait tous les mois les objectifs, les orientations et la quantié de toutes les armes et munitions à produire jusque
dans leurs moindres détails. L'état-major de la Wehrmacht était chargé
de lui communiquer l'inventaire, la consommation et les chiffres de production du mois précédent. Mieux, la perspicacité prévoyante d'Hitler
dans le domaine technique et tactique faisait de lui, en même temps, le
père de l'équipement moderne de l'armée. C'est son mérite d'avoir remplacé le canon anti-char de 3,7 et 5 cm par celui de 7,5 cm, d'avoir banni
les canons courts et d'avoir mis à leur place des canons longs de 7,5 et
8,8 cm. Les « Panther », « Tiger », et « Königstiger » sont des chars modernes, dus à l'initiative d'Hitler. (Cité d'après Schramm, *Hitler als militärischer Führer* p. 151 et s.).
** *Cf.* aussi les idées d'Hitler sur la construction des avions et des
bateaux au chap. V.
*** *Cf. supra.*

quable ... en dépit de son régime végétarien ... c'est là une exception et presqu'un miracle * ». Ce qui (en plus des innombrables médicaments administrés par Morell et des pommes de terre, des fruits et légumes) maintient Hitler en vie en 1944, ressort d'une missive qualifiée d' « affaire secrète d'intérêt national » que Martin Bormann adressa à Heinrich Himmler, peu après l'attentat de Stauffenberg. Dans cette lettre, Bormann réclame les produits alimentaires dont Hitler aura « selon les prévisions » besoin pendant un mois : « 20 paquets de pain croustillant, 20 paquets de biscottes, 3 paquets de flocons de blé, 3 paquets de flocons d'avoine, 3 paquets de germes de blé. 15 paquets de glucose- « B-Tropon », 2 verres de vitamines A et R, 1 verre de « Phylozithin » (assaisonnement à base de levure), 2 paquets de « Endokrines Vollssalz », 2 paquets de cynorrhodons séchés, 4 paquets de « Basica » (produit minéral alcalin), 1 kg de graines de lin, de l'infusion de camomille, 2 paquets de sel « Titro » [42]. » Pendant toute la durée de la guerre, Hitler passa le plus clair de son temps dans l'abri bétonné de son grand quartier général qui, selon une déclaration de Jodl à Nuremberg, tenait à la fois du couvent et du camp de concentration. Il ignorait la réalité vivante et évitait tout contact direct avec elle. « Bien qu'il fût un homme de volonté et d'action, écrivait son médecin, le Dr Giesing, en novembre 1945, il ne supportait plus d'être confronté aux exigences et aux horreurs de la vie quotidienne sur les champs de bataille et dans le pays. Sa réclusion volontaire n'était pas motivée par le souci de sa sécurité personnelle ... le 15 septembre 1944 (par exemple), il traversa (après un examen radiologique) la foule avec une escorte très légère et se laissa photographier à plusieurs reprises. Déjà l'année précédente, (i.e. 1943 — *N. d. A.*) il n'avait plus entrepris de vols sur les lignes de combat ou de visites d'installations industrielles ... Depuis longtemps, il s'était confiné dans son abri : c'est là qu'il apprenait ce qui se passait dans le monde, succès et défaites, par des messages et des câbles, jamais par des contacts personnels ou par la « vision directe des choses ». [43] » Très instructive est à cet égard l'analyse médicale de Giesing (1945), qui a pour objet le comportement d'Hitler après le 20 juillet 1944.

---

* *Cf.* le rapport de Giesing du 11-11-1945 (Giesing-Bericht), p. 133 et s. Giesing y déclare : « Il y a contradiction avec les faits... Avant la prise du pouvoir, la puissance de travail d'Hitler a dû être bien plus grande. D'après les déclarations de Schaub et de Linge... (Hitler) aimait la viande de porc bien grasse... et absorbait dès le petit déjeuner des protéines d'origine animale. »

Nous y lisons entre autres : « Il n'était pas souvent possible de convaincre Hitler... C'était difficile, même dans le domaine médical, quand les faits étaient en contradiction avec ses dires. »

« Sa psychopathie structurelle et la conviction qui en découlait pour lui d'avoir toujours raison et de tout faire mieux que les autres aboutirent à une névropathie très grave. L'importance qu'il attachait pendant l'observation de son corps à l'activité intestinale et digestive ... en est un symptôme. Le contrôle fréquent de son pouls ... et le souci incessant de sa mort prochaine en relèvent également. En automne 1944, il répéta souvent qu'il n'avait plus que deux ou trois années à vivre ... Mentionnons aussi l'insomnie chronique et rebelle aux médicaments dont il souffrait, mais surtout son genre de vie contraire aux lois physiologiques, qui transformait le jour en nuit et la nuit en jour... Bien qu'il s'attardât, après la réunion d'information, à prendre pendant une ou deux heures son infusion, il ne trouvait, en dépit de sa fatigue, aucun sommeil. D'autre part, il refusait énergiquement ... de provoquer un besoin physiologique de sommeil par une promenade prolongée [44]. » Sa tendance, à partir de 1942, à préférer de plus en plus la résistance inflexible et la persévérance têtue aux idées stratégiques géniales et au risque d'initiatives opérationnelles, à préconiser comme unique vertu la volonté fanatique, reflète bien le rapport entre sa maladie et la situation sur les théâtres d'opération. Il est vrai que son esprit garda jusqu'à la fin sa vivacité et son mordant ; mais il perdit progressivement sa souplesse. Des « programmes » et opinions arrêtés une fois pour toutes passaient avant les exigences de la réalité à laquelle il aurait dû s'adapter. Les comptes rendus des réunions d'information du 23, 25 et 27 avril montrent à quel point cette tournure d'esprit le dominait. Nous y lisons en effet : « Celui-ci avance, qui concentre toutes ses forces et fonce à l'aveuglette, comme un idiot [45]. » De tels avis mettent en évidence les progrès effrayants de la maladie. Une semaine avant l'assaut des Soviétiques contre Berlin, qui se ruèrent avec une armée de 2,5 millions de soldats, 41 600 pièces d'artillerie, 6 250 chars d'assaut, 7 560 avions à la rencontre de 44 630 soldats allemands assistés de 42 531 hommes du « Volkssturm » et de 3 532 « Jeunes Hitlériens » et autres formations auxiliaires [46] armés à moitié de fusils, Hitler se réclamait encore de Clausewitz [47], escomptait des dissensions entre Alliés, s'en promettait des succès militaires et des avantages pour un « Reich » qui avait pratiquement cessé d'exister, déplaçait des armées sur ses cartes d'état-major, s'inquiétait de

la production de pétrole dans la « Marche de l'Est », réglait des détails insignifiants et se lançait dans des considérations stratégiques qui, étant donné la situation, relevaient de la camisole de force.

Il n'est pas vrai que ce sont les événements de la guerre qui ont transformé Hitler, c'est au contraire sa maladie qui a eu les répercussions que l'on sait sur l'évolution de la guerre : Hitler le savait d'ailleurs fort bien. Ce n'est pas par hasard qu'il s'inquiétait sans cesse de l' « état de santé » de Mussolini, car la santé du « Duce » était à ses yeux le facteur « décisif » [48] de son appréciation de la situation en Italie (et de la fraternité d'armes entre les deux nations). L'état d'âme d'Hitler ne reflète jamais (sauf à la fin de 1944) la situation militaire. Ainsi, il était parfois déprimé et las, en proie à des prémonitions de sa mort prochaine, quand il aurait dû se réjouir de l'évolution de la situation comme au début d'août 1941, après la prise de Smolensk par les troupes allemandes *.

D'autre part, il se remettait parfois très vite de ces états d'âme alors que des positions allemandes s'effondraient, comme par exemple à la fin de 1941, en Afrique. Les graves revers à Gondar en Abyssinie, à Tobrouk, Benghazi, Bardia, Sollum ne l'ont pas affecté sur le plan physique. Au printemps 1942, après les grandes victoires de Rommel, ses souffrances redoublèrent. La grippe encéphalitique qu'il contracta peu de temps après ces événements à Winnitsa ** marqua un tournant ; à partir de là, il n'eut plus d'idées stratégiques et même son plan de guerre s'effrita.

L'attentat de Stauffenberg, qui le toucha sur le plan physique tout en lui apportant quelque soulagement passager ***, ne laissa pas plus de traces dans son esprit que l'explosion de la bombe et la poussière qu'elle souleva sur l'uniforme de Keitel. Quand Hitler reçut le « Duce » peu après l'attentat, il expliqua à l'interprète de Mussolini que ce qu'il regrettait le plus était son pantalon neuf que l'explosion avait abîmé [49]. Au bout de cinq semaines, Hitler avait complètement surmonté les suites du 20 juillet 1944 [50].

---

* Cf. *Der kranke Führer.*
** Immédiatement après la grave grippe encéphalitique qui suivit la catastrophe de Stalingrar et les revers en Afrique du Nord, le regard d'Hitler devint fixe. Ses joues se couvraient de taches rouges, son bras et sa jambe gauches étaient agités d'un tremblement continuel. Hitler s'emportait facilement et était pris d'accès de colère quand il se heurtait à des objections qui lui déplaisaient.
*** *Cf.* p. 335.

Quelques personnes douées d'esprit critique, de l'entourage d'Hitler, se rendaient bien compte que le Führer n'était plus, en 1942, l'homme qui avait édifié le N.S.D.A.P., conquis le « pouvoir » en 1933, étendu sa puissance devant les yeux incrédules du monde entier, commencé la guerre en 1939, remporté en 1940-1941 des victoires inespérées. Quelques-uns de ses collaborateurs — parmi lesquels on s'étonne de trouver aussi Heinrich Himmler — étaient d'avis qu'Hitler avait tellement changé qu'on ne pouvait plus le considérer comme un « homme normal », qu'il fallait l'écarter de la direction de l'Etat ou même le supprimer par un attentat *. C'est pendant l'été de 1942 que quelques résistants allemands prirent la résolution de liquider par une bombe le Führer et chancelier du Reich, atteint d'un mal incurable [51]. A l'instant même où Hitler dictait, le 18 août 1942, l'instruction n° 46 sur l' « intensification de la lutte contre le banditisme à l'Est » et confiait à Heinrich Himmler la responsabilité de la lutte anti-subversive dans les « Commissariats du Reich », ainsi que la centralisation et l'utilisation pratique des expériences de la lutte contre le banditisme [52], ce même Himmler avait conféré, dans son état-major de commandement en campagne à Winnitsa en Ukraine, avec le chef de ses services d'espionnage Walter Schellenberg et élaboré — d'après les déclarations de Schellenberg en 1956 — des plans visant à écarter Ribbentrop et Hitler, à remplacer Hitler par Himmler pour que celui-ci puisse entamer des négociations de paix avec les Alliés occidentaux **. La version de Besymenski selon laquelle Himmler, Schellenberg et Wolff auraient cherché des contacts avec les Alliés occidentaux avec l'accord d'Hitler *** n'est pas conforme aux faites ****. Hitler ignorait évidemment

---

* *Cf. Der kranke Führer.*

** *Cf.* Schellenberg, p. 279 et 283. Le rapport de Schellenberg est de toute évidence véridique. Himmler avait chargé la Gestapo, dès le 4 août 1942, de réunir des documents sur les ascendants d'Hitler.

*** *Cf.* Besymenski, *Der Tod des Adolf Hitler,* p. 32 et s. Signalons à ce propos qu'Hitler ne pouvait être associé à une entreprise qui comportait sa mise à l'écart définitive (*Cf.* p. ex. Höhne, p. 478).

*** Le 28-4-1945, vers 21 heures, deux jours avant son suicide, Hitler apprit, par suite de l'interception d'une dépêche du correspondant de l'Agence Reuter à San Francisco, Paul Schott Rankine, que le « Reichsführer SS » (i. e. Himmler N.d.T.) venait d'offrir aux Alliés occidentaux la capitulation de l'Allemagne. Il « se démena comme un fou », écrira plus tard Hanna Reitsch (*cf.* Trevor-Roper, p. 169). Peu après, il dicta à sa secrétaire les lignes suivantes : « Avant ma mort, j'expulse du Parti l'ancien « Reichsführer SS » et ministre de l'Intérieur et je le démets de toutes ses charges officielles... Göring et Himmler ont, par leurs négociations secrètes avec l'ennemi, menées à mon insu et contre ma volonté, et par leur tentative de s'emparer, en violation de la loi, du pouvoir de

qu'Himmler — qui était venu le 25-7-1942 au Grand quartier général du Führer raconter à Hitler, avec force protestations de loyalisme et de fidélité hypocrites, qu'il avait réussi à embrigader dans
ses Waffen-SS [53] 4 500 Hollandais, 200 Suisses et 250 suédois —
avait demandé à son médecin personnel Felix Kersten « si l'on
pouvait affirmer à bon droit que le Führer était atteint d'aliénation mentale » [54].

Or Hitler n'était pas, comme Himmler le supposait, atteint
d'aliénation mentale, bien que ses arguments, comportements et
décisions aient pu, surtout depuis 1943, parfois donner cette
impression. Le fait est que ses nombreuses maladies avaient
entamé ses facultés d'adaptation et précipité l'apparition de phénomènes séniles. C'est ainsi, par exemple, qu'il surestimait le
pouvoir de la *volonté* qui lui avait permis de remporter des
succès remarquables mais qui, pendant la guerre, devait aboutir
à de graves défaites si elle était opposée à l'ennemi sans aucun
souci du rapport réel des forces. Typique à cet égard est une
remarque d'Hitler, qu'il fit le 20 mai 1943, dans le cadre d'une
réunion avec Keitel, Rommel, Warlimont, Hewel, Schmundt et
Scherff. S'agissant de l'évacuation de la « division Göring » de
Sicile, Hitler déclara d'un ton péremptoire : « Ce qui importe
ce n'est pas le nombre de bateaux, mais la force de la *volonté !* [55] »
Il refusait de tenir compte, dans telle situation donnée, des
intentions et des moyens de l'ennemi. D'après une légende, il
aurait comme chef militaire pris en toutes circonstances des
décisions foudroyantes et téméraires. Autant ses décisions politiques avant 1939 avaient été hardies, rapides, aventureuses, ris-
quées (Exemple : l'occupation de la Rhénanie et de l'Autriche),
autant son comportement comme chef militaire était prudent
et même hésitant (si l'on fait abstraction de la campagne de
Norvège). En tant que général, il « ne se ruait pas à l'attaque

l'Etat, causé au pays et au peuple tout entier un tort incalculable, abstraction faite de leur félonie à l'égard de ma personne. » (Jacobsen, 1939-1945,
p. 532 et Höhne, p. 534 et s.). Hitler chargea immédiatement le feldmaréchal Ritter von Greim (dont il avait fait le successeur de Göring) de quitter Berlin par avion et de procéder à l'arrestation d'Himmler ; étant
donné la situation, cette mission ne put être menée à bien ; Himmler se
donna la mort le 23 mai 1945, 23 jours après Hitler. Son remplaçant, Hermann Fegelein, « Gruppenführer SS », qui aurait essayé le 27 avril de
s'enfuir à l'étranger, paya de sa vie non seulement sa prétendue tentative
de désertion, mais aussi la trahison et la désobéissance du général SS
Felix Steiner, qui n'avait pas lancé « l'attaque de diversion », ainsi que la
défaillance de son chef, Himmler, qu'Hitler avait naguère appelé un peu
naïvement « le fidèle Henri ». Hitler ne tint aucun compte du fait que
Fegelein était le beau-frère d'Eva Braun (et d'Hitler).

comme un idiot » *. Il esquivait des décisions qui le mettaient mal à l'aise parce qu'elles comportaient des risques. Quand elles se révélaient inévitables, il les différait le plus longtemps possible, ce qui donnait souvent à l'ennemi l'occasion de consolider ses positions ou de prendre d'autres dispositions de défense. Hitler refusait avec une obstination extraordinaire de faire évacuer des positions intenables. S'il cédait aux instances répétées de ses généraux, il le faisait trop tard — au point de vue militaire — et à contrecœur. Le limogeage de Manstein — selon Liddell Hart, l'adversaire le plus dangereux des Alliés — au début de 1944, à l'instant même où la maladie d'Hitler se compliqua de troubles visuels de son œil droit **, illustre l'incidence de son état de santé sur ses décisions militaires. A mesure que le mal dont souffrait Hitler s'aggravait, il refusait, en invoquant ses expériences de la Première Guerre mondiale, de faire évacuer, même temporairement, des territoires conquis ou de dégarnir des théâtres d'opération d'importance secondaire pour s'assurer des succès décisifs dans d'autres secteurs du front. Il rejetait systématiquement la suggestion des généraux d'aménager en arrière de la ligne de combat des positions de repli. Ainsi, le terrain en arrière des lignes n'était, jusqu'à l'automne 1944 (quand la situation fut irrémédiablement compromise), en aucune manière organisé pour la défense, tactique qui s'était révélée déjà en 1943 une erreur fatale. Elle avait, pour conséquence, que les unités durement éprouvées et forcées de se replier ne trouvaient aucune ligne fortifiée où s'accrocher, ce qui précipitait encore leur retraite, à laquelle Hitler s'opposait par tous les moyens. Hitler ne démordait pas d'une stratégie qui se fondait sur sa conviction, acquise pendant la Première Guerre mondiale, que le seul souci des généraux était le retrait des troupes.

Sur la plan technique, Hitler ne favorisa pas la mise au point d'avions à réaction (qui faisaient l'objet d'études dans les usines Heinkel à Rostock) [56], parce qu'il espérait éliminer l'Union Soviétique par une « guerre-éclair ». Il alla jusqu'à ordonner, à la veille de l'opération « Barbarossa » une réduction de la production d'armements [57]. L'arrêt complet de la fabrication en série des avions à réaction Me 262 [58] en septembre 1943 était une conséquence directe de sa maladie et de son incapacité à comprendre les avantages de certaines innovations en matière

---

* Cf. p. 372.
** Cf. le récit des dissensions entre Hitler et von Manstein jusqu'à son remplacement le 25 mars 1944, au chap. « Le führer malade... »

technique. Six mois plus tôt, en mars 1943, quand quittant Winnitsa il s'installa en Prusse orientale, il était un vieillard malade. Le fait qu'il ordonnât au début de 1944 — en contradiction flagrante avec sa décision de l'année précédente (décision à laquelle Albert Speer, chargé de l'armement des forces du Reich, ne s'était pas conformé) — de produire le plus grand nombre possible d'avions à réaction du type Me 262 [59] montre que le diagnostic de ses médecins était judicieux. Mais il y a mieux ! Alors que de nombreux experts recommandaient de façon insistante d'armer l'appareil comme avion de chasse, Hitler s'y opposa et exigea sa construction en version « bombarbier », sans armes de bord [60]. Or, autant le Me 262 eût fait merveille comme chasseur, autant la version « bombardier » était peu rentable. Selon l'avis de Speer, le Me 262 qui, comme chasseur bi-réacteur, aurait atteint la vitesse de 800 km/h et une puissance ascensionnelle sans exemple à cette époque, aurait pu être produit en série dès 1944. On aurait pu fabriquer aussi une fusée sol-air et une torpille à tête chercheuse. En interdisant leur production, Hitler affaiblit sa position. « Je suis encore aujourd'hui d'avis, déclara Speer en 1969, que ces fusées en coopération avec les chasseurs à réaction auraient pu mettre un terme, à partir du printemps 1944, à l'offensive des Alliés occidentaux contre nos centres industriels. Au lieu de cela, on a investi des moyens et des énergies gigantesques dans la mise au point et la fabrication des fusées (V 2) dont l'effet, quand on put enfin les mettre en ligne, à l'automne 1944, fut à peu près nul [61]. »

Le « programme d'hégémonie mondiale » d'Hitler était un plan assez étalé dans le temps, sa mise en œuvre stratégique reposait sur un type de guerre qui suscita de 1939 à 1941 l'étonnement du monde : la « guerre-éclair ». « D'une plus grande sagacité que ses conseillers militaires », il se rendait compte que l'Allemagne, « pays aux ressources limitées », ... « serait toujours dans une position d'infériorité dans une guerre de longue durée. Sa seule chance de gagner la guerre était le recours à l'attaque-éclair, dont l'horreur et la puissance foudroyante détermineraient l'issue avant que la victime ait eu le temps de s'armer ou de faire appel à l'aide étrangère » [62]. Les campagnes de 1939 à 1941 répondaient à cette définition. La guerre contre la Pologne dura quatre semaines, la campagne de Norvège huit semaines, la Hollande fut éliminée en cinq jours, la Belgique en dix-sept jours. En six semaines, Hitler se rendit maître de la France, en onze jours de la Yougoslavie, en trois semaines de la Grèce.

Jusqu'à l'opération « Barbarossa », le procédé tint ses promesses. Mais en Russie, qu'Hitler croyait également pouvoir
écraser par une guerre-éclair, il se révéla impraticable *. Hitler
ne se rendit compte de l'impossibilité d'une telle entreprise que
lorsqu'il était trop tard — et que la guerre était virtuellement
perdue.

Les exemples qui vont suivre illustrent la manière dont
Hitler exerçait ses fonctions de chef militaire et de stratège.
L'état-major, qu'Hitler n'informait de ses intentions que dans
la mesure où il le jugeait utile, avait cru encore en août 1939 **
qu'Hitler ne cherchait qu'à imposer à la Pologne, par sa pression
militaire, une solution politique comme celle qu'il avait pu
obtenir en 1938, à Munich, dans le conflit qui l'opposait à la
Tchécoslovaquie [63]. En agissant comme chef suprême des forces
armées, la discrétion dont Hitler entourait ses décisions était
plus grande encore que celle dont il usait habituellement en
certaines matières. Typiques à cet égard sont ses déclarations
du 28 décembre 1944 au sujet de l'offensive des Ardennes :
« Ceux que l'affaire ne regarde pas, dit-il aux chefs militaires,
n'ont pas besoin d'en être informés. Ceux que l'affaire regarde
ne devront en apprendre que ce qui les regarde. Ceux que l'affaire
regarde ne devront l'apprendre qu'au moment décisif. Voilà ce
qui importe ! Il ne faut jamais envoyer des personnes au courant
de l'affaire en première ligne, où ils risqueraient d'être pris.
Voilà ce qui importe ! [64] » Il ne confiait à ses collaborateurs que
le strict indispensable. Même Eva Braun n'avait pas été informée
de l'opération « Barbarossa ». Peu avant le déclenchement de
l'offensive, Hitler lui avait dit qu'il devait se rendre à Berlin
pour quelques jours. En réalité, il gagna la Prusse orientale
pour mettre au point les derniers préparatifs de sa campagne
de Russie [65]. A l'exception de Herman Göring, aucun chef militaire n'avait été informé des détails des préparatifs de la campagne contre la Pologne. Le général de corps d'armée Jodl,

----

* La Wehrmacht n'avait qu'un équipement d'été. Le jour de l'ouverture des hostilités, Hitler ordonna la réduction de la production d'armements ; le 14-7-1941, il affirma dans son instruction n° 32 b qu'il pourrait
bientôt réduire les effectifs de l'armée. Cf. Hitlers Weisungen für die
Kriegsführung, p. 159 et s.
** Cf. Manstein, p. 69. Hans Baur, le chef-pilote d'Hitler, affirme en
se référant à une conversation entre Hitler et Ribbentrop, au matin
de la déclaration de guerre : « A mon avis Hitler ne se décida pour la
guerre qu'après s'être persuadé que la Grande-Bretagne et la France n'in-
terviendraient pas. » Cf. Baur, p. 179. Lors d'entretiens personnels de
décembre 1970 et février 1971, Baur précisa certains détails qui confirment
les allégations de Manstein.

l'ancien chef de l'état-major de commandement d'exécution de la Wehrmacht, dicta en 1946, dans sa prison, à sa femme les phrases suivantes : « Aucun militaire ne pouvait savoir si ... l'attaque devait avoir vraiment lieu, si elle était provoquée ou non provoquée, si elle était offensive ou défensive ... Lorsqu'ensuite la machine de propagande se mit en branle, que la directive pour le déploiement des forces à la frontière polonaise fut donnée, tous les chefs d'unité avaient été informés des ... questions opérationnelles, mais les données politiques et stratégiques ne leur furent jamais révélées ... La concentration des troupes traduisait-elle la volonté sérieuse d'attaquer la Pologne ou ne servait-elle que de moyen de pression pour forcer la Pologne à négocier comme l'avait fait la Tchécoslovaquie en 1938 ? Cet espoir, ne devait-il pas se changer en certitude quand, le 26 août, l'ordre d'attaque fut rapporté ? Aucun des chefs militaires et des chefs d'état-major — à l'exception de Göring — n'était au courant de la lutte politique des grandes puissances pour le maintien de la paix [66]. »

La campagne de Pologne s'étant terminée par une victoire étonnamment rapide * (Hitler en avait laissé la direction à l'état-major, qui avait tenu compte du plan d'Hitler d'utiliser comme lieu de concentration de l'armée la Prusse orientale [67]) et les puissances occidentales ayant renoncé à toute action offensive, ce qu'Hitler interpréta comme un aveu de faiblesse, il annonça le 27 septembre 1939 au Haut commandement des forces armées (O.K.H.), sans consultation préalable du commandant en chef de la Wehrmacht, qu'il avait décidé de déclencher à l'ouest, dès l'automne, des opérations offensives, même si elles ne paraissaient nullement indiquées sur le plan strictement militaire [68]. « Le commandant en chef de l'armée s'y opposa », expliqua Jodl dans ses « souvenirs » où il dépeint la situation de la manière suivante : « Rester dans la défensive aux frontières et sur la ligne Siegfried ... voilà son désir secret ... qu'il tentait de justifier par des raisons militaires, en arguant du manque de préparation de l'armée pour une tâche aussi gigantesque ... Tous les généraux combattirent le plan d'Hitler ... Mais ce fut peine perdue ! [69] » « Toute attente prolongée, lit-on dans l'instruction du 9 octobre 1939, qui laisse transparaître un plan de guerre (partiel) à long terme et très élaboré dans ses données stratégiques, n'aboutirait pas seulement à l'abandon de la neu-

---

* Cf. aussi Manstein, p. 55 : « Cette campagne était à peu près unique quant à la rapidité de sa mise en œuvre et à sa réussite. »

tralité belge et peut-être même hollandaise en faveur des puissances occidentales, mais renforcerait aussi nos ennemis, entamerait la confiance des pays neutres dans la victoire finale de l'Allemagne et ne contribuerait pas à attirer l'Italie comme alliée militaire ... dans notre camp ; ... c'est pourquoi j'ordonne, en vue de la poursuite des opérations militaires, ce qui suit :

« a) Une opération offensive doit être préparée sur l'aile nord du front occidental, prévoyant la traversée des territoires luxembourgeois, belges et hollandais. Cette offensive devra être menée le plus vigoureusement et le plus tôt possible.

« b) Le but de cette opération est de mettre hors de combat le plus grand nombre possible d'unités opérationnelles françaises et alliées et de conquérir en même temps une base aussi étendue que possible en Belgique, aux Pays-Bas et dans le Nord de la France, nous permettant de mener à bien des opérations sur mer et dans les airs contre la Grande-Bretagne, ainsi que de nous assurer une zone avancée pour la protection de nos centres vitaux de la Ruhr [70]. »

L'O.K.H. (Haut commandement des forces terrestres), dont le chef a été pratiquement relevé par Hitler de sa charge de « conseiller militaire » et réduit au rôle de simple organe exécutif tenu à l'obéissance la plus stricte, finit par se soumettre à la décision d'Hitler et prépare les instructions pour une offensive à l'ouest, dont le succès semble douteux aux experts [71]. Ceux-ci ont en effet pris connaissance, vers la fin de la campagne de Pologne, de l'étude que le général Heinrich von Stülpnagel avait rédigée, par ordre de l'O.K.H., sur le problème de la poursuite de la guerre à l'ouest ; en raison de leurs préjugés professionnels, ils attribuent plus de poids à cette étude qu'aux concepts opérationnels d'Hitler. Ils considèrent de toute évidence comme parole d'Evangile la conclusion du général von Stülpnagel, selon laquelle l'armée allemande n'est pas capable de percer la ligne Maginot avant 1942 [72]. Aussi sont-ils fort étonnés d'apprendre qu'Hitler projette de contourner la ligne Maginot par la Belgique et la Hollande *. Si Hitler ne passe pas à l'attaque en 1939, c'est que les conditions atmosphériques ne s'y prê-

---

* Il est probable que Stülpnagel et le haut commandement de l'armée avaient tenu compte du fait qu'Hitler venait de garantir la neutralité de ces pays.

tent pas. « La météorologie a seule pu faire fléchir Hitler ! note Jodl. La période de gel indispensable a fait défaut. Il fallut attendre le printemps. Le 10 mai 1940 était une date bien choisie. Hitler imposa sa percée par Maubeuge en direction d'Abbeville. Il sut réduire à néant, par des interventions d'abord prudentes mais impérieuses, le plan d'encerclement mis au point par l'état-major [73]. » En effet, le plan d'Hitler, qui s'appuyait sur les concepts de Manstein, s'écartait sensiblement des idées traditionnelles de l'état-major, qui voulait percer sur l'aile droite. Hitler opta pour la violation de la neutralité de la Hollande, de la Belgique et du Luxembourg et pour l'attaque au centre vers Sedan-Abbeville, de la Belgique et du Luxembourg, ce qui incita Jodl à noter dans son journal intime le 13 févier 1940 : « Je fais remarquer que la poussée en direction de Sedan est une voie détournée sur laquelle on peut être surpris par le dieu de la guerre [74]. »

A cette époque, le public allemand savait aussi peu que les services d'espionnage alliés [75] que l'armement de l'armée allemande était encore très insuffisant [76]. Hitler avait bien ordonné en 1936 de préparer l'armée et l'économie allemandes jusqu'en 1940 pour une guerre éventuelle [77] ; mais le programme de réarmement avait démarré lentement, compte tenu du potentiel industriel du pays. Jusqu'en septembre 1939, la production d'aucun secteur de l'industrie ne trahissait des préparatifs de guerre [78]. En mai 1940, moins de 15 % de la capacité industrielle allemande étaient consacrés aux armements *, on fabriquait moins de 40 chars d'assaut par mois (contre plus de 2 000 en 1944). La production allemande d'avions n'atteignit (y compris les avions civils, les avions d'école et les avions de transport) même pas mille appareils par mois en 1939, tandis qu'en 1944 la production s'élevait, en dépit de la guerre aérienne et de la destruction des centres industriels, à plus de 4 000 chasseurs par mois **. La constatation tonitruante d'Hitler du 1er septembre 1939 qu'il avait dépensé 90 milliards de marks pour l'armement [79] ne pouvait impressionner, étant donné la situation, que des profanes. Les experts militaires savaient que les stocks

* 19 % en 1941, 26 % en 1942, 38 % en 1943, 50 % en 1944. *Cf.* Kehrl, Hans, « *Kriegswirtschaft und Rüstungsindustrie* » dans *Bilanz des Zweiten Weltrieges*, p. 272. Selon Speer, l'index de la production d'explosifs monta de 103 avant 1941 à 131 en 1942, 191 en 1943 pour atteindre 226 en 1944. L'index de la production de munitions, bombes comprises, passa de 102 en 1941 à 106 en 1942, 247 en 1943, 306 en 1944).

** Kehrl (cf. note ci-dessus).

de matières premières ne suffisaient, dans la meilleure des hypothèses, que pour douze semaines de guerre, que 25 % du zinc,
50 % du plomb, 65 % du pétrole, 70 % du cuivre, 80 % du
caoutchouc, 90 % de l'étain, 95 % du nickel et 99 % de la
bauxite utilisés par l'industrie allemande étaient importés de
l'étranger [80]. Il va sans dire qu'Hitler le savait aussi ; mais il
savait que la situation stratégique et économique du Reich s'était
sensiblement améliorée du fait de la conclusion du pacte de
non-agression germano-soviétique du 23 août 1939 [81]. Hitler
donna l'ordre d'augmenter la production de caoutchouc [82] et
des carburants synthétiques [83] ; il comptait sur l'appui économique et la neutralité soviétiques qui devaient lui donner la
possibilité, après l'écrasement de la Pologne, de se retourner
contre l'Ouest sans risque d'attaque sur ses arrières ; il espérait
en outre des livraisons de matières premières du Sud-Est européen et des pays Scandinaves.

Immédiatement après la campagne de Pologne, Hitler se
trouve dans une situation difficile. Lui-même et l'état-major
savent pendant combien de temps l'Allemagne pourra soutenir
l'effort que demande la guerre-éclair. Il leur est loisible de cal-
culer que leurs stocks de matières premières seront épuisés
au bout de quinze jours [84] si jamais les Français et les Britanniques attaquent à l'ouest. Mais Hitler est résolu d'aller de l'avant.
Il sait que le temps ne travaille pas pour lui mais contre lui
(abstraction faite évidemment de l'effort de réarmement allemand). Nous ne savons pas, preuves à l'appui, s'il surestimait
ses propres forces ou s'il sous-estimait celles de l'adversaire.
L'état-major, qui connaît, par l'histoire du N.S.D.A.P. et quelques expériences militaires, l'optimisme d'Hitler et son goût du
risque, est sceptique. Il n'a pu obtenir en 1939 les 3,2 millions
de soldats qu'il avait demandés pour le cas d'une guerre [85].
Quatre classes d'âges, les hommes nés en 1914, 1915, 1916 et 1917,
ont reçu une formation militaire. Mais Hitler, qui est mieux
informé que l'état-major de la situation politique et de beaucoup de questions de détail, croit, à la grande surprise des
experts militaires [86], que son offensive ne posera pas de nouveaux problèmes mais aboutira à une victoire rapide sur la
France ; qu'une fois l'alliée la plus importante de la Grande-
Bretagne sur le continent écrasée par une « attaque-éclair », la
Grande-Bretagne se décidera à mettre un terme à la guerre.

Depuis la conclusion heureuse de la « crise du territoire des
Sudètes », Hitler est plus convaincu que jamais qu'il réunit les
suffrages de tous les membres du Grand Reich allemand pour

le meilleur et pour le pire *. Certains chefs militaires sensibles
ont refoulé de leur mémoire le fait qu'Hitler avait passé outre,
pendant cette crise, aux objections du haut commandement de
l'armée et lui avait expliqué que la situation exigeait des décisions non pas miltaires mais politiques, qu'il était seul à pouvoir prendre **. C'est d'un ton de profonde conviction qu'Hitler
déclara le 8 novembre 1939 : « S'il y a au monde un homme
qualifié pour représenter les intérêts du peuple allemand ... c'est
moi ! *** »

Le 12 décembre 1939, le grand-amiral Erich Raeder attire
l'attention du Führer sur les dangers qui menacent l'économie
de guerre du Reich, si jamais les Britanniques occupent la Norvège, conformément à la recommandation du ministre de la
Marine britannique Winston Churchill du 19 septembre 1939 [87].
Aussitôt, Hitler écarte malgré ses généraux terrifiés [88] le commandant en chef de l'armée, le chef d'état-major, le chef du
bureau des opérations, de la direction et du commandement des
unités de toutes armes ****. Comme Napoléon, il ne tolère plus à
ses côtés que les exécutants de sa volonté. Les chefs militaires
secrètement indignés — Göring est lui aussi offensé, en colère,
agacé [89] — sont en principe partisans d'une direction centralisée
de la guerre ; mais ils ne la conçoivent pas comme Hitler vient
de la décider. Ils n'auraient pas vu d'un mauvais œil la réunion
des trois armes sous un commandement unique, notamment
en vue d'une opération « combinée » comme le débarquement en
Norvège, à condition qu'un des leurs en assume le commandement. Mais Hitler ne partage pas cette manière de voir. Il
est persuadé que la direction de la campagne de Norvège, même
sur le plan opérationnel, est le mieux assurée s'il est seul à s'en
charger. Il veut mettre à profit ses connaissances historiques en
évitant, par son action de dictateur absolu, les tensions entre
la politique étrangère et le haut commandement, comme celles
qui avaient éclaté pendant la guerre franco-prussienne de 1870/

---

* *Cf.* ci-après **.

** Un soulèvement contre Hitler, envisagé par quelques chefs importants de l'armée (au nombre desquels on comptait aussi le feldmaréchal
Erwin von Witzleben) dans la deuxième moitié de septembe 1938, fut
décommandé après les succès d'Hitler à Berchtesgaden, Godesberg et
Munich.

*** Cité par Domarus, t. 1/2, p. 968..

**** Déjà, le 13-12-1939, Jodl transmit à ses collaborateurs un ordre
d'Hitler aux termes duquel un « comité très restreint devait examiner les
possibilités de s'emparer de la Norvège ».

(*Cf.* Warlimont, p. 86), contrairement à son habitude, au 1er officier
de l'Etat-Major de la Luftwaffe, section L.

1871 entre Bismarck et Moltke — au sujet de l'opportunité du bombardement de Paris — ou entre les Alliés pendant la Deuxième Guerre mondiale — au sujet de la coordination des stratégies et des politiques étrangères. Comme c'était lui qui décidait dans la pratique de toutes les questions de politique étrangère, comme le rôle de son ministre de l'Intérieur se bornait à celui d'un organe exécutif, Hitler disposait d'une base politique solide. Les résultats négatifs de cette concentration de puissance, qui comportait sans doute quelques avantages essentiels, s'expliquent par le fait qu'Hitler se lança de plus en plus dans une *stratégie de prestige* et recula souvent devant des décisions que la situation militaire aurait exigées.

Après avoir, non sans quelques hésitations, accepté et remodelé selon ses vues les concepts du grand-amiral Raeder, Hitler est profondément convaincu que la décision des opérations appartient au chef de l'Etat et non aux chefs militaires. La menace que les Alliés puissent occuper la Scandinavie, s'assurer la maîtrise de la Baltique, bloquer le seul accès vers la mer du Nord et l'océan Atlantique et empêcher le Reich de se procurer les minerais suédois, ne lui laisse plus un moment de répit à partir de janvier 1940 [90]. Hitler est d'autre part tenaillé par la peur que l'aggravation de sa condition physique ne l'empêche de réaliser lui-même son « programme ». Les 9, 11 et 15 janvier, il se soumet à des examens médicaux approfondis *. Le résultat semble justifier ses craintes. Il souffre d'une forte hypertension. Des bruits de l'aorte révèlent une déformation du cœur et une dilatation du ventricule gauche, ce qui pousse Morell à recommander au Führer de ménager ses forces **. Mais Hitler ne songe pas à se ménager, il prépare, haletant, trépignant d'impatience, sa nouvelle « attaque-éclair » dont les généraux jugent déjà le principe « téméraire », « beaucoup trop osé » et en partie « irresponsable » ***. Mais quand Hitler a pris une décision, rien ne saurait le retenir. Il craint seulement qu'une décision de politique étrangère ne l'empêche de mener à bonne fin sa cam-

---

* *Cf.* p. 326.
** *Ibid.*
*** Même Jodl qualifia, en 1946, l'ordre d'Hitler de « solution la plus risquée ». Cité d'après Schramm, *Hitler als militärischer Führer*, p. 150. Warlimont appelle cette campagne « une aventure ». Warlimont, *Im Hauptquartier der Werhmacht*, p. 97. Typique des dispositions d'esprit de quelques militaires est une remarque que Jodl confie le 28-3-1940 à son « Journal » et qui reflète sans doute le point de vue d'Hitler : « Quelques officiers de marine manquent d'enthousiasme pour l'exercice « Weser » et ont besoin d'un stimulant. » Warlimont p. 85.

pagne *. Hitler ne partage pas l'opinion de quelques-uns de ses
conseillers militaires que l'occupation des pays scandinaves a été
rendue superflue par la signature du traité de paix entre la
Finlande et l'Union Soviétique du 12 mars 1940, puisque ni l'Allemagne ni la Grande-Bretagne n'avaient plus aucun motif d'intervention ; Hitler ne pense pas non plus — avec l'état-major des
opérations navales — que le maintien de la neutralité de la
Norvège soit la meilleure solution [91]. L'affirmation de Jodl que
les Britanniques débarqueront à Narvik [92] si les Allemands occupent les pays du Benelux reflète sans doute le point de vue
d'Hitler, au sujet duquel Jodl note le 13 mars dans son « Journal » : « Le Führer ordonne l'exercice « Weser » ... Il est encore
à la recherche d'une justification [93]. » Le plan d'Hitler est judicieux et tient compte de l'évolution future. Il veut s'assurer par
cette campagne, qui extérieurement doit revêtir le caractère d'une
« occupation pacifique » et « simuler la protection armée de la
neutralité des pays nordiques » **, « l'approvisionnement du
Reich en minerai suédois », s'emparer de bases navales et
aériennes pour la guerre contre la Grande-Bretagne et étendre
la puissance maritime du Reich. Hitler devança de très peu les
Alliés qui préparaient une entreprise analogue et commencèrent,
le 7 avril 1940, à embarquer des troupes [94] pour la Norvège ***.

Le 9 avril, la Wehrmacht lance son attaque par mer et par
terre : le Danemark, qui accepte sans hésiter la protection allemande, est occupé ; les troupes allemandes débarquent à Kris-
tianstadt, Stavanger, Bergen, Trondheim, et — après de sanglants
combats **** et la neutralisation de l'artillerie côtière norvégienne

---

* *Cf.* les réflexions de Jodl du 12 mars 1940 (Journal intime) « pour
nous, la situation est militairement gênante, car la motivation de l'action
que nous avons préparée... sera difficile si la paix est conclue entre-
temps », citées par Warlimont, *Im Haupquartier der Wehrmacht* p. 84. Déjà,
en décembre 1939, Hitler envisageait le recours à des politiciens norvégiens pro-allemands pour réaliser ses plans. La notice de Jodl du 12-12-
1939 (Journal intime) où il demande « ce que nous devrons faire si on
nous appelle », permet de supposer qu'Hiter songeait probablement
d'abord à Vidkun Quisling. *Cf.* Warlimont, *Im Hauptquartier der
Wehrmacht*, p. 83.

** Les instructions d'Hitler pour la conduite de la guerre, p. 54, Hitler
spécifie expressément que toute résistance « doit être brisée par tous les
moyens militaires disponibles ».

*** La constatation de Max Domarus « qu'Hitler, qui répéta souvent
qu'il avait devancé l'action de ses adversaires de quelques jours ou même
de vingt-quatre heures, ne peut arguer du fait que les puissances occidentales auraient eu l'intention de débarquer en Norvège » (Domarus,
t. II/3 p. 1451) n'est pas conforme à la réalité.

**** Le cuirassé lourd *Blücher* et les deux cuirassés légers *Karlsruhe* et
Königsberg sont coulés au cours de ces opérations.

— dans le fjord d'Oslo. De nouveaux combats entraînent de nouvelles pertes du côté allemand. Les dix contre-torpilleurs, qui ont débarqué à Narvik le colonel Eduard Dietl avec un régiment de chasseurs alpins, sont anéantis le 10 et le 13 avril par les forces navales anglaises. Pour Hitler, qui pendant un certain temps est prêt à prendre la décision prématurée sur le plan militaire d'abandonner Narvik, objectif numéro un de l'opération, et de retirer ses troupes de Norvège [95], cette campagne risque de prendre l'allure d'un avertissement. Il constate que ses expériences de la Première Guerre mondiale lui servent peu et qu'il a encore beaucoup à apprendre comme chef militaire ; son auréole de grand capitaine se trouve compromise auprès de ses généraux qu'il est soucieux d'impressionner en vue de ses projets ultérieurs. « Après avoir donné pendant plus d'une semaine le spectacle d'incohérences lamentables [96], raconte Warlimont, Hitler, qui paraît nerveux, désemparé, incertain, se ressaisit. » Bien que Jodl marque le 17 avril dans son « Journal » : « Le Führer fait de nouveau preuve de dynamisme », ce n'est pas encore la fin des tensions et même des situations chaotiques ; car Hitler se perd trop souvent dans les détails ou modifie ses décisions militaires en cours d'exécution. La constatation de Warlimont, qui pendant toute la durée de la Deuxième Guerre mondiale n'a jamais exercé un commandement en première ligne, qu'Hitler n'a pas su conserver le calme exemplaire qu'on avait vanté chez Moltke sur les champs de bataille de Bohême et de France [97], ne signifie pas grand-chose. Hitler n'était pas le seul à qui, en Norvège, l'expérience dans le domaine des opérations amphibies faisait défaut. Frédéric le Grand, dont Hitler se réclamait souvent — surtout vers la fin de la guerre — rejoignit pendant la bataille de Mollwitz sa cavalerie en fuite et abandonna piteusement ses troupes.

La conviction d'Hitler qu'il était impossible de tenir à l'écart la Norvège dans le cas d'une opération contre la France et les Etats du Benelux se révéla judicieuse : les Britanniques ne quittèrent la Norvège que le 8 juin, un jour avant que la Wehrmacht atteignît la Seine et le cours inférieur de la Marne *.

---

* L'armée de terre norvégienne et les forces alliées débarquées entre le 16 et le 19 avril à Namsos et Andalsnes étaient défaites le 20 avril. Les Norvégiens capitulèrent, les Alliés s'embarquèrent précipitamment et regagnèrent leurs bases. Il est vrai que les Britanniques débarqués le 14-4 à Harstad occupèrent, quinze jours plus tard, Narvik ; mais ils quittèrent la Norvège le 8-6. Déjà, le 24-4 Hitler avait confié le gouvernement de la Norvège au Commissaire du Reich Terboven, assisté du chef norvégien de la « Nasjonal Samling » Vidkun Quisling.

Les faits justifièrent aussi la décision d'Hitler — prise à l'encontre de l'avis de Jodl — de déclencher l'attaque à l'ouest seulement pendant la campagne norvégienne * car en mai, d'importantes forces aériennes allemandes se trouvaient encore retenues en Norvège.

Le 14 mai 1940, quatre jours après le début de l'offensive à l'Ouest qui avait été retardée tant par les conditions atmosphériques que par la campagne de Norvège, Hitler signifie au Haut commandement de l'armée, dans son instruction n° 11 sur la poursuite des opérations [98], qu'il entend à l'avenir en assurer la direction. Il ne veut plus donner des « directives » mais des « ordres » ; son état-major aura à l'avenir pour tâche d'émettre sous forme d'ordres les décisions qu'il prendra, lui, en sa qualité de chef suprême de la Wehrmacht. Bien que ce ne soit pas lui qui ait mené à bien la campagne de Norvège, brillamment et hardiment mise au point par lui, la réserve prudente dont il avait fait preuve, sur le plan militaire, pendant la campagne de Pologne a cédé la place à l'idée que même les experts de la guerre n'ont à donner des conseils au Chef suprême des forces armées que si celui-ci estime en avoir besoin. Le reproche que Warlimont adresse à Hitler, vingt-cinq ans après la campagne de France, de ne pas l'avoir préparée selon les règles de l'art avec ses états-majors **, n'est pas d'un grand poids quand on songe au résultat de cette opération ; Hitler avait vu parfaitement juste en estimant que les Français ne se défendraient pas en 1940 avec le même acharnement qu'en 1914/1918 [99]. « L'attaque à l'Ouest, écrit le général de corps d'armée Heinz Guderian en 1953, aboutit à une victoire rapide et importante que les dirigeants allemands n'avaient pas escomptée [100]. » Jodl dit de son côté à Nuremberg : « Une fois de plus la volonté d'Hitler triompha, sa foi remporta la victoire ! D'abord, le front s'écroula ; puis la Hollande, la Belgique, la France s'effondrèrent. Les soldats crurent à un miracle : leur étonnement fut grand ! ... [101]. »

On constata soudain que les projets stratégiques d'Hitler s'arrêtaient là. Sa ferme conviction que la Grande-Bretagne aban-

---

* Jodl avait proposé de dissocier « tant sur le plan chronologique que sur le plan des forces » les deux opérations. *Cf.* Warlimont, *Im Hauptquartier der Werhmacht*, p. 101.

** *Cf.* Warlimont, *Im Hauptquartier der Wehrmacht* p. 64, Jodl déclara expressément à Nuremberg qu'Hitler « procédait avant de prendre une décision à l'étude de documents s'y rapportant, de cartes, de rapports sur les forces disponibles, des informations sur l'adversaire »…. IMT, t. XV, p. 407.

donnerait le combat après la rapide défaite de la France l'avait
incité à considérer sa victoire à l'Ouest comme la fin provisoire
de la guerre. Comme les Britanniques réagissaient — malgré le
ménagement de leur armée à Dunkerque — d'une façon tout
à fait contraire à ses prévisions, Hitler envisagea une attaque
directe contre la Grande-Bretagne. Dans son instruction n° 16,
du 16 juillet 1940, nous lisons entre autres : « Etant donné que
l'Angleterre ne manifeste, en dépit de sa situation militaire désespérée, pas la moindre disposition à s'entendre avec nous, j'ai
décidé de préparer une opération de débarquement contre la
Grande-Bretagne et de la mettre à exécution si nécessaire. Cette
opération vise à empêcher l'utilisation de la métropole britannique comme base d'attaque pour la poursuite de la guerre
contre l'Allemagne et à son occupation totale si la nécessité
s'en faisait sentir [102]. »

Comme la Grande-Bretagne n'était pas seulement une île
protégée par sa « Home fleet », face à la côte française occupée
par les forces allemandes, mais aussi une puissance maritime
et coloniale disposant de forces importantes au Canada, en Nou-
velle-Zélande, en Australie, en Egypte, aux Indes, en Afrique du
Sud, Hitler aurait dû, après la défaite de la France, mettre
rapidement à exécution son instruction n° 16 ou accepter le plan
de Raeder qui recommandait de combattre la Grande-Bretagne
indirectement et de la forcer ainsi à mettre un terme à la
guerre *. Mais Hitler, dont la figure paraissait légèrement bouffie
déjà pendant la campagne de Norvège, n'est plus disposé à
accepter les risques d'une telle opération. Il hésite, ses yeux
brillent souvent d'un éclat étrange, ce qu'on n'a jamais vu
chez lui auparavant. Sa détermination prend une allure agressive **. Les changements, dont depuis quatre ans son organisme
est la victime, ne se limitent pas à son aspect extérieur. Hitler,
qui s'observe attentivement, en a parfaitement conscience : plus
que jamais, il fait appel à son médecin personnel ***. Quand il
visite Paris, trois jours après l'armistice avec la France, il ne
donne nullement l'impression d'un vainqueur rayonnant — ce
que les personnes qui ne l'approchent pas de très près ignorent
totalement. Albert Speer, l'architecte Hermann Giesler et l'architecte et sculpteur Arno Breker, qu'Hitler fait venir par avion à
Paris pour qu'ils lui expliquent les monuments de la capitale.

---

* Cf. aussi p. 390.
** Cf. ch. VIII.
*** Cf. ibid.

racontent dans leurs « Souvenirs » que le Führer ne s'écartait pas seulement de son entourage grisé par la victoire, mais qu'il avait les larmes aux yeux en entendant la sonnerie allemande *Das Ganze halt* [103]. Le motif de cette tristesse n'était pas une « contradiction interne de son être » selon l'avis de Speer [104], ni l'amour de la paix ou l'amour de l'architecture selon l'hypothèse de Breker et de Giesler, ni les morts, les blessés, les villes, les œuvres d'art et monuments détruits, le motif était la conviction d'Hitler, qui à cette époque absorbait déjà énormément de médicaments *, d'être très malade et de ne plus vivre assez longtemps pour voir l'aboutissement de ses efforts **.

Sur le plan stratégique, la situation se présentait sous un jour beaucoup plus favorable. La France était vaincue, l'Italie était entrée en guerre à côté des Allemands : de ce fait, la Grande-Bretagne ne se voyait pas seulement privée de l'appui de la flotte française, mais sa maîtrise de la Méditerranée centrale était ébranlée. Les bases de sous-marins et les bases aériennes allemandes menaçant l'Angleterre, Gibraltar et la seule base britannique encore accessible à partir de l'Europe : l'Egypte, s'étendaient maintenant de Bordeaux jusqu'au Cap Nord. Par l'entrée en guerre de l'Italie, Hitler était en mesure de mettre en danger l'Empire britannique par des attaques contre le canal de Suez, ce que beaucoup d'experts, y compris le grand-amiral Raeder, le général Kurt Student et Erwin Rommel ne cessaient de préconiser. Mais Hitler recula devant le risque. On constate, chez lui, déjà à cette époque, une certaine peur du risque, un manque de souplesse, bien que personne ne remarque encore une modification fondamentale de son comportement. L'historien perdrait son temps à supputer aujourd'hui les chances de succès qui s'offraient alors à une attaque directe des Iles britanniques.

Ainsi, Hitler a perdu son entrain, sa faculté de conception stratégique semble épuisée. Il cherche refuge dans les « projets de substitution » stratégiques. Le 12 novembre 1940, par exemple, il donne l'ordre d'examiner s'il est possible d'occuper militairement Madère ou les Açores [105] ; il déclare que sa politique à l'égard de la France doit viser à une « collaboration aussi efficace que possible » [106] en vue d'abattre l'Angleterre et pousser l'Espagne à entrer en guerre [107]. Il envisage de conquérir Gibraltar [108] et après l'occupation de la péninsule ibérique, de chasser

---

* Il prenait à cette époque les « Antigas-Pillen » du Dr Köster, du « Mutaflor », de l'« Euflat », du glycose, du « Glyconorm », du « Vitamultin-Calcium ».

** *Cf.* ch. VIII.

les Anglais de la partie occidentale de la Méditerranée [109]. Mais ce ne sont là que des exercices en salle. Cependant, il est loin d'avoir oublié la « poussée des Germains vers l'Est », qui préoccupe sa pensée depuis la fin de la Première Guerre mondiale. En pleine « pause », 446 jours après la conclusion de son pacte avec l'Union Soviétique, il donne l'ordre de « reprendre tous les préparatifs en vue d'une action à l'Est, conformément à ses instructions orales » [110] et d'attendre ses ordres pour « l'exécution du plan » et la « coordination des opérations isolées » [111]. Sa décision de ne pas tenir compte des conseils de Raeder, Rommel, Student et Korten — qui préconisent la destruction des bases britanniques dans le bassin méditerranéen et des attaques décisives contre le canal de Suez et le golfe Persique — mais d'envahir la Russie, n'est pas seulement conforme à sa *weltanschauung*, mais cadre mieux avec ses concepts stratégiques d'inspiration nettement continentale, qu'il avait développés sur les champs de bataille de France pendant la Première Guerre mondiale.

La volte-face de juin 1941, qui s'inscrit en faux contre les déclarations publiques d'Hitler faites au cours des deux dernières années et qui se rattache officiellement aux vieilles doctrines, irrite une partie du peuple allemand et inquiète les experts militaires ; ceux-ci, se souvenant des campagnes de Russie de Charles XII et de Napoléon Ier, ont aussi d'autres raisons de craindre la mission qu'on leur propose, bien que la campagne russe contre la Finlande ne fasse pas apparaître l'Union Soviétique comme ennemi redoutable *. Le 4 mai 1941, une semaine après le vol de Rudolf Hess, le « remplaçant du Führer », à bord d'un appareil Me 110 d'Augsbourg en Grande-Bretagne, Hitler avait évoqué au Reichstag ses campagnes victorieuses, ses « offres de paix », il avait traité Churchill de belliciste, de fou, de menteur, de criminel, et proposé le Troisième Reich comme solution de remplacement aux « démocraties juives » et au sys-

---

* Le 23 août 1939, Ribbentrop et Molotov avaient signé un pacte de non-agression entre l'Allemagne et l'Union Soviétique, qui stipule entre autres : « Les deux parties contractantes s'engagent à renoncer à tout acte de violence, à toute action agressive et à toute attaque, menée seule ou de conserve avec des tierces puissances... Les deux gouvernements entretiendront des contacts permanents par des consultations pour s'informer réciproquement des questions touchant leurs intérêts communs » Texte du DNB (Deutsches Nachrichten-Büro = Agence d'information allemande) du 24-8-1938. *Cf.* aussi RGBI (Reichs-Gesetzbatt = Journal Officiel) 1939 II, p. 968 et s. Pour l'histoire des relations germano-soviétiques, de Brest-Litovsk jusqu'à l'entreprise« Barbarossa », *cf.* entre autres Krummacher, Lange : *Krieg und Frieden* et Hillgruber : *Hitlers Strategie.*

tème politique fondé sur « la folie des classes et ordres judéo-capitalistes » [112], mais il avait omis les calomnies habituelles et les attaques contre le bolchevisme. Les militaires désemparés devaient bien admettre qu'Hitler menait à bonne fin ses entreprises et qu'à la différence d'eux, il ne s'était que rarement trompé ; mais ils le jugeaient impénétrable et imprévisible, ce qui ressort nettement de la constatation de Guderian que « les conseillers ... s'étaient trompés autant sur leurs adversaires que dans l'appréciation des qualités stratégiques de leur commandant en chef [113] ».

Sur la conduite de la guerre en Russie, les idées d'Hitler divergent de celles de l'O.K.H. qui propose de porter le coup décisif contre Moscou et d'anéantir le centre même de la Russie et de sa puissance. Les réflexions stratégiques d'Hitler se fondent sur des considérations tant politiques qu'économiques. Il voulait forcer la décision sur les ailes, prendre Leningrad, au nord, établir la liaison avec les amis finlandais, s'assurer la maîtrise de la Baltique, faciliter par l'action sur l'aile gauche (Baltique) le ravitaillement de ses armées opérant dans ce secteur ; au sud, il comptait occuper l'Ukraine, mettre au service de la Wehrmacht les matières premières et les industries d'armement du bassin du Donetz, exploiter les champs pétrolifères du Caucase. Ce n'est que dans une deuxième phase que Moscou devait être pris bien que la ville revêtit en 1941 une plus grande importance que pendant les guerres de Charles XII de Suède et de Napoléon Ier *.

Pendant que la Wehrmacht avance rapidement et que le front russe du centre s'écroule, le haut commandement de l'armée et les généraux du front pressent Hitler de profiter de ces circonstances favorables et de prendre Moscou sans attendre la chute de Leningrad comme le prévoit le « plan Barbarossa ». Mais Hitler hésite, bien qu'il sache fort bien [114] que l'Armée Rouge supérieure en nombre et bien équipée sur le plan technique et logistique manque de généraux, d'officiers et de commissaires victimes d'une « purge » ** dont il a été un des artisans, et

---

* Nous lisons dans l'instruction n° 21 d'Hitler du 18-12-1940 à ce sujet : « La prise de cette ville équivaut à un succès politique et économique décisif ; elle prive en outre l'ennemi de son nœud ferroviaire le plus important. »

** C'est probablement à la fin de 1936 qu'Hitler et Himmler avaient ourdi un plan en vue d'affaiblir l'Armée Rouge. Les services allemands d'espionnage avaient rassemblé en mars 1937, sous la direction de Heydrich, un dossier de trente-sept pages contenant la correspondance falsifiée entre quelques officiers de l'armée allemande et le maréchal soviétique

392   PRÉNOM : ADOLF

qu'il dispose d'un commandement infiniment plus rompu aux réalités de la guerre que les armées soviétiques.

Après le franchissement de la Berezina à Borissov et la prise de Smolensk par la Wehrmacht, Hitler déclara le 21 août 1941, « au grand étonnement de tous les officiers présents »[115] qu'il n'importait pas, pour des raisons stratégiques, de conquérir Moscou avant le début de l'hiver, mais qu'il fallait assurer le ravitaillement de l'Allemagne en pétrole roumain, occuper la Crimée et le bassin industriel et houiller du Donetz, couper l'approvisionnement russe en pétrole du Caucase, investir Leningrad et réaliser la jonction avec les Finlandais[116]. Il renonce à la poussée vers Moscou, ordonne au groupe d'armées du centre de marcher vers le Sud et même le Sud-Ouest, afin de s'emparer de l'Ukraine. Il rejette les conseils de l'état-major et lui reproche de ne savoir tenir compte, dans ses avis, de la situation politique et économique. Heinz Guderian reçoit l'ordre de pousser vers le sud et de prendre, en collaboration avec Gerd von Runstedt, la ville de Kiev : cette opération réussit, à la grande surprise de la plupart des chefs militaires, et aboutit à l'anéantissement des forces russes opérant au Sud et à la capture de 665 000 prisonniers.

Après la chute de Kiev, le « dieu de la guerre » dont Jodl avait déjà redouté les retours de bâton pendant la campagne de France en 1940, n'accordera plus longtemps sa faveur à Hitler. Hitler commence à commettre des fautes dont les conséquences funestes apparaissent relativement vite. Adolf Heusiger, chef de la section des opérations de l'Etat-Major de l'armée de 1940

Mikaël Toukhatchevsky, chef d'état-major et remplaçant le ministre de la Guerre (1931-1937), les signatures des militaires allemands ayant été contrefaites d'après des chèques bancaires et celle du maréchal Toukhatchevsky d'après les lettres écrites par lui à l'époque de sa collaboration officielle avec la « Reichswehr »... Une des lettres attribuée à Toukhatchevsky donnait l'impression qu'il faisait de l'espionnage pour le compte de l'Allemagne. Hitler fit transmettre ce dossier aux services de contre-espionnage soviétique qui le mirent à la mi-mai à la disposition de Staline, lui fournissant ainsi un prétexte de faire un procès à quelques généraux incommodes de l'Armée Rouge et de s'en débarrasser. Les arrestations et les fusillades débutèrent déjà en mai 1937. *Cf.* à ce sujet Conquest, Robert, dans *Der Spiegel* n° 7 du 8-2-1971. D'après les sources soviétiques, la « purge » toucha : 3 maréchaux sur 5, 14 commandants d'armée de 1er et de 2e rang sur 16, 8 amiraux de 1er et 2e rang sur 8, 60 généraux commandant des corps d'armée sur 67, 136 commandants de division sur 199. Les 11 remplaçants des commissaires du peuple à la Défense et 75 des membres du Conseil supérieur de la Guerre furent relevés de leurs postes. De plus, 35 000 officiers de rang inférieur, soit la moitié du corps des officiers, furent fusillés ou jetés en prison. *Cf. Der Spiegel ibid.*, p. 121.

à 1944, reprochera vingt-cinq ans plus tard à son ancien commandant en chef (à la différence du général Blumentritt et d'autres) *
sa conduite de la guerre : « En août ... la guerre prit une tournure fâcheuse. Hitler renonça à l'attaque immédiate de Moscou ...
Ainsi se trouvait gâchée sa dernière chance [117]. »

Le maréchal Grigori Joukov, au début de la guerre chef
d'état-major, puis commandant en chef des forces soviétiques à
Leningrad, était — à l'encontre des experts militaires allemands
— de l'avis que les décisions d'Hitler étaient judicieuses : « Les
troupes allemandes, déclara-t-il, étaient hors d'état de prendre
Moscou en août, comme quelques généraux allemands le pro-
jetaient. Si elles avaient lancé une offensive, elles se seraient
engagées dans une impasse plus difficile encore qu'en novembre
et décembre 1941 devant Moscou ... Toutes les tentatives des
généraux ... et des historiens de la guerre allemands ... d'imputer
à Hitler la responsabilité de la défaite ... sont, pour cette raison,
intenables [118]. » Le maréchal Konstantin Rokossovsky était également d'avis que la décision prise par Hitler contre les conseils
de son état-major était conforme aux données militaires : « La
situation des troupes soviétiques était très compliquée ... Je
pense néanmoins que les troupes allemandes n'avaient aucune
chance réelle de continuer une offensive de grande style contre
Moscou. Elles avaient un urgent besoin d'un répit et celui-ci
leur fut accordé en août [119]. » Le maréchal Sokolovsky, qui occupait en automne 1941 le poste de chef d'état-major des forces
soviétiques sur le front occidental, s'inscrivit de même en faux
contre les allégations des chefs militaires allemands et qualifia
la solution choisie par Hitler de « relativement la moins mauvaise » dans la perspective allemande [120]. Bien que ces appréciations soient motivées, pour une large part, par l'intention
d'illustrer l' « invincibilité » de l'Union Soviétique, de nombreux
arguments militaires militent en faveur de la thèse des militaires russes.

La question de savoir si la décision prise par Hitler en
août 1941 a été ou non une erreur ne peut être tranchée, d'une
manière irréfutable, ni dans un sens ni dans l'autre. Ce qui
est en revanche certain, c'est qu'Hitler s'est lourdement trompé
(erreur que partageaient d'ailleurs de nombreux membres impor-

---

* Le général Blumentritt déclara de son côté : « ... peu après, le groupe
blindé 2 et la IIᵉ armée qui suivait durent se rendre à l'évidence qu'on
ne pouvait traiter cet adversaire par le mépris : Impossible de passer en
l'ignorant ». Cité d'après Besymenski, *Sonderakte Barbarossa* p. 302. *Cf.*
aussi Carell, *Unternehmen Barbarossa* p. 89.

tants de l'O.K.W. *) en supposant que l'Armée Rouge était à deux
pas de l'effondrement et qu'il suffisait d'un simple coup de bou-
toir pour achever sa déconfiture. Ainsi, il donna l'ordre, au
début de septembre [121], d'attaquer Moscou, de conquérir les
champs pétrolifères du Caucase, d'investir et d'affamer Leningrad ; le 17 septembre, il retira du frond du Nord le groupe
blindé Hœpner et les escadrilles de la Luftwaffe, rendant ainsi
impossible la prise de Leningrad.

A cette époque, des œdèmes apparaissent sur les jambes
et les mollets d'Hitler : son médecin, le docteur Theo Morell, lui
administre du « Coramin » et du « Cardiazol » pour activer la
circulation sanguine du cerveau, des nerfs vasculaires et des
centres de la respiration ; il lui prescrit en outre des stimulants
tels que la caféine et le « Pervitin » bien que les examens du
cœur aient mis en évidence une sclérose coronaire en rapide
progrès : dans sa hâte, Hitler veut trop à la fois ! Pourtant, une
fois de plus, les événements semblent confirmer ses vues. Le
groupe d'armées du Centre déclenche, le 2 octobre 1941, son
offensive en direction de Moscou **, s'empare de la ligne Orel-
Briansk-Viasma *** : Hitler ordonne, le 7 et le 10 octobre, de
poursuivre l'ennemi avec toutes les forces disponibles, bien
que les experts le mettent en garde contre les dangers de la
période de l'embourbement des terres, qui avait posé à
Charles XII de Suède et à Napoléon des problèmes presque inso-
lubles. Nous lisons dans l'instruction n° 36 du 10 octobre 1941 :
« La masse des forces armées soviétiques ayant été défaite ou
anéantie sur le principal théâtre des opérations militaires, il n'y
a plus aucune raison majeure de fixer des forces soviétiques par
une attaque en Finlande. Le nombre et la puissance offensive
des unités disponibles dans ce secteur ne sont pas suffisants, la
saison est déjà trop avancée, pour que nous puissions prendre
avant le début le l'hiver Mourmansk ou la presqu'île des
Pêcheurs, ou couper en Finlande centrale le chemin de fer de
la côte Mourmane. Notre tâche la plus urgente sera donc de
tenir les territoires conquis, de protéger la région nickélifère
de Petsamo contre toute attaque ... et de prendre toutes les
dispositions pour nous emparer définitivement l'année prochaine

----

* O.K.W. : *Oberkommando der Wehrmacht* (Haut commandement
des forces armées).
** Le groupe blindé n° 2 passa à l'attaque dès le 30 septembre 1941.
*** L'aile septentrionale du front Est se trouvait sur le Volkhov dans
la défensive pendant que le groupe d'armées du Sud poussait en direction
de Rostov.

— en agissant dès cet hiver — de Mourmansk, de la presqu'île
des Pêcheurs et du chemin de fer de la côte Mourmane [122]. »
Hitler croit pouvoir atteindre Moscou avant le début de l'hiver,
sur les rigueurs duquel ni lui ni ses conseillers ne se font une
idée précise, et il réussit à en convaincre ses collaborateurs de
l'O.K.W. *. Fermement persuadé qu'il peut abattre la Russie
par la méthode de la guerre-éclair, sans engager toutes ses
réserves, il poursuit l'offensive sans accorder à l'armée et aux
forces aériennes des renforts substantiels. Il ignore que la Wehrmacht a perdu une bonne partie de son enthousiasme. Il ne
mesure pas, même alors, la réalité des immenses espaces
« vides » dont il doit s'assurer le contrôle en Russie. Il croit
toujours trouver des routes bien tracées et bitumées, il compte
sur des troupes toujours fraîches et désireuses de combattre, sur
des armes, des moteurs, des machines sans la moindre défaillance, sur un équipement approprié à chaque situation. Dans
ses considérations stratégiques et tactiques, il tient aussi peu
compte de la poussière et de la boue des pistes russes qui
réduisent et parfois même annulent le rendement des armes,
que de l'équipement vestimentaire insuffisant de ses soldats,
des maladies, de la vermine inconnue, de l'âpre combativité de
l'Armée Rouge. Le plan initial de la campagne atteste déjà une
méconnaissance totale du problème des transports qui constitue,
en raison des distances gigantesques et des routes d'un délabrement inimaginable, un facteur opérationnel de tout premier
ordre. L'écartement des chemins de fer russes, dont les locomotives marchaient au bois, était différent de celui des chemins
de fer allemands. Leurs installations techniques étaient primi-
tives et insuffisantes, d'autant plus qu'Hitler était obligé, étant
donné l'infériorité numérique de l'armée allemande, de déplacer
aussi rapidement que possible les unités combattantes, les équi-

---

* Hitler répond, le 24-9-1941, au feldmaréchal von Block qui attire
son attention sur les difficultés d'une attaque contre Moscou à cette
époque de l'année et qui lui conseille de prévoir pour la troupe des positions fortifiées où elles pourront passer l'hiver : « Quand je n'étais pas
encore Chancelier du Reich, je croyais que l'Etat-Major était un dogue
qu'il fallait bien tenir en laisse, parce que, sans cela, il se jetait sur chaque
passant. Depuis que je suis Chancelier, j'ai dû constater que l'Etat-Major
est tout le contraire d'un dogue. L'Etat-Major a toujours tenté
de m'empêcher de faire ce que je jugeais nécessaire. L'Etat-Major s'est
opposé au réarmement, à l'occupation de la Rhénanie, à l'entrée de nos
forces en Autriche, à l'occupation de la Tchécoslovaquie ou tout dernière-
ment à la guerre contre la Pologne. L'Etat-Major m'a déconseillé de passer à l'attaque en France. C'est moi qui dois exciter sans cesse ce dogue ! »
Cité d'après Domarus, T. II/4, p. 1753.

pements, le matériel de guerre. Les forces aériennes allemandes ayant opéré sur la côté atlantique, en Italie du Sud et en Afrique du Nord, avaient subi des pertes sévères au-dessus de l'Angleterre et de la Crète et ne pouvaient jouer, pendant la campagne de Russie, le rôle que la situation aurait exigé.

Hitler a surestimé les possibilités de la technique militaire moderne : l'avis exprimé en mars 1941, qu'il comptait réussir en Russie grâce à ses blindés et à sa Luftwaffe [123] — en dépit de la démobilisation partielle de son armée de terre [124] — là où Charles XII et Napoléon Ier avaient échoué, le prouve. Cette méprise fatale montre à elle seule qu'Hitler n'était pas, malgré ses connaissances remarquables en matière technique et militaire, ce qu'on peut appeler un « grand capitaine ». A partir de 1941, il ne tint plus assez compte d'une réalité qu'il connaissait pourtant mieux que la plupart de ses conseillers. Déjà à l'automne 1940 et plus encore au printemps 1941, depuis qu'il avait commencé son traitement à base de « Coramin » et de « Cardiazol » et absorbé du « Pervitin » et de la caféine *, son entourage constatait qu'il prenait parfois des décisions et donnait des avis qui échappaient plus ou moins au contrôle de sa raison. Ses bravades absurdes lancées sous l'influence de quelques médicaments et stimulants (caféine et « Pervitin »), dont il s'effrayait lui-même parfois quand il était dans son état normal et qu'il tentait alors de corriger **, étaient assorties d'ordres qui soulevaient l'effroi : Citons les « directives » de la fin de mars concernant l'exécution des « commissaires politiques » (*Kommissarbefehl*) et la « solution finale du problème juif » d'avril 1941 ***. Comme il enveloppait ce genre de mesures d'exposés objectifs et de considérations marquées au coin du bon sens, son entourage et surtout ses conseillers militaires ignoraient à peu près complètement que le Führer n'était pas toujours en pleine jouissance de ses facultés mentales. Le maréchal Erhard Milch, qui observait Hitler de très près, déclare en 1946 : « Le trouble psychique dont il souffrait n'était pas visible au point qu'on aurait pu dire ... cet homme est un aliéné mental ... Certains troubles mentaux n'apparaissent pas aux yeux de masses et parfois même pas à ceux de proches. Je crois qu'un médecin serait mieux placé que moi pour éclairer ce point [125]. » Le 30 mars 1941, Hitler constata — en plein accord avec les mem-

---

* *Cf.* chap. VIII.
** *Cf. ibid.*
*** *Cf. ibid.*

bres de son état-major — que l'espace russe était déjà un problème en soi qui exigeait une grande concentration de dispositifs
du côté allemand, que l'armée russe disposait de l'armée blindée
la plus puissante du monde et d'une aviation particulièrement
nombreuse, que les Allemands auraient tort de se faire des illusions sur la valeur de leurs alliés [126]. Il ordonna dans le même
contexte que le traitement des gradés soviétiques et des commissaires politiques « n'était pas une affaire de tribunaux militaires » [127] et que les « commissaires politiques et les hommes
de la Guépéou devaient être traités comme des criminels » *.

Après avoir obligé l'armée, dont l'équipement vestimentaire
ne répond pas de loin aux exigences de l'hiver russe, à mettre
fin, sur tous les fronts, à son action offensive, Hitler est confronté
à la question de savoir comment il pourra continuer la guerre
au début de 1942, son rôle d'attaquant se trouvant pour la première fois réduit à néant. Il est seul responsable du fait que
cette guerre ne cadre plus avec les concepts qu'il a toujours
proclamés. Il a déchaîné à l'Est une guerre idéologique à rebours,
il a déclaré les Russes hors la loi, il a entraîné les Etats-Unis dans
la guerre en décembre 1941 et déclenché ainsi la « guerre mondiale » qui figurait seulement dans la « deuxième phase » de
son programme. Il y a cependant deux choses qu'il sent et qu'il
sait déjà à cette époque : Il ne croit plus à la victoire ** et il
est persuadé que l'état de guerre entre l'Allemagne et les Etats-
Unis, après l'attaque des Japonais sur Pearl Harbor, constitue une
erreur historique ***. A partir de là, il ne veut plus prolonger la
guerre et sa propre vie ****. Mais, dans l'immédiat, il songe aux
opérations stratégiques que la Wehrmacht devra exécuter au prin-

---

* Journal de Halder. Cité d'après Domarus, II/4 p. 1682. Le fait
qu'Hitler n'ait jamais rapporté ses ordres sur l'exécution des commissaires
politiques (*Kommissarsbefehl*) ou sur la « solution finale du problème
juif » prouve qu'il considerait ces mesures comme judicieuses et adéquates.

** Rapport du général de corps d'armée Alfred Jodl du 15-5-1945, qui
passait tous les jours de longues heures avec Hitler. Jodl affirme (cité par
Schramm : *Hitler als militärischer Führer* p. 67) qu'Hitler avait compris
après la catastophe de l'hiver 1941/1942... qu'à partir de la crise du début
de l'année 1942, la victoire militaire n'était plus à sa portée.

*** Hitler déclara le 8-12-1941, après que Heiz Lorenz, le représentant
du chef du Bureau de Presse du Reich au Grand Quartier Général du
Führer, l'eut informé de l'attaque japonaise sur Pearl Harbor (en substance) : « Maintenant, les Anglais perdront Singapour. Je n'ai pas voulu
cela. Nous faisons la guerre aux mauvais adversaires. Nous devrions être
les alliés des puissances anglo-saxonnes. Mais les circonstances nous
obligent à commettre une erreur historique » (Information personnelle
de Heinrich Heim qui se trouvait près d'Hitler) (18-8-1971).

**** *Cf.* aussi *infra*.

temps 1942. S'il continue d'adopter une tactique purement défensive, il suggère à l' « opinion mondiale » — en raison même de sa stratégie fondée de plus en plus sur le prestige — l'idée qu'il est le premier à partager, à savoir que l'opération « Barbarossa » s'est soldée par sa première défaite dans cette guerre *. Le 5 avril 1942, alors que l'embourbement des terres rend impossible toute tactique offensive, il déclare dans le cadre de son instruction n° 41 qu' « après la « bataille d'hiver » ... la supériorité du commandement et des soldats allemands devra se traduire par la reprise en main ... de l'initiative des opérations »... en vue d' « anéantir définitivement les reliquats des forces armées soviétiques ... et de leur arracher dans la mesure du possible les ressources économiques les plus importantes pour la poursuite de la guerre »[128]. Cette phase de la guerre, au cours de laquelle Hitler se fait — en contradiction avec ses propres déclarations du 30 mars 1940 et à la différence des Russes ** — des illusions sur la valeur combative des alliés de l'Allemagne, dont l'apport global s'élève à cette époque à 35 divisions, met en évidence que le Führer n'est pas un chef militaire au sens traditionnel. La longue série des succès militaires révèle de plus en plus l'insolence du politicien dont l'évangile est la force, et qui ne peut réaliser son « programme » que par l'agression, au service de laquelle il a mis son « invention » : la « guerre-éclair ». La stratégie défensive, rendue indispensable par l'allongement excessif du front et que Clausewitz n'hésite pas à qualifier de « forme de guerre « en soi » la plus vigoureuse », ne s'accordait ni au « programme » ni à la mentalité d'Hitler. C'est pourquoi il reprendra l'offensive en 1942, selon des plans élaborés par lui seul ; les événements lui donneront encore une fois raison, même si son plan est une erreur aux termes des doctrines qu'on enseigne dans les académies militaires.

Le 28 juin 1942, Hitler donne l'ordre à cinq divisions allemandes, deux divisions roumaines, une division italienne, une division hongroise, réparties en deux groupes d'armée, de lancer une offensive à partir d'Isium et de Kharkov. Le groupe d'armée Sud (« A ») a pour objectif le cours inférieur du Don, le groupe

---

* _Cf._ note ** p. 397.
** La décision d'Hitler de confier, sur le Donetz et sur le Don, des secteurs compacts à des unités alliées sans la moindre expérience de la guerre à l'Est, a pour les Russes la valeur d'un encouragement. La catastrophe débuta le 19-11-1942, quand les Russes percèrent les lignes tenues par la III° armée roumaine au nord-ouest de Stalingrad, tandis qu'une autre unité russe défonça la IV° armée roumaine au sud de la ville.

d'armée Nord (« B ») la Volga en amont et en aval de Stalingrad. L'aile gauche s'essouffle bientôt devant la résistance acharnée de Russes et ne réussit pas à dépasser le Don (abstraction faite de quelques têtes de pont). Les Russes veillent surtout à la continuité du front et reculent plutôt que de se laisser encercler (comme en 1941). Ils subissent de lourdes pertes mais ne sont pas mis hors de combat. Comme Hitler ordonne la poursuite de l'offensive du groupe d'armée « A » en direction des champs pétrolifères du Caucase, et du groupe « B » en direction de Stalingrad en vue de couper l'importante voie de communication qu'est la Volga et d'arrêter la production du grand centre industriel de Stalingrad, les deux groupes d'armée s'écartent l'un de l'autre et étirent le front qui s'étend de Touapse jusqu'à Stalingrad et Voronej, soit sur 2 000 km et une profondeur de 750 km, le front oriental ayant en tout une longueur de 3 000 km. Quand la pointe de la VIe armée du général Paulus, renforcée de quelques autres divisions, atteint Stalingrad, elle forme un coin étroit dont les flancs ne sont pas suffisamment protégés contre le front de défense soviétique. Hitler qui, en août 1941, redoutait une attaque russe contre les flancs de l'armée allemande avant d'ordonner contre l'avis des militaires l'occupation de la Crimée, rejette une fois de plus leurs conseils, bien qu'ils agissent en connaissance de cause en prévoyant et en supputant les moyens et les intentions de l'ennemi. Têtu et se fiant aveuglément à sa seule chance, il s'oppose au retrait des troupes qui n'arrivent pas à prendre Stalingrad : faisant de la lutte pour cette ville un *symbole,* il s'interdit toute mesure de repli. La catastrophe débute le 19 novembre : les Russes percent un secteur tenu depuis octobre par les IIIe et IVe armées roumaines et prennent en tenaille la VIe armée enfermée dans le coude du Don à l'ouest de Stalingrad. Le 22 novembre, la ville est investie par les Russes. Hitler rejette l'idée de Paulus de tenter une percée. Göring est incapable de tenir sa promesse d'amener par un pont aérien, tous les jours, 500 tonnes de ravitaillement. Si la tentative de Manstein de dégager les troupes allemandes enfermées échoue, c'est surtout parce que la Luftwaffe ne parvient pas à s'assurer la maîtrise de l'air. Pour la première fois Hitler, qui avait déclaré à la mi-décembre sur un ton insistant que Stalingrad ne pourra plus être repris s'il est perdu une fois, reconnaît les graves dangers d'une stratégie de prestige *. Mais il est trop tard. Le 30 janvier 1943, dix ans jour pour jour après

---

* *Cf.* chap. VIII.

la « prise du pouvoir » par Hitler, la VIᵉ armée capitule. Sur 265 000 hommes, plus de 100 000 sont tombés, 34 000 sont blessés ; 90 000 s'en vont en captivité. A l'automne 1944, Hitler explique à son oto-rhino-laryngologiste, le Dr Erwin Giesing : « Ce n'était pas une défaillance de notre service de renseignements, qui nous avait bien informés des concentrations de troupes sur la rive gauche de la Volga, ni une attaque par surprise des Russes ou une brusque dégradation des conditions atmosphériques : j'avais tout calculé, mais je voulais combattre et forcer là la décision de l'hiver. Quand la situation autour de Stalingrad prit une tournure plus grave en décembre 1942, la Luftwaffe m'a laissé dans l'embarras, bien que Göring m'ait assuré qu'il pouvait garantir le ravitaillement de la VIᵉ armée à Stalingrad pendant 6 à 8 semaines au moins ... Pour comble de malheur, on ne put me joindre pendant les jours critiques de Stalingrad, quand les Italiens au nord et les Roumains au sud ne parvenaient plus à tenir le front, parce que je voyageais dans mon train spécial ... Ainsi, pendant vingt-quatre heures, je fus empêché d'assurer la direction des opérations, et quand j'appris la catastrophe, il était trop tard[129]. » Indépendamment du fait que c'est un défi au bon sens de vouloir excuser cette défaite par des explications de ce genre, Hitler aurait dû se rendre compte déjà à la fin de 1941, après la bataille pour Moscou *, que son aviation n'était plus à même d'apporter une contribution décisive au déroulement de la guerre. Ce n'est pas une preuve de clairvoyance, s'il ajoute foi aux assurances de Göring, même si le maréchal Albert von Kesselring a eu raison, quand il affirmait après 1945 que le « Maréchal du Reich » (Göring) avait assorti sa promesse de réserves sur l'efficacité et la durée de son intervention[130]. Aussi, Hitler a-t-il endossé la responsabilité de la défaite. On ignore s'il partageait l'avis de Manstein que cette bataille n'a pas forcément décidé du sort de la guerre **. Quelle que soit l'importance qu'on attribue à la bataille

---

    * Cf. Kesselring, Albert, « Die deutsche Luftwaffe » dans Bilanz des Zweiten Weltkrieges, p. 153. L'aviation allemande a enregistré ses plus grands succès à l'Est en 1941, pendant les deux premiers jours de la campagne de Russie, en détruisant des milliers d'avions russes.
    ** Cf. Manstein, Verlorene Siege, p. 321 et s. « Les Soviétiques qualifient la bataille de Stalingrad de tournant décisif de la guerre. Les Anglais attribuent à l'issue de la « battle of Britain », c'est-à-dire à la liquidation de l'offensive aérienne allemande, en 1940... un rôle analogue. Les Américains ont tendance à considérer leur participation à la guerre... comme le facteur décisif de la victoire finale des Alliés. En Allemagne, on est de même parfois d'avis que la bataille de Stalingrad a été la « bataille décisive »... Certes, Stalingrad marque en ce sens le tournant de la Deuxième

de Stalingrad dans le déroulement de la Deuxième Guerre mondiale *, un fait est certain : ce fut le début du déclin. Même des nationaux-socialistes loyaux se demandaient à mi-voix « si le Führer était vraiment le chef militaire génial pour lequel ils le tenaient ».

En avril 1943, quand le chef suprême des forces armées allemandes fête, après son retour de Winnitsa, son cinquante-quatrième anniversaire de naissance, le front oriental est colmaté. Le chef de l'état-major tente de faire comprendre à Hitler, qui a beaucoup vieilli et ne se tient debout que grâce à un arsenal de médicaments **, qu'il s'agit maintenant de briser l'élan offensif des Russes et de reprendre l'initiative des opérations. Il suggère au Führer d'attaquer les positions russes de Koursk, qui forment une saillie dans le front allemand ; mais Hiter n'est plus capable de prendre une décision, même si elle est en accord avec ses convictions et sa mentaité. Son attitude découle de son désir égoïste de « tenir » le plus longtemps possible et de prolonger ainsi sa propre vie : car il sait mieux que quiconque qu'elle se terminera au plus tard le dernier jour de la guerre. Or, les expériences de la Première Guerre mondiale lui ont appris que le repli ordonné des troupes donne facilement lieu à de dangereux « dérapages » et qu'une armée en retraite perd souvent plus de terrain que les plans des chefs ne le prévoyaient ***. Hitler a, au sens figuré, les réactions d'un homme en train de se noyer : incapable d'apprécier froidement la situation, il se débat follement. Il affirme tout d'abord, par une sorte de réflexe automatique, que le plan de l'état-major n'a pas la moindre chance d'aboutir. Sa décision du 5 juillet (de déclencher l'opération « citadelle ») est celle d'un vieillard toujours puissant mais qui cède aux instances de son entourage ****.

Guerre mondiale, que c'est sur la Volga qu'est venue se briser la vague offensive allemande... Mais pour sérieuse qu'ait été la perte de la VIᵉ armée, la guerre à l'Est, et avec elle la guerre tout court, n'en était pas pour autant perdue. On aurait toujours pu chercher un compromis... »
  * *Cf.* les constatations d'Hitler du 12 décembre 1942 p. 333.
  ** *Cf.* p. 331 et s.
  *** *Cf.* l'exposé dans le chapitre : « Le soldat du Reich ».
  **** Les détails de l'opération « citadelle » sont bien connus qu'il est superflu d'en faire ici le récit détaillé. Ayant décidé d'attaquer la saillie russe de Koursk, Hitler déclare le 15-4-1943 : « La victoire de Koursk doit faire dans le monde l'effet d'un fanal » (Cité par Hillgruber, *Die Räumung der Krim*, p. 81/1) mais il n'avait plus confiance. Son scepticisme se révéla fondé : l'offensive lancée le 5 juillet contre les deux piliers de la défense russe, au nord et au sud, fit de bons progrès au sud mais se heurta au nord à une défense acharnée qui coûta aux unités allemandes des pertes irréparables ; étant donné que la situation en Italie exigeait

Sous l'impulsion de sa connaissance de la situation générale, de ses maladies et des idées qu'elles lui suggèrent, Hitler se montre d'un entêtement sénile, d'une obstination incorrigible et fait de la défense de chaque trou d'homme le principe de sa stratégie. Il est exclu qu'il puisse retrouver un jour sa santé, son esprit de décision, sa souplesse. Sa maladie n'est pas un incident de parcours ni un produit de son imagination, mais une donnée définitive aux effets funestes. Il ne considère plus les propositions de son entourage, d'où qu'elles viennent, comme des tentatives de suppléer à ses défaillances possibles ou de l'aider, mais comme des immixtions insidieuses visant à briser sa volonté ou à limiter son pouvoir. Les efforts de la plupart des chefs militaires se brisent sur le rocher de sa méfiance terrifiante et partout présente, de sa suspicion, de ses accès de colère toujours plus fréquents, de son entêtement et de son ergotage : tous les commandants en chef de l'armée, tous les chefs d'état-major de la Wehrmacht, les feldmaréchaux (11 sur 18), 21 généraux de corps d'armée sur 37 (à l'exception de Schörner), tous les commandants du groupe d'armée « Nord » * sont relevés de leur poste.

La constatation de Manstein qu'Hitler aurait redouté le risque en matière militaire [131] est trop sommaire et ne répond pas à la complexité des faits **. La politique est pleine de risques, qui conduit Hitler à une guerre — que Bullock n'est pas le seul à considérer comme inévitable [132]. Hitler a pris des risques aussi pendant la première phase de la guerre. Bullock affirme même : « Il me semble... que chaque victoire (depuis septembre 1939) ait servi de prétexte à Hitler pour augmenter la mise de son jeu téméraire ... au prochain coup [133]. » Hitler a reculé devant l'attaque de la Grande-Bretagne, mais il a lancé peu après l'aventure « Barbarossa ». En tant que stratège, sa pensée impliquait de grands risques, en tant que chef militaire, il évitait le risque dans le cadre de mesures opérationnelles. Souvent, il hésitait longtemps, trop longtemps, quand il s'agissait d'opérations militaires ; de même, il repoussait souvent des décisions même prometteuses quand elles lui inspiraient de la répugnance. A partir du moment où la guerre s'était transformée en lutte défensive, son seul souci était de gagner du temps.

l'envoi d'urgence de renforts, l'offensive de Koursk fut arrêtée le 13 juillet. Les Russes défoncèrent le front allemand du centre, mais furent rejetés et durent abandonner Orel le 4-8-1943.

    * Cf. chap. VIII.

    ** Manstein excepte en partie la campagne de Norvège.

Des semaines durant, il opposa une fin de non-recevoir aux instances de ses généraux qui le pressaient d'abandonner des positions intenables telles qu'en 1943 le bassin du Donetz ou en 1944 la boucle du Dniepr. La supposition de Manstein qu'il craignait de faire face à certaines situations, parce qu'il n'avait pas la formation militaire requise, ne semble guère fondée. De tels aveux, même purement intérieurs, n'étaient pas en accord avec la mentalité d'Hitler, qui était fermement convaincu d'en savoir autant que quiconque et de pouvoir imposer sa volonté même à ses ennemis. Hitler savait fort bien ce qu'il faisait et ce qu'il voulait. A partir de 1942, il évita à bon escient tous les risques militaires ; il se mêlait, à la manière d'un commandant de régiment *, des moindres choses parce que sa méfiance avait pris des proportions morbides et qu'il avait perdu la foi dans la victoire. Tout chef militaire, tout homme d'Etat intègre, aurait mis, dans une telle situation, un terme à la guerre. Hitler ne le fit pas parce qu'il tenait à sa propre vie **.

La question de savoir ce qu'il aurait pu ou dû faire à partir du jour où, en tant que stratège et chef politique, il avait compris que la guerre était perdue, relève de la spéculation pure. Personne ne peut trancher s'il aurait mieux valu engager à l'Est les troupes et le matériel jetés dans l'offensive des Ardennes, s'il aurait été plus avantageux de renoncer à l'offensive sur les deux rives du lac Balaton, en Hongrie, où fondirent les dernières unités blindées allemandes, et de les mettre en réserve pour la défense du Reich.

LES GRANDS QUARTIERS GÉNÉRAUX D'HITLER

Pendant la campagne de Pologne, à partir du 3 septembre 1939 : Le « train spécial du Führer » (une voiture-bureau et une voiture-séjour pour Hitler, deux voitures de défense anti-aérienne en tête et en queue du train, quelques voitures équipées pour le service de transmission, pour la presse, des voitures-lit pour l'état-major) à Polzin, Gross-Born, Illnau près d'Oppeln. Goddentow-Lanz. L'Hôtel-Casino à Zopott.

---

* *Cf.* chap. **IV.**
** *Cf.* la note ** p. 397 et *infra.*

26 septembre 1939 :   Retour à Berlin.

Campagne de France :   « Felsennest » (à partir du 10 mai
                           1940) à Rodert, près de Münstereifel
                           (abri du Führer). « Wolfschlucht » (à
                           partir du 4 juin 1940), à Bruly-de-
                           Pêche. Hitler habite dans un bara-
                           quement, son état-major dans une
                           école et au presbytère. « Tannenberg »
                           sur le Kniebis, en Forêt-Noire (après
                           le 25 juin 1940). La secrétaire d'Hit-
                           ler, Christa Schröder : « Il y avait
                           quelques petits abris bétonnés dans
                           lesquels la vie était à peu près impos-
                           sible. »

Campagne contre la   « Train spécial du Führer » à Mönich-
Yougoslavie et la Grè-   kirchen.
ce (avril 1941) :

7 juillet 1940 :   Retour à Berlin.

Campagne contre l'U-   « Wolfsschanze » (à partir du 24 juin
nion Soviétique :   1941), près de Rastenburg en Prusse
                           orientale. Abri bétonné non enterré
                           et quelques baraquements de bois.
                           Selon le général Jodl : « ...à mi-
                           chemin entre un couvent et un camp
                           de concentration ».
                           « Werwolf » près de Winnitsa en
                           Ukraine : de juillet à octobre 1942,
                           en février/mars 1943. Deux abris bé-
                           tonnés, des blockhaus et des baraque-
                           ments dans une clairière.

A partir d'octobre   « Wolfsschanze », « Berghof » (pro-
1942 :   priété d'Hitler depuis les années
                           vingt, après 1933 aménagée grâce à
                           une « quête Adolf Hitler ») sur l'Ober-
                           salzberg, près de Berchtesgaden, et
                           le château de Klessheim, près de
                           Salzbourg.

20 novembre au 10 décembre 1944 :	Chancellerie du Reich à Berlin (dans l'abri bétonné du Führer construit en 1943 dans les jardins de la Chancellerie du Reich). La secrétaire d'Hitler, Christa Schröder : « Hitler habitait dans une pièce minuscule, meublée d'un petit bureau, d'un étroit canapé, d'une table et de trois fauteuils. La pièce était froide et déplaisante. Sur la gauche, une porte donnait sur la salle de bains, sur la droite une autre sur la petite chambre à coucher. »
Décembre 1944 à janvier 1945 (offensive des Ardennes) :	« Adlerhorst » dans la ferme « Ziegenhof » aménagée en grand quartier général du Führer, dans le Taunus.
16 janvier 1945 jusqu'au suicide :	Chancellerie du Reich (« Führer-bunker », dans les jardins de la Chancellerie).

En 1943, Hitler est encore moins capable qu'en 1942 d'utiliser les territoires conquis de l'Est pour une guerre de défense judicieuse en se fixant comme objectif la conclusion d'une paix de compromis, solution que plusieurs généraux allemands jugent encore possible *. Hitler sait que c'est là une illusion parce que, d'un côté, une telle solution ne lui agrée pas et que, de l'autre, la guerre lui paraît irrémédiablement perdue **. Mais sa tactique consiste à inspirer confiance aux autres pour qu'ils se sacrifient pour lui en s'imaginant qu'ils servent une grande cause. Encore à la mi-février 1945, il tente, après une attaque aérienne contre Berlin, de raconter à son ancien médecin, le Dr Giesing, que la victoire de l'Allemagne est assurée [134]. Ses « instructions pour la poursuite de la guerre » qui ne sont

---

* Le 4 décembre 1943, les états-majors réunis US divisèrent l'Allemagne en trois zones d'occupation. En même temps, la commission alliée pour les crimes de guerre commença de préparer le procès des criminels de guerre. *Cf. Auswärtige Beziehungen der Vereinigten Staten - Diplomatische Papiere. Extraits.* Cité dans la FAZ (*Frankfurter Allgemeine Zeitung*) du 15-12-1966.
*** *Cf.* note ** p. 397.

pas destinées au grand public sont révélatrices de la distance qui sépare sa conviction intime de ses espoirs : « La lutte impitoyable et coûteuse des trente mois passés contre le bolchevisme, déclare-t-il par exemple le 3 novembre 1943, a imposé des efforts extrêmes au gros de nos forces militaires et à nos énergies ... Le danger est resté le même à l'Est, mais un danger plus grand se dessine à l'Ouest : le débarquement anglo-saxon ! [135] » Hitler sait que la guerre se terminera rapidement, si la grande invasion des puissances occidentales ne peut être empêchée : « Si l'ennemi perce nos défenses sur un large front, prophétise-t-il, on peut en prévoir les conséquences à brève échéance [136]. » Warlimont se souvient d'avoir entendu souvent de la bouche d'Hitler, à la fin de 1943, que la guerre est perdue si l'invasion réussit [137]. Mais même ses propres succès à l'Est ne peuvent plus rien contre son scepticisme. Les généraux qu'il a traités jusque-là comme de simples soldats dans une cour de caserne se révèlent maintenant de meilleurs experts quand il s'agit de questions tactiques ou opérationnelles. Mais ils ont négligé de s'assurer auprès d'Hitler la position que leurs homologues anglo-saxons ont toujours occupée auprès de leurs chefs d'Etat : « Mon influence sur le Führer, déclare Jodl, par exemple, devant le Tribunal militaire de Nuremberg, n'a malheureusement jamais été aussi grande qu'elle aurait pu et peut-être dû l'être compte tenu du rang que j'occupais [138]. » Keitel de son côté affirma que « déjà en 1938 il ne pouvait être question de délibérations ou d'échanges de vues mais seulement de distribution des ordres d'Hitler » [139]. Encore en 1943, 1944 et 1945, Hitler est si puissant que les militaires n'ont d'autre ressource que de saboter secrètement une partie de ses ordres et instructions pour le plus grand bien de leurs secteurs respectifs et de s'en remettre à leurs propres connaissances, ce que fit aussi Albert Speer, le ministre de l'Armement peu avant l'effondrement final. S'il est vrai qu'Hitler cédait parfois sur des points de détail aux instances d'un Wilhelm List, d'un Guderian *, d'un von Manstein **, cela ne change rien au fait qu'il n'accepte plus, depuis la campagne de Norvège, les conseils de ses experts militaires ***.

La XVIIe armée, qui se trouve enfermée depuis le 1ᵉʳ novembre 1943 en Crimée, est obligée d'évacuer, par suite de la pression

---

* *Cf.* chap. VIII.
** *Cf. ibid.*
*** *Cf.* note ** p. 397.

russe, la presqu'île de Kertsch. En avril 1944, elle se replie sur Sébastopol, et se défend dans les tranchées et positions aménagées en 1942 par l'Armée Rouge. Hitler donne l'ordre de tenir la ville. Sa remarque que la stratégie doit prendre en considération, en plus de données militaires, certains aspects politiques et économiques, est fondée en principe ; mais compte tenu de la situation militaire dans son ensemble et de l'intention d'Hitler — qu'il ne s'est même pas donné la peine de garder par devers soi — de retarder seulement sa propre fin, toutes les mesures stratégiques, opérationnelles et tactiques prises depuis 1941/1942 ne sont que les phases successives d'un crime monstrueux.

Hitler, qui ne sait plus juger « calmement » d'un fait que s'il s'insère dans ses concepts préconçus, ignore des informations que tout autre chef militaire aurait accueillies avec reconnaissance. Ainsi, il traite par le mépris les renseignements de son service de contre-espionnage (*Fremde Heere Ost*) qui ne l'informe pas seulement du moral et des dispositions d'esprit de l'Armée Rouge, mais lui communique encore les dates précises de certaines opérations offensives de l'ennemi. Citons parmi les mesures de l'ennemi qu'un commandement « normal » aurait contrariées, l'offensive russe contre Orel de juillet 1943, l'attaque des positions allemandes dans la région de Briansk en août, et celle de l'aile méridionale du front est allemand en mars 1944 [140]. En proie à une rage morbide, Hitler rejette ces informations et n'en tient pas compte au grand dam de la cause qu'il entend défendre.

Hitler aurait pu faire face aux problèmes posés par le débarquement des Alliés à Anzio-Nettuno en janvier 1944 ; l'invasion de la Normandie — commencée le 6 juin — était imparable. Hitler sait qu'aucun argument raisonnable ne peut plus rien contre la défaite définitive et imminente, il évite les tête-à-tête avec ses chefs militaires, refuse de demander la paix ou de se démettre de ses fonctions. Il lie les destinées du Reich et du peuple à sa vie misérable, dont il a dit lui-même, le 21 août, qu'en la perdant lors de l'attentat du 20 juillet, il aurait fait l'économie de beaucoup de soucis, de maladies et de nuits blanches [141]. Son esprit est fasciné par le dernier jour : or il voudrait prolonger sa vie de quelques mois encore. Les réserves de minerais de chrome sont suffisantes pour toute l'année 1945. A la rigueur, on pourra lutter jusqu'à leur épuisement. Il console Rommel et Rundstedt, qui finissent par être reçus par lui le 17 juin 1944, en leur vantant les mérites des fusées V1 et V2, en

construction [142]. Le 31 août 1944, il déclare dans la « *Wolss-chanze* » : « La situation n'est pas mûre pour une décision politique. J'ai largement prouvé ... au cours de ma vie, que je suis capable de remporter aussi des succès politiques. Je n'ai pas besoin de préciser que je ne laisserai pas passer une telle occasion. Mais l'idée qu'on puisse tomber sur une situation politique favorable au moment où l'on vient d'essuyer de lourdes défaites militaires est évidemment puérile et naïve. De telles situations peuvent se présenter après des succès ... Le moment viendra où les tensions entre Alliés seront telles que la rupture se produira de toute manière. L'histoire universelle enseigne que toutes les coalitions ont toujours fini par se briser, il faut seulement savoir attendre, même si la situation est difficile. Ma tâche consiste, surtout depuis 1941, à ne pas perdre les nerfs, mais à découvrir des issues et des moyens, si quelque part une rupture se produit, pour réparer d'une façon ou d'autre, les dommages [143]. »

Il est absolument faux qu'Hitler ait cru, comme d'aucuns l'ont affirmé, jusqu'à la fin à la victoire finale ! Il savait la partie perdue, quand il répondit, à la fin de mars 1945 d'un ton irrité à la remarque du général Kammhuber que la guerre était sans espoir : « Cela, je le sais moi-même ! * » Mieux que quiconque il sentait, il savait que la guerre était perdue [144]. Jodl écrit de son côté à Nuremberg que le Führer ne croyait plus à la victoire « après la catastrophe de l'hiver 1941/1942 » [145]. A la fin de 1942 il était — à en croire Jodl — « plus certain que jamais qu'il ne sortirait pas vainqueur de la guerre ... » « Quand à la fin de l'année (1942) Rommel fut battu aux portes de l'Egypte, quand les Alliés débarquèrent (en novembre 1942) en Afrique du Nord (française) ... Hiter se rendit compte que le dieu de la guerre avait quitté le camp allemand et avait rejoint celui des Alliés [146]. »

Depuis la fin de l'année 1942, Hitler ne supporte plus très bien la lumière éclatante [147]. Une visière surdimensionnée protège ses yeux. Quand il voyage en train, les rideaux des fenêtres doivent être tirés. Sa peau est comme décolorée, blanche et flasque [148]. Hitler est très sensible à certaines impressions gustatives et olfactives, ce que Giesing explique par l'effet prolongé de la strychnine contenue dans les « Antigas-Pillen » qu'Hitler

---

* Cité d'après Schramm, *Hitler als militärischer Führer*, p. 81. Peu importe de savoir si Hitler a employé ces mêmes mots ou si l'auteur rapporte simplement le sens de la phrase.

avait absorbées pendant des années. Son sens de l'équilibre
est troublé. « J'ai toujours l'impression de tomber du côté
droit [149] », dit-il en juillet 1944 et il se plaint d'être mal assuré
dans l'obscurité [150]. Sur le plan humain, il se fait de plus en plus
inaccessible, s'isole, ne se confie plus à personne ; il n'écoute plus
de musique comme autrefois et coupe brusquement toute conversation roulant sur des sujets qui lui déplaisent [151]. Ses cheveux
sont gris, de fortes poches soulignent ses yeux qui ont perdu
leur pouvoir de fascination [152]. Ses lèvres sont sèches et légèrement gercées [153]. Mais il a gardé la rapidité et la précision de
l'observation. C'est ainsi qu'il explique, le 22 juillet, à Giesing
qu'il avait « bien remarqué, pendant l'explosion de la bombe de
Stauffenberg, le jet de flamme d'un jaune clair infernal ... et
qu'il avait tout de suite pensé qu'il s'agissait d'un explosif anglais,
car les explosifs allemands dégagent une flamme moins claire
et moins jaune » [154].

L'offensive des Ardennes n'est qu'un feu de paille. Avant
que l'offensive en Alsace puisse faire sentir ses effets plus au
nord, sur le théâtre principal des opérations, Hitler admet en
janvier 1945 « que la poursuite des opérations des Ardennes
est vouée à l'échec » [155]. Mais il n'admettra que plusieurs jours
plus tard que l'opération en Alsace n'ouvre plus aucune perspective à la continuation des grands projets à l'Ouest. Le 14 janvier, un jour avant le transfert de son Grand Quartier Général
à Berlin, il est bien forcé de convenir que l'initiative dans les
secteurs de l'offensive appartient désormais à l'ennemi.

A partir de ce moment, Hitler vit encore 106 jours. Le
26 août 1944, cinq jours avant sa constatation que la situation
n'est pas encore mûre pour une solution politique, Roosevelt
avait fait savoir à son ministre de la Guerre dans un mémo-
randum qu'il « faut faire comprendre au peuple allemand que
la nation tout entière s'est engagée dans une conjuration immo-
rale contre toutes les règles de décence de la civilisation
moderne » [156]. Une telle déclaration ne permettait pas de grands
espoirs. Pour Hitler, il n'y avait de toutes manières plus d'espoir.

Le 22 avril 1945, un jour après que le docteur Theo Morell eut
fait ses adieux à la lamentable épave qui fut jadis le Führer
du Reich *, Hitler se livre dans l'abri de la Chancellerie à une
méditation sur son suicide : « J'aurais dû prendre cette décision,
la plus importante de ma vie, déjà en novembre 1944 et ne pas

---

* *Cf.* chap. VIII.

quitter mon Grand Quartier Général de Prusse orientale *. »
Ce sont là des paroles en l'air car il sait fort bien que la continuation de la guerre avait essentiellement pour but de repousser
le plus loin possible cette décision. Cinq jours plus tard, il prend
à Berlin la résolution de mettre un terme à sa vie ** et de laisser
derrière lui « tout le bazar » [157], comme il s'exprime en adoptant
le langage du joueur qui a « grillé » toute sa fortune. Mais, devant
ses fidèles, il tente de donner à sa fin une allure brillante et
héroïque : « Dans cette ville, j'ai eu le droit de commander ;
maintenant, j'ai le droit d'obéir aux arrêts du destin. Même si
je pouvais me sauver, je ne le ferais pas. Le capitaine sombre
avec son bateau [158]. » Le 13 avril, Eva Braun s'est informée
auprès du général de division Gerhard Engel, l'ancien adjoint
de l'armée de terre, sur la meilleure manière de se tuer d'un
coup de revolver [159]. Malgré les tentatives de quelques fidèles,
dont Hanna Reitsch et Hans Baur, qui lui proposent de l'em-
mener en avion, Hitler reste à Berlin et se suicide. Trois jours
plus tôt, il s'est « couché bien plus calme » (après avoir absorbé
des stimulants) et a donné l'ordre de le réveiller seulement « si
un char russe s'arrête devant son cabinet », pour qu'il puisse
prendre ses « dispositions » [160].

Le récit de Trevor-Roper [161] sur les derniers jours d'Hitler
est si précis et si authentique qu'il est inutile d'y revenir ici.

On est bien moins renseigné sur le sort du cadavre d'Hitler.
Lev Besymenski [162] s'écarte de la vérité historique quand il
affirme, vingt-trois ans après la mort d'Hitler, que son « corps
a été découvert par des soldats russes au début de mai 1945,
identifié et ensuite complètement brûlé » ... et que « ses cendres
ont été jetées au vent » [163].

Le corps que des soldats soviétiques ont retiré d'un trou
d'obus comblé au début de mai 1945, n'a pu être identifié par
une simple inspection visuelle. D'après le document n° 12 du
rapport de la Commission d'enquête russe, le feu l'avait rendu
méconnaissable. La tête se composait de quelques restes calcinés

---

* Cité d'après Schramm, *Hitler als militärischer Führer*, p. 154.
Hitler avait cédé aux instances de son entourage qui lui conseillait, à la
fin de novembre 1944, de déplacer son grand quartier général dans l'abri
de la Chancellerie du Reich pour préparer l'offensive des Ardennes, dont
il devait assurer le commandement à partir de son « *Adlerhorst* » (nid
d'aigle) à la ferme « Ziegenberg » dans le Taunus.
   ** Le 23 avril 1945, il avait dit : « Je considérerais comme mille
fois plus lâche... de me suicider à l'Obersalzberg que de demeurer ici et
de tomber au champ d'honneur. » Cité d'après : *Der Spiegel* n° 3/66 p. 37.

de l'os occipital, des parties inférieures du zygoma, de l'os nasal, de la mâchoire supérieure et inférieure, tandis que la peau du visage et le péricrâne avaient disparu [164]. Le corps, les bras, les jambes étaient en aussi piteux état si bien que pour toute « preuve » d'avoir « probablement trouvé le cadavre d'Hitler » [165], il ne restait à la Commission d'enquête de l'Armée Rouge que la denture [166]. Le fait que les indications sur les dents-bridges, couronnes, obturations du mort correspondent à la denture d'Hitler [167] n'est pas, dans ce cas, une preuve suffisante * ; car les personnes chargées de l'enquête avaient reçu de Käthe Heusermann, l'assistante du professeur Hugo Blaschke, la fiche médicale avec des indications précises sur la denture d'Hitler ainsi que les radiographies correspondantes ; le mécanicien-dentiste Fritz Echtmann **, qui avait fait quelques couronnes et bridges, leur avait fourni des renseignements complémentaires [168]. Forts de ces « faits », les Russes ne se contentèrent pas d'abuser, depuis mai 1945, les hommes de l'entourage d'Hitler qu'ils tenaient prisonniers et qu'ils interrogeaient sans désemparer sur la mort et le cadavre d'Hitler [169], mais ils se servirent encore des mêmes hommes pour « prouver » qu'ils avaient « très probablement » découvert et identifié le corps d'Hitler [170].

Selon les indications de quelques hommes de l'entourage d'Hitler qui ont assisté à l'incinération et à l'inhumation de son corps le 30 avril 1945 ou qui y ont participé à un titre ou à un autre, le corps et la tête d'Hitler brûlèrent de 16 heures à 18 h 30 au minimum (après 18 h 30, les indications sont peu concordantes). Peu avant 23 heures, le cadavre — à peu près totalement brûlé — fut inhumé. « Le corps calciné — la figure n'existait plus, la tête était réduite à quelques restes affreusement carbonisés — fut placé sur une bâche et descendu, sous un feu soviétique violent, dans un trou d'obus au milieu du camp des morts tout autour de la chancellerie du Reich ; le trou fut comblé avec de la terre, la terre tasée à l'aide d'une hie »,

---

* Les radiographies que Giesing et von Eicken réalisèrent en septembre et octobre 1944 de la tête d'Hitler mettent en évidence que la denture reproduite par Besymenski (T. 13-16) comme preuve d'identification n'a pas le moindre rapport avec les dents d'Hitler.
** Echtmann déclara à l'auteur le 20-10-1971 expressément, qu'il lui a été impossible de préciser, en s'appuyant sur la denture qu'on lui avait présentée, qu'il s'agissait réellement des dents d'Hitler. Il pensait cependant avoir découvert « un autre signe » dont il ne « tenait » pas à préciser la nature (c'est-à-dire qu'il était impossible de préciser), qui aurait milité en faveur de la thèse qu'il s'agissait bien du corps d'Hitler ; mais c'est impossible, puisque les Soviétiques n'ont pas trouvé la tête d'Hitler.

raconte l'adjoint personnel d'Hitler, Otto Günsche *, qui avait mis le feu au cadavre d'Hitler à 16 heures, une demi-heure après son suicide. D'autres hommes qui, comme Günsche, prirent part à l'incinération, tels que le valet d'Hitler, Heinz Linge, et son chauffeur, Erich Kempka, qui avaient été chercher l'essence nécessaire à l'incinération, ont bien précisé que la tête d'Hitler était totalement consumée [171]. Harry Mengeshausen, le factionnaire du groupe de combat SS Mohnke dans la Nouvelle Chancellerie du Reich, qui avait observé par une fenêtre la cérémonie de l'incinération, d'une distance de 60 m, déclara lors de son interrogatoire par les Soviétiques que le corps d'Hitler s'était « consumé » avant d'avoir été porté en terre par ses fidèles [172]. Un policier dont le nom n'est pas connu mais dont on sait qu'il faisait partie des hommes de Rattenhuber, chef de la garde du corps, annonça au Dr Goebbels, peu après 22 h, immédiatement avant l'inhumation d'Hitler : « Le Führer est brûlé sauf quelques petits restes **. » Quelques témoins de cette « incinération totale » ont formulé par la suite quelques réserves, parce qu'on a essayé de leur faire accroire qu'il était impossible de réduire en cendres un corps humain avec 90 litres d'essence. C'est ainsi, par exemple, que le pilote d'Hitler Hans Baur, à qui Hitler avait également, par acquit de conscience, ordonné la destruction de sa dépouille mortelle, a déclaré : « Si j'avais su que Kempka n'avait pu trouver que 180 litres d'essence pour le Führer et son épouse, j'aurais veillé à ce qu'il fût incinéré dans notre grand four à coke [173]. *** » Malgré ces quelques réserves exprimées par la suite, tous les témoins vivants sont d'avis qu'il aurait été impossible de découvrir dans la bouche d'Hitler, après son exhumation, « des fragments et le fond d'une mince ampoule de verre » comme le spécifie le document n° 12, établi le 8 mai 1945 par la commission d'enquête soviétique. Or, ce document ne tient même pas compte du fait que Kempka parle « de la tête fracassée par un coup de feu dans la bouche » **** [174].

Pendant vingt-trois ans les auteurs soviétiques — entre

* Communication à un ami et au Dr Giesing. Rapport de Giesing du 8-6-1971.

** Rattenhuber a fait plus tard — d'après Bauer — des recherches non couronnées de succès pour retrouver le nom de cet homme. Communication personnelle de Hans Baur (10-6-1971).

*** Information personnelle de Hans Baur, qui était en conversation avec Goebbels quand on lui transmit la nouvelle (10-6-1971).

**** Comme la tête d'Hitler était fracassée, Linge enveloppa le corps dans une couverture avant de le porter sur le lieu de l'incinération. *Cf.* aussi Trevor-Roper : *Hitlers letze Tage* p. 193. Pour le coup de feu dans la bouche, v. aussi Besymenski, p. 91.

autres German Rosanov [175] et Lev Besymenski [176] — affirmèrent qu'Hitler s'est tué — selon les dépositions concordantes des témoins et les résultats des recherches d'un groupe de savants non russes [177] — d'une balle de pistolet. En 1968 enfin, Besymenski étonna ses lecteurs en affirmant que ... « notre commission ne put découvrir le 8 mai 1945, la moindre trace de balle de pistolet » [178]. On invoque les documents inconnus déposés dans les archives moscovites pour réfuter ce que Besymenski avait affirmé « sans le moindre esprit critique » [179] : à savoir qu'Hitler s'est suicidé d'une balle dans la tête. Le fait que Besymenski tente d'établir — en dépit de la constatation du médecin-légiste-chef Chkaravsky que le cadavre examiné par lui ne portait aucune trace de balle * — qui a pu tirer la balle **, montre bien qu'il ne fait guère confiance aux documents moscovites et à ceux qui les ont rédigés [180]. Les nombreuses contradictions des documents de Moscou selon lesquels Hitler a été, en 1945, « probablement » identifié, prouvent l'incertitude des Soviétiques (incertitude aggravée par des dépositions de témoins nettement contradictoires). Si leurs indications — et hypothèses — concernant la version définitive des événements sont contradictoires, l'affirmation de Besymenski qu'Hitler était « à peu près certainement » *** incapable « de se tuer d'une balle » **** est absolument erronée. Hitler qui, en dépit de son mauvais état de santé *****, n'avait besoin d'aucune aide pour prendre ses repas, était à plus forte raison capable de se tirer une balle dans la bouche ******.

* Chkaravsky était membre de la commission d'identification.

** Rattenhuber, prisonnier des Russes, affirma le 20 mai 1945 que Linge avait tiré, par ordre d'Hitler, sur le Führer empoisonné, tandis que « certains savants soviétiques inclinent à croire » (Besymenski, p. 94) que c'était Günsche.

*** *Cf. Ibid.*, p. 92. L'auteur invoque, à l'appui de sa thèse, l'étude contraire aux faits et réfutée dans toutes ses parties essentielles de J. Recktenwad (Bibliographie) : *Woran hat Hitler gelitten ?* (Quelle a été la maladie d'Hitler ?) *Cf.* Besymenski p. 92.

**** Nous laissons de côté la question de savoir si dans quelle mesure l'hypothèse entachée de préjugés d'Erich Kuby, qu'Hitler, chef militaire et stratège glorifié par la propagande nationale-socialiste, aurait été trop lâche pour quitter la vie en soldat, a contribué à la naissance de cette nouvelle version à la mort d'Hitler. *Cf.* Kuby, Erich, *Die Russen in Berlin*, Munich 1965, ainsi que Besymenski, p. 89.

***** *Cf.* chap. VIII.

****** La version de Linge (*Der Spiegel* 1965/22) et de Günsche (*Cf.* Besymenski, p. 91) qu'Hitler se serait tiré une balle *dans la tempe*, version qui fut rapportée aussi par Gœbbels à Baur immédiatement après la mort d'Hitler (communication personnelle de Hans Baur 10-6-1971), ne reflète probablement pas les faits, mais elle ne peut être rejetée d'emblée.

L'affirmation de Besymenski que les Soviétiques ont tant tardé à publier les résultats de l'examen du cadavre, connus dès 1945, parce qu'ils craignaient que quelqu'un ne puisse « se glisser dans le rôle du Führer sauvé par miracle » [181], est dépourvue de sens et ne mérite aucune considération. Encore en 1970, cet auteur russe était fort inquiet qu'on puisse apporter un jour des preuves irréfutables invalidant les hypothèses et allégations soviétique [182]. En réalité, Besymenski aussi bien que Trevor-Roper et d'autres auteurs qui se sont penchés sur la mort d'Hitler et le sort de son cadavre ignoraient que les Soviétiques qui, en tout état de cause, n'étaient pas très sûrs de leur fait, n'ont pas, en 1945, comme Besymenski l'affirmait encore en 1968, brûlé le cadavre présumé d'Hitler mais l'ont conservé. Quatre mois après leur opération d'identification, ils essayèrent d'apprendre par le CIC ce que les Américains et les Anglais savaient de la mort d'Hitler et du sort de ses restes. Ils demandèrent au Military Secret Intelligence Unit (MSIU) si le CIC détenait des médecins capables d'identifier éventuellement la tête d'Hitler. Comme les Américains s'intéressaient à la solution de ce problème et tenaient prisonnier l'oto-rhino-laryngologiste d'Hitler, le Dr Erwin Giesing — qui connaissait la tête d'Hitler pour l'avoir souvent examinée et radiographiée, la dernière fois en septembre 1944 * — ils répondirent par l'affirmative.

Les Américains dépêchèrent deux policiers (des services secrets) de la 4ᵉ section du MSIU, « Stuart » et « Fels » (noms de guerre), auprès de Giesing, qui était en train de traduire ses « souvenirs » à l'ntention du CIC, pour faciliter, par une présentation des faits pouvant lui servir de justification, sa remise en liberté ** et de les compléter par des réflexions personnelles ; ils le mirent au courant des efforts de clarification soviétiques. Les Américains ayant fait savoir aux Soviétiques qu'ils détenaient Giesing et que ce dernier était parfaitement en mesure d'identifier la tête d'Hitler [183], les Soviétiques firent machine arrière.

Ils n'osèrent pas non plus montrer le cadavre aux quelques prisonniers allemands capables de dissiper leurs doutes, car ils avaient déjà dû écarter un corps exposé le 3 mai 1945 à

---

* Ces radiographies furent montrées le 24-11-1971 par Giesing au cours d'une émission de la Télévision allemande (deuxième chaîne) et comparées aux illustrations peu convaincantes de Besymenski.
** Communication écrite de Giesing du 21-5-1971 ; information personnelle du 23-5-1971 et du 8-6-1971. Le 21-5-1971, Giesing écrivit : « Les lignes marquées au crayon rouge ne correspondent pas aux faits mais ont été rédigées à l'intention du CIC pour obtenir ma libération. »

des fins d'identification, parce qu'il portait à ses pieds des chaussettes raccommodées *.

La chance de pouvoir jouer, face aux Alliés occidentaux avec lesquels les relations se dégradaient rapidement, l'atout difficilement réfutable de détenir le corps d'Hitler, leur semblait un capital politique qu'ils n'entendaient pas compromettre. Quand le pilote d'Hitler, Hans Baur, à qui ils avaient expliqué leur version des faits à l'aide d'arguments frappants (au sens littéral du terme) en lui présentant des photos de la denture d'Hitler [184], se déclara prêt, en 1946, en Union Soviétique, à regarder et à identifier le corps d'Hitler qui, à les en croire, se trouvait toujours à Berlin, ils se turent et n'insistèrent pas [185]. La formule employée par le médecin soviétique d'origine allemande, chargé de l'interrogatoire de Baur, qu' « on voulait enfin savoir si l'on pouvait détruire le cadavre » est assez éloquente [186].

La différence de la taille — que le rapport soviétique fixe à 1,65 m alors qu'Hitler avait mesuré presque 1,75 m ** — ne peut être invoquée comme preuve contre la version soviétique [187], car elle peut fort bien s'expliquer par les effets du feu attestés par de nombreux témoins.

*
**

Quand Adolf Hitler assista, le 12 septembre 1919, comme « soldat inconnu issu du peuple » (qualificatif qu'il aimait se donner) en sa qualité d' « homme de confiance » de l'armée bavaroise, dans une petite brasserie munichoise, à un meeting du Parti Ouvrier Allemand (D.A.P.) qui, à la suite de son intervention le porta peu après comme 555 [188] membre sur la liste de ses adhérents — donnant ainsi la première impulsion à sa future carrière de « politicien et de Führer » — il était entouré de quarante-six personnes déçues par la Première Guerre mondiale et ses conséquences, mécontentes, politiquement engagées [189], en quête d'un « chef » (*Führer*) capable de les sauver. Quand, le 30 avril 1945, ce même Führer se suicida dans son abri souterrain comme un criminel assiégé par la Police, après une ascension sans exemple dans l'histoire de l'humanité, il était entouré, à peu de choses près, du même nombre d'hommes

---

* *Cf.* Besymensky, p. 53. Le cadavre avait été tout d'abord reconnu comme celui d'Hitler par le vice-amiral Hans Voss qui avait fait ses adieux à Hitler peu de temps avant son suicide.
** *Cf.* chap. VIII.

et de femmes * las de combattre, déçus des résultats de la Deuxième Guerre mondiale déclenchée sans nécessité par Hitler, désespérés ; ils se rendaient compte bien trop tard qu'ils avaient fait confiance à un faux prophète : « La mort d'Hitler ... fut pour nous la fin d'une hypnose de masse, déclara vingt ans après Traudl Junge, la secrétaire d'Hitler, qui était restée auprès de lui jusqu'à la fin ; soudain, nous découvrîmes au fond de nous-mêmes une ardeur de vivre irrépressible, le désir de redevenir nous-mêmes, d'être des êtres humains. Hitler ne nous intéressait plus [190]. » Johanna Kolf, une autre secrétaire, affirma, en juillet 1947, qu'elle avait été « si malheureuse » [191] quand Hitler lui avait dit que « tout était fini » [192]. En 1919, Hitler avait trente ans : animé d'une puissance de travail et d'un besoin d'activité extraordinaires, il voulait montrer à son entourage et au monde que tout ce qu'il tenait pour possible était possible. En 1945, il était — âgé seulement de cinquante-six ans — un vieillard brisé par la vie, véritable épave humaine, qui se déplaçait péniblement de trente à quarante mètres, obligé de se cramponner de la main gauche (la main droite n'obéissait plus à sa volonté) à son interlocuteur. Jusqu'en 1941, il savait jouer, avec la maîtrise d'un acteur accompli, de sa mimique et de tous ses gestes ; en 1945, seul son esprit était encore vivant, agile et vigilant, bien que ses réactions à la réalité fussent moins vivaces que quatre années plus tôt. Alors qu'en 1945, la salive s'échappait de ses lèvres, que ses yeux fatigués, chassieux, pochés, scrutaient avec méfiance son entourage, sa mémoire étonnante avait gardé presque toute sa force. L'esprit qui avait créé le Troisième Reich était encore à peu près intact, quand le Reich se disloqua. Mais son corps, symbole vivant du monde que son esprit avait produit, était malade, défiguré, anéanti. Cela valait mieux que le contraire ; car, autrement, ses adeptes auraient pu tirer des arguments pour prouver que tout « aurait pu être autrement », que la démesure aurait pu remporter la victoire.

Hitler, qui était apparu à beaucoup d'Allemands et même à d'autres comme un « Sauveur » comblé des grâces du ciel, laissa « son peuple » dans un état d'impuissance sans exemple dans l'histoire de l'Allemagne. Lui-même quitta ce monde sans laisser de traces, après l'avoir transformé d'une manière durable, pour son malheur et celui de l'Allemagne...

---

* 42 témoins furent entendus au sujet de la déclaration judiciaire du décès d'Hitler (1956).

CHAPITRE PREMIER

GENEALOGIE ET FAMILLE

HA = Hauptarchiv (Archives principales).

1. Tomus XIX, 30-6-1881-1891, p. 152.
2. Cité d'après le certificat d'héritier, reprod. du certificat dans les mains de l'auteur.
3. Ibidem. Un sixième revenait au demi-frère décédé Aloïs Hitler, un autre sixième à la demi-sœur décédée Angela Hammitsch, née Hitler. Le 25 octobre 1960, le « tribunal d'instance » (*Amtsgericht*, traduction approximative) de Berchtesgaden prit la décision suivante sous le numéro de dossier VI 108/60 : « Le cousins germains de Paula Hitler, décédée le 1er juin 1960 à Shönau, ... Elfriede Hochegger née Raubal... et Leo Raubal sont, chacun pour la moitié, ses héritiers ».
4. Communications écrite de Paula Hitler. Extrait d'une lettre du 10-1-1960.
5. Cf. Patrick Hitler dans *Paris-Soir* du 5-8-1939.
6. Tomus XIX, 30-6-1881-1891, p. 152.
7. Tomus XIX, 30-6-1881-1891, p. 152.
8. Cf. *Der Spiegel* 31/67 (Rapport du *Spiegel* sur les résultats de quelques recherches de l'auteur à ce sujet).
9. Cf. les art. 5,6,7 du programme du NSDAP, ainsi que Maser : *Die Frühgeschichte der NSDAP*, p. 468 et suiv.
10. Hitler, p. 2. Hitler ne s'est écarté qu'une seule fois des indications fournies par lui dans *Mein Kampf*. Il affirme en effet, dans une lettre du 29 novembre 1921, adressée à une personne inconnue, que son père a été « employé supérieur des Postes ». Doc. Copie (Texte dactylographié du 26-8-1941). A gauche, en bas, se trouve le tampon des Archives Principales du NSDAP, ainsi que la mention : « Pour copie conforme : signé Richter », Archives fédérales, Coblence, NS 26/17a. Document cité dans Maser, *Die Frühgeschichte der NSDAP*, p. 487 et suiv.
11. Hitler, p. 16.
12. Cf. Maser, *Hitlers Mein Kampf*, p. 95 et suiv.
13. Certificat de décès de l'administration municipale de la ville de Bucarest : No 5653.
14. *Daily Mirror* du 14-10-1933.

15. Cf. le rapport de Simon Wiesenthal dans *Der Spiegel* N° 33/67, p. 5, ainsi que l'extrait reproduit au même endroit d'une revue française de septembre 1933.

16. Copie dactylographiée à l'en-tête officiel du Parti. Archives fédérales, Coblence NS 26/14.

17. Annotations dactylographiées par des chefs SS concernant les recherches sur l'ascendance d'Hitler. Archives fédérales, Coblence, NS 26/17 a. Au bas d'une lettre du 4-8-1942 se trouve la remarque manuscrite : « A adresser ici, RF (« Reichsführer », titre officiel de Himmler) désire la conserver. »

18. Frank, p. 330.

19. Ibid., p. 19 et ailleurs.

20. Ibid., p. 330 et suiv.

21. Cf. Jetzinger, p. 32.

22. *Paris Soir* du 5-8-1939. (Traduction du français) .

23. Lettre originale dans les archives de la paroisse catholique de Braunau-sur-Inn (1967).

24. Jetzinger, p. 34 et suiv.

25. Situation du 21 mars 1961, Vienne 1961, p. 100-102.

26. 1941, fol. 20, No 226.

27. Liste des communes d'Autriche, p. 100.

28. Indications dans les attestations de la « Deutsche Ansiedlungsgesellschaft » du 1-9-1944, pour Theodor Fabian, responsable de l'achat des localités et du relogement des personnes expropriées. Reprod. et copies des attestations dans les mains de l'auteur.

29. Communications personnelles des parents d'Hitler (mai 1969).

30. Reproduction de la croix funéraire dans : *Die alte Heimat. Beschreibung des Waldviertels um Döllersheim*, Eger 1942, p. 62.

31. Communication écrite (26-7-1967) de l'ancien chef des Jeunesses Hitlériennes (*Hauptjungzuführer*) Klaus Fabian, du *Fähnlein* (section) 4, *Bann* (groupe) 520, Südost Niederdonau, qui fut chargé par une administration supérieure de visiter la tombe de Maria Anna Schicklgruber avec sa section de jeunes hitlériens (HJ - Fähnlein).

32. Communications écrites de Klaus Fabian (26-7-1967 et 25-8-1967), fils de Th. Fabian, responsable de l'achat des propriétés ; documents de la « Deutsche Ansiedlungsgesellschaft », bureau de Klagenfurt, sur Theodor Fabian, du 9-11-1943, 1-9-1944, 30-9-1945 et d'autres.

33. Tomus XIX, 30-6-1881, p. 152.

34. *Die alte Heimat*, p. 268.

35. Renseignement personnel du neveu d'Hitler, Anton Schmidt (Spital, août 1969).

36. Cité d'après Picker, p. 228, Cf. ibidem p. 199 et s., et 232 et s.

37. Renseignement personnel du curé catholique Johann Haudun, curé à Leonding de 1928 à 1963 (août 1969).

38. Conformément aux indications de la Chronique Locale de Leonding ; informations personnelles du bourgmestre de Leonding (août 1969).

39. Renseignements personnels des parents de Spital (août 1969).

40 Cf. Kessler, Gerhard, *Familiennamen der Juden in Deutschland* (Patronymes des Juifs en Allemagne), Diss. Leipzig, 1935.

41. Tribunal d'instance, Allentsteig, t. 8/13, fol. 121.

42. Cf. Hans Pirchegger, *Geschichte der Steiermark*, t. II, Graz 1931, p. 281-289 et p. 318 et s.

43. Constatations faites par l'historien autrichien Nikolaus von Pre-radovich. Communication écrite de N.v.P. (mars 1967).

44. T. II, p. 156, 6. Inscriptions v. ci-dessus.

45. Nö. Landesarchiv, Vienne (Archives régionales de Basse-Autriche); Numéro du dossier : Pr. II -1110/1.

46. *Monatsblatt der heraldischen genealogischen Gesellschaft Adler*, Vienne, Cahier 615/617, (mars et mai 1932), t. XI, 15/17.

47. Communication écrite de K. F. Frank à l'auteur, du 11-2-1967.

48. Lettre originale aux archives paroissiales de Braunau-sur-Inn.

49. Lettre original aux archives paroissiales de Braunau-sur-Inn.

50. Leipzig 1937, p. 39.

51. Bullock (Edition 1953), p. 18. La légitimation n'a pas été faite par un notaire de Weitra, mais par le curé de Spital. Par la suite (édition revue de 1967, p. 4) Bullock corrigea ces indications : « En 1876, Johann Nepomuk (frère de Johann Georg - N.d.a.) entreprit des démarches pour faire légitimer le jeune homme qui avait grandi dans sa maison. Il rendit visite au curé de la paroisse de Döllersheim et obtint de lui qu'il effaçât dans le registre d'état-civil le mot « illégitime », et lui remit une déclaration signée par trois témoins aux termes de laquelle son frère, Johann Georg Hiedler, aurait reconnu la paternité de l'enfant Aloïs ». Les témoins, ne sachant pas écrire, ne signèrent pas.

52. Shirer, t. I, p. 22 et suiv.

53. Tomus XIII, 1852-1891.

54. Bracher, Karl Dietrich, *Die Deutsche Diktatur*, Cologne 1969, p. 61 (La dictature allemande).

55. Formule imprimée dans le Livre des Naissances de Döllersheim (actuellement au presbytère de Rastenfeld).

56. Formule imprimée : Parents des baptisés : « Au cas où le père de l'enfant illégitime reconnaît sa paternité et veut être porté sur le registre, il doit le faire personnellement en présence de deux témoins attestant que c'est bien là son intention et qu'il est bien la personne dont il a inscrit le nom et l'état ». Cf. aussi la note précédente. Johann Georg Hiedler, mort en 1857, n'a jamais reconnu de son vivant l'enfant de son épouse. Comme la légitimation n'a eu lieu qu'environ 20 ans après sa mort, il n'est pas raisonnable de penser qu'il a exprimé le désir qu'on y procède après sa mort.

57. Numéro du dossier : 30704/4274. Texte manuscrit aux Archives régionales de Basse-Autriche.

58. Ibid.

59. Ibid. Numéro du dossier : 7845, 35784 et 30704.

60. Ibid. Numéro du dossier : 35784/4956 et 30704. Ibid. Ibid. Numéro du dossier : 37381/5184 et 30704.

61. Cf. Tomus XIX.

62. Libr. of Congr. - Material, HA 17,A,R 1.

63. Lettres d'Aloïs Hitler à Mme Veit du 6 et 13 septembre 1876. Libr. of Congr. - Material ; non pas dans HA 17 A, R 1. Ibid.

64. Smith, p. 35.

65. Cf. par ex. Smith, p. 35.

66. Görlitz, p. 14.

67. Le tableau généalogique du Führer.

68. Jetzinger, p. 17.

69. Inscriptions manuscrites au Livre des Naissances de Döllersheim.

70. *Gewährbuch der Herrschaft Waldreichs*, fol. 43, dans A.G. Allent-steig.

71. Fol. 398.

72. Hitler, p. 2.

73. Leers, Johann von, *Adolf Hitler*, Leipzig 1932, p. 10.

74. Communication personnelle des parents de Spital (août 1969).

75. Maser, *Die Frühgeschichte der NSDAP*, p. 156. Jusqu'à la fin de sa vie, Hitler s'est prononcé favorablement sur la consanguinité. Il considérait les Juifs, dont il enviait et redoutait la « pureté raciale », comme exemplaires dans ce domaine. Cf. aussi p. 36 et Nolte, *Der Faschismus in seiner Epoche*, p. 501.

76. Cf. *Paris Soir* du 5-8-1939.

77. Renseignement personnel des descendants (août 1969).

78. Hitler, p. 6.

79. Ibid., p. 7 et s.

80. Ibid., p. 5.

81. Ibid., p. 8.

82. Documents sur la propriété foncière et communication personnelle du propriétaire de l'auberge (août 1969).

83. *Häuserkaufs-Protokoll zu Spital und Schwarzenbach, 1796-1845,* (Registre des transactions immobilières à Spital et Schwarzenbach) A.G. Weitra, fol. 70.

84. Cf. l'exposé de Leo Weber du 12-10-1938 ainsi que HA 17, R.I. La date n'est pas connue avec certitude. Smith (p. 31) suppose qu'Aloïs Hitler régla son achat le 16-3-1889, ce qui ne change en rien le problème.

85. Cf. aussi à ce sujet Jetzinger, p. 122.

86. Aloïs Hitler payait 20 couronnes par an pour le vivre et le couvert. Cf. Jetzinger, p. 123.

87. Facture manuscrite de déc. 1907. Archives fédérales, Coblence, NS 26/65.

88. Ibid.

89. Cf. Smith, p. 46.

90. Cf. les indications de Maser, *Die Frühgeschichte der NSDAP*, p. 60 et doc. des Archives fédérales, Coblence, NS 26/65.

91. Cf. rapport de Leo Weber du 12-10-1938 et HA 17, R 1.

92. Cf. entre autres May, J. Arthur, *The Habsburg Monarchy, 1867-1914*, Cambridge Mass. 1951, p. 173-174 ainsi que Drage, Geoffrey, *Austria-Hungary*, Londres 1909, p. 58.

93. « *Heiratsabrede* » (promesse de mariage). Archives régionales de Basse-Autriche, Trib. Rég. Allentsteig 8/7, fol. 283. Dans ce cas, l'héritage de l'enfant né hors mariage devait être diminué des frais de l'accouchement.

94. Cf Frank, p. 431, où nous lisons : « Il ne me reste rien d'autre que la prière au Seigneur pour mon peuple et mon pays, et ma punition comme contribution à l'expiation ». A la barre, il déclara : « Mille ans passeront avant que soit effacée cette tache de l'Allemagne ». International Military Tribunal (Tribunal Militaire International), vol. XII, p. 19.

95. Cf. Frank, p. 331.

96. Livre des naissances, No 7, fol. 7.

97. Livre des mariages, fol. 52.

98. N° 7, p. 74.

99. Ibid.

100. Jetzinger, p. 16.

101. Cf. ibidem, p. 16 et suiv.

102. Görlitz, p. 13 et suiv.

103. Gisevius, p. 15.

104. Jetzinger, p. 17.

105. Il y avait à Strones une autre Anna Maria Schicklgruber, fille de Josef Schicklgruber et de Theresia Schicklgruber (+ 1811). Cette A. M. Schicklgruber était mariée en 1811 et s'appelait, depuis son mariage, Schneider ; en 1811, elle ne vivait plus à Strones. Cf. les documents des Archives régionales de Basse-Autriche, Archives du Trib. Rég. Allenststeig 8/13, fol. 63 s. Cf. aussi pour les prétentions à l'héritage note suiv.

106. Inscriptions manuscrites de la Caisse des Orphelins. Archives régionales de Basse-Autriche, Arch. du Trib. Rég. Allentsteig 8/17, fol. 48.

107. Fol. 23. Le nom de Schicklgruber y est orthographié de la manière suivante : Schikelgrueber.

108. *Geschäftsprothocoll der hochgräf. Herrschaft Ottenstein für das Jahr 1973* (ANO).

109. *Gewährbuch der Herrschaft Waldreichs.* Archives du Trib. Rég. Allentsteig, fol. 43.

110. Jetzinger, p. 20.

DEUXIEME CHAPITRE

ENFANCE ET JEUNESSE

1. Renseignement personnel du cousin d'Hitler de Spital, Anton Schmidt (août 1969), dans la maison duquel Klara et Adolf Hitler séjournèrent souvent.

2. Cf aussi Hitler, p. 2, 16 et suiv.

3. Hitler, p. 1.

4. Cf. ibid.

5. Copie du formulaire d'inscription dans HA, 17, 1. L'original du formulaire a probablement fait partie des documents d'Arlington. NA, micro-copie T — 84, R 4.

6. Cf. Smith, p. 52.

7. Cf. les documents des archives principales : HA, 17, R 1 (Wörnharts)

8. Photo de F. Rammer dans : *Der Spiegel* 33/67, p. 8 et courrier des lecteurs de Schulze-Wilde, Harry (l'auteur de *Die Reichskanzlei*, Düsseldorf 1960, 4e édition).

9. Cf. Smith, p. 54.

10. Cf. ibid., p. 53 et s.

11. Rapport de Rosalia Hoer, HA 17, R 1.

12. Cf Kubizek, p. 54.

13. Communication personnelle du cousin d'Adolf Hitler, Anton Schmidt, que sa cousine Paula Hitler, fille d'Aloïs et sœur d'Adolf, avait mis au courant des habitudes de son père dans ce domaine. Communication personnelle d'Anton Schmidt (août 1969) et communication personnelle de Mgr Haudum (août 1969) auquel Paula Hitler rendit visite à Leonding après 1945.

14. Cf. Smith, p. 17.

15. Cf. aussi Smith, p. 55.

16. Cf. Maser, *Die Frühgeshichte der NSDAP*, p. 503.

17. Rapport de la Police munichoise de 1924, HA, 1760, R 25 A. Cf. aussi HA, 65, R 13 A.

18. Cf. Hitler, p. 5 et s.

19. Cf. ibid., p. 3 et s.

20. Cf. Hitler, p. 3 et s.

21. Cf. Hitler, p. 4.

22. Communication personnelle de Mgr Johann Haudum (août 1969). Cf. aussi la lettre de l'ami de jeunesse d'Hitler (1re classe de la *Realschule* de l'Etat à Linz) Fritz Seidl du 10-11-1923 à Adolf Hitler. Archives fédérales, Coblence, NS 26/14.

23. Communication personnelle de Mgr Haudum (août 1969).

24. Cf. Kubizek, p. 66.

25. Fac-similé de la lettre dans Jetzinger, p. 68.

26. Cit. d'après Jetzinger, p. 68.

27. Cf. Kubizek, p. 31, 114 et s.

28. *Paris Soir* du 5-8-1939.

29. Renseignement personnel d'un camarade de classe de Heinz Hitler de la « Napola » de Ballenstedt (septembre 1967).

30. Renseignement personnel de son neveu Leo Raubal (mars 1967). Cf. aussi note précédente et tableau généalogique d'Hitler dans *Der Spiegel*, 31/67, p. 47.

31. Cf. *infra*.

32. Copie dans les mains de l'auteur. L'inscription ne contient pas d'indications.

33. Cf. à ce sujet Smith, p. 60.

34. Cf. HA, 17, R 1 A.

35. Hitler, p. 4.

36. Kubizek p. 111. Cf. au sujet de Kubizek : Maser, *Die Frühgeschichte der NSDAP*, p. 154 et s.

37. Kubizek, p. 111.

38. Orr, Thomas, dans *Revue* N° 40 du 4 octobre 1952, p. 35.

39. Renseignement personnel d'Aloïs Harrer, instituteur à Leonding, et de l'ancien curé de Leonding Mgr Haudum (août 1969), qui avaient entretenu des rapports personnels avec Winter et avaient parlé avec lui du jeune Hitler.

40. Manuscrit dactylographié (original). Anciennes archives principales du NSDAP, Archives fédérales, Coblence, NS 26/17a.

41. Hitler, p. 3.

42. Copie dans les mains de l'auteur.

43. Le cousin d'Adolf, Anton Schmidt (dont la mère était une sœur de sa mère) de Spital, se rendit en 1938 à Leonding pour faire bénir son mariage par le curé de la ville, Mgr Haudum. Informations personnelles de Mgr Haudum et d'Anton Schmidt (août 1969).

44. Par exemple la sous-locataire d'Aloïs Hitler, Elisabeth Plöckinger, à Leonding. Le livre des visiteurs, p. 2.

45. Son camarade de classe Karl Hoffmann de Leonding a inscrit son nom déjà à la page 2.

46. Ibid., p. 11. Mayrhofer était le bourgmestre de Leonding et le tuteur légal d'Adolf après la mort d'Aloïs Hitler.

47. Geli Raubal. Communication personnelle du camarade de classe

d'Hitler, Hermann Pfeifer, actuellement curé catholique à Linz (août 1969).

48. Lettre dactylographiée de Fritz Seidl du 10-11-1923, à Adolf Hitler. Archives fédérales, Coblence, NS 26/14.

49. Cf. par exemple Hitler, p. 3.

50. Inscription dans le Livre des visiteurs de Leonding, p. 2.

51. Cf. Kubizek, p.. 67.

52. Cf. Kubizek, p. 67.

53. Hitler, p. 8.

54. Ibid.

55. Hitler, p. 5 et s.

56. Ibid., p. 8.

57. Ibid., p. 6.

58. Cf. Hitler, p. 8.

59. Cf. Kubizek, p. 64.

60. Cf. Hitler, p. 16.

61. Cf. Maser, *Die Frühgeschichte der NSDAP*, p. 60.

62. Cf. Kubizek, p. 61 et ailleurs.

63. *Hitler's Table Talk, 1941-1944*. Translated by Norman Cameron and R.h. Stevens (Londres, Weidenfeld and Nicholson, 1953), p. 188, 191 et 195.

64. Lettre de prof. Huemer du 28-4-1935. NA T-84, rôle 4,3.

65. Cité d'après Kubizek, p. 69 et s.

66. Cf. *Münchner Post* du 27-11-1923 et *Bayerischer Kurier* du 30-11-1923. La prise de position d'Hitler dans *Bayerischer Kurier* du 5-12-1923.

67. Rapport manuscrit du professeur Gregor Goldbacher du 29 janvier 1941. Original aux anciennes archives principales du NSDAP, Archives fédérales, Coblence, NS 26/17a.

68. Attestation du 11-2-1905. Publié dans le cadre des « bonnes feuilles » de Maser, *Hitlers Mein Kampf*, dans *Der Spiegel* 34/66, p. 46.

69. Attestation du 16 septembre 1905, Cf. note 72.

70. Ibid.

71. Picker, p. 191.

72. Cité d'après le rapport Heim « Heim-Protokoll » de 1942.

73. Attestation du 16 septembre 1905.

74. Ibid.

75. Cf. le carnet de notes de 1905.

76. Rapport de Morell (« Morell-Protokoll ») (Cf. le chap. : Le führer malade... ») et renseignements personnels (juin 1971) de l'oto-rhino-laryngologiste Dr Erwin Giesing qui traita Hitler de juillet à octobre 1944.

77. Rapport manuscrit de son professeur Goldbacher du 29-1-1941.

78. Cf. ibid.

79. Ibid.

80. Kubizek, p. 20.

81. Hitler, p. 16.

82. Renseignement personnel du cousin d'Hitler Anton Schmidt (août 1969).

83. Cf. note précédente ainsi que le rapport de l'enquête de l'Administration régionale autrichienne (*Landesamtsdirektion*) (Pr. II — 1110/1) du 11-3-1932.

84. Cf. note 87.

85. Cf. note 87.

86. Cf. Kubizek, p. 72.

87. Kubizek, p. 145.

88. Cité (avec les fautes) d'après Kubizek, p. 146 et s.

89. Cf. aussi Hitler, p. 18.

90. Hitler, p. 20.

91. Ibid.

92. Cf. note 65.

93. Cf. Kubizek, p. 75.

94. Compte tenu d'une déclaration de Prewatzky-Wendt aux anciennes archives principales du NSDAP, Archives fédérales, Coblence, NS 26/25.

95. Cf. Kubizek, p. 97.

96. Rapport manuscrit du docteur Urban du 16-11-1938. Archives fédérales, Coblence, NS 26/17a.

97. Inscription manuscrite. Ibidem, NS 26/65.

98. Déclaration de Klara Hitler à Kubizek en automne 1907. Kubizek, p. 158.

99. Ibid.

TROISIEME CHAPITRE

L'ARTISTE ET L'ARCHITECTE

1. Hitler, p. 18.

2. Cf. Grenier, p. 36 et s.

3. Hitler, p. 18.

4. Documents sur les candidats à l'examen de 1907, à l'Académie des Beaux-Arts de Vienne dans la « Liste de classification de l'Ecole de peinture générale 1905-1911 » (Klassifikationsliste der Allgemeinen Malerschule 1905-1911). Communication écrite du directeur de la Chancellerie du Rectorat de l'Académie des Beaux-Arts (Dr Alfred Sammer) du 6-9-1969.

6.« Liste de classification » de 107. Comunication du directeur de la Chancellerie du Rectorat, du 6-9-1969. Cf. aussi les documents des Archives fédérales, Coblence, NS 26/36.

7. Communication écrite de l'Académie des Beaux-Arts de Vienne du 6-9-1969.

8. Communication écrite de l'Académie des Beaux-Arts de Vienne du 6-9-1969.
Communication écrite du directeur du Rectorat de l'Académie des Beaux-Arts de Vienne (Dr Alfred Sammer) du 24-2-1971. Numéro du dossier : 397/70/11.

9. Hitler, p. 19.

10. Ibid. Cf. aussi Kubizek, p. 159 et s.

11. Hitler, p. 19.

12. Un collaborateur (universitaire) des anciennes Archives principales du NSDAP, sous le pseudonyme de Thomas Orr dans : Revue N° 43 du 25-10-1952.

13. Rapport manuscrit du Dr Bloch du 7 novembre 1938. Original. Anciennes Archives principales du NSDAP, Archives fédérales, Coblence, NS 26/65.

14. Ibid.

15. Hitler, p. 16 et s.

16. Ibid., p. 18.

17. Ibid., p. 20.

18. Hitler, p. 317.

19. Kubizek, p. 315. Pour situer Kubizek cf. Maser, *Die Frühgeschichte der NSDAP*, (bibliographie), p. 514 et s.

20. Cf. Hitler, p. 16 et s.

21. Contrat de vente du 21 juin 1905. Documents aux Archives fédérales, Coblence, NS 26/65.

22. Document manuscrit du Tribunal Régional (*Bezirksgericht*) de Linz (V) du 4 avril 1903, qui fixe la part d'héritage d'Adolf et de Paula Hitler à 652 couronnes chacun.

23. Cf. Maser, *Die Frühgeschichte der NSDAP*, p. 65 et s.

24. Il est la propriété des petits-enfants des héritiers de Walburga Hitler qui l'ont mis à la disposition de l'auteur en août 1969, pour examen (copie de l'original dans les mains de l'auteur).

25. Communication écrite du Dr Hans Dittrich (27-1-1966). En 1913/14 professeur débutant royal et impérial dans une *Realschule* à Vienne (k.u.k . Supplent).

26. Cf. Kirkpatrick, p. 38.

27. Photocopie de la lettre en possession de l'auteur. Les fautes ont été corrigées par l'auteur.

28. Photocopie de la lettre en possession de l'auteur. La lettre d'Hitler ne comporte (à part la ponctuation) pas de faute. L'orthographe d'Hitler « *unso mehr* » est conforme à l'usage autrichien. Les erreurs de ponctuation ont été corrigées par l'auteur. Hitler était si énervé qu'il s'est trompé de date. Il écrit 10-2-1909 au lieu de 10-2-1908.

29. Hitler, p. 19.

30. Cf. Note 28. Rapport de l'auteur de la lettre à sa mère.

31. Conversation d'Hitler avec le décorateur-créateur Siewert. Communication personnelle de Heinrich Heim (1970) qui assista à l'entrevue.

32. Rapport de Heinrich Heim du 24-2-1942 ; cité par Picker, p. 182.

33. Communication écrite de l'Académie des Beaux-Arts de Vienne du 6-9-1969.

34. Cf. Maser, *Die Frühgeschichte der NSDAP*, p. 77.

35. Cf. ibid. p. 74 et s.

36. Cf. Maser, *Die Frühgeschichte der NSDAP*, tableau 2, p. 65.

37. Rapport manuscrit de Karl Honisch. Anc. Archives principales du NSDAP, Archives fédérales, Coblence, NS 26/17 a.

38. La plupart des travaux sont répertoriés aux Archives fédérales, Coblence, NS 26/36 et ailleurs.

39. Rapport manuscrit (original, non daté) de Honisch. Anciennes Arch. principales du NSDAP, Archives fédérales, Coblence, NS 26/64.

40. Hitler, p. 35.

41. Manuscrit (original, non daté). Anciennes archives principales du NSDAP, Archives fédérales, Coblence, NS 26/64.

42. Manuscrit (original, non daté). Anciennes Archives principales du NSDAP, Archives fédérales, Coblence, NS 26/64.

43. Cf. Maser, *Die Frühgeschichte der NSDAP*, p. 69.

44. Cf. Maser, *Die Frühgeschichte der NSDAP*, p. 69.

45. Manuscrit (original, mai 1933). Anciennes archives principales du NSDAP, Archives fédérales, Coblence, NS 26/64. Les fautes de Hanisch ont été corrigées par l'auteur.

46. Cf. surtout à ce sujet : Maser *Die Frühgeschichte der NSDAP*, p. 69.

47. Liste (dactylographiée) avec les titres des tableaux, les propriétaires et les prix, aux Archives fédérales, Coblence, NS 26/36.

48. Mémoire écrit de Hannele Lohmann du 23 mai 1938 (copie). Anc. Archives principales du NSDAP, Archives fédérales, Coblence, NS 26/36.

49. Ibid.

50. Communication écrite du Lord de Bath du 2-10-1968.

51. Manuscrit (original, non daté). Anc. Archives principales du NSDAP, Archives fédérales, Coblence, NS 26/64. Nous avons conservé l'orthographe de Hanisch.

52. Rapport de Hanisch. Manuscrit (original, non daté). Anciennes Archives principales du NSDAP, Archives fédérales, Coblence NS 26/64.

53. Ibid.

54. Manuscrit (original, mai 1933). Anciennes Archives principales du NSDAP, Archives fédérales, Coblence, NS 26/64. Document cité par Maser, *Die Frühgeschichte der NSDAP*, p. 477. Cf. ibidem le tableau III (facsimilé).

55. Manuscrit (original, 11 mai 1938). Anc. Archives principales du NSDAP, Archives fédérales, Coblence, NS 26/64.

56. Texte dactylographié sur papier à en-tête, mention au dossier du 17 février 1944. Anciennes Archives principales du NSDAP, Archives fédérales, Coblence, NS 26/64.

57. Manuscrit (original, 11 mai 1938). Anciennes Archives principales du NSDAP, Archives fédérales, Coblence, NS 26/64.

58. Bullock, p. 28 et s.

59. Hitler, p. 20.

60. Ibid., p. 21.

61. Picker, p. 323 s.

62. Ibid., p. 212 et 323.

63. Cf. entre autres Hitler, p. 20.

64. Ibid., entre autres p. 20, 22 et s.

65. Cf. Maser, *Die Frühgeschichte der NSDAP*, p. 72 et s.

66. Picker, p. 223.

67. Picker, p. 299.

68. Ibid., p. 195.

69. Cf. p. 47.

70. Cf. p. 48.

71. Cf. Picker, p. 297 et s.

72. Cf. Ibid., p. 304.

73. Cf. p. 16.

74. Renseignement personnel de Josef et Elisabeth Popp (1966 et 1967).

75. *Ibid.*

76. Cf. Maser, *Die Frühgeschichte der NSDAP*, p. 315 et s.

77. Hitler, p. 139.

78. Cité d'après le rapport original. Anciennes Archives principales du NSDAP, Archives fédérales, Coblence, NS 26/36.

79. Ibid.

80. Ibid.

81. Nasse dans : *Die Neue Literatur*, 1936, p. 736 et s. Cité d'après Wulf : *Die bildenden Künste im Dritten Reich*, p. 2141 et s.

82. Ibid.

83. Jetzinger, p. 156.

84. Leymarie, Jean, *Impressionismus*, t. I., Genève, 1955, p. 59.

85. Communication personnelle de Heinrich Heim (6-7-1968). Cf. aussi les propos d'Hitler du 24-2-1942, citée par Picker d'après les notes de Heim. Picker, p. 182.

86. Doc., Archives fédérales, Coblence, NS 26/36.

87. Cité d'après Arno Breker (1968), manuscrit publié à Paris en 1970.

88. Ibid.

89. Cf. Vincent Scully, jr. *Moderne Architektur. Die Architektur der Demokratie. New York*, 1961. Version allemande : Ravensburg 1964, p. 23.

90. Hitler à Speer. Communication personnelle de Speer (1966). Cf. aussi Picker, p. 323.

91. Speer dans l'interview du *Spiegel* : *Der Spiegel* 46/66, p. 50. En parlant avec l'auteur en décembre 1966, Speer a confirmé ses vues.

92. Cité dans le *Völkischer Beobachter* du 24-11-1938. Cf. aussi Wulf : *Die Bildenden Künste im Dritten Reich* (Les arts plastiques dans le Troisième Reich), p. 220 et s.

93. Hitler le 10-5-1942, Picker, p. 323.

94. *Berliner Lokal-Anzeiger* du 2-9-1933, édition du matin.

95. Renseignement personnel d'Albert Speer (décembre 1966).

96. *Mitteilungsblatt der Reichskammer der bildenden Künste du* 1-8-1939. Cf. aussi Wulf : *Die Bildenden Künste in Dritten Reich*, p. 174.

97. Ibid.

98. Cf. Zoller, p. 50.

99. Cf. ibid., p. 51.

100. Ibid.,

101. Cf. Ibid.

102. Renseignement personnel de Heinrich Heim (1969) et du Dr Paul Schmidt-Carell (1969/70). Cf. aussi Speer, p. 57.

103. Renseignement personnel de Heinrich Heim (1970), qui s'était occupé des tableaux.

104. Cf. Picker, p. 212.

105. Speer dans l'interview du *Spiegel* : *Der Spiegel*, 46/66, p. 50. Speer a confirmé ses dires dans une conversation avec l'auteur (décembre 1966).

106. Cf. les propos d'Hitler du 1-4-1942 ; cités par Picker, p. 237. Mme Troost qui avait été mise au courant des idées artistiques d'Hitler surtout par son mari, aurait dit à Rosenberg : « ... il n'a pas dépassé la peinture de 1890 ». Rosenberg, *Derniers écrits*, p. 335.

107. Hitler, p. 282.

108. Ibid.

109. Picker, p. 212. Le compte rendu des propos d'Hitler a été transcrit en style direct.

110. Kubizek, p. 222 et s.

111. Cf. Hitler, p. 226.

112. Communication écrite d'Ernst Schmidt du 16-8-1964.

113. Hans Mend dans un rapport manuscrit au chef du camp III (probablement Dachau). Anciennes Archives principales du NSDAP, Archives fédérales, Coblence, NS 26/84.

114. Communication personnelle de Ferdinand Staeger (août 1969).
115. Cf. Note 115. Eau-forte sans indication de tirage, l'exemplaire en possession de l'auteur.
116. Renseignement personnel de Heinrich Heim (février 1971). Liste des membres aux Archives fédérales, Coblence, NS 26/230. Heim n'apprit que bien plus tard qu'Hitler avait fait changer la mention « peintre » qui figurait sur sa carte au moment de son adhésion au Parti Ouvrier Allemand (ce que Heim ignorait à cette époque) en celle d' « homme de lettres ».
117. Communication personnelle d'Albert Speer (novembre 1966).
118. Rapporté par Heinrich Heim, Picker, p. 167 et s.
119. Hitler, p. 291.
120. Zoller, p. 55.
121. Cf. ibid., p. 57 s. et p. 146.
122. Cf. ibid., p. 57.
123. *Der Spiegel*, N° 36/69, p. 70 et communication personnelle d'Albert Speer (nov. 1966).
124. Ibid.
125. Cf. W. Schweisheimer, dans *Deutsche Bauzeitschrift* (Revue Allemande d'Architecture), Fachblatt für Architektur, Gütersloh, Cahier 5/69 p. 966.
126. Le bâtiment du stade a un diamètre de 270 m (ibid.).
127. Ibid.
128. Renseignement personnel d'Albert Speer (nov. 1966).
129. *Der Spiegel*, 46/66, p. 50. Au cours de son entretien avec l'auteur (nov. 1966), Speer semblait inquiet, intimidé, pitoyable.
130. Zoller, p. 55.
131. Ibid., p. 56.
132. Speer déclara par exemple : « Je voyais là une chance de jouer un rôle dans l'histoire de l'art ». (*Der Spiegel*, 46/66, p. 48).
133. Ibid.
134. Cf. ibid., N° 38/69, p. 68.
135. Ibid. p. 78.
136. Mann, Thomas, *Gesammelte Werke* (Œuvres complètes) en douze volumes. Francfort-sur-Mein, 1960 ; vol. XII (*Bruder Hitler*).

QUATRIEME CHAPITRE

SOLDAT POUR LE REICH

1. Hitler, p. 138.
2. Renseignement personnel de Josef et Elisabeth Popp (1966/67). Photo de la maison avec la plaque commémorative en possession de l'auteur.
3. Hitler dans sa lettre du 29 novembre 1921. Cf. note 10 au premier chapitre.

4. Renseignement personnel de Josef Popp (1966).

5. Renseignement personnel de Josef Popp (1966).

6. Cf. Hitler, p. 179. Cf. aussi la lettre à Hepp de 1915.

7. Renseignement personnel de Josef et Elisabeth Popp (1966/67).

8. Hitler, p. 138.

9. Cf aussi p. 92.

10. Hitler, p. 138.

11. Cf. Maser, *Die Frühgeschichte der NSDAP*, p. 115 et s.

12. Ibidem. Hitler a toujours pris soin de cacher sa situation confortable au point de vue financier. C'est ainsi qu'on a trouvé dans les papiers de sa gouvernante Anny Winter une notification du « Tribunal Régional » (*Bezirksgericht*) du 16-5-1913, annonçant à Hitler « le versement de la fortune détenue par la Caisse des Orphelins », soit 819 couronnes et 89 liards. Cette notification fut vendue aux enchères le 2-4-1971 sous le numéro 1637 avec de nombreux autres objets d'Hitler sous la désignation de « succession Winter ».

13. Hitler, p. 138.

14. Communication personnelle de Josef et Elisabeth Popp (1966/67).

15. Communication personnelle de Josef Popp (1966/67).

16. Communication personnelle de Josef et Elisabeth Popp (1966/67).

17. Voir note précédente.

18. Kokoschka au cours d'une interwiew à la TV allemande, deuxième chaîne (ZDF) le 7-3-1971 à 13 h 40.

19. Renseignements personnels fournis par d'anciens voisins de Josef Popp et interprétation de photos représentant Josef Popp (les photos sont la propriété de la famille Popp).

20. Cf Hitler, p. 35.

21. Renseignements personnels et divers, fournis en partie par les parents d'Hitler à Spital et à Linz (1969/70)), par Josef et Elisabeth Popp (1966/67) ; informations écrites de Prewatzky-Wendt (compte- rendu officiel d'une déclaration de Prewatzky-Wendt aux anciennes Archives principales du NSDAP, Archives fédérales. Coblence, NS 26/65), et de Karl Honisch (Original manuscrit aux anc. Arch. princ. du NSDAP, Archives fédérales, Coblence, NS 26/17a). D'autres renseignements se trouvent dans la correspondance d'Hitler avec des camarades de jeu d'avant 1907. Une partie de cette correspondance est déposée aux Archives fédérales, Coblence, NS 26/14.

22. Cf. Lange-Eichbaum, p. 575.

23. Renseignements personnels des parents d'Hitler de Spital, Mistelbach près de Gross-Schönau, Weitra, Weiten près de Melk en Basse-Autriche (1969-1971).

24. Renseignements personnels de Josef et Elisabeth Popp (1966/67).

25. Copies des lettres dans les mains de l'auteur.

26. Hitler, p. 179.

27. Cf Maser, *Die Frühgeschichte der NSDAP*, p. 121.

28. Cf. ibidem.

29. Lettre N° 248 du Consulat impérial et royal d'Autriche-Hongrie du 23-1-1914.

30. Jetzinger, p. 260.

31. Cf Maser, *Die Frühgeschichte der NSDAP*, p. 122.

32. Copie de la « Confirmation officielle » aux Archives fédérales, Coblence, NS 26/17a.

33. Rapport manuscrit (29-1-1941) de Gregor Goldbacher, professeur

d'Hitler. Original. Anciennes Archives principales du NSDAP, Archives fédérales, Coblence, NS 26/17a.

34. Cf. Hitler, p. 179.
35. Cf. à ce sujet entre autres : *Die Grosse Politik der Europäischen Kabinette*, Vol. III, N° 466, N° 485, N° 509, N° 532, N° 571.
36. Cf. Hitler, p. 139.
37. Ibidem, p. 140.
38. Ibidem.
39. Ibidem.
40. Ibidem.
41. Ibidem, p. 141.
42. Ibidem.
43. Ibidem.
44. Ibidem, p. 140.
45. Ibidem, p. 143.
46. Ibidem, p. 139.
47. Ibidem, p. 171.
48. Renseignements personnels de Josef et Elisabeth Popp (1966/67).
49. Cf. lettre d'Hitler à Hepp.
50. Hitler, p. 173 et s.
51. Hitler, p. 177.
52. Citation d'une lettre originale (propriété de la famille Popp).
53. Ibidem.
54. Lettre (non datée) appartenant à la famile Popp.
55. Cf. *Vier Jahre Westfont. Die Geschichte des Regiments List R.I.R. I 6*, Munich 1932, p. 381.
56. Communication écrite de Schmid-Noerr du 1-4-1967.
57. Mend, p. 9.
58. Ibidem, p. 17.
59. Cf. Matricule 3/Rég. d'infant. de rés., 16, feuille 50, N° d'ordre 718 remplacé plus tard par le N° d'ordre 1062). Archives fédérales, Coblence, NS 26/12.
60. Texte dactylographié, copie aux Archives fédérales, Coblence, NS 26/17a.
61. Texte dactylographié, copie aux Archives fédérales, Coblence, NS 26/17a.
62. Texte dactylographié, copie aux Archives fédérales, Coblence, NS 26/17a.
63. Texte dactylographié, copie aux archives fédérales, Coblence, NS 26/17a.
64. Texte dactylographié, copie aux Archives fédérales, Coblence, NS 26/17a.
65. Communication personnelle d'Ernst Niekisch à qui Gutmann avait fait le récit de la remise de la croix de fer N° 1 à Hitler (1951). Max Amann a confirmé cette version des faits (1953). L'adjoint du régiment, Fritz Wiedemann, dit le 7-8-1948 au cours d'un interrogatoire à M. W. Kempner : « La remise de la croix de fer N° 1 à Hitler s'est faite de manière régulière. J'ai moi-même fait la première demande ». (Kempner, *Das Dritte Reich im Kreuzverhör*, p. 74).
66. Fragment N° 20, reproduction aux Archives fédérales, Coblence. Cf. aussi Schramm, *Hitler als militärischer Führer*, p. 61.
67. Fragment N° 30, reproduction aux Archives fédérales, Coblence. Cf. aussi Schramm, *Hitler als militärischer Führer*, p. 61 et s.

68. Cité d'après Schramm, *Hitler als militärischer Führer*, p. 62.
69. Hitler, p. 139 : « En 1915, la propagande de l'ennemi s'est fait sentir chez nous » ; Hitler ajoute des précisions de date (p. 205) : « à partir de 1916 elle s'intensifia... pour se transformer en véritable marée au début de l'année 1918. Bientôt, on voyait partout les effets de cette intoxication psychologique. L'armée apprit à penser selon le désir de l'ennemi ».
70. Hitler, p. 195.
71. Ibidem. p. 205.
72. Ibidem, p. 196.
73. Cf. l'analyse détaillée de ce problème dans Maser, *Hitlers Mein Kampf*, p. 210 et s.
74. Schramm, *Hitlers als militärischer Führer*, p. 60 et s.
75. Hitler, p. 215.
76. Copie certifiée conforme de la lettre d'Hitler aux Archives fédérales, Coblence, NS 26/17a. Dans *Mein Kampf*, p. 220 et s. Hitler décrit plus en détail cet étonnement.
77. Cf. Hitler p. 136.
78. Cf. Hitler p. 136.
79. Hitler, p. 221.
80. Ibidem.
81. Ibidem, p. 225.
82. *Der Hitler-Prozess*, p. 18. Cf. aussi Hitler, p. 221 et s.
83. Copie. Texte dactylographié du 26 août 1941. Anciennes Archives principales du NSDAP, Archives fédérales, Coblence, NS 26/17a.
84. Communication personnelle du général Vincenz Müller à qui Bredow a confié avoir fait des recherches par ordre de Schleicher.
85. Rapport Morell.
86. Hitler, p. 223.
87. Hitler, p. 225.
88. Ibidem, p. 226.
89. Communication écrite d'Ernst Schmidt (août 1964).
90. Hitler, p. 226.
91. Cf. Fechenbach, Felix, *Der Revolutionär Kurt Eisner*, Berlin 1929, p. 53.
92. Niekisch, *Gewagtes Leben*, p. 49, et Speckner, p. 3. Eisner, qui devait succéder au Reichstag au député social-démocrate Georg von Vollmar (qui avait donné sa démission en raison de son grand âge. Cf. Sendtner, p. 373) avait fait, le 5 octobre 1918, son premier discours public depuis sa levée d'écrou (cf. Escherich-Hefte, Cahier 1, p. 11).
93. *Münchener Neueste Nachrichten* du 14 novembre 1918 et « Bayerische Königsfrage » (La question royaliste en Bavière) dans : *Süddeutsche Monatshefte*, Année 30, janvier 1933, p. 233.
94. Ibidem.
95. Communication écrite d'Ernst Schmidt (1964).
96. Schricker, p. 21.
97. Hitler, 226.
98. Communication écrite d'Ernst Schmidt (août 1964).
99. Communication écrite d'Ernst Schmidt (1965).
100. Hitler, p. 225.
101. Ibidem.
102. Hitler, p. 225. Dans les éditions de 1925 et 1928 du premier volume de *Mein Kampf*, le « socialiste » Hitler identifie encore les « socialistes » aux « Juifs ». Dans l'édition de 1930, il distingue pour la première fois

entre « Socialistes » et « Marxistes ». Cf. Maser, *Hitlers Mein Kampf*, p. 62.

103. Hitler affirmait dans *Mein Kampf* (p. 212) qu'en 1916/17 « presque toute la production était contrôlée par les financiers juifs ».

104. Tract du « *Deutschvölkischen Bund* » (Union allemande-populaire) : « *Von den Hohenzollern zur Judenherrschaft* » (Du régime des Hohenzollern à celui des Juifs), décembre 1918. Cité d'après Jochmann, p. 6.

105. Ibidem.

106. Ibidem.

107. Hitler (p. 182) sur son comportement pendant la guerre.

108. Hitler, p. 182.

109. Communication écrite d'Ernst Schmidt (1965).

110. Matricule militaire 4/1 E./2 Rég. d'Inf. N° d'ordre 204. Archives fédérales, Coblence, NS 26/12.

111. Communication écrite d'Ernst Schmidt (août 1964).

112. Communication écrite d'Ernst Schmidt (août 1964).

113. Cf. Benoist-Méchin, Jacques, *L'histoire de l'armée allemande*, deux vol. Paris 1936/38, vol. I, p. 176.

114. Communication personnelle d'anciens collaborateurs des Archives principales du NSDAP, octobre 1953, et automne 1969. Cf. aussi les notes d'Hitler sur ses discours sur le traité de Versailles, Archives fédérales, Coblence, NS 26/49.

115. Cf. *Weltwoche*, 1944, N° 574, p. 12.

116. Cité d'après Speckner, Herbert, *Ordnungszelle Bayern. Studien zur Politik des bayrischen Bürgestums, insbesondere der Bayerischen Volkspartei, von der Revolution bis zum Ende des Kabinetts Dr von Kahr*. Diss. Erlangen 1955, p. 33 (Ordnungszelle Bayern. Etudes sur la politique de la bourgeoisie bavaroise de la révolution jusqu'à la fin du cabinet du Dr von Kahr).

117. Ibidem. Au cours du procès d'Arco, le procureur de l'Etat Hahn déclara entre autres : « ... si notre jeunesse était dans sa totalité animée d'un si ardent amour de la patrie, nous serions en droit d'envisager avec confiance l'avenir de notre patrie. » Cf. *Allegemeine Zeitung*, Munich, 25-1-1920.

118. Cf. Schricker, p. 28 et *Münchner Merkur* du 22 février 1954.

119. Hitler, p. 226.

120. Inscription au registre du 3ᵉ Rég. d'Inf. de Rés. 16, feuille 50. Numéro d'ordre 718 (biffé et remplacé par N° 1062). Archives fédérales, Coblence, NS 26/12. La mention portée sur le registre de la 7ᵐᵉ Cⁱᵉ du 1ᵉʳ bat. de rés. « a été muté dans une autre unité » (Archives fédérales, Coblence NS 26/12) ne se rapporte pas à la date à laquelle Hitler a réintégrée la compagnie.

121. Communication écrite d'Ernst Schmidt (1964).

122. Hitler, p. 226.

123. Communication écrite d'Ernst Schmidt (1965).

124. Texte reproduit dans *Appelle einer Revolution*, Munich 1968, annexe 35.

125. Ibidem, annexe 67, affiche.

126. « *Verhandlungen des Bayerischen Landtages* » 1919/20, vol. I, p. 13 et s.

127. Cf. Hitler, p. 85, 347, 262, 95, 80, 81, 91, 83, 659, 57 et autres.

128. Cité d'après Fischer, Ruth, *Stalin und der deutsche Kommunismus*, 2ᵉ éd. Francfort/Mein, 1948, p. 126.

129. Cf. Volkmann, p. 223.

130. Cf. Maser, *Die Frühgeschichte der NSDAP*, p. 33, et Oertzen, p. 320. Selon les constatations publiées dans « *Escherich-Hefte* », cahier 3, p. 18, Oertzen, p. 328, Kanzler, p. 4, Noske, p. 315, et « *Verhandlungen des Bayerischen Landtages* », vol. I, p. 161, des propagandistes ont été effectivement arrêtés à Erlangen.

131. Cf. Maser, *Die Frühgeschichte der NSDAP*, p. 33.

132. Cf. Iibidem et Noske, p. 97.

133. *Historisch-politische Blätter für das katholische Deutschland*, vol. 163 (1919), p. 105.

134. Ibidem.

135. Cf. Kanzler, p. 6.

136. Renseignement personnel d'Ernst Niekisch (1964).

137. Cf. Oertzen, p. 336 s., *Escherich-Hefte*, Cahier 4, p. 19 et s., et Schricker, p. 83 et s.

138. Cf. Hofmiller, p. 205. Cf. Schricker, p. 102 et s. et *Escherich-Hefte*, cahier 5, p. 12 et s.

139. Galéra, vol. I, p. 128.

140. Cf. aussi à ce sujet Maser, *Die Frühgeschichte der NSDAP*, p. 33, et Noske, p. 97.

141. Ibidem.

142. Cf. Oertzen, p. 327.

143. Cf. Speckner, p. 43.

144. Cf. Schweyer, Franz, Rudolf Kanzler, « *Bayerns Kampf gegen den Bolschewismus* » ; compte rendu dans *Zeitschrift für bayerische Landesgeschichte*, Munich, Année 1932, cahier 3, p. 488.

145. Citation extraite de l'appel. Photocopie à la Bibliothèque universitaire d'Erlangen.

146. Texte de l'appel signé par Ernst Toller.

147. Kanzler, p. 16.

148. Ibidem, p. 10.

149. Ibidem, p. 13.

150. Cf. Speckner, p. 44.

151. Cf. Speckner, Karl, *Die Wächter der Kirche. Ein Buch von deutschen Episkapat*, Munich 1934, p. 23.

152. Maser, *Die Frühgeschichte der NSDAP*, p. 38.

153. Cf. aussi Maser, *Die Frügeschichte der NSDAP*, p. 146 et s.

154. Cf. Krokow, p. 192.

155. Cf. Maser, *Die Frühgeschichte der NSDAP*, p. 40.

156. Cf. *Münchner Neueste Nachrichten* du 7 mai 1919, du 5 novembre 1921, *Byerische Staatszeitung* du 8 et 9 mai 1919, du 13 septembre 1919, du 7 novembre 1921. Cf. aussi Oertzen, p. 352, Bonn, p. 217, Pitrof, p. 102 et s. D'après les indications du grand quartier général d'Oven du 16 mai 1919, il y eut 433 morts et blessés parmi les troupes des soviets ; 350 Allemands et 153 Russes ont été arrêtés (*Bayerische Staatszeitung* du 16 mai 1919). Otto Graf, membre du Parti Communiste Allemand Unifié, déclara le 30 septembre 1921 au « Landtag » (parlement régional) bavarois (Verhandlungen... 1921/22, vol. IV, p. 66 et 98) que la troupe a exécuté sans procédure régulière (en plus des gardes rouges tués pendant les combats) 53 Russes à Gräfelfing, 12 infirmiers militaires à Starnberg, et 186 autres personnes en d'autres lieux. Cf. aussi Gumbel : *Verräter verfallen der Feme*, p. 36.

157. Cf. Noske, p. 97 et Gumbel, p. 86 et s.

158. Cf. la note précédente.

159. Cf. note 2.

160. Cf. Ibidem.

161. Cf. Gumbel, p. 36.

162. Doc. des archives du Premier Procureur de l'Etat près le Tribunal Régional (« *Landgericht* ») Munich II, VI 608/19.

163. Récit de Thor Gote dans : *Aus der Geschichte der Bewegung.* Front Allemand du Travail, novembre 1934.

164. Lettre d'Hitler du 29-11-1921. Copie. Archives fédérales, Coblence, NS 26/17a.

165. Cf. Hitler, p. 226.

166. Communication écrite d'Ernst Niekisch (1964). De plus, renseignements personnels (1965).

167. Information écrite d'Ernst Schmidt (août 1964). Les récits qui présentent les faits autrement ne sont pas conformes à la vérité. Cf. par exemple Bouhler, *Kampf un Deutschland*, p. 32 et Hasselbach, p. 23. Hitler passe ces détails sous silence, cf. Hitler p. 226 et s.

168. Communication écrite d'Ernst Schmidt (août 1964).

169. Information personnelle d'Ernst Deuerlein (12 mai 1965).

170. Hitler, p. 227.

171. Communication écrite d'Ernst Schmidt (août 1964).

172. Cf. Hitler, p. 227.

173. Koerber, Victor von, *Hitler, sein Leben und seine Reden*, Munich 1923. Cette publication a été confisquée aussitôt après sa parution. Koerber se sépara d'Hitler en 1927, et l'attaqua publiquement entre autres dans la *Vossische Zeitung* du 6 mai 1927.

174. Communication écrite d'Ernst Schmidt (août 1964).

175. Hitler, p. 227.

176. Hitler, p. 227.

177. Cf. Maser, *Die Frühgeschichte der NSDAP*, p. 185 et s.

178. Hitler, p. 229.

179. Hitler, p. 227.

180. Ibidem.

181. Ibidem.

182. Ibidem.

183. Ibidem, p. 229.

184. Picker, p. 415.

185. Cité d'après Deuerlein, *Der Aufstieg der NSDAP*, p. 85.

186. Hitler, p. 235.

187. Hitler, p. 235.

188. Copie certifiée conforme du 26-8-1941 aux Archives fédérales, Coblence, NS 26/17a.

189. HStA.Mü (Hauptstaatsarchiv, München — Archives princ. de l'Etat), Abt. II, Gruppen-Kdo. 4, vol. 50/3 : Sous la mention demandant la transmission au 2e Rég. d'Inf. bavarois se trouve la phrase : « G.R. Beschl. zum Dem.-Btl (Kdtr.-Kp) zur Vertändigung des Hitler » à côté la phrase : « Hitler a été mis au courant », puis une signature illisible.

190. Ibidem.

191. HStA. Mü. Abt. II, Gruppen-Kdo. 4, vol. 50/8.

192. Rapport de Hans Knoden du 24-8-1919. HStA. Mü., Abt. II, Gruppen Kdo. 4, vol. 50/3 (manuscrit).

193. Rapport d'Ewald Bolle du 24-8-1919, ibidem.

194. Rapport de Lorenz Frank du 23-8-1919, ibidem.

195. Rapport du Lieutenant Bendt, ibidem.

196. HStA. Mü., Abt II, Gruppen-Kdo. 4, vol. 50/8.

197. Rapport de Karl Eicher du 24-8-1919. HStA. Mü., Abt II, Gruppen-Kdo. 4, vol. 50/3 (manuscrit).

198. Rapport de Lorenz Frank du 23-8-1919, ibidem.

199. Cit. d'après le discours cité par Picker, p. 493 et s.

200. Cit. d'après Picker, p. 493 et s.

201. Sebottendorff, p. 60. Cf. ibidem, p. 57 et s.

202. Sebottendorff, p. 92.

203. Renseignement personnel d'un des collaborateurs principaux de Sebottendorff. (4-3-1968).

204. Cité d'après « *Facsimile-Querschnitt* durch den *Völkischer Beobachter* », p. 5.

205. Franz-Willing, Georg, *Die Hitler-Bewegung. Der Ursprung 1919-1922.* Hambourg et Berlin 1962, p. 30.

206. Cf. Maser, *Die Frühgeschichte der NSDAP,* p. 168 et ailleurs.

207. Hitler, p. 236.

208. Analyse selon une liste des participants trouvée dans la succession de Karl Harrer.

209. Hitler, p. 238.

210. Cf. Maser, *Die Frühgeschichte der NSDAP,* p. 160 et s.

211. Hitler, p. 238.

212. Ibidem, p. 244. L'affirmation d'Hitler d'avoir reçu la carte de membre N° 7 qui n'est pas conforme à la vérité, a été par la suite un élément important du « culte » d'Hitler. Il est vrai qu'Hitler a été le septième membre de la Commission de Travail du DAP (parti Ouvrier Allemand), mais son livret de membre du parti portait le N° 555. Hitler était le 55ᵉ membre du parti ; comme le numérotage commençait par 501, son livret portait le N° 555. Cf. Maser, *Die Frühgeschichte der NSDAP,* p. 167 et tableau synoptique 5.

213. Sur le développement du DAP et l'appartenance sociale de ses membres etc. cf. Maser, *Die Frühgeschichte der NDAP,* p. 141 et s.

214. Ainsi, le capitaine Mayr écrivit, le 10 septembre 1919, à Hitler : « J'ai reçu votre exposé sur le problème de l'habitat ; le commandement du groupe se réserve le droit... de diffuser ce rapport officiel... d'une manière adéquate par la presse.» Cf. Maser, *Die Frühgeschichte der NSDAP,* p. 155 et HStA. Mü., Abt. II, Gruppen-Kdo. 4, vol. 50/8.

215. H. St. A. Mü, Abt. II, Gruppen-Kdo, 4 vol. 50/8.

CINQUIEME CHAPITRE

L'UNIVERS SPIRITUEL

1. Frank, p. 46.

2. Hitler, p. 137.

3. Cf. Kubizek, p. 301.

4. *Der Hitler-Prozess. Auszüge aus den Verhandlungsberichten.* (Le procès d'Hitler. Extraits du procès-verbal des audiences) Munich 1924, p. 18.

5. Hitler, p. 282.
6. Cité par Bullock, p. 32.
7. Gisevius, p. 28 et s.
8. Freund, p. 11.
9. Cité par Picker, p. 70.
10. Ibid.
11. Ibid.
12. Ibid. p. 70 et s.
13. Hitler, p. 4.
14. Ibid., p. 56.
15. Ibid., p. 54 et s. surtout p. 59.
16. Cf. Maser, *Die Frühgeschichte der NSDAP*, p. 85.
17. Ibid., p. 101 et s.
18. Cf. Kubizek, p. 226 et s., p. 37.
19. Ibid., p. 226.
20. Ibid., p. 37.
21. Ibid.
22. Greiner, p. 83.
23. Dietrich, Otto, *Zwölf Jahre mit Hitler*, Munich 1955, p. 164. Cf. aussi *Libres propos sur la guerre et la paix*, Paris 1952, p. 306.
24. Renseignement personnel d'un camarade de classe de Heinz Hitler qui a disparu sur le front oriental, pendant la guerre mondiale et qui n'est jamais rentré en Allemagne.
25. Ziegler, p. 116.
26. Frank, p. 46.
27. Cf. Maser, *Hitlers Mein Kampf*, p. 163 et s., p. 179 et s., et en particulier p. 187 et s. Cf. aussi les propos d'Hitler rapportés par Heim du 27-1-1942 dans la « *Wolfsschanze* », cités par Picker, p. 169 et s.
28. Cf. Friedländer, p. 24 et s.
29. Cf. ibid., p. 215.
30. Lettre d'Hitler du 29-11-1921, à un destinataire inconnu que l'auteur appelle « Mon cher Docteur ». Anciennes Archives principales du NSDAP, Archives fédérales, Coblence, NS 26/17a. (copie dactylographiée). Document cité par Maser. *Die Frühgeschichte der NSDAP*, p. 487 et s.
31. Communication personnelle du neveu d'Hitler, Leo Raubal (1967).
32. Cf. Kubizek, p. 240.
33. Cf. Ibid., p. 240 et s.
34. Rapport de Giesing (du 11-11-1945), p. 29 (original) et communication personnelle du Dr Giesing (juin 1971).
35. Cf. Hitler, p. 36 et s.
36. Cf. Schramm, cité par Picker, p. 69.
37. Cité d'après le rapport de Morell (« Morell-Protokoll »).
38. IMT, vol. XV, p. 333. Cf. aussi tableau p. 194 et s.
39. Cf. par exemple Schramm, « avant-propos » pour Picker, chez Picker, p. 82.
40. Sandvoss, feuille 13.
41. Renseignement personnel (1966).
42. Cf. aussi Hitler, p. 253 et 335, ainsi que Picker, p. 32, 89, 149, 192.
43. Cf. par exemple Picker, p. 192.
44. Frank, p. 46.
45. Avant-propos de l'édition de 1818. Cité *in extenso* dans le tome I de la 3ᵉ édition de 1859. La citation s'y trouve à la p. V.
46. Rapport de Heim, cité par Picker, p. 155.

47. Ibid., p. 153.
48. Ibid., p. 190.
49. Warlimont, p. 401.
50. Cf. Picker, p. 348.
51. Cf. Maser, *Hitlers Mein Kampf*, p. 71 et s.
52. Cf. Minder, Robert, *Dichter in der Gesellschaft*, Francfort/Mein, 1966, p. 219.
53. Cit. d'un manuscrit inédit du Dr Wolfram von Hentig.
54. Cf. Maser, *Die Frühgeschichte der NSDAP* (voir index des personnes : Hess), p. 512.
55. Cf. Ibid., index des personnes.
56. Cf. ibid., p. 396 et s.
57. Cité d'après Kaltenbrunner, Gerd-Klauss, *Zwischen Rilke und Hitler - Alfred Schuler.* Dans *Zeitschrift für Religions - und Geistes - geschichte*, cahier 4/67, p. 343.
58. Cf. entre autres Maser, *Die Frühgeschichte der NSDAP*, p. 325.
59. Cf. Zoller, p. 50.
60. Cf. ibid.
61. Cf. ibid., p. 36.
62. Cf. Hanfstaengl, p. 52 et s.
63. Cf. Hitler, p. 378 et s.
64. Cf. Schramm, cité par Picker, p. 69.
65. Cf. Hitler, p. 137.
66. Hegel, G.W.F. *Sämtliche Werke* (Œuvres complètes), édition du centenaire, Stuttgart 1928, t. II, p. 129.
67. Ibid.
68. Cf. entre autres Copton, p. 9 et s. et p. 28 et s.
69. Cf. Schramm, p. 53.
70. Cf. aussi Maser, *Hitlers Mein Kampf*, p. 182 et s.
71. Cf. *Berliner Illustrierte Zeitung* du 12-3-1899.
72. Cf. « *Politische Bildung : Mangelhaaft* » dans : *Frankfurter Allgemeine Zeitung* du 28-11-1968.
73. Communication écrite de Karl Dönitz (10-1-1967).
74. Cf. Zoller, p. 38.
75. Cf. Note. Renseignements personnels de Karl Dönitz (1966, communication écrite du 10-1-1967).
76. Renseignement personnel du Dr Paul Schmidt-Carell (1969).
77. Schramm, cité par Picker, p. 98. Cf. exposé au chapitre : Chef militaire et stratège.
78. Manstein, *Verlorene Siege*, p. 305.
79. Schramm, cité par Picker, p. 96 et s.
80. *Der Spiegel*, archives.
81. Cité par Ziegler, Hans Severus, *Wer war Hitler ?* Tübingen 1970, p. 222.
82. Récit de Veit Harlan. Cit. d'après *Der Spiegel* du 29-8-1966, p. 92.
83. Ibid.
84. Picker, p. 382 et s.
85. Hitler développa ses projets au cours d'une conversation, le 27-4-1942. Picker, p. 299 et s.
86. Rapport de Heim (« Heim-Protokoll »), cité par Picker, p. 139 et s.
87. Cf. les propos d'Hitler à ce sujet, cités par Picker.
88. Rapport de Giesing du 12-6-1945, p. 176.
89. Courrier des lecteurs. *Frankfurter Allgemeine Zeitung* du 6-4-1971, p. 8.

90. Rapport de Heim cité par Picker, p. 166. - 91. Ibid. - 92. Ibid. - 93. Ibid. - 94. Ibid. - 95. Ibid.

96. Rapport de Heim (« Heim-Protokoll ») cité par Picker, p. 167.

97. Ibid., p. 166.

98. Ibid.

99. Cf. Ibid., p. 147.

100. Ibid. - 101. Ibid. - 102. Ibid.

103. Hitler le 26-7-1942. Picker, p. 478.

104. Ibid. - 105. Ibid.

106. Picker, p. 446.

107. Rapport de Heim (« Heim-Protokoll »), cité par Picker, p. 171.

108. Ibid. Selon des recherches américaines des années soixante, la fécondité des Romains fortunés se trouvait limitée du fait qu'ils buvaient le vin dans des récipients faits d'un alliage de plomb.

109. Rapport de Heim (« Heim-Protokoll ») cité par Picker, p. 172.

110. Hitler dans un discours à huis clos devant un auditoire de jeunes officiers allemands. Cité par Picker, p. 495.

111. Ibid.

112. Ibid.

113. Picker, p. 333.

114. Rapport de Heim (« Heim-Protokoll ») du 4-2-1942 ; cité par Picker p. 174.

115. Ibid., p. 173.

116. Ibid.

117. Ibid., p. 478.

118. Ibid., p. 173.

119. Ibid., p. 174.

120. Rapport de Heim, cité par Picker, p. 173. Cf. aussi les propos d'Hitler à ce sujet du 26-7-1942, ibidem p. 478.

121. Ibid.

122. Hitler, p. 742.

123. Cf. ibid., p. 317 et s.

124. Cf. Hitler, p. 738.

125. Ibid., p. 735.

126. Ibid., p. 760.

127. Ibid.

128. Ibid., p. 761.

129. Hitler, p. 143.

130. Ibid., p. 140.

131. Hitler, p. 142 et s.

132. *Hitlers Zweites Buch* (le deuxième livre d'Hitler), p. 90.

133. Ibid.

134. Ibid., p. 98.

135. Hitler, p. 143.

136. Cf. par exemple le discours d'Hitler du 4-8-1920 dans *Adolf Hitler in Franken*, p. 10. Cf. aussi Pese, p. 113 et s.

137. Cf. Maser, *Die Frühgeschichte der NSDAP*, p. 273 et s.

138. Ibid., p. 356.

139. Cf. entre autres *Hitlers Zweites Buch*, p. 24 et s. et *Völkischer Beobachter* du 25-5-1928.

140. Cité d'après Domarus, t. II/4 pp. 2265.

141. Cf. Hitler, p. 154.

142. Ibid.

143. Hitler, p. 157.

144. Cf. *Adolf Hitler in Franken*, p. 10 et Pese, p. 113 et s.

145. Hitler, p. 696. Cf. ibidem p. 699.

146. Cf. Ibid.

147. Cf. ibid.

148. Cf. Ribbentrop, *Zwischen London und Moskau*, p. 43.

149. Rapports d'Ambassade de décembre 1936 à décembre 1937, proprié-té d'Annelies von Ribbentrop.

150. Communication écrite d'Annelies von Ribbentrop du 25-3-1969. Cf. aussi IMT, vol. XXXIX, Doc. 075-CT.

151. Kirkpatrick, p. 361.

152. Communication écrite d'Annelies von Ribbentrop du 25-3-1969.

153. Cf. aussi Maser, *Hitlers Mein Kampf*, p. 166 et s. ; Pese, p. 113 et s., et Ribbentrop, surtout p. 43, 59 et s.

154. Cité d'après Schubert, p. 57.

155. Cf. ibiden, p. 57 et s., et Hitler, p. 696 et s.

156. Ibid., p. 704.

157. Ibid., p. 705.

158. *Hitlers Zweites Buch*, p. 194 et s. Cf. aussi Hitler, p. 766 et s.

159. Propos d'Hitler lors de son entretien avec Bertrand de Jouvenel, dans le *Völkischer Beobachter* du 29-2-1936.

160. Cf. Discours d'Hitler du 4 août 1920 : *Adolf Hitler in Franken*, p. 10 et Pese, p. 113. Cf. aussi rapport du PND, DC 1478 sur un discours d'Hitler du 24 juin 1920.

161. Hitler, p. 747 et s.

162. Ibid., p. 751.

163. Ribbentrop, *Zwischen London und Moskau*, p. 211.

164. Rapport de Giesing du 12-6-1945, p. 122a. La ponctuation peu soigneuse a été corrigée par l'auteur.

165. Cf. ibid., p. 157.

166. Cf. aussi Friedländer, p. 208-217 et ailleurs.

167. Cf. Hitler, p. 745.

168. Cf. les propos d'Hitler du 25-2-1944 cités par Domarus, vol. II/4, p. 2265. Cf. aussi Domarus, vol. II/4, p. 2151.

169. *Manifest der Kommunistischen Partei* (Manifeste du Parti Communiste), Berlin- (Est) 1955, p. 9.

170. Picker, p. 348.

171. Cf. ibid.

172. Rapport de Heim (« Heim-Protokoll »), cité par Picker, p. 169.

173. Schramm, cité par Picker, p. 78.

174. Ibid., p. 76.

175. Rapport de Giesing du 11-11-1945, p. 29.

176. Cf. aussi Speer, p. 108.

177. Ibid.

178. Cf. à ce sujet Hillgruber, *Hitlers Strategie*, entre autres la « préface ».

179. Hammann, Otto, *Der neue Kurs*, Berlin 1918, p. 165.

180. Salomon, F. *Die deutschen Parteiprogramme*, Berlin 1932. Citation d'après Schreiner, Albert : *Zur Geschichte der deutschen Aussenpolitik 1871 bis 1945*, Berlin- (Est) 1952, p. 173.

181. Cf. Maser, *Die Frühgeschichte der NSDAP*, p. 93 et s.

182. Hitler au cours de ses « *Tischgespräche* » (propos de table) le 23-4-1942, cf. Picker, p. 289.

183. Hitler, le 2-7-1942. Cf. Picker, p. 429.

184. Hitler, p. 12 et s.

185. Cité d'après la reproduction certifiée authentique (juillet 1968) du rapport original de Heim.

186. Picker, p. 230.

187. Ibid.

188. Ibid.

189. Hitler a expliqué cela d'une manière très impressionnante dans son discours du 30-5-1942. Cité par Picker, p. 493 et s.

190. Hitler, p. 195.

191. Rapport de Heim (« Heim-Protokoll »), cité d'après Picker, p. 172.

192. Rapport de Heim, cité d'après Pickers, p. 153.

193. Cf. Hitler, p. 165 où il parle de l'Etat comme d'un organisme racial (*völkisch*).

194. Rapport de Heim, cité d'après Picker, p. 171.

195. Cf. l'article intitulé « *Führt Uberbevölkerung zu Unruhen* » (La surpopulation est-elle une cause de troubles ?) dans le quotidien *Die Welt* du 12-4-1967.

196. Ploetz, *Die Tüchtigkeit unserer Rasse und der Schutz der Schwachen — Ein Versuch über Rassenhygiene und ihr Verhältnis zu den humanen Idealen, Besonders zum Sozialismus*, Berlin 1895.

197. Ibid., p. 136.

198. Ibid., p. V.

199. Ibid., p. 147.

200. Blumentritt dans une lettre du 13-1-1964, Warlimont dans une communication du 11-12-1963, Hauck dans un message écrit du 13-1-1964 à Norbert Krüger.

201. Communication de Hauck du 13-1-1964 à N. Krüger.

202. IMT, vol. X, p. 671 et s.

203. Indication des sources dans l'ordre de l'apparition des noms : IMT, vol. X, p. 671 et s. ; communication écrite de Blumentritt du 13-1-1964 à N. Krüger. Cf. aussi Conte, Arthur, *Die Teilung der Welt - Jalta 1945*, Düsseldorf 1965, p. 48 ; Liss le 9-1-1964 à N. Krüger ; Halder le 22-7-1964 à N. Krüger ; Gause le 12-2-1964 à Krüger ; Manstein le 15-1-1964 à Krüger ; Warlimont le 13-1-1964 à Krüger.

204. Hahlweg, Werner, *Karl von Clausewitz ; Soldat-Politiker-Denker*, Goettingue-Zürich-Francfort 1969, p. 119. Cf. aussi Hahlweg.

205. Korfes, Otto, et Engelberg, Ernst (éd.), *Clausewitz, Vom Kriege*, Berlin 1957, p. C II. Cf. aussi Roos, Hans, *Deutschland, Polen und die Sowjetunion im Zweiten Weltkrieg*. Supplément de *Das Parlament*, B 10, 1964, p. 26.

206. Cf. Metzsch, Horst von, *Zeitgemässe Gedanken um Clausewitz*, Berlin 1937, p. 24.

207. Cf. Buchheit, p. 496.

208. Hanfstaengl, p. 45.

209. Cf. Hanfstaengl, p. 52. Cf. ibid., p. 45.

210. Cf. aussi Heiber, introduction aux *Hitlers Lagebesprechungen*, Stuttgart 1962, p. 30.

211. Cf. aussi Krause, p. 48, Zoller, p. 49, Kubizek, p. 75, 111, 226 et P.E. Schramm dans son introduction aux « Propos de table » d'Hitler, (voir bibliographie), p. 67. Cf. par contre : Hanfstaengl, p. 52.

212. Indication des sources dans l'ordre des citations : Boepple, *Hitlers Reden* p. 38 ; ibid., p. 140 ; Hitler, p. 759 ; *Hitlers Zweites Buch*, p. 142 ; *Parteigenosse, der Führer spricht zu Dir !* Wuppertal, 1943/44, p. 26 ; *Völkischer Beobachter* du 2-9-1933 ; Domarus, vol. I/1, p. 457 s. ; ibid., vol. I/2, p. 647 ; *Völkischer Blobachter* du 11-11-1938; *Reden des Führers am Partei-*

tag Grossdeutschland 1938, Munich 1938, p. 18 ; Wieder, Joachim, *Stalingrad und die Verantwortung des Soldaten*, Munich 1962 (2ᵉ édition), p. 316 et s.;

213. Cité par Domarus, vol. I/1, p. 357. Voici la déclaration d'Hitler : « Le mouvement a ... accompli une mission historique, et aux Gros-Jean qui en remontrent à leur curé on ne peut dire qu'une chose : Vous tous n'avez pas lu Clausewitz, et, si vous l'avez lu, vous ne savez pas l'appliquer à notre époque. Clausewitz écrit qu'une reconstruction est possible, même après un effondrement héroïque. Seuls les couards se démettent, et leur lâcheté fait tache d'huile. Et, peu à peu, on se rend compte qu'il vaut mieux consentir à une fin dans l'horreur que de supporter une horreur sans fin ».

214. Carell, *Unternehmen Barbarossa*, p. 92.
215. Cf. Guderian, *Erinnerungen eines Soldaten*, Heidelberg, 1952, p. 342 et s. Cf. aussi Domarus, vol. II/4, p. 2171.
216. Cf. Hanfstaengl, p. 45 et 52.
217. Rapport de Heim (« Heim-Protokoll ») cité par Picker, p. 152.
218. Hitler, p. 346.
219. Ibid.
220. Ibid., p. 347. Cf. aussi Hitler, p. 329-362.
221. Ibid., p. 59. Sur les rapports d'Hitler avec le judaïsme, cf. aussi Maser, *Hitlers Mein Kampf*, p. 190 et s., et Maser, *Die Frühgeschichte der NSDAP*, p. 155 et s. Cf. aussi Nolte, *Der Faschismus in seiner Epoche*, entre autres p. 500 et s.
222. Hitler, p. 54 et s.
223. Kubizek, p. 112.
224. Ibid.
225. Ibid., p. 113.
226. Cf. aussi Smith, p. 88.
227. Cit. d'après la reproduction authentifiée par Heinrich Heim (juillet 1968) du manuscrit original (Reproduction dans les mains de Heinrich Heim).
228. Hitler, p. 56.
229. Ibid., p. 57 et s.
230. Ibid., p. 58.
231. Ibid.
232. Ibid., p. 57.
233. Ibid., p. 58.
234. Ibid., p. 59.
235.-236. Ibid.
237. Cf. Kubizek, p. 299.
238. Cf. ibid., p. 300.
239. Hitler, p. 60.
240. Ibid.
241. H. 29, 1908, verso de la jaquette.
242. Cf. Daim, p. 21.
243. *Theozoologie oder Naturgeschichte der Götter IV : Der neue Bund und neue Gott*, Vienne (Autriche) 1929, p. 11.
244. *Theozoologie V : Der Götter-Vater und Götter-Geist oder die Unsterblichkeit in Materie und Geist*, Vienne 1929, p. 15.
245. Cf. Daim, p. 21 et s.
246. Ibid., p. 100.
247. Stein, Alexander, *Adolf Hitler, Schüler der « Weisen von Zion »*, Karlsbad 1936.

248. Cf. Werner, Lothar, *Der Alldeutsche Verband. Historische Studien*, Berlin 1939, p. 127.

249. Hasse, Ernst, *Deutsche Weltpolitik*, Munich 1897, vol. 1, cahier 4, p. 46.

250. Werner, p. 82.

251. Cf. Kuczynski, Jürgen, *Studien zur Geschichte des deutschen Imperialismus*, Berlin-(Est) 1948/1950, p. 28. Cf. aussi Werner, p. 127.

252. Cf. Hitler, p. 334 et s., et ailleurs.

253. Ibid., p. 358.

254. Ibid., p. 334 et s.

255. Ibid., p. 62.

256. Ibid., p. 358.

257. Ibid., p. 69.

258. Cf. Maser, *Die Frühgeschichte der NSDAP*, p. 253 et s.

259. Bölsche, Wilhelm, *Vom Bazillus zum Affenmenschen*, 2ᵉ édition, Iéna 1921. Cité d'après cette édition.

260. Ibid., préface : « J'emploie l'expression de ... bacille, déclare Bölsche (p. 5) parce qu'elle parle à l'imagination. Elle traduit de la manière la plus frappante... la menace sur laquelle je veux attirer l'attention. »

261. Ibid., p. 11.

262. Ibid., p. 35.

263. Ibid., p. 35 et s.

264. Ibid., p. 19.

265. Cf. *Libre propos sur la guerre et la paix*, Paris, 1952, p. 321.

266. Hitler, p. 334.

267. Cf. Warlimont, p. 314 et ailleurs.

268. Cf. Maser, *Die Frühgeschicuhte der NSDAP*, p. 287.

269. Communication personnelle de Heinrich Heim (1971), Ilse Braun (1971), Gerhard Engel (1967) et Paul Schmidt-Carell (1971).
(1971), Gerhard Engel (1967) et Paul Schmidt-Carell (1971).

270. Cf. Warlimont, p. 423.

271. Cf. Hoffmann, Peter, *Widerstand-Staatsstreich-Attentat*, Munich 1970 (2ᵉ édition), p. 628 et 879. Les photos des pendus se trouvaient encore en août sur la table d'Hitler.

272. Renseignement personnel de Paul Schmidt-Carell (5-4-1971).

273. Communication du Dr Brandt à Heinrich Heim (printemps 1945). Renseignement personnel de Heim (1971). Sur le même sujet, des communications personnelles d'Arno Breker, Gerhard Engel (1967), Hans Baur (1971).

274. Renseignement personnel d'Ilse Braun (1969), Anny Winter (1969), Hans Baur (1971).

275. Archives fédérales, Coblence, NS 26/49. L'orthographe et la ponctuation d'Hitler ont été respectées, de même que les passages soulignés.

276. *Die Juden und Judengemeinden in Böhmen in der Vergangenheit und Gegenwart*, avril 1934, p. 255 et s.

277. Ibid., p. 536.

278. Ibid.

279. Ibid.

280. Ibid.

281. Ibid., p. 258.

282. Cf. Heer, p. 205.

283. Cf. Wolf, *Geschichte der Juden*, p. 109 et Kessler, p. 93.

284. Kessler, p. 81, note 7.

285. Alexander Mitscherlich dans plusieurs débats télévisés (1965) et dans une communication écrite à l'auteur (21-10-1965).

286. Cf. Hitler, p. 59.

287. Cf. Kubizek, p. 229.

288. Cf. Kubizek, p. 229 et s.

289. Cf. Bullock, p. 35 et s.

290. Cf. Hitler, p. 63 et s.

291. Shirer, p. 41 et s.

292. Gisevius, p. 33 et s.

293. Domarus, I/1, p. 26 et s.

294. Gisevius, p. 43.

295. Ibid., p. 43.

296. Cf. Hitler, p. 18 et s.

297. Cf. l'indication de Bullock dans Bullock, p. 36.

298. Ibid.

299. Shirer, p. 43.

300. Comme d'autres biographes importants (par exemple Shirer), Bullock partage aussi ce point de vue (p. 36) : « Olden a peut-être raison s'il voit la racine la plus profonde de l'antisémitisme d'Hitler dans une jalousie sexuelle torturante. »

301. Cf. Schramm cité par Picker, p. 51 et s.

302. Renseignement personnel de Rudolph Bibion (novembre 1970).

303. Hitler, p. 69. Cf. Maser, *Hitlers Mein Kampf*, p. 190 et s.

304. Renseignement personnel de Heinrich Heim (6-7-1968).

305. Cité d'après Domarus, vol. II/4, p. 2239.

306. Rapport de Heim (« Heim-Protokoll ») cité par Picker, p. 155.

307. Cf. Rapport de Heim cité par Picker, p. 149.

308. Ibid., p. 235.

309. Cf. Ibid., p. 150.

310. Ibid., p. 151.

311. Ibid., p. 149.

312. Ibid., p. 148.

313. Ibid., p. 151.

314. Schramm, cité par Picker, p. 84.

315. Ibid.

316. Ibid.

317. Rapport de Giesing du 12-6-1945, p. 73.

318. Ibid., p. 131.

319. Ibid., p. 176.

320. Rapport de Heim, cité par Picker, p. 147 et s.

321. Rapport de Heim, cité par Picker, p. 167.

322. Rapport de Heim (« Heim-Protokoll »), cité par Picker, p. 167.

323. Dans *Mein Kampf* (p. 416) Hitler avait constaté qu'« une idée religieuse tout à fait générale ne fera le plus souvent que rendre à chacun sa liberté de pensée et d'action. Elle ne sera nullement mobile d'action, comme le devient le sentiment religieux profond, au moment où un dogme précis prend forme dans le monde indéterminé de la métaphysique pure »... ce qui fait pressentir l'intention d'Hitler, de postuler aussi pour sa « weltanschauung » une foi apodictique. « Les idéaux les plus hauts, explique-t-il, correspondent toujours à de profondes nécessités vitales... En même temps que la foi aide à élever l'homme au-dessus du niveau d'une vie animale et paisible, elle contribue à raffermir et à assurer son existence. Que l'on enlève à l'humanité actuelle les principes religieux, confirmés par l'éducation, qui sont pratiquement des principes de moralité

et de bonnes mœurs ; que l'on supprime cette éducation religieuse sans la remplacer par quelque chose d'équivalent, et on en verra le résultat sous la forme d'un profond ébranlement des bases de sa propre existence. On peut donc poser en axiome que non seulement l'homme vit pour servir l'idéal le plus élevé, mais aussi que cet état parfait constitue à son tour pour l'homme une condition de son existence. Ainsi se ferme le cercle. » Le caractère de « programme » de cette définition ressort avec une netteté particulière du passage suivant (p. 417) : « Sans un dogme précis, la religiosité, avec ses mille formes mal définies, non seulement serait sans valeur pour la vie humaine, mais, en outre, contribuerait sans doute au délabrement général. »

324. Rapport de Heim, cité par Picker, p. 167.

325. Ibid. « Si j'étais à la place de Mussolini, déclare-t-il le 13-12-1941, je ferais irruption au Vatican et je cueillerais toute la bande. Je dirais ensuite : « Pardon, j'ai fait erreur ! » mais tout ce monde aurait disparu ! » Rapport de Heim, cité par Picker, p. 155.

326. Ibid., p. 154.

327. Dans *Mein Kampf*, Hitler écrit (p. 3 et s.) : « A mes moments libres, je suivais des cours de chant au chapitre des chanoines de Lambach et j'y trouvais une fréquente occasion de m'enivrer de la pompe magnifique des fêtes religieuses. Quoi de plus naturel que la situation de mon révérend Abbé m'apparût alors comme un idéal digne des plus grands efforts. » Cf. aussi Hitler p. 6 et Maser, *Hitlers Mein Kampf*, p. 97 et s.

328. Renseignement personnel d'un camarade de classe d'Hitler à Linz (1969). Cf. aussi Kandl, p. 44 et s.

329. Cité d'après la copie authentifiée par Heinrich Heim en juillet 1968, du manuscrit original de Heinrich Heim (Copie en possession de l'auteur).

330. Hitler, p. 118.

331. Ibid.

332. Cf. Maser, *Hitlers Mein Kampf*.

333. Rapport de Heim, cité par Picker, p. 154.

334. Cf. Picker, p. 528 et s. Hitler s'est entouré de précautions en énonçant le chiffre de 900 millions de reichsmarks. Il ajoute en effet : « si je ne me trompe ». (Ibid., p. 259).

335. Hitler indique (cf. Hitler, p. 123) qu'il a étudié le protestantisme entre 1908 et 1913.

336. Cf. Picker, p. 226. Le SED (Parti Socialiste Unifié) a reproché par contre aux évêques protestants, quinze ans plus tard, d'avoir conclu une alliance avec le catholicisme qui, pendant des siècles, a « organisé la guerre et la mort, la chasse aux sorcières et l'excommunication » (Herbert Gute und Hans Ritter, *Glauben und Wissen*, Berlin-(Est), 1956, p. 20 et s. Cf. aussi Maser, *Genossen beten nicht*, p. 134 et s.

337. Hitler, p. 123.

338. Picker, p. 260.

339. Cf. ibid., p. 259.

340. Ibid., p. 388.

341. Rapport de Heim, cité par Picker, p. 150.

342. Ibid. p. 149.

343. Ibid., p. 154.

344. Rapport de Heim, cité par Picker, p. 151.

345. Déclaration écrite de Joachim von Ribbentrop du 23-9-1947. Texte dactylographié avec trois additions manuscrites, deux paraphes et la si-

gnature de Joachim von Ribbentrop. L'original appartient à Robert M. W. Kempner.

346. Rapport de Hemi, cité par Picker, p. 155.

347. Ibid., p. 154.

348. Ibid., p. 150.

349. Ainsi, il dit par exemple le 13-12-1941 : « L'islamisme serait encore capable de m'enthousiasmer pour le ciel » (« Heim-Protokoll » cité par Picker, p. 154) ; le 6-5-1942, il déclara (d'après le rapport de Picker en style indirect) : « En tant qu'Allemand raisonnable on en arrive à douter du bon sens de certains Allemands qui se laissent entraîner, par la vermine juive et le radotage des prêtres, à une attitude dont nous nous moquons chez les derviches hurleurs turcs et chez les nègres. Quoi de plus irritant — quand on songe que dans d'autres régions du globe les doctrines religieuses d'un Confucius, d'un Bouddha, d'un Mahomet offrent à l'homme pensant religieux une large base spirituelle — que de voir précisément les Allemands se laisser duper par des échafaudages théologiques auxquels toute profondeur véritable fait défaut (Picker, p. 388). » Ilse, la sœur d'Eva Braun, raconte qu'Hitler avait souvent parlé avec elle et Eva de l'islamisme. Renseignement personnel (mai 1971). L'islamisme comporte plusieurs éléments qui attiraient Hitler : l'hostilité de Mahomet à l'égard du judaïsme, la révélation prémosaïque avec l'« hanifa » Abraham, l'absence de dogmes (à une exception près). Il est difficile de dire jusqu'où allaient les connaissances d'Hitler en matière d'islamisme. Quelques remarques isolées ne permettent pas d'en juger.

350. Rapport de Heim (« Heim-Protokoll ») cité par Picker, p. 154.

351. Ibid., p. 155.

352. Ibid., p. 151.

353. Ibid., p. 155.

354. Ibid.

355. Renseignement personnel d'Ilse Braun (24-5-1971).

356. Rapport de Heim, cité par Picker, p. 149.

357. Schramm, cité par Picker, p. 112.

358. Cf. Hitler, p. 8.

359. Kubizek, p. 68 et s.

360. Renseignement personnel de Josef Popp (jun.), 1966.

361. Renseignement personnel (1966).

362. *Paris-Soir* du 5-8-1939.

363. Cf. Maser, *Hitlers Mein Kampf*, p. 91 et s.

364. Cf. Maser, *Die Frühgeschichte der NSDAP*, p. 209.

365. Cf. entre autres Percy Ernst Schramm dans sa « préface » à Picker, p. 32.

366. *Der Bolschewismus von Moses bis Lenin*, p. 26.

367. Ibid.

368. Cf. Schoeps, Hans Joachim, *Paulus. Die Theologie des Apostels im Lichte der jüdischen Religionsgeschichte*. Tübingen 1959, p. 27 et 46.

369. Ibid., p. 13.

370. *Der Bolschewismus von Moses bis Lenin*, p. 26.

371. Ibid., p. 33.

372. Ibid., p. 55.

373. Renseignement personnel de Hermann Esser (1953).

374. Picker, p. 191.

375. Ibid., p. 193.

376. Cf. Zoller, p. 155.

377. Schmidt (interprète), p. 295.

378. Hillgruber, p. 15. Cf. aussi Schmidt (interprète), p. 295, où nous lisons entre autres : « J'avais l'impression, pendant toute la matinée que duraient les entretiens avec les Anglais, d'avoir affaire à un homme qui défendait avec habileté et intelligence son point de vue en respectant l'étiquette à laquelle j'étais habitué dans ce genre de négociations politiques, comme si pendant des années, il n'avait fait que soutenir des conversations de ce genre ; le seul point qui s'écartait des règles établies fut la longueur de ses exposés. Pendant toute la réunion de la matinée, il fut presque le seul à parler. »

379. Cf. les lettres d'Hitler citées ou reproduites par Kubizek.

380. Cf. Maser, *Hitlers Mein Kampf*, p. 13 et s. p. 22 et s.

381. Cf. Ibid., p. 37 et s., 54 et s., 60

382. Archives fédérales, Coblence, NS 26/49 et ailleurs.

383. L'original de la lettre dans les archives de « Bechtle Verlag ». La ponctuation d'Hitler n'a pas été corrigée.

384. Original de la lettre non datée (probablement de 1915) se trouve dans une collection privée. Citation textuelle.

385. Cité d'après Kubizek, p. 310 et s.

386. Citation textuelle d'après l'original (non datée ; dans les archives du « Bechtle Verlag »).

387. Cf. Zoller, p. 13 et s.

388. La secrétaire d'Hitler, Johanna Wolf, qu'Hitler appelait parfois « Wölfin » (« Louve » : jeu de mot allemand, « Wolf » voulant dire « loup » — N.d.T.), ancienne employée de l'ami d'Hitler Dietrich Eckart, a confirmé ces déclarations de Christa Shröder dans le cadre d'un interrogatoire par Kempner, le 1-7-1947 (elle ignorait à cette époque le rapport de Christa Schröder). Cf. Kempner, *Das Dritte Reich im Kreuzverhör*, p. 33 et s.

SIXIEME CHAPITRE

LE POLITICIEN

1. Comme les chapitres 4, 5, 6, 8 et 9 traitent également de manière détaillée d'Hitler politicien, ce chapitre se borne à l'étude des principes et des aspects analytiques de la question. Nous avons renoncé aux notes et renvois dont le seul but serait de prouver le caractère exhaustif de notre exposé.

2. Hitler, p. 225. Cf. aussi ce livre.

3. Hitler, p. 72. Ce propos se trouve dans *Mein Kampf*, mais sa teneur reprend, selon le témoignage de camarades de guerre et d'amis, les constatations faites par Hitler en 1918.

4. Communication personnelle du camarade de guerre d'Hitler, Ernst Schmidt (août 1964).

5. Communication personnelle d'Ernst Schmidt (août 1964).

6. Hitler, p. 225.

7. Ibid., p. 321.

8. Ibid., p. 229.

9. Ibid., p. 231.

10. Ibid., p. 230.

11. Ibid., p. 295.

12. Cf. Maser : *Hitler*, p. 301.

13. Cf. Ibid., p. 302.

14. Cf. Maser : *Hitler*, p. 371 et s.

15. Cf. Ibid., p. 393 et s.

16. Cf. à ce propos Hitler p. 245 et s. et d'autres.

17. Hitler, p. 749, Cf. aussi *Le deuxième livre d'Hitler* p. 94.

18. Cette remarque s'applique aussi à Hitler comme chef militaire. Cf. aussi le dernier chapitre.

19. Cf. aussi une étude récente : Gordon, Harald Jr. *Hitlerputsch 1923. Machtkampf in Bayern 1923-24*, Frankfort 1971.

20. Hitler, p. 231 et s.

21. Ibidem, p. 20.

22. Ibid., p 229.

23. Ibid., p. 229 et s.

24. Ibid., p. 229.

25.-26. Ibid.

27. Cf. Ibid., p. 230.

28.-29. Cf. Ibid.

30. Cf. ibid. Ainsi, Hitler pouvait affirmer (ibidem p. 230) que le « créateur de programme » ne pouvait être « jugé à l'accomplissement de ses objectifs ».

31. Cf. à ce sujet Jacobsen, *Nationalsozialistiche Aussenpolitik 1933-1938*, p. 618 et s.

32. Cf. Ibid.

33. Ibid.

34. Ibid.

35. La thèse de l'historien allemand Hans Jacobsen selon laquelle il faudrait appliquer à l'année 1933 « et à l'évolution de l'histoire allemande jusqu'à la fin de la guerre non pas l'optique de la continuité mais celle d'un bouleversement révolutionnaire » (loc. cit. p. 618) se ressent trop des conséquences de la politique hitlérienne qui a « grevé l'histoire de l'Allemagne d'une lourde hypothèque historique » (ibidem p. 619), formule que Jacobsen justifie par des « motifs pédagogiques ».

36. Cf. Maser : *Hitler*, p. 232.

37. Tirpitz était infiniment plus belliciste que Guillaume II. A noter une caricature dans le *Simplizissmus* du 15-4-1912, représentant l'empereur et son valet devant un grand lit à baldaquin. L'empereur lance à son valet : « Regardez voir sous le lit si Tirpitz ne s'y cache ! Je m'étonne de ne plus entendre, depuis quelques semaines, la trompette de la guerre. »

38. Communication personnelle du fils de son logeur à Munich, Josef Popp (1965).

39. Bismark s'était, en premier lieu, efforcé de défendre le compromis élaboré à grand-peine entre la noblesse terrienne et la bourgeoisie industrielle, entre la couronne et le parlement, contre le prolétariat.

40. Dans son livre *Der Aufbau der deutschen Weltmacht* (l'édification de la puissance mondiale allemande) il spécifie bien dans sa « préface » de 1925, qu'il « s'agit de ne pas méconnaître après la défaite de l'Allemagne la nécessité... de recourir à d'autres méthodes, aussi face à la Grande-Bretagne... » (Cité d'après Hammann, Otto : *Deutsche Weltpolitik 1890-1912*, Berlin 1925- p. 232) ; mais on peut prouver sans peine qu'il s'agissait là d'une formule dictée par l'opportunisme.

41. Le mémoire qui fut remis à Bethmann-Hollweg en dépit de l'interdiction de discuter publiquement des buts de la guerre, portait les signatures de 352 professeurs d'université, de 148 juges et avocats, de 158 ecclésiastiques, de 145 hauts fonctionnaires de l'administration, de 40 parlementaires, de 182 industriels et financiers, de 18 généraux et amiraux du cadre permanent, de 52 exploitants agricoles, de 252 artistes, écrivains et libraires. Cf. aussi Töpner : *Gelehrte Politiker und politische Gelehrte,* Gœttingue, Zürich, Francfort 1970, p. 114.

42. Cité d'après Krummacher, F.A. *Die Auflösung der Monarchie,* Hanovre 1960 (5e éd.), p. 14 et s. Le 4 août 1914, l'historien allemand Friedrich Meinecke, qui jouissait déjà en 1914 de la même notoriété qu'en 1945, déclara que « l'Allemagne était obligée de faire une politique impérialiste » et que « cette guerre (qui était à ses yeux une guerre « défensive ») avait pour enjeu tout ce que nous sommes et avons ». Cité d'après « Politik und Kultur », dans : *Süddeutsche Monashefte,* IIe année (septembre 1914), p. 796 et s. Il ne saurait faire de doute que cette mentalité et cette manière de concevoir les événements étaient conformes à celles qu'Hitler défendait depuis sa jeunesse.

43. La « grande solution » du problème de la frontière de l'Est amorcée par le Traité de Brest-Litovsk a certainement servi de point de départ à certains aspects de la politique de force préconisée dans le « programme » d'Hitler en matière de politique étrangère et nous fournit la transition de Ludendorff à Hitler.

44. Cf. aussi Hitler, p. 172 et s.

45. Hitler, p. 736.

46. Cf. Ibid.

47. Les propositions de Chamberlain — qui ne faisaient pas l'unanimité de tous les membres du gouvernement britannique — prévoyaient la participation de l'Allemagne à l'administration d'une « zone coloniale » à redéfinir, s'étendant du Sahara à l'Afrique australe-occidentale et la rétrocession à l'Allemagne de ses anciennes colonies sous administration anglaise, française, belge et portugaise par mandat de la Société des Nations.

48. Cf. aussi chap. IX.

49. Cf. Jacobsen, *Nationalsozialistiche Aussenpolitik,* p. 331 et s.

50. Ibidem, p. 332. L'auteur continue : « Compte tenu de la situation précaire du Reich, Hitler pratiquait d'abord la poltique dite de « *paeceful change* », c'est-à-dire de la révision pacifique du *statu quo* et du Traité de Versailles. Avec une habileté exemplaire et une persévérance admirable, il proclama ses intentions de paix ; il évoqua sans cesse la nostalgie de paix et de tranquillité du peuple allemand et les expériences qu'il avait faites au front, comme simple soldat, pendant la Première Guerre mondiale. Cela, dit-il, lui permettait de se faire une idée des sacrifices consentis jadis. A chaque occasion, il se servit d'arguments de ce genre que les hommes ne demandaient qu'à croire, que ce fût pendant ses grandes mises en scène au Reichstag ou pendant les entretiens et les interviews accordés à des étrangers. La consolidation de la paix semblait occuper le premier rang parmi les intérêts de la nation allemande. »

51. Cf. par exemple Hillgruber, *Kontinuität und Diskontinuität in der deutschen Aussenpolitik von Bismark bis Hitler,* p. 17.

52. Cf. Ibid., p. 20.

53. Julius Curtius, successeur de Stresemann au ministère des Affaires étrangères, plusieurs hauts fonctionnaires de ce même ministère, parmi lesquels von Bülow a été le plus marquant, avaient déjà, dans la dernière

phase du gouvernement du chancelier social-démocrate Hermann Müller (juin 1928 à mars 1930), donné à la politique étrangère allemande une orientation trahissant un égoïsme d'Etat caractérisé. Cf. aussi Hillgruber, *Kontinuität und Diskontinuität*, etc. p. 21 et s. et ailleurs.

54. Brüning déclara publiquement, le 8-7-1930, qu'il exigeait « un ordre européen et permanent » ainsi qu'un « espace vital naturel suffisant » pour le Reich. Cf. aussi Hillgruber, *Kontinuität und Diskontinuität*, p. 21. Brüning donna la priorité à la solution du problème des réparations et négligea quelque peu les négociations de désarmement car le réarmement allemand lui semblait plus urgent.

55. Chancelier du Reich : von Papen ; ministre des Affaires étrangères : von Neurath ; ministre de l'approvisionnement : von Braun ; ministre de l'Intérieur : von Gayl.

56. Le gouvernement de la Prusse (Président du Conseil : le social-démocrate Otto Braun) n'était pas à même de s'opposer efficacement à l'action du chancelier von Papen (Parti du Centre). Le « Reichsbanner » social-démocrate n'était pas armé. Dans la Police prussienne qui ne pouvait être mobilisée contre un décret du Président du Reich, un policier seulement sur huit disposait d'une carabine. Comme le nombre des chômeurs atteignait six millions, l'idée d'une grève générale n'était pas viable. Les communistes désiraient, autant que les nationaux-socialistes, la fin de la République de Weimar ; deux ans plus tôt, le président du Conseil prussien s'était déclaré prêt à confier à un national-socialiste une charge gouvernementale, car à cette époque les hitlériens ne risquaient pas encore de s'emparer par la force du pouvoir totalitaire.

57. Cf. aussi le discours d'Hitler du 1er mai 1963, cité par Domarus, vol. 1/I, p. 269 et s.

58. Cf. les affirmations de Bruning du 8 juillet 1930. Citées par Lipgens « *Europäische Einigungsidee 1933-1938 und Briands Europaplan im Urteil der deutschen Akten* » dans : *Historische Zeitschrift* 203 (1966), p. 339.

59. Cf. d'après Domarus, vol. 1/I, p. 271 et s.

60. *Viertelsjarshefte für Zeitgeschichte*, 6/1958, Cahier 2, p. 175 et s. Le 15-11-1936, Hitler avait déclaré au ministre hongrois de l'Intérieur Kozma qu'il ne pouvait avancer que d'un pas à la fois dans la mesure où il était à même de protéger son action, le cas échéant, par la force de l'épée. Cf. à ce sujet Jacobsen, *Nationalsozialistische Aussenpolitik* p. 332, note 15.

61. Voir aussi les passages concernant les maladies d'Hitler.

62. Cf. les indications détaillées du 5e chap.

63. Preis, H. (éditeur) : *Adolf Hitler in Franken, Reden aus der Kampfzeit*. Münich 1939, p. 171.

64. Les rêves de puissance entretenus en Allemagne depuis le XIXe siècle, visant à installer une forte Europe centrale sous l'égide de l'Allemagne, à assurer à l'Allemagne l'espace vital nécessaire par une politique d'expansion vers l'Est, à édifier à travers le monde un empire colonial, rêves dont la réalisation rendait inévitable le conflit armé avec d'autres puissances mondiales, prirent un essor aussi vaste que puissant avec l'accession d'Hitler au pouvoir.

65. Cf. passim.

66. Dans son « expertise sur la question juive » de 1919, il précisait que la tâche de la politique antisémitique devait consister à « écarter définitivement » les Juifs. Cf. p .175.

67. Cf. la note suivante et Andreas Hillgruber, *Die « Endlösung » und das deutsche Osproblem als Kernstück des rassenideologischen Programms*

des Nationalismus. Vierteljahrshefte für Zeitgeschichte, Cahier 2/72, p. 133 et s.

68. Hitler, p. 772.

69. Cit. d'après Domarus, II/3, p. 1058. Cf. aussi Hitler, Discours du 30-1941 et du 30-1-1942 ; ibidem, p. 1663 et 1829. C. aussi ce livre p.

70. Cf. aussi Höhne, *Der Orden unter dem Totenkopf,* p. 290 et s.

71. Archives fédérales, Coblence, LXIV, fol. 1-72, p. II.

72. Cf. entre autres documents : Lettre du procureur général de Stuttgart du 12-10-1940 au ministre de la Justice du Reich LXIV, vol. 25, fol. 1-275 ; une lettre (« affaire secrète de l'Etat ») du ministre de la Justice du 4-3-1941, au Chef de la chancellerie du Reich, ibidem, p. 47 ; une déclaration du pasteur protestant Braune, directeur des institutions de Hoffnungstal, Président du Comité central Est pour la Mission intérieure, ibidem, p. 134. Les soldats allemands revêtus pour la plupart de leurs uniformes étaient transportés à Hadamar dans des autocars qu'un « SS-Untersturmführer », le Dr Becker, décrivit ainsi le 16-4-1942 : J'ai fait camoufler les voitures du groupe D en habitations en faisant fixer sur les petites voitures une, sur les grandes voitures deux fenêtres de chaque côté, comme cela se voit parfois dans certaines maisons de bois, à la campagne. » Archives fédérales Coblence LXIV, vol. 26, p. 155.

73. Déclaration formelle de Victor Hermann Brack, délégué personnel de Bouhler du 12-10-1946, ibid., p. 18.

74. Cf. aussi « rapport secret sur l'atmosphère général » du 17-10-1941. Archives fédérales, Coblence, LXIV, fol. 1-175, p. 34 où nous lisons : « Un bureau d'état civil spécial a été affecté aux maisons d'accueil ; les fonctionnaires qui y travaillent falsifient sciemment des documents officiels. (p. 34). »
Cf. aussi ibid., LXIV, vol. 25, fol. 1-82, par exemple p. 1 et s.

75. Ibid., LXIV, vol. 26, fol. 1-175, p. 40.

76. Lettre d'un certain L. Schlaich du 6-9-1940. Archives fédérales, Coblence, LXIV, vol. 24, fol. 1-82, p. 41.

77. Cf. ibid., p. 65 et 67.

28. Cf. Ibid., LXIV, vol. 25, p. 34.

79. Ibid., LXIV, vol. 25, p. 34.

80. Ibid., cf. par exemple lettre du procureur général de Stuttgart du 122-10-1940 au ministre de la Justice du Reich, LXIV, vol. 25, fol. 1-175.

81. Ibidem. Cf. par exemple le procès-verbal de l'interrogatoire du Docteur Otto Schellmann du 4-7-1946. LXIV, vol. 26, p. 149.

82. LXIV, vol. 25, p. 34.

83. Ibid., LXIV, vol. 25, fol. 1-175, p. 41.

84. Déposition de Kurt Gerstein du 26-4-1945. Archives fédérales, Coblence, LXIV, vol. 26, fol. 1-160.

85. Ibid.

86. Cf. Höhne, *Der Osden unter dem Totenkopf,* p. 191.

87. Archives fédérales, Coblence, LXIV, vol. 26, fol. 1-160.

88. Ibid.

89. Ibid.

90. Ibid.

91. Cf. chap. VIII.

92. « Journal officiel du Reich » (*Reichsgesetzblatt*) I, p. 535. Cit. d'après « Gesetze des NS-Staates » (Lois de l'Etat national-socialiste) ed. Ingo von Münch. Hombourg-les-Bains, Berlin, Zürich 1968, p. 115. Par la suite cité comme « Gesetzte des NS-Staates ».

93. Cf. les constatations à ce sujet aux chap. VIII et IX.

94. De la même manière, il refusait par exemple de donner des bases

légales à l'euthanasie comme le lui demandaient les ministres.

95. Cf. aussi à ce sujet Hillgruber, *Die Endlösung und das deutsche Ostproblem.*

96. Lors du procès de Nuremberg, Robert M.W. Kempner a pu se rendre à l'évidence, après les interrogatoires des secrétaires d'Etat Franz Schlegelberger et Wilhelm Stuckert (qui avaient pris part à la « conférence de Wannse », du 20 janvier 1942) (Cf. Kempner : *Eichmann und Komplizen*, p. 126 et s.) avant même la découverte le 28-1-1942, du procès-verbal de la Conférence de Wannsee », que l'assassinat des Juifs n'a *pas* été projeté par Hitler pour *après* la guerre. Communication écrite de R.M. Kempner du 22-7-1972.

97. Cf. le « Journal de Guerre » de l'OKW (grand quartier général de la Wehrmacht), vol. IV, Francfort/Main 1961, p. 1505.

98. Cf. *Völkischer Beobachter* n° 79 du 20-3-1934 et Domarus, vol. I/I, p. 371.

99. Cf. Maser : *Die Frühgeschichte der NSDAP*, p. 357 et s.

100. Hans-Adolf Jacobsen écrivit encore en 1968 : « Les nationaux-socialistes ont parfois refusé de fixer les méthodes et procédés par lesquels ils pouvaient consolider et étendre leur puissance. Car il leur importait d'adapter leurs actions à la situation et aux circonstances du moment. Ce système avait des répercussions sur les chefs nationaux-socialistes s'activant dans le domaine de la politique étrangère. ...Dans ce contexte, une question s'impose : « Cette manière d'organiser la politique étrangère, était-elle due au hasard ou à un plan préconçu, était-elle voulue ou fortuite ? » La réponse est probablement l'un et l'autre ! Certains symptômes semblent indiquer qu'Hitler n'a pas été capable, en dépit de l'élan révolutionnaire et de réalisations remarquables, de dominer sur le plan structurel et intellectuel l'organisation de sa politique étrangère. Il avait en outre l'habitude d'abandonner pas mal de choses au hasard en faisant confiance, comme sur le plan intérieur, au principe de la sélection : le plus fort devant s'imposer à la longue. Il existe aussi des documents prouvant qu'il a cherché la multiplicité des moyens pour parvenir à ses fins, ou qu'il l'a au moins tolérée d'une manière consciente. » Jacobsen, *Nationalsozialistische Aussenpolitik*, p. 599.

101. Rausching, Hermann : *Gespräche mit Hitler*, Zürich, 1940.

102. Cf. Bibliographie : Bullock. Les quelques corrections de détail de la « Completely Revised Edition », de 1964 et de l'édition allemande de 1967, n'ont que peu modifié les grandes lignes de son portrait d'Hitler qui, dans l'ensemble, n'est pas conforme à la réalité.

103. Cf. aussi Shieder, Th. : *Hermann Rauschnings « Gespräche mit Hitler » als Geschichtsquelle.* Publication de la « Rheinsch-Westfälischen Akademie der Wissenschaften ». Opladen 1972. Cf. aussi Jacobsen, *Nationalsozialistische Aussenpolitik*, p. 606, note 7.

104. Cf. Taylor, A.J.P. : *Die Ursprünge des Zweiten Weltkrieges*, Gütersloh 1962, par exemple p. 94, 97, 176, 281.

105. Jacobsen, *Nationalsozialistische Aussenpolitik*, p. 320.

106. Cf. Maser : *Die Frühgeschichte der NSDAP*, p. 307 et s.

107. Hitler, p. 771.

108. Ibid., p. 772 et s.

109. Maser : *Frühgeschichte*, p. 373/37.

110. Il a dû se défendre pendant des années — non seulement dans Mein Kampf et devant les tribunaux — contre de telles accusations. Cf. Maser : *Die Frühgeschichte der NSDAP*, p. 369 et s.

111. Un exemple très typique est sa brève entente avec l'Union Soviétique.

112. Cf. aussi, p. 268 et p. 266.

113. Hitler après l'occupation de la Rhénanie en 1936. Cit. d'après Jacobsen, *Nationalsozialistiche Aussenpolitik* p. 345.

114. Cf. Hitler, *Mein Kampf, préface.* De même, Maser : *Hitlers Mein Kampf,* p. 41 et s.

115. Jacobsen : *Nationalsozialistische Aussenpolitik,* p. 339.

116. Maser, *Hitlers Mein Kampf,* p. 47 et s. Interview publié dans le *Völkischer Beobachter* du 29-2-1936.

117. Cf. par exemple : Maser, *Hitlers Mein Kampf,* p. 31, p. 187 et ailleurs.

118. Picker, p. 266.

119. Ibid., p. 599.

120. *Stationen der deutschen Geschichte* 1919-1945. Ed. par B. Freudenfeld, Stuttgart 1962, p. 9-28.

121. Cf. p. 109.

122. Hitler, p. 227. Voici le texte : « C'était ma première activité plus ou moins purement politique. »

123. Cf. Maser, *Die Frühgeschichte der NSDAP,* p. 157. De même, p. 157, 159, 160, 164 et s., et 171.

124. Cf. p. 160.

125. Cf. Ibid., p. 189 et s.

126. Cf. Ibid., p. 173.

127. Cf. Maser, *Die Frühgeschichte der NSDAP,* p. 166 et p. 172 s. dans ce livre.

128. Cf. Hitler, p. 239. Dans *Mein Kampf Hitler* appelle son inscription comme membre du parti à juste titre une « capture » (*Einfangung*) (p. 241).

129. Cf. p. 165.

130. Cf. Maser, *Die Frühgeschichte der NSDAP,* p. 169 et s., et 263 et s.

131. Hitler fut citoyen autrichien jusqu'en avril 1925 (passeport n° 6537). En avril 1925, il demanda aux autorités municipales de Linz de le déclarer déchu de la nationalité autrichienne. Celles-ci donnèrent suite à sa requête. Cf. Maser : *Die Frühgeschichte der NSDAP,* p. 336.

132. Ses ambitions politiques se manifestèrent au plus tard pendant le pustch de Munich en novembre 1923.

133. Au printemps 1922, des politiciens bavarois tant sociaux-démocrates que bourgeois tentèrent de faire expulser Hitler comme « étranger indésirable ». Des députés demandèrent son expulsion au Parlement régional de Bavière (*bayerischer Landtag*) et au Reichstag. Mais Erhard Auer, politicien bavarois social-démocrate, qui qualifiait Hitler de « personnage plutôt comique » défendit avec tant d'ardeur les « libertés démocratiques » dont Hitler devait à son avis également bénéficier qu'on ne procéda pas à son expulsion. Cf. Maser : *Die Frühgeschichte der NSDAP,* p. 334 et s. En 1930, les ministres prussiens de l'Intérieur, Albert Grzesinski et Carl Severing, menacèrent de faire expulser ou punir Hiter en vertu des paragraphes 128 et 129 du Code pénal. Ils demandèrent à la division de la Police Politique de la Préfecture de Police de Berlin de procéder à une enquête sur les activités illégales d'Hitler et de certains chefs du NSDAP. L'enquête menée par l'avocat-conseil de la division de Police du Ministère prussien de l'Intérieur, le Dr Robert M.W. Kempner, par le conseiller ministériel le Dr Schach et par le Dr Stumm (nommé après 1945, préfet de Police de Berlin), dont le résultat fut communiqué au ministre de la Justice et au ministre de l'Intérieur du Reich, mettait en évidence qu'Hitler

aussi bien que quelques-uns de ses subordonnés s'étaient rendus coupables d'actes contraires à la loi. Les instances compétentes renoncèrent pourtant à faire poursuivre Hitler. (Le procureur de l'Etat Karl August Werner, qui garda sa charge après 1933, sympathisait avec Hitler, ce que Kempner a expressément confirmé dans une lettre du 27-7-1972). La tentative de Kempner de rappeler à l'ordre le procureur de l'Etat par une « lettre ouverte » publiée dans la revue *Die Justiz* (n° 11, août 1930), signée du pseudonyme de « Procurator » resta sans effet. Le fait qu'Hitler eût, entre-temps, en automne 1920, au procès dit « *Ulmer Reichswerprozess* » confirmé par un faux serment la légalité du NSDAP, n'eut pas non plus de conséquences fâcheuses pour lui. Le 7 août 1932, quinze jours après le coup d'Etat de von Papen, qui chassa avec l'aide de la Reichswehr le gouvernement social-démocrate passablement apathique de la Prusse en montrant ainsi la voie à Hitler, le procureur de l'Etat Werner classa définitivement la procédure contre Hitler. Cf. aussi Kempner : *Research Studies of the State College of Washington*, vol. XIII, juin 1945.

134. La tentative de le nommer professeur de « sociologie et de politique organique », à l'Ecole Polytechnique de Brunswick, échoua par suite du manque de diplômes universitaires et parce qu'on craignait des troubles à l'école. Note au dossier de l'ambassadeur de Brunswick du 26-2-1932. Archives fédérales, Coblence, NS 26/6.

135. Le 24 février 1936, Hitler démissionna officiellement de sa charge de Conseiller d'Etat du Brunswick. Echange de lettres avec le ministère d'Etat du Brunswick. NS 26/6.

136. Le bureau du NSDAP responsable, jusqu'en juillet 1921, de la direction du parti qu'Hitler avait placé devant l'alternative de lui accorder les pouvoirs dictatoriaux ou de le considérer comme démissionnaire, avait accepté l'ultimatum ; dans sa réponse à Hitler, il avait écrit : « Compte tenu de votre immense savoir, de votre esprit de sacrifice sans exemple, de votre activité honorifique infatigable pour le développement du mouvement, de votre talent oratoire exceptionnel, le bureau est disposé à vous accorder des pouvoirs dictatoriaux. » Cf. Maser : *Die Frühgeschichte der NSADP*, p. 270.

137. Cf. Maser : *Die Frühgeschichte der NSDAP*, p. 275.

138. A l'occasion du Congrès international de tous les nationaux-socialistes des pays de langue allemande en août 1920, à Salzbourg, environ onze mois après la prise en main totale du parti par Hitler, le DSP avait obtenu comme « champ d'activité » le territoire au nord du Mein, alors que le NSDAP s'était vu attribuer le territoire au sud du Mein. Cf. Maser, *Die Frühgeschichte der NSDAP*, p. 229.

139. Les points les plus marquants du programme du DSP étaient entre autres le remplacement du droit romain par un droit germanique, la réforme agraire, la suppression des bénéfices sur le loyer de l'argent, la nationalisation de la finance. Cf. Maser, *Die Frühgeschichte der NSDAP*, p. 227.

140. Buchheim, « *Hittlers als Politiker* », dans *Der Führer ins Nichts*, Rastatt/Bade 1968, p. 12 et s.

141. Cit. d'après Freund, *Deutschland unterm Hakerkreuz*, p. 361.

142. Malgré cela, Hitler s'efforçait toujours de garder aussi longtemps que possible des hommes ayant fait leurs preuves, car il était d'avis que la planification à long terme était autrement impossible. Cf. ses remarques à ce sujet du 5-5-1942 dans Picker, p. 313 et s.

143. Cf. p. 373.

144. Cf. aussi circulaire du Stdf. signée M. Bormann n° 127/39 du 13-

6-39, citée dans l'avis aux collaborateurs de la DRbg. Dans la circulaire
n° 6/39 du bureau administratif DRbg, signée Puttkammer du 26-6-39,
BUE 53 Bl. 0357 267. Cf. aussi Bollmuss, Reinhard : *Das Amt Rasenberg
und seine Gegner Stuttgart* 1970, p. 326.

145. Cf. les constatations à ce sujet au dernier chap.

146. *Der Hitler-Prozess, Auszüge aus den Verhanlungsberichten*, Munich 1924, p. 267.

147. Eucken-Erdsiek, Edith, « *Hitler als Ideologe* » dans : *Der Führer
ins Nichts* Rastatt/Bade 1950, p. 26.

148. Ainsi, le national-socialisme apparaît, chez beaucoup d'auteurs
même récents, comme un simple « régime autoritaire », parce qu'Hitler
n'aurait pas envisagé (prétend-on) une « révolution dans le sens d'un bouleversement social fondamental ». (Cf. par exemple : Greiffenhagen Müller/
Kühnl : *Totalitarismus. Zur Problematik eines politischen Begriffs*, Litst
Taschenbücher der Wissenschaft, n° 1556). La théorie du fascisme, élaborée
dans les pays occidentaux immédiatement après la fin de la guerre se
conformait aux vues officielles. On désignait par « fascisme » le système
politique des pays qui avaient été pendant la guerre les adversaires des
« démocraties » : l'Allemagne, l'Italie, le Japon. Après le procès de Nuremberg, pendant les premières phases de la « guerre froide », on étendait
le concept de « fascisme » aussi au régime stalinien alors qu'on rangeait
le fascisme italien, les systèmes de Franco et de Horthy dans la catégorie
des « régimes autoritaires » en les distinguant du « totalitarisme » d'inspiration fasciste. En 1960, la guerre froide s'étant un peu apaisée, on rangeait de plus en plus le fascisme italien parmi les totalitarismes authentiques, le nationalisme passant pour une de ses variantes. Martin Lipset
soumit le fascisme à une analyse fondée sur la théorie des classes et le
qualifia d'« extrémisme de la classe moyenne, phénomène inévitable dans
la société occidentale » ; les pays du bloc oriental avaient de leur côté
assimilé le fascisme à l'impérialisme. Après 1960, on assista à l'entrée en
scène d'hommes qui, par suite d'une analyse conceptuelle, firent du fascisme un domaine de recherches particulier et se mirent à l'explorer par les
méthodes de la science historique : dans cette évolution, Ernst Nolte (cf.
Bibliographie) mérite une mention spéciale.

149. Cf. aussi chap. V.

150. Les discours de Gœbbels de 1932 à 1939, éd. par Helmut Heiber,
Düsseldorf 1972, p. 224.

151. Hitler, p. 531.

152. Ibid., p. 194.

153. Ibid., p. 197 et s.

154. Ibid., p. 200.

155. Ibid.

156. Ibid.

157. Cf. Le Bon, Gustave. *Psychologie des Masses.*

158. Hitler, p. 201.

159. Ibid., p. 203.

160. Ibid.

161. Ibid., p. 196.

162. Ibid., p. 201.

163. Le Bon, p. 14 et s., 32, 37, 47, 74, 86 et 96.

164. Ibid.

165. Ibid., p. 14.

166. Hitler, p. 198.

167. Ibid.

168. Ibid., p. 176.
169. Ibid.
170. Ibid., p. 197.
171. Ibid., p. 201.
172. Cf. p. 56.
173. Hitler, p. 197.
174. Ibid., p. 197.
175. Ibid., p. 157 et s.
176. Ibid., p. 198.
177. Cf. par exemple, p.
178. Kurt Rielzer, Tagebücher, Aufsätze, Dokumente. Hrsg. und einge-
19 und 20. Jahrhunderts, » vol. 45, Gœttingue 1972. Cit. d'après *Die Zeit* du
15-9-1972, p. 33.
179. Ibid.
180. Ibid.
181. Cf. chap. VIII.
182. Ibid.
183. Ibid.
184. Ibid.
185. Chap. V.
186. Cf. Picker, p. 265.
187. Hitler le 4-4-1942. Cf. Picker, p. 248.
188. Cf. Ibid.
189. Cf. Ibid.
190. Cf. Ibid., et p. 338.
191. Ibid., p. 265.
192. Cf. Ibid., p. 248.
193. Cf. Ibid., p. 338.
194. Cf. Ibid., p. 248.
195. Cf. Ibid.
196. Cf. Ibid., p. 305.
197. Ibid., p. 264 et s.
198. Hitler, p. 73.
199. Ibid., p. 593.
200. Le 20-2-1933, Hitler s'exclama : « Peuple allemand !... je jure...
que je quitterai cette charge comme je l'assume maintenant » (Cf. d'après
Domarus, vol. I/I, p. 207). Le 24-2-1933, il dit : « Le peuple allemand... jugera, décidera, appréciera... il me crucifiera s'il croit que je n'ai pas fait
mon devoir » (*Völkischer Beobachter* du 25-/26-2-1933). Le 24-10-1933, Hitler
déclara au Palais des Sports de Berlin : « Si je faisais erreur ou si le
peuple allemand estimait un jour ne pouvoir sanctionner mes actes, libre
à lui de me faire mettre à mort : je ferai front calmement ! » (Cf. *Völkischer Beobachter* du 26-10-1933).
201. Cité d'après Kramarz, *Claus Graf von Stauffenberg. Das Leben
eines Offiziers.* Francfort/Mein 1965, p. II.
Des renseignements détaillés sur le 20 juillet 1944, et d'autres tentatives
de révoltes et d'attentats se trouvent dans l'ouvrage exhaustif de Peter
Hoffmann, *Widerstand, Staatsstreich, Attentat* (cf. Bibliographie).
202. Quelle que fût l'habileté de la propagande nationale-socialiste, il
était impossible de cacher à la longue la réalité des faits. A partir de 1942,
il était difficile, à partir de 1944, impossible de soutenir la confiance du
peuple allemand dans la victoire finale. Au début de 1944, les Russes fran-
chirent l'ancienne frontière polono-soviétique. En avril, ils atteignirent la
frontière de la Roumanie. Les forces armées allemandes étaient hors

d'état d'opposer une résistance efficace aux attaques massives des unités russes. Les villages de Minsk, Wilna, Pinsk, Grodno, Bialystock, Duna- bourg tombèrent l'un après l'autre. Les unités allemandes opérant dans les pays baltes se trouvaient en danger d'être encerclées. L'Armée Rouge s'ap- prochait de la Prusse Orientale. L'aviation alliée bombardait régulièrement les villes, les villages, les voies de communication. En mars 1944, les Amé- ricains entreprirent leur première incursion aérienne sur Berlin en plein jour. En mai, les unités allemandes en Italie furent délogées de leurs lignes de défense. Le 4 juin, les Alliés prirent Rome. Deux jours plus tard les Anglais et les Britanniques débarquèrent en Normandie.

203. Cf. chap. III.

204. Cf. par exemple Buchheim, « *Hitler als Politiker* » (dans *Der Führer ins Nichts*), Rastatt/Bade 1960, p. II.

205. Cf. documentation dans les deux derniers chapitres de ce livre.

206. Cité d'après Buchheim, *Der Führer ins Nichts*, p. 19.

207. Cf. Picker, p. 311 et s.

208. Cf. Ibid., et Bollmus, Reinhard, *Das Amt Rosenberg und seine Gegner*, Stuttgart 1970, p. 328. Le montant des dettes du Reich varie entre 12 milliard (Bollmus) et 15 milliards (Picker) en 1933 et 379,8 milliards (Bollmus) et 390 milliard (Picker) à la fin de la guerre.

209. Cf. Bollmus, p. 328.

210. Cf. chap. V.

211. Hitler, politicien : voir aussi les deux derniers chap.

212. Voir aussi, à ce sujet, les deux derniers chapitres.

213. Cf. aussi le dernier chapitre.

SEPTIEME CHAPITRE

LES FEMMES

1. Cité d'après Gun (avant p. 193, les pages illustrées ne sont pas numérotées). Nous avons corrigé la ponctuation défectueuse d'Eva Braun. Le contenu de la lettre a été confirmé par Ilse Braun (1969).

2. Ibid.

3. Renseignement personnel de Mme Winter (1969).

4. Renseignement personnel de Mme Winter (1969).

5. Cf. Picker, p. 323.

6. Cf. ibid., p. 165.

7. Cf. Kubizek, p. 78 et s., et Jetzinger, p. 142 et s.

8. Hitler en parla dans la nuit du 8 au 9 janvier 1942, dans la « *Wolfsschanze* ». Rapport écrit de Heinrich Heim. Photocopie des docu- ments en possession de l'auteur.

9. Cf. Kubizek, p. 78 et s., et Jetzinger, p. 142 et s. ; voir aussi les indications de « Stefanie » adulte, ibid., p. 143 et s.

10. Photocopie d'une déclaration écrite de « Stefanie ». Cf. aussi l'échange de lettres entre Jetzinger et « Stefanie », Jetzinger, p. 144.

11. Par exemple Heiber, p. 23 et s., Jetzinger, p. 142 et s.

12. Cf. aussi documents et indications bibliographiques dans Maser, *Die Frühgeschichte der NSDAP. Hitlers Weg bis 1924.* On peut faire abstraction ici de la polémique de Jetzinger contre Kubizek.

13. Hitler, p. 35.

14. Cf. Kubizek, p. 282 et s.

15. Mention au dossier (dactylographiée, originale). Anciennes Archives principales du NSDAP, Archives fédérales, Coblence, NS 26/17a.

16. Ibid.

17. Texte dactylographié (on y trouve aussi une mention au dossier de Dammann du 8 décembre 1938). Anciennes Archives principales du NSDAP, Archives fédérales, Coblence, NS 26/17a.

18. Hitler, p. 63 et p. 269 et s., et ailleurs.

19. Kubizek, p. 283 et s.

20. Renseignement personnel du médecin en 1952 (le nom et l'adresse du médecin sont déposés sous pli scellé dans les archives du Tribunal d'Instance (*Amtsgericht*) de Munich.

21. La remarque d'Hitler est citée d'après Picker, p. 194.

22. Ibid.

23. Renseignement personnel de Josef et Elisabeth Popp (mai 1966). Elisabeth et Josef Popp ne se souvenaient pas d'avoir vu Hitler à Munich en compagnie d'une femme ou d'avoir entendu de sa bouche qu'il avait une amie à Munich.

24. Meirowsky, E. et Neisser, A., « *Eine neue sexualpädagogische Statistik* » dans *Zs. f. d. Bekämpfung der Geshlechtskrankheiten*, 1912, cahier 12, p. 1-38. Cf. Giese, Hans, et Schmidt, Gunter, *Studenten-Sexualität. Verhalten und Einstellung*, Hambourg 1968, p. 231 et s.

25. 90 des 300 médecins (dont 86 étaient mariés) à qui Meirowsky et Neisser avaient adressé leur questionnaire, le leur renvoyèrent rempli. La statistique se fonde donc sur les réponses de ces 90 jeunes médecins.

26. En 1966, 55 % des étudiants interrogés indiquèrent comme « motif » de leur premier rapport sexuel des « relations amoureuses »; 50 % environ épousèrent leur première partenaire; moins de 10 % eurent leur premier rapport avec des prostituées. Cf. Giese/Schmidt p. 233 et s.

27. Cité d'après Picker, p. 189.

28. Cf. Gisens/Schmidt, p. 234. Pas une seule des personnes interrogées (ibidem), indiqua comme « motif » « l'amour ».

29. Matricule de la 7ᵉ comp. du 1ᵉʳ bat. de rés. du 2ᵉ Rég. d'inf. bavarois, vol. XXII ; Archives fédérales, Coblence, NS 26/12.

30. Cf. ibid.

31. Cf. Iib.

32. Renseignements personnels des parents d'Hitler de Spital (1969).

33. Cf. par exemple *Münchner Post* du 3-4-1923.

34. Cit. d'après la copie authentifiée en juillet 1968, par Heinrich Heim du manuscrit original de Heinrich Heim (Copie propriété de Heinrich du manuscrit original de Heinrich Heim (Copie propriété de Heinrich Heim).

35. En faisaient partie entre autres Hermann Esser (communication personnelle de 1953) et Henriette Hoffmann/von Schirach (communication personnelle de mai 1966).

36. Cf. Hanfstaengl, p. 372.

37. Cf. procès-verbal de l'enquête du Ministère public du 2-1-1924. (Direction de la Police, Munich) et Maser, *Die Frühgeschichte der NSDAP*, p. 406.

38. Cf. Gun, p. 64.

39. Cf. ibid., p. 62.

40. Cf. ibid., p. 56 et s.

41. Communications orales du frère de « Geli », Leo Raubal (à l'occasion de plusieurs entrevues en 1967). On ne sait pas si « Geli », qui avait étudié la médecine à Munich, a eu un accès de désespoir en apprenant les détails de l'histoire de sa famille. Son frère Leo Raubal, qui a été retenu jusqu'en 1955 dans les prisons soviétiques, n'a pas émis d'avis à ce sujet. Il déclara simplement, au cours d'une entrevue personnelle, que son oncle Adolf Hitler ne fut en rien responsable de la mort de sa sœur.

42. Cité d'après Picker, p. 193.

43. Cf. Maser, *Die Frühgeschichte der NSDAP*, p. 408.

44. Interrogatoire de Mme von Seidlitz du 13 décembre 1923 (Direction de la Police, Munich).

45. Cf. Maser, *Die Frühgeschichte der NSDAP*, p. 409.

46. Cité d'après Picker, p. 164.

47. Ibid.

48. Ibid., p. 188.

49. Ibid., p. 194.

50. Ibid., p. 269.

51. Ibid., p. 188.

52. Renseignement personnel d'Henriette Hoffmann/von Schirach, de Heinrich Heim, du Dr Paul Karl Schmidt(-Carell). Les secrétaires d'Hitler étaient unanimes sur ce point. Le dentiste d'Hitler, chef de brigade SS des Waffen-SS, le docteur Hugo Blaschke, fit une déclaration analogue le 19-12-1947, lors d'un interrogatoire par Robert M.W. Kempner. L'original du procès-verbal non publié de cet interrogatoire se trouve dans les mains de Kempner.

53. Renseignement personnel d'Henriette Hoffmann/von Schirach (1965.)

54. Renseignement personnel d'Ilse Braun (1969).

55. Renseignement personnel d'Anny Winter (1969).

56. Renseignement personnel d'Ilse Braun (1969).

57. Renseignement personnel d'Henriette Hoffmann/von Schirach (1967).

58. Renseignement personnel d'Anny Winter (1969).

59. Renseignement personnel d'Ilse Braun (18-5-1969).

60. Renseignement personnel de Luis Trenker (1967) qui a souvent mangé avec Eva Braun et qui a constaté qu'elle plaçait parfois la photo d'Hitler sur la table.

61. Rapport de Heim (« Heim-Protokoll »), cité d'après Picker, p. 189.

62. Cf. aussi Hanfstaengl, p. 284 et s.

63. Renseignement personnel de Luis Trenker (1967).

64. Leni Riefenstahl a eu une attitude particulièrement réservée dans ses entretiens avec l'auteur (1970).

65. Dans une entrevue personnelle (octobre 1969), Mady Rahl a fait preuve d'autant de réserve que Leni Riefenstahl.

66. Cf. Besymenski, p. 67 et 77, et ailleurs.

67. Cf. p. ex. « Erotik-Lexikon » dans *Jasmin*, cahier 24/1968, p. 191 et s.

68. Procès-verbal US de l'interrogatoire de Morell.

69. Les documents de Morell : des expertises du Dr Brinkmann et du Dr Schmidt-Burbach ; le procès-verbal US de l'interrogatoire des médecins.

70. L'affirmation de Röhrs (p. 100) qu'Eva Braun a été enceinte des

œuvres d'Hitler ne peut être prouvée. Ilse Braun a rejeté cette hypothèse. Elle a déclaré à ce sujet : « Ma sœur n'a certainement jamais été enceinte. Elle l'aurait été, qu'elle n'aurait jamais accepté l'interruption de sa grossesse. Une telle mesure aurait été contraire à sa philosophie de la vie. Comme elle n'a pas suivi l'injonction d'Hitler de quitter Berlin — elle a préféré mourir avec lui —, de même elle aurait désobéi si on lui avait dit de se faire avorter.» (Communication personnelle d'Ilse Braun du 18-3-1969).

71. Cité d'après Gun, p. 75. La ponctuation défectueuse d'Eva Braun a été respectée.

72. Rapport de Morell (examen urologique, caractères sexuels).

73. Cf. chap. VIII.

74. Renseignement personnel du Dr Paul Karl Schmidt(-Carell) du 17-2-1971.

75. Cf. aussi « Erotik-Lexikon » dans *Jasmin*, cahier 24/1968, p. 192.

76. Blaschke au cours de son interrogatoire par R.M.W. Kempner le 19-12-1947.

77. Renseignement personnel d'Henriette Hoffmann/von Schirach (mai 1966).

78. Cité d'après Gun, p. 77. La ponctuation défectueuse a été maintenue. Par cette « walkyrie », Eva Braun visait très probablement Lady Mitford.

79. Cité d'après Picker, p. 194.

80. Ibid., p. 164 et s.

81. Baur, p. 89.

82. Ibid., p. 90.

83. Ibid.

84. Souvenirs de Heinrich Heim. Texte cité d'après Picker, p. 189. Cf. aussi ibid., p. 292 et s.

85. Picker, p. 335.

86. Cf. Picker, p. 164.

87. Information personnelle de la sœur d'Eva Braun, Ilse Braun (1969). Cf. aussi Gun et Kempner, *Das Dritte Reich im Kreuzverhör*, p. 39.

88. Cf. Hitler, p. 5 et s. Hitler a raconté à plusieurs reprises à sa gouvernante Anny Winter que son père lui avait administré pendant sa dernière correction 32 coups de bâton. Renseignement personnel (1969).

HUITIEME CHAPITRE

1. Hitler, p. 453.
2. Renseignement personnel de Hermann Esser (1953/54).
3.-4. Cf. Ibid., p. 117 et s.
5. Procès-verbal US de l'interrogatoire des médecins.
6. Hanfstaengle, p. 36.
7. Rapport de Morell.

8. Speer, p. 118.
9. Rapport de Morell.
10. Communication personnelle d'Ilse Braun (1969). Cf. aussi Speer, p. 120.
11. Rapport de Morell.
12. Cf. par exemple Speer, p. 120.
13. Informations personnelles d'Ilse Braun (1969).
14. (Rapport de Hossbach), cf. IMT, vol. XXII, p. 488 et s.
15. Cf. Deurlein, *Hitler, eine politische Biographie*, p. 130 et s.
16. Documents Morell : expertises des docteurs Brinkmann, Schmidt-Burbach et Nissle. Procès-verbal de l'interrogatoire des médecins.
17. Ibid.
18. Rapport de Morell.
19. Bullock, p. 706.
20. Rapport de Morell.
21. Cf. chap. I.
22. Cf. texte du DNB (Deutsches Nachrichten-Büro = Agence d'informations allemande) du 4-9-1940. Cité d'après Domarus, vol. II/3, p. 1575 et s.
23. Cité d'après Kempner, Robert M.W., *Eichmann und Komplizen*, Zürich, Stuttgart, Vienne 1961, p. 97.
24. Ibid.
25. Ibid.
26. Renseignement personnel d'Ilse Braun (1969).
27. Cf. Speer, p. 120.
28. Cf. Röhrs, p. 53 et s.
29. Kempner, *Eichmann und Komplizen*, p. 97 et s.
30. Cf. Ibid., p. 101 et s.
31. Cf. Hassel, Ulrich von, *Vom anderen Deutschland. Aus den nachgelassenen Tagebüchern 1938-1944*, Francfort 1964, p. 183.
32. Cf. Heim, cité par Picker, p. 139 et s.
33. Renseignement personnel de Heinrich Heim (22-10-1970).
34. Cf. texte du DNB et reportage en images du 6-8-1941.
35. Cf. Picker, p. 140 et s.
36. Rapport de Morell.
37. Ibid.
38. Ibid.
39. Ibid.
40. « Instruction du Führer » du 21-8-1941. Cf. Journal intime de Halder du 22-8-1941 ; Archives fédérales, Coblence.
41. Cf. Heim cité par Picker, p. 143 et s.
42. Rapport de Heim, cité par Picker, p. 143 et s.
43. Rapport de Morell.
44. Manstein, *Verlorene Siege*, p. 395.
45. Rapport de Morell.
46. Ibid.
47. Ibid.
48. Cf. *Hitlers Weisungen für die Kriegsführung*, p. 234.
49. Cf. Schellenberg, p. 279 et 283.
50. Cf. Galeazzo Ciano, *Tagebücher 1939 bis 1943* (Journal intime), p. 455.
51. Doc. aux Archives fédérales, Coblence, NS 26/17a.
52. Doc. aux Archives fédérales, Coblence, NS 26/17a.
53. Cf. Kersten, p. 209 et s.
54. Cf. Zoller, p. 65.

55. Ibid., p. 67 et s.

56. Rapport de Morell.

56a. Ibid.

57. Ibid.

58. Ibid.

59. Cf. Warlimont, p. 289. On pourrait à la rigueur nommer dans ce contexte l'initiative et la préparation de l'offensive des Ardennes à la fin de 1944 .

60. Ibid., p. 290.

61. Cf. Manstein, p. 308 et s.

62. Echange de lettres : Morell-Löhlein, Rapport de Morell et procès-verbal US de l'interrogatoire des médecins.

63. Ibid.

64. Résultat de l'examen du docteur Löhlein, cf. note 67.

65.-66.-67.-68. Ibid.

69. Irving, David, « *Hitlers Krankheiten* » dans *Der Stern* 26/69, p. 42.

70. Cf. *Neue Zürcher Zeiting* du 13-4-1944 et Domarus vol. II/4, p. 2091.

71. Cf. Manstein, p. 606.

72. Ibid., p. 616.

73. Ibid.

74. Ibid., p. 618.

75. Hitler le 12-12-1942, pendant la « réunion d'information de midi » dans la « *Wolfsschanze* » (grand quartier général du Führer). Cf. Warlimont, p. 308.

76. Pendant la « réunion d'information du soir » le 31-8-1944. Cité par Schramm, *Hitler als militärischer Führer*, p. 93.

77. Cf. *Hitlers Weisungen für die Kriegsführung*, p. 252 et s.

78. Cité par Domarus II/4, p. 2069 et p. 2073.

79. Texte du DNB du 23-7-1944.

80. La constatation d'Hitler a été confirmée par Morell (Rapport de Morell).

81. Procès-verbal US de l'interrogatoire des médecins. 4 esquisses du nez par le docteur Giesing (nez normaux - nez d'Hitler) sur une feuille de format DIN-A 4. Voir aussi, sur l'état de santé d'Hitler à partir de 1944, notre exposé au chapitre suivant : « Le chef militaire et le stratège ».

82. Trevor-Roper, *Hitlers Letze Tage*, p. 90.

83. Rapport de Morell.

84. Ibid.

85. Ibid. Depuis cette époque, surtout e noctobre et en novembre, Blascke se rendit plus souvent auprès d'Hitler. Il le vit pour la dernière fois le 20 avril 1945 à Berlin. Cf. Kempner, ibid., p. 62.

86. Rapport de Giesing du 12-6-1945, p. 150 et s. La ponctuation et les *lapsus calami* ont été corrigés par l'auteur.

87. Rapport (avec dessins) du docteur Giesing sur l'ouïe d'Hitler du 22-7-1944 et du 8-10-1944. Procès-verbal US de l'interrogatoire des médecins.

88. Cf. aussi Trevor-Roper, *Hitlers letze Tage*, p. 93.

89. Cf. aussi Trevor-Roper, *Hitlers letze Tage*, p. 91.

90. Cité d'après Röhrs, p. 41.

91. Rapport de Giesing du 12-6-1945, p. 175 et s.

92. Cité d'après Schramm, *Hitler als militärischer Führer*, p. 134 et s.

93. Cité d'après Bullock, p. 763.

94. Cf. Trevor-Roper, *Hitler letze Tage*, p. 109.

95. Cf. *Der Spiegel*, N° 3/66.

96. Lettres reproduites par Gun (sans indication de page).

97. Cf. Besymenski, p. 91.

98. Communication personnelle du Dr Paul Schmidt(-Carell), 1971. Schmidt a été au chevet de Morell trois ou quatre fois. Lorsqu'il se rendit un jour à l'hôpital, un infirmier allemand lui lança : « Le professeur a été évacué ce matin. »

99. L'auteur les a reçus du Dr Robert M.W. Kempner qui, dans une douzaine de procédures de succession, a fait office d'accusateur principal au procès de Nuremberg.

100. Cf. par exemple Trevor-Roper (*Hitlers letze Tage*, p. 87) ; la plupart des critiques ont repris ces accusations.

101. Cf. Trevor-Roper (*Hitlers letze Tage*, p. 88). Brandt déclara après 1945 : « Quand j'ai demandé à Morell les noms des médicaments administrés, il a refusé de me répondre ».

102. Rapport de Giesing du 11-11-1945, p. 4 s.

103. Remarque du docteur Brandt faite à Heinrich Heim (information personnelle de Heinrich Heim du 22-10-1970).

104. Cf. Trevor-Roper, p. 88.

105. Ibidem, p. 87.

106. Rapport du Dr Morell (« Morell-Proto ol »). J'exprime ma reconnaissance au docteur Fritz Ehlers et au chimiste Dr Adolf Wenz pour les explications qu'ils ont bien voulu me donner à ce sujet.

107. Cf. « Rote Liste » 1969 : Registre des spécialités pharmaceutiques. Aulendorf 1969.

108. Cf. p. 26.

109. Cf. p. 20.

110. Cité par Röhrs, p. 110 s.

111. Informations personnelles par des personnes de l'entourage d'Hitler (1969 et 1970). Renseignements publiés par la secrétaire d'Hitler, Christa Schröder : Zoller, entre autres, p. 67 s. Morell expliqua en 1945, à l'ambassadeur Dr Paul Schmidt-(Carell) qu'il n'a pas toujours été facile d'opposer des arguments médicaux à Eva Braun qui insistait auprès de Morell pour que celui-ci administrât à Hitler des stimulants et des aphrodisiaques. Renseignements personnels du Dr Schmidt(-Carell) (12-2-1971).

112. Cf. Trevor-Roper, *Hitler letzte Tage*, p. 88.

113. Cf. Trevor-Roper, *Hitlers letzte Tage*, p. 111.

114. Cf. ibidem.

115. Cf. aussi Schramm, dans Picker, p. 109 s. Von Hasselbach eut une réaction analogue après 1945. Cf. ibidem.

116. Rapport Morell (« Morell-Protokol »).

117. Schramm, dans Picker, p. 110.

118. Rapport Morell.

119. Ibidem.

120. Ibidem.

121. Ibidem.

122. Par exemple le 31 août 1944. Cité par Schramm, « Hitler als militärischer Führer », p. 93.

123. Hitler le 12-12-1942, pendant l'« analyse de midi » dans la « Wolsschanze ». Cf. Warlimont, p. 308.

NEUVIEME CHAPITRE

LE COMMANDANT EN CHEF ET LE STRATEGE

1. Ecrits du général de division Liebmann ; *Vierteljahrshefte für Zeitgeschichte*, 1954, p. 434 et s. Cf. aussi chap. IX.

2. Cf. ci-dessous.

3. Cf. Maser, *Hitlers Mein Kampf*, p. 249 et s.

4. Extrait de la formule du serment.

5. Cf. à ce sujet aussi chap. IX.   X

6. Cité d'après Schramm, *Hitler als militärischer Führer*, p. 48.

7. Texte du NDB du 1-9-1939.

8. Cf. Hillgruber, *Kontinuität und Diskontinuität in der deutschen Aussenpolitik von Bismarck bis Hitler*, p. 24, ainsi que Hillgruber, *Hitlers Strategie*, p. 34 et 581 et s., et ailleurs.

9. Discours du 19-9-1939. Cité par Domarus, vol. II/3, p. 1357 et s.

10. Discours du 2113-1943. Cité par Domarus, vol. II/4, p. 2000.

11. Cité ibid., p. 2236.

12. Cité par Domarus, vol. II/3, p. 2236.

13. Cité ibid., vol. II/4, p. 2208.

14 Cf. IMT, vol. XV, p. 411.

15. Cf. Schramm, *Hitlerals militärischer Führer*, p. 85.

16. Formule employée dans le rapport de Giesing du 11-11-1945, p. 13 et s. Citée de l'original.

17. Clausewitz, p. 151.

18. Cité par Schramm, *Hitler als militärischer Führer*, p. 149.

19. Manstein, *Verlorene Siege*, p. 318.

20. Besymenski, *Sonderakte Barbarossa*, p. 195. Cf. Ibid., p. 296.

21. Cf. Rohwer, J., « *Zeitgeschichte ; Krieg und Technik* » dans *Wehrwissenschaftliche Rundschau* 1964, p. 205-214.

22. Cf. aussi les rapports officiels sur la guerre, publiés dans les différents pays en 1962. Cf. Allmeyer-Beck, J.C., « *Die internationale amtliche Kriegsgeschichtsschreibung über den Zweiten Weltkrieg* » dans *Jahresbibliographie 1962 der Bibliotek für Zeitgeschichte in Stuttgart*. Francfort-Mein 1964, p. 507-540.

23. Hinsley, F.H., *Hitlers Strategy*. Cambridge 1951 (traduction allemande : *Hitlers Strategie*, Stuttgart 1952).

24. Buchheit, « *Hitlers als Soldat* » dans *Der Führer ins Nichts*, Rastatt/Bade, 1960.

25. Trevor-Roper, « *Hitlers Kriegsziele* » dans *Stationen der deutschen Geschichte 1919-1945*. Int. Kongress zur Zeitgeschichte, Munich 1962 (Congrès international d'Histoire Contemporaine).

26. Schramm, *Hitler als militärischer Führer* (Bibliographie).

27. Hillgruber, *Hitler Strategie* (Bibliographie).

28. Bullock, *Hitler and the Origines of the Second World War*. Raleigh Lecture on History. Read 22 November 1967, p. 259-287 ; dans « *Pro-*

ceedings of the British Academy », vol. XIII, 1967, Londres, Oxford University Press, published for the British Academy, 1968, par la suite appelé : « *Bullock, Second World War* ».

29. Cf. aussi Bullock, *Second World War*, p. 271 et s.

30. Cf. Hillgruber, *Hitlers Strategie*, p. 593.

31. Bullock, *Second World War*, p. 22.

32. Cf. ibid.

33. Cf. ibid., p. 281.

34. Ibid. Cf. aussi notes 164, 165 et 167 au 1er chap.

35. Cf. Clausewitz, *Vom Kriege*, p. 65-77.

36. Cf. ibid., p. 67.

37. Cité d'après Warlimont, *Im Hauptquartier der Wehrmacht*, p. 342. Albert Speer évoqua, lors d'une entrevue avec l'auteur (novembre 1967), ses propres impressions : « Hitler était doué d'un sixième sens. »

38. Buchheit, « *Hitler als Soldat* » dans *Der Führer ins Nichts*, Rastatt 1960, p. 48.

39. IMT, vol. XV, p. 333.

40. Rapport personnel d'E. von Breitenbuch du 8-9-1966 à l'intention du professeur Peter Hoffmann. Communication personnelle de P. Hoffmann (7-6-1971).

41. Rapport de Giesing du 11-11-1945, p. 13 et s.

42. Doc. au « US Berlin Document Center » sous le code « Bormann ». Parmi ces documents se trouve une lettre dactylographiée (DIN-A 4) de trois pages, datée du 30-7-1944, signée par Martin Bormann et adressée à Himmler.

43. Ibid., p. 27.

44. Rapport de Giesing du 11-11-1945, p. 13. D'accord avec le Dr Giesing (7 juin 1971), nous avons remplacé parfois le pronom « lui » (er), supprimé quelques redites et corrigé quelques lapsus calami.

45. *Der Spiegel*, N° 3/66, p. 41. Réunion d'information du 25-4-1945.

46. Ibidem, p. 32.

47. Ibid., p. 37.

48.. Hitler, le 20-5-1943. Le compte rendu est cité par Warlimont, *Im Hauptquartier der Wehrmacht*, p. 343. Cf. aussi ibid., p. 344.

49. Rapport de l'interprète dans le cadre d'une émission de la TV allemande 1re chaîne (Walküre) du 20-7-1971.

50. Communication personnelle du Dr Giesing (juin 1971).

51. Rapport de von Gersdorf, impliqué dans l'affaire du 20 juillet 1944 (Gersdorf a eu l'intention, selon ses propres déclarations, de se faire sauter en mars 1943, ensemble avec Hitler, par une charge explosive) dans le cadre d'une émission de la TV allemande (1re chaîne), du 20-7-1971 (« Walküre »).

52. Cf. *Hitlers Weisungen für die Kriegsführung*, p. 232 et s.

53. Cf. Picker, p. 475.

54. Cf. Höhne, p. 479.

55. Cité d'après Warlimont, *Im Hauptquartier der Wehrmacht*, p. 341.

56. Cf. Speer, *Erinnerungen*, p. 372.

57. Cf. aussi Bullock, *Second World War*, p. 268.

58. Cf. Speer, *Erinnerungen*, p. 268.

59. Cf. Speer, *Erinnerungen*, p. 372.

60. Cf. ibid.

61. Ibid., p. 375.

62. Bullock, *Second World War*, p. 269.

63. Cf. aussi Bullock, *Second World War*, p. 276 et ailleurs.

64. Cité d'après Warlimont, p. 524.

65. Cf. Zoller, p. 35.

66. Cité par Schramm, *Hitler als militärischer Führer*, p. 149.

67. Cf. Jacobsen, *Fall'Gelb*, p. 21 et s.

68. Cité d'après Schramm, *Hitler als militärische Führer*, p. 49.

69. Cf. ibid., p. 150 et s.

70. *Hitlers Weisungen für die Kriegsführung*, p. 37.

71. Cf. par exemple, Manstein, *Verlorene Siege*, p. 69.

72. Cf. Manstein, p. 79.

73. Cité d'après Schramm, *Hitler als militärischer Führer*, p. 151.

74. Cité d'après Warlimont, *Im Hauptquartier der Wehrmacht*, p. 66 et s.

75. Cf. Bullock, *Second World War*, p. 268.

76. Sur la question du réarmement allemand, consultez aussi : Milward, Alan S., *The German Economy at War*, Londres, 1965 ; Klein, Burton H., *Germany's Economic preparations for War*, Cambridge, Mass. 1959 ainsi que Stübel, Heinrich, *Die Finanzierung der Aufrüstung im Dritten Reich* dans : « Europa-Archiv » Année 6/1951, p. 4128 et s.

77. Mission confiée par Hitler à Göring. Après la guerre, les documents s'y rapportant se trouvaient parmi les papiers de Speer. Cf. Documents on Germain Foreign Policy, Sér. C. vol. 5, N° 490 ; Meinck, Gerhard, *Hitler und die deutsche Aufrüstung*, Wiesbaden 1959, p. 164 et Tessin, Georg, *Formationsgeschichte der Wehrmacht 1933-39*, Schriften des Bundesarchivs, vol. 7, Boppard-sur-Rhin, 1959.

78. Cf. Bullock, Second World War, p. 268.

79. Hitler dans son discours au Reichstag, cité par Domarus II/3, p. 1112 et s.

80. Cf. Hillgruber, *Hitlers Strategie*, p. 31.

81. Cf. au sujet du Pacte entre Hitler et Staline, Friedensburg, F., « Die sowjetischen Kriegslieferungen an das Hitlerreich » dans *Vierteljahrshefte für Wirtschaftsforchung*, 1962, p. 331 et s. et Faby, Ph. « *Der Hitler-Stalin-Pakt* 1939-1941, Darmstadt 1962, p. 168 et s.

82. Cf. Treue, W., *Gummi in Deutschland*, Munich 1955 et *Gummi in Deutschland zwischen 1933 und 1945* » dans *Wehrwissenschaftliche Rundschau*, 1955, p. 169 et s.

83. Cf. Birkenfeld, W., *Der synthetische Treibstoff 1933-1945*, Gœttingue 1964.

84. Cf. Hillgruber, *Hitlers Strategie*, p. 34.

85. Cf. Weidmann, Alfred, « *Der rechte Mann am rechtem Platz* » dans : *Bilanz des Zweiten Weltkieges*, Oldenbourg 1953, p. 215 et s.

86. Cf. Manstein, p. 69.

87. Winston Churchill préconisa l'occupation de certains ports norvégiens tels que Narvik et Bergen. Cf. Hubatsch, W., *Die deutsche Besetzung von Dänemark und Norwegen 1940*, p. 15.

88. Cf. par exemple Warlimont, *Im Hauptquartier der Wehrmacht*, p. 89, 86 et s.

89. Cf. Warlimont, *Im Hauptquartier der Wehrmacht*, p. 88.

90. Cf. la constatation de Jodl de 1946 ; cité par Schramm, *Hitler als militärischer Führer*, p. 150.

91. Cf. Hubatsch, *Die Deutsche Besetzung*, p. 40 et s. aussi Warlimont, p. 85.

92. Cf. Warlimont, *Im Haputquartier der Wehrmacht*, p. 84.

93. Ibid., Cf. aussi IMT, vol. XV, p. 414.

94. Cf. entre autres Warlimont, p. 86.

95. Cf. Warlimont, *Im Hauptquartier der Wehrmacht*, p. 92 et s. Si Hitler a mené à bon terme sa campagne de Norvège, cela est dû en grande partie à l'influence de Jodl.

96. Warlimont, *Im Hauptquartier der Wehrmacht*, p. 92.

97. Cf. Warlimont, *Im Hauptquartier der Wehrmacht*, p. 96.

98. *Hitlers Weisungen für die Kriegsführung*, p. 58.

99. Warlimont révéla le 18-9-1969 à la TV allemande (ARD) ces prédictions d'Hitler.

100. Guderian, Heinz, « *Erfahrungen im Russlandkrieg* », dans : *Bilanz des Zweiten Weltkrieges*, p. 86.

101. Cité d'après Schramm, *Hitler als militärischer Führer*, p. 150 et s.

102. *Hitlers Weisungen für die Kriegsführung*, p. 71. C. ibid., p. 75 et s.

103. Renseignement personnel d'Arno Breker (1969). Cf. aussi Giesler dans Ziegler, *Wer war Hitler*, p. 330. Cf. aussi Speer, *Erinnerungen*, p. 185 et s.

104. Cf. Speer, p. 187.

105. *Hitlers Weisungen für die Kriegsführung*, p. 80.

106. Ibid., p. 77.

107. Ibid., p. 77 et s.

108. Ibid., p. 79.

109. 117. Ibid., p. 78.

110. Ibid., p. 81.

111. Ibid.

112. Texte du DNB du 4-5-1941.

113. Guderian, Heinz, « *Erfahrungen im Russlandkrieg* », dans *Bilanz des Zweiten Weltkrieges*, p. 87.

114. Cf. aussi Besymenski, *Sonderakte Barbarossa*, p. 263.

115. Guderian, Heinz, « *Erfahrungen im Russlandkiez* », dans *Bilanz des Zweiten Weltkrieges*, p. 89.

116. Cit. de l'instruction dans « Domarus » II/4, p. 1748.

117. Heusinger dans son compte rendu de l'ouvrage de Hillgruber : *Hitlers Strategie* dans *Der Spiegel*. Cité d'après Besymenski, *Sonderakte Barbarossa*, p. 298.

118. Ibid., p. 299 et s.

119. Ibid., p. 300 et s.

120. Cf. ibid., p. 300 et s.

121. *Hitlers Weisungen für die Kriegsführung*, p. 174 et s. ; instruction du 6-9-1941.

122. *Hitlers Weisungen für die Kriegsführung*, p. 186.

123. Propos d'Hitler du 30-3-1941. « Journal » de Halder, notes du 30-3-1941. Citées par Domarus II/4, p. 1681 et s.

124. Ibidem.

125. IMT, vol. IX, p. 107.

126. Propos d'Hitler du 30-3-1941. « Journal » de Halder, notes du 30-3-1941. Citées par Domarus II/4 p. 1681 et s.

127. Sur le « *Kommissarbefehl* » (i.e. l'ordre d'exécuter les commissaires politiques de l'Armée Rouge) cf. aussi Hillgruber, *Hitlers Stratégie* et Jacobsen : « *Kommissarbefehl und Massenexekution sowjetischer Kriegsgefangener* » dans *Anatomie des SS-Staates*, vol. II, p. 167-279.

128. *Hitlers Weisungen für die Kriegsführung*, p. 213 et s.

129. Rapport écrit du Dr Giesing du 12-6-1945, p. 72 et s.

130. Cf. Kesselring, 131. Cf. Manstein, *Verlorene Seig*, p. 308.

131. Cf. Manstein, *Verlorene Seig*, p. 308.

132. Cf. Bullock, *Second World War*, p. 286.

133. Ibid., p. 285.
134. Rapport de Giesing du 12-6-1945, p. 176.
135. *Hitlers Weisungen für die Kriegsführung*, p. 270.
136. Ibid.
137. Cf. Schramm, *Hitlers als militärischer Führer*, p. 70.
138. IMT, vol. X, p. 411.
139. Ibid., vol. X, p. 545.
140. Cf. entre autres *Deir Spiegel*, N° 12/71, p. 161.
141. Cf. Schramm, *Hitlers als militärischer Führer*, p. 93.
142. Ibid., p. 71.
143. Ibid., p. 93.
144. Schramm, *Hitler als militärischer Führer*, p. 85.
145. Ibid., p. 67.
146. Ibid., p. 68.
147. Rapport de Giesing du 11-11-1945, p. 12. Giesing s'appuie sur des renseignements personnels du valet d'Hitler, Linge, et des ordonnances Fehrs et Arndt.
148. Communication personnelle du Dr Giesing (juin 1971).
149. Rapport de Giesing du 12-6-1945, p. 11.
150. Cf. ibid.
151. Cf. Rapport de Giesing du 11-11-1945, p. 16.
152. Rapport de Giesing du 12-6-1945, p. 9.
153. Ibid., p. 10.
154. Ibid.
155. Cf. Warlimont, *Im Hauptquartier der Wehrmacht*, p. 524.
156. Cf. à ce sujet « *Auswärtige Beziehungen der Vereinigten Staaten*
157. Hitler dans la réunion d'information du 27-4-1945. Cité d'après
158. Ibid., p. 43.
159. Renseignement personnel de G. Engel (1968).
160. Cf. *Der Spiegel* N° 3/66, p. 42.
161. Trevor-Roper, *Hitlers letze Tage*.
162. Besymenski, *Der Tod des Adolf Hitler*, cf. aussi *Der Spiegel* N° 32 du 5-8-1968.
163. Besymenski, *Der Tod des Adolf Hitler*, p. 86.
164. Ibid., p. 65 et s.
165. Ibid., p. 65.
166. Cf. ibid., p. 66 et s., et 75 et s.
167. Cf. à ce sujet note au bas de la p. 410 (*).
168. Cf. Besymenski, p. 74 et s.
169. Renseignements personnels de Baur sur les interrogatoires auxquels il a été soumis depuis mai 1945 (10-6-1971).
170. Cf. Besymenski, p. 65 et s.
171. Propos de Kempka dans un entretien avec le médecin d'Hitler.
172. Besymenski. p. 57. L'affirmation que le cadavre d'Hitler « s'est consumé en une demi-heure » ne correspond pas aux faits ; elle s'explique sans doute par l'énervement du spectateur pendant l'opération.
173. Renseignement personnel de Hans Baur (10-6-1971).
174. Besymenski, p. 67.
175. Rosanov, German L. *Das Ende des Dritten Reiches*, Berlin 1965.
176. Besymenski, *Auf den Spuren von Martin Bormann*, Zürich 1966.
177. Cf. entre autres Trevor-Roper, *Hitlers letzte Tage*, p. 196 et Trevor Roper dans : *Der Monat*, cahier 92/1956, p. 3 et s.
178. Besymensky, p. 95.
179. Ibid., p. 89, note 63.

180. Cf. Besymenski, p. 92 et s.
181. Besymenski, p. 86.
182. Réaction écrite de Lew Besymenski à une lettre assez générale
de l'auteur du 4-3-1970, faisant état des résultats de ses propres recherches.
183. Renseignement personnel d'Erwin Giesing du 8-6-1971.
184. Renseignement personnel de Hans Baur (10-6-1971).
185. Renseignement personnel de Hans Baur (10-6-1971).
186. Renseignement personnel de Hans Baur (10-6-1971).
187. Cf. Besymenski, p. 65 et 69.
188. Maser, *Die Frühgeschichte der NSDAP*, p. 167.
189. Ibid., p. 158.
190. Gun, p. 207.
191. Kempner, *Das Dritte Reich im Kreuzverhör*, p. 46.
192. Ibid.

ANNEXES

1) **Hitler, Adolf**
né à Braunau-sur-l'Inn,
Faubourg N° 219,
le 20-4-1889,
à 6 h 30 du soir
baptisé le 22-4-1889
à 3 h 15 de l'
après-midi
mort le 30-4-1945
à 3 h 30
suicidé à Berlin

2) Schicklgruber, Alois
Employé des douanes
impériales et royales
né à Strones (N° 13)
le 7-4-1837 le matin
à 10 h 30
baptisé à Döllersheim
le 7-4-1837
Légitimé à Döllersheim
en 1876 : Alois Hitler
décédé le 3-1-1903
inhumé à Leonding
près de
Linz-sur-le-Danube

a épousé le 7-1-1885
à Braunau-sur-l'Inn
en troisièmes noces
grâce à une autorisation
particulière de l'Eglise
catholique

3) Pölzl, Klara
née à Spital (N° 37)
le 12-8-1860
décédée à Leonding
le 21-12-1907

enfant illégitime

4) Hüttler, Johann Nepomuk
agriculteur à Spital (N° 36)
né à Spital (N° 36)
le 19-3-1807
mort à Spital (N° 36)
le 17-9-1888
Cf. N° 14

5) Schickelgruber, Anna Maria
née à Strones (N° 1)
le 15-4-1795
a épousé le 10-5-1842
à Döllersheim
Johann Georg Hiedler
décédée
à Kleinmotten (N° 4)
le 7-1-1847

6) Pölzl, Johann Baptist
agriculteur à Spital (N° 37)
né à Spital (N° 37) 24,
baptisé à Spital
le 25-5-1828
décédé à Spital (N° 24)
le 9-1-1902

a épousé à Spital
le 5-9-1848

7) Hüt(t)ler, Johanna
née à Spital (N° 36)
le 19-1-1830
décédée à Spital (N° 24)
le 8-2-1906

8) (= 28) Hiedler, Martin
agriculteur à Spital (N° 36)
né à Walterschlag
baptisé à Gross-Schönau
le 11-11-1762
mort à Spital (N° 36)
le 10-1-1829

a épousé à Spital (vers 1786)

9) (= 29) Göschl, Anna Maria
née à Spital (N° 15)
baptisée à Spital
le 2-12-1767
décédée à Spital (N° 36)
le 7-12-1854

10) Schickelgruber, Johannes
agriculteur à Strones (N° 1)
né à Strones le 29-5-1764
mort à Kleinmotten (N° 9)
le 12-11-1847

a épousé
à Döllersheim
le 5-2-1793

11) Pleisinger, Theresia
née Dietreich
baptisée à Döllersgeim
le 7-9-1769
décédée à Strones (N° 18)
le 25-11-1921

12) Pölzl, Laurenz
agriculteur à Spital (N° 37)
né à Spital le 15-7-1788
mort à Spital (N° 37)
le 10-5-1841

a épousé à Spital
le 20-2-1827

13) Wallj (plus tard
Walli), Juliana
née à Gross-Wolfgers (N° 8)
le 25-12-1797
décédée à Spital (N° 37)
le 23-2-1831

14) Hüttler, Johann Nepomuk
agriculteur à Spital (N° 36)
né à Spital (N° 36)
le 19-3-1807
décédé à Spital (N° 36)
le 17-11-1888
Cf. N° 4

a épousé à Spital
le 3-11-1829

15) Decker, Eva Maria
née à Thaures (N° 9)
le 16-12-1792
décédée à Spital (N° 36)
le 30-12-1873

16) Hiedler, Johannes

17) Neugschwandtner, Anna Maria

18) Göschl, Laurenz (parfois appelé Leopold)

19) ... Eva Maria

20) Schickelgrueber, Jacob

21) Sillip, Theresia

22) Pfeisinger, Johannes

23) Hagen, Gertraut

24) Pölzl, Johann

25) Ledermüller, Theresia

26) Wallj, Franz Anton

27) Stumpner, Anna Maria

28) ident. 8

29) ident. 9

30) Tecker, Joseph

31) Hinterlechner, Theresia

32) Huetler (auch Hiedler), Stephan

33) Capeller, Agnes

34) Neugeschwandtner, Johannes

35) ... Magdalena

40) Schicklgruber, Jakob

41) Schiedl, Eva

42) Sillip, Matthias

43) Klezl, Eva Maria

44) Pfeisinger, Matthaeus

45) Hamberger, Maria

46) Hagen, Joseph

47) Reitter, Barbara

50) Ledermüller, Franz

51) ... Elisabeth

52) Wally, Mathias

53) Höbarth, Anna Maria

54) Stumpner, Mathias

55) Kaufmann, Anna Maria

60) Döcker, Martin

61) Artner, Elisabeth

62) Hinterlechner, Philipp

63) Pollack, Maria Elisabeth

64) Huettler, Johannes

65) .. Elisabeth

66) Capeller, Urban

67) Winter, Maria

80) Schickelgrueber, Jakob

81) Kherler, Elisabeth

82) Schiedl, Andreas

83) Knedl, Rosina

84) Sillip, Andreas

85) ... Elisabetha

86) Klezl, Thomas

87) Koller, Elisabeth

88) Pfeisinger, Johannes

89) Leidenfrost, Catharina

90) Hamberger, Paul

91) Sillip, Ursula

92) Hagen, Johann

93) Widmann, Elisabeth

94) Reiterer, Benedikt

95) Hosser, Sophia

100) Ledermüller, Franz

101) ... ?

104) Weyly, Leopold

105) Fux, Magdalena

106) Höbarth, Georg

107) Heumüller, Barbara

108) Stumpner, Mathias

109) Anderl, Maria

110) Kaufmann, Matthias

111) Ambstötter, Maria

120) Döckher, Andreas

121) Döberl, Maria

122) Artner, Johann

123) Lauterböckh, Magdalena

124) Hinterlechner, Matthias

125) Fessl, Maria

126) Pollack, Simon

127) Fiechtinger, Elisabeth

128) Hiedler, Georg

129) ... ? Maria

132) Capeller, Michael

133) Schlossner, Eva

134) Winter, Pankraz

135) ... ? Catharina

160) Schikelgrueber, Johannes

161) ... ? Susanna

162) Kherler, Georg

163) Probst, Anna

164) Schiedl, Johann

165) ... ? Elisabeth

166) Gnedl, Hans

167) ... ? Maria

172) Klezl, Thomas

173) ... ? Christina

174) Khol(l), Johann

175) Mayr, Barbara

176) Pfeisinger, Johannes

177) Fischer, Maria

178) Leidenfrost, Christoph

179) Poyr, Justina

180) Hamberger, Georg

181) Hainzl, Elisabeth

182)
183) = 84./85.

186) Widmann, Joseph

187) Assfall, Barbara

188) Reiterer, Gregor

189) ... ? Ursula

190) Hosser, Georg

191) ... ? Barbara

200) Ledermüller, Martin

201) ... ? Margaretha

208) Weilli, Johannes

209) Koppensteiner, Magdalena

210) Fux, Mathias

211) Minihold, Elisabeth

212) Höbarth, Jacob

213) ... ? Lucia

214) Heymüllner, Jacob

215) Schwarzinger, Elisabeth

216) Stumbtner, Bartholomäus

217) Koppensteiner, Barbara

218) Anderler, Thomas

219) ... ? Susanna

220) Kaufmann, Paul

221) ... Elisabeth

222) Amstätter, Michael

223) Haan, Barbara

240) Deckher, Matthias

241) Zwettler, Eva

242) Deberl, Martin

243) Fux, Eva

244) Artner, Martin

245) Stumbtner, Catharina

246) Lautterbeckh, Matthias

247) Arthner, Catharina

248) Hinterlechner, Gregor

249) Grassauer, Eva

250) Fessl, Matthias

251) Grimis, Ursula

252) Pollackh, Matthias

253) Müllfahrt, Christina

254) Fichtinger, Andreas

255) Haider, Elisabeth

(1906)

(1908)

(1913)

(1914)

(1920)

(1925)

(1929)

(1934)

(1937)

(1938)
(Testament)

(1942)

(1943)

(1944)

(29. 4. 1945)
(Testament)

Les signatures d'Hitler de 1906 à 1945

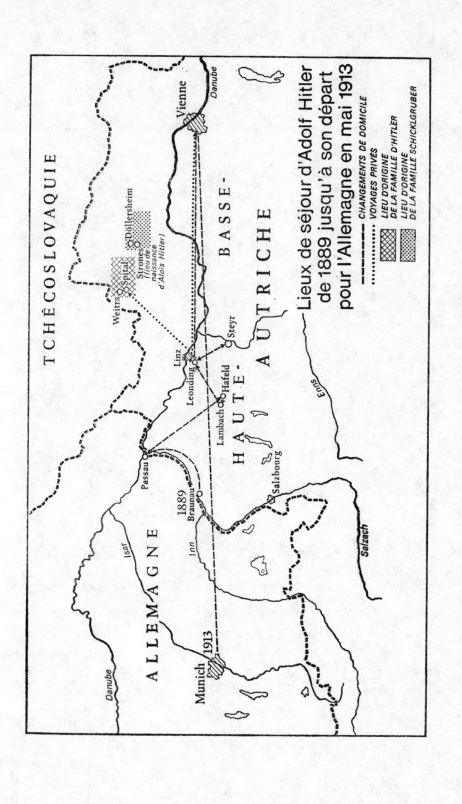

Lieux de séjour d'Adolf Hitler
de 1889 jusqu'à son départ
pour l'Allemagne en mai 1913

CHANGEMENTS DE DOMICILE
VOYAGES PRIVÉS
LIEU D'ORIGINE
DE LA FAMILLE D'HITLER
LIEU D'ORIGINE
DE LA FAMILLE SCHICKLGRUBER

TCHÉCOSLOVAQUIE

ALLEMAGNE

BASSE-AUTRICHE

HAUTE-AUTRICHE

Danube
Vienne
Döllersheim
Spital
Strones
(lieu de naissance
d'Alois Hitler)
Weitra
Linz
Steyr
Leonding
Hafeld
Lambach
Passau
Braunau
1889
Salzbourg
Munich 1913
Isar
Inn
Danube
Enns
Salzach

BIBLIOGRAPHIE

Les sources les plus importantes ayant servi à l'élaboration de cette biographie d'Hitler sont des documents inédits et des dépositions de témoins corroborées par des preuves. Nous avons eu recours à des ouvrages publiés, dans la mesure où il nous a semblé nécessaire de compléter ou de comparer les résultats de nos recherches. Nous en donnons ci-dessous la liste alphabétique par noms d'auteur, après celle des documents ajoutés et des dépositions et déclarations de témoins. Nous avons ajouté, à la fin de notre bibliographie, quelques articles de revue ou de comptes rendus particulièrement importants. Les pamphlets, tracts, feuilles d'avis, circulaires, journaux sont mentionnés (avec toutes les indications bibliographiques usuelles) dans les notes ; de même, les livres et autres écrits cités seulement en passant. Les thèses et dissertations ont été classées par ordre alphabétique dans la rubrique : « littérature ».

Sources inédites.

Des documents des Archives principales du N.S.D.A.P., de plusieurs autorités et services du Reich et du Parti National-Socialiste (N.S.D.A.P.), du ministère des Affaires étrangères, de la S.S., de la Wehrmacht, des administrations économiques, de la police, des tribunaux. Les documents utilisés qui se trouvaient avant mai 1961 au « U.S. Berlin Document Center » sont cités avec leurs numéros d'ordre, les documents examinés après 1961 figurent dans la bibliographie avec l'indication de leur lieu de conservation (Archives fédérales, Coblence, 1429 volumes) HStA. Munich et BHStA. Munich, 494 volumes), les autres documents sont cités avec les numéros du catalogue du « N.S.D.A.P. Hauparchiv Guide to the Hover Institution Microfilm Collection ».

Les documents cités dans les notes (et les renseignements personnels) portent toujours l'indication précise de leur provenance.

Les indications suivantes ne sauraient donner qu'un bref aperçu :

Documents ecclésiastiques de l'ancienne paroisse de Döllersheim en Basse-Autriche, qui était l'autorité compétente pour les ancêtres d'Hitler.

Les registres paroissiaux de Braunau-sur-Inn.

Les documents, papiers, testaments, de la famille Hitler, documents des Archives régionales de Basse-Autriche (Vienne).

L'échange de lettres entre la « *Statthalterei* » (à peu près : préfecture) impériale et royale de Vienne, et l'évêché de Saint-Pölten, l'administration régionale (« *Bezirkshauptmannschaft* ») de Mistelbach, et la direction des Finances de Braunau-sur-Inn, sur le père d'Hitler.

Tous les documents ayant trait au changement de nom d'Aloïs Schicklgruber en Aloïs Hitler.

Les documents de l'office de relogement chargé de réinstaller et de reloger les habitants de Strones et de Döllersheim.

Les documents et renseignements des archives et administrations municipales de Graz, Linz, Braunau et Vienne.

Les dossiers judiciaires et les comptes rendus de séance du Tribunal régional (« *Bezirkesgericht* ») d'Allensteig (sur les ancêtres d'Hitler).

Informations orales et écrites, documents sur les origines de la famille d'Hitler du XIXᵉ et du XXᵉ siècle, obtenus par les parents encore vivants d'Adolf Hitler.

Informations autobiographiques manuscrites d'Aloïs Hitler, demi-frère d'Adolf Hitler.

Lettres et informations biographiques de Paula Hitler, sœur d'Adolf.

Documents sur la succession, « promesses de mariage », « contrats de ventes immobilières », « remises officielles de fonds » et autres documents sur la famille Hitler.

Documents des archives municipales de la ville de Munich.

Manuscrits de l'Association historique de Haute-Bavière aux archives municipales de Munich (appelé : « Annuaire de Munich, capitale de la Bavière »).

Notes à caractère politique du « Journal Intime » d'Anton Drexler, dictées du 2 juin 1920 au 16 avril 1921.

Déclaration écrite d'un témoin qui a assisté à la première entrevue entre Hitler et Anton Drexler, président du futur N.S.D.A.P. (en septembre 1919).

Documents de la succession d'Adolf Hitler.

Communications orales et écrites de proches collaborateurs d'Hitler depuis 1919.

Renseignements (et documents) de camarades de classe et de guerre d'Adolf Hitler.

Renseignements personnels (et documents) des logeurs d'Hitler.

Renseignements personnels d'un « homme de confiance » (V-Mann) qui travaillait en 1919 avec Hitler pour l'armée bavaroise.

Informations orales et écrites d'un chef SS chargé — avant la

Deuxième Guerre mondiale — de réunir des témoignages et des documents sur la vie d'Hitler entre 1889 et 1918 en vue d'une biographie d'Hitler dont Gœbbels avait conçu le projet.

Des documents du fichier que Gœbbels avait fait établir en vue de sa biographie d'Hitler.

Déclarations et lettres d'instituteurs et de professeurs d'Hitler (quelques-unes adressées à Hitler), ainsi que des expertises sur les travaux artistiques d'Hitler.

Documents sur les examens qu'Hitler a passés en 1907 et 1908 à l'Académie des Beaux-Arts de Vienne (Autriche).

Documents trouvés dans les écoles fréquentées par Hitler.

Communications écrites de ses camarades de classe.

Informations orales du bourgmestre de Leonding.

Tous les documents sur Adolf Hitler et ses parents déposés à Leonding.

Le « Livre des visiteurs » de la maison des parents d'Adolf Hitler à Leonding.

Renseignements de membres importants du N.S.D.A.P. et d'autres organisations et partis politiques depuis 1919.

Comptes rendus des recherches entreprises sur Hitler par la direction de l'administration régionale autrichienne (Landesamtsdirektion) (1932).

Documents de l'hôpital des Sœurs de la Miséricorde à Linz (1907 et 1908) sur la maladie et la mort de Klara Hitler ; une déclaration écrite du docteur Karl Urban, chirurgien (qui a opéré la mère d'Hitler peu avant la mort de celle-ci).

Environ deux cent cinquante documents se rapportant à la nomination d'Hitler à la charge de « Conseiller du gouvernement » (et la période pendant laquelle il exerçait cette fonction).

Matricule du troisième régiment d'infanterie de réserve 16 (auquel Hitler appartenait pendant la Première Guerre mondiale).

Le livret militaire d'Hitler et des documents se rapportant à sa présence aux armées de 1914-1919.

Avis des chefs militaires sur Hitler (entre 1914 et 1919).

Lettres d'Adolf Hitler de 1905 à 1945 (y compris toutes les lettres et cartes d'Hitler envoyées du front entre 1914 et 1918).

Lettres adressées à Adolf Hitler de 1907 à 1945.

Analyses graphologiques (de l'écriture d'Hitler et de celle de ses parents).

Plusieurs centaines de pages de textes manuscrits et de notes manuscrites d'Adolf Hitler.

« Journaux intimes » et notes de politiciens, écrivains et militaires en vue ayant combattu depuis 1918 (pour ou contre Hitler).

Renseignements officiels d'administrations municipales sur certains événements en rapport avec l'objet de la présente étude (comptes rendus de réunions du conseil municipal, etc.).

Communications orales et écrites de collaborateurs scientifiques des anciennes archives principales du N.S.D.A.P.

Rapports et souvenirs du conseiller ministériel Heinrich Heim, attaché au grand quartier général du Führer de 1941 à 1942 ; il a pris note de la plupart des « propos de table » d'Hitler. Renseignements personnels et documents de Heim sur Adolf Hitler (avec lequel Heim était lié depuis 1921).

Rapport personnel d'une personne ayant pris part à la Conférence de Wannsee du 20 janvier 1942.

Renseignements oraux et écrits de Hans Baur, Albert Speer, Hans-Dietrich Röhr, Annelies von Ribbentrop, Gerhard Engel, Ilse Braun, Arno Breker, Heinrich Hoffmann jr., Henriette Hoffmann-von Schirach, Ferdinand Staeger, Hans Severus Ziegler, Wilhelm Zander, Ludwig Wemmer, Robert M.W. Kempner.

Informations des généraux Blumentritt, Hauck, Warlimont, Gause, von Manstein, Liss, Halder, du grand-amiral Dönitz, et d'autres chefs militaires.

Notes d'un journal intime d'un diplomate allemand sur une conjuration visant à enlever Hitler.

Lettres, notes, procès-verbaux, décisions de la Gestapo (Geheime Staats polizei), instructions secrètes de Himmler.

Jugements de la Cour de Justice populaire.

Documents d'archives municipales et d'archives de journaux.

Des éclaircissements résultant de l'échange de lettres entre l'auteur et d'importants biographes, historiens, journalistes allemands et étrangers, qui se sont penchés sur la vie d'Hitler.

Documents médicaux, croquis anatomiques, résultats d'examens, électrocardiogrammes, notes de médecins ayant examiné Hitler ou qui ont été consultés par le médecin personnel d'Hitler. Documents et comptes rendus des interrogatoires des médecins ayant traité Hitler : Theo Morell, Erwin Giesing, Hugo-Johannes Blaschke et des docteurs Walter Löhlein, Karl Weber, A. Nissle, E. Brinkmann qui ont dû s'occuper d'Hitler sur les instances du docteur Theo Morell. Correspondance entre Morell et les médecins que Morell avait consultés à des fins d'examen ou de traitement. (D'autres documents ont été cités dans les notes.)

Rapport du médecin d'Hitler, le docteur Erwin Giesing (sous forme de « Journal »), mentionné comme « rapport de Giesing » du 12 juin 1945. Manuscrit dactylographié (original) de 117 pages DIN-4, du 12 juin 1945 sur les soins qu'il a prodigués à Hitler du 22 juillet 1944 au 7 septembre 1944, et cinquante-cinq entretiens personnels avec Hitler (dont l'un à la suite d'une rencontre fortuite de la mi-février 1945).

En plus : trente-deux pages dactylographiées (DIN-A 4) du 11 novembre 1945 intitulées : « Bref rapport sur Hitler ». Mentionné comme « Rapport de Giesing du 11 novembre 1945 ». Rensei-

ments personnels du docteur Giesing (mai et juin 1971). Renseignements personnels de Fritz Echtmann (octobre 1971).

Dossiers et documentations.

Dossier du commandement du groupe 4 de la Reichswehr aux Archives principales de l'Etat à Munich (« *Hauptstaatsarchiv* »), section II (anciennes archives de guerre bavaroises).

Der Hitler-Prozess, Auszüge aus den Verhandlungsberichten (Le procès d'Hitler ; extraits des procès-verbaux d'audience) Munich 1924.

Le putsch d'Hitler. Documents bavarois concernant les événements
du 8-9 novembre 1923 (cf. Duerlein).

Dokumente der Deutschen Politik und Geschichte, trois volumes.
Berlin et Munich sans indication d'année. (Documents sur la politique et l'histoire allemandes.)

*Hitler und Kahr. Aus dem Untersuchungsausschuss des bayerischen
Landtags* (Hitler et Kahr. Rapports de la commussion d'enquête
du Parlement Régional de Bavière.) Commission régionale du
S.P.D. (Parti Socialiste allemand) de Bavière (Munich 1928).

*Hitlers Weisungen für die Kriegsführung 1939 bis 1945. Dokumente
des Oberkommandos der Wehrmacht* (Les directives d'Hitler pour
la conduite de la guerre de 1939 à 1945. Documents du haut commandement de la Wehrmacht). Edités par Walter Hubatsch, Franc-
fort/Mein, 1962. Cité d'après l'édition de poche non abrégée.
(Munich, 1965.)

*N.S.D.A.P. Hauptarchiv Guide to the Hoover Institution Microfilm
Collection,* Compiled by Grete Heinz and Agnes f. Peterson (Hoover Inst. Bibliographical Series XVII) Stanford University.

Délibérations de l'Assemblée nationale allemande constituante.

Comptes rendus des séances : *Die Deutsche Nationalversammlung,*
Berlin.

Comptes rendus des délibérations du Reichstag : *Verhandlungen des
Reichstages,* Berlin.

Délibérations du Conseil national provisoire de l'Etat populaire de
Bavière en 1918-1919.

Délibération du Parlement régional de Bavière (*Landtag*).

Compte rendu des débats : *Der Prozess gegen die Hauptkriegsver-
brecher vor dem internationalen Militärgerichtshof,* Nuremberg,
1947. Cités comme I.M.T., vol., etc.

Vier Jahre Westfront. Geschichte des Regiments List. R.I.R. 16,
Munich, 1932.

Littérature :

ADLER, H.G. : *Die Juden in Deutschland*, Munich 1961.
ANSCHÜTZ : *Die Verfassung des Deutschen Reiches*, 3e et 4e édit., Berlin, 1926.
ARENDT, Hannah : *Elemente und Ursprünge totaler Herrschaft*, New York, 1955 et Franckort 1962.
ARETIN, Erwin von : *Krone und Ketten*, Munich 1955.

BATHE, Kristian : *Wer wohnte wo in Schwabing ? Wegweiser für Schwabinger Spaziergänge*, Munich 1965.
BAEUMLER, Alfred : *Das mythische Weltalter. Bachofens romantische Deutung des Altertums*, Munich 1965 (d'abord paru sous le titre : « Bachofen der Mythologe der Romantik », introduction à l'anthologie Bachofen : « Der Mythus von Orient und Occident », édit. Manfred Schroeter, Munich 1926).
BAUER, Otto ; MARCUSE, Herbert ; ROSENBERG, Arthur : *Faschismus und Kapitalismus. Theorien über die sozialen Ursprünge und die Funktion des Faschismus*, Francfort/Main et Vienne 1967.
BAYER, Ernst : *Die SA-Geschichte. Arbeit, Zweck und Organisation der SA*, Berlin 1938.
BECKMANN, Ewald : *Der Dolchstossprozess*, Munich 1925.
BENNECKE, Heinrich : *Hitler und die SA*, Munich et Vienne 1962.
BENNECKE, Heinrich : *Die Reichswehr und der Röhm-Putsch*, Munich et Vienne 1964.
BENNEWITZ, Gert : *Die geistige Wehrerziehung der deutschen Jugend*, Berlin 1940.
BENOIST-MÉCHIN, Jacques : *L'histoire de l'armée allemande*, 2 vol., Paris 1936-1938.
BERBER, Fritz : *Die völkerrechtspolitische Lage Deutschlands*, Berlin 1936.
BERNADOTTE, comte Folke : *Das Ende. Meine Verhandlungen in Deutschland im Frühjahr 1945 und ihre politischen Folgen*, Zürich et New York 1945.
BERNDORFF, H.R. : *General zwischen Ost und West*, Hambourg 1951.
BERNETT, Hajo : *Nationalsozialistische Leibeserziehung*, Schorndorf près de Stuttgart 1966.
BESGEN, Achim : *Der Stille Befehl. Medizinalrat Kersten und das Dritte Reich*, Munich, 1960.
BESSER, Joachim : *Die Vorgeschichte des Nationalsozialismus im neuen Licht* dans : *Die Pforte* 2 (1950), pp. 763-784.
BESYMENSKI, Lew : *Der Tod des Adolf Hitler*, Hambourg, 1968.
— *Sonderakte Barbarossa*, Stuttgart, 1968.

BEYER, Hans : *Von der Novemberrevolution zur Räterepublik in Munchen*, Berlin-Est, 1957.

BEYERLE, Konrad : *Föderalistische Reichspolitik*, Munich, 1924.

BINDER, Gerhard : *Lebendige Zeitgeschichte 1890-1945*, Munich, 1961.

BISS, Andreas : *Der Stopp der Endlösung. Kampf gegen Himmler und Eichmann in Budapest*, Stuttgart, 1966.

BLOCH, Charles : *Hitler und die europäischen Machte 1933-1934. Kontinuität oder Bruch*, Francfort/Mein, 1966.

BLUCHER, Wipert von : *Deutschlands Weg nach Rapallo*, Wiesbaden, 1951.

BOEHRINGER, Robert : *Mein Bild von Stefan George*, Munich, 1951.

BOLESCHE, Wilhelm : *Vom Bazilius zum Affennenschen*, Iéna, 1922 11e-15e mille).

BOLDT, Gerhard : *Die letzten Tage der Reichskanzlerei*, Reinbek près de Hambourg, 1964.

BONN, M.J. : *So macht man Geschichte*, Munich, 1953.

BORKENAU, Franz : *The Communist International*, Londres, 1938.

BOTHMER, Karl Graf von : *Bayern den Bayern*, Diessen près de Munich, 1920.

BOTT, Maximilian : *Das bayerische Generalstaatskommissariat und Bayerns Konflikt mit dem Reich*, Diss. Giessen, 1927.

BOUHLER, Philipp : *Der grossdeutsche Freiheitskampf* (Hitler- Reden), 2, vol., Munich, 1940 (vol. I), 1941 (vol. II).

— *Kampf um Deutschland*, Munich, 1938.

BRACHER, Karl Dietrich : *Das « Phänomen » Adolf Hitler*, dans : Pol. Lit., 1952, p. 207 et ss.

— *Adolf Hitler*, Berne-Munich,Vienne, 1964.

— *Das Angangsstadium der Hitlerschen Aussenpolitik*, dans : *Vierteljahrshefte für Zeitgeschichte* (1957), p. 63 et ss.

— *Die völkische Ideologie und der Nationalsozialismus*, dans : *Deutsche Rundschau*, 1958, p. 53 et ss.

— *Die Auflösung der Weimarer Republik. Eine Studie zum Problem des Machtverfalls in der Demokratie*, première édition, Stuttgart et Düsseldorf, 1955, troisième édition, Villigen, 1960.

— *Die deutsche Diktatur. Entstehung, Struktur, Folgen des Nationalsozialismus*, Cologne, 1969.

BRACHER, Karl Dietrich : SAUER, Wolfgang ; SCHULZ, Gerhard : *Die nationalsozialiste Machtergreifung. Studien zur Errichtung des totalitären Herrschaftssystems in Deutschland 1933-1934*, Cologne et Opladen, 1960.

BRANDMAYER, B. : *Mit Hitler Meldegänger 1914-1918*, Uberlingen, 1940.

BRAUN, Otto : *Von Weimar bis Hitler*, New York, 1940, et Hambourg, 1949.

BRAUWEILER, Heinz : *Generäle in der deutschen Republik. Groener, Schleicher, Seeckt*, Berlin, 1932.

BRECHT, Arnold : *Vorspiel zum Schweigen. Das Ende der deutschen Republik*, Vienne, 1948.

BRONDER, Dietrich : *Bevor Hitler kam*, Hanovre, 1964.

BROSS, Werner : *Gespräche mit Hermann Göring während des Nürnberger Prozesses*, Fensbourg/Hambourg, 1950.

BROSZAT, Martin : *Die völkische Ideologie und der Nationalsozialismus*, dans : *Deutsche Rundschau* 1 (1958).
— *Der Nationalsozialismus. Weltanschauung, Programm und Wirklichkeit*, Stuttgart, 1960.
— *Nationalsozialistische Polenpolitik 1939-1945*, Stuttgart, 1961.

BUCHHEIM, Hans : *Ernst Niekischs Ideologie des Widerstands* dans : *Vierteljahrshefte für Zeitgeschichte* 5 (1957), pp. 334-361.

BUCHHEIM, Hans ; BROSZAT, Martin ; JACOBSEN, Hans-Adolf ; KRAUSNICK, Helmut : *Anatomie des SS-States*, 2 vol., vol. 1 : *Die SS — Das Herrschaftsinstrument, Befehl und Gehorsam*, vol. 2 : *Konzentrationslager, Kommissarbefehl, Judenverfolgung*, Olten et Fribourg/Br. 1965.

BUCHHEIM, Hans : *Glaubenskrise im Dritten Reich. Drei Kapitel nationalsozialistischer Religionspolitik*, Stuttgart, 1953.
— *SS und Polizei im NS-Staat*, Duisbourg, 1964.

BUCHHEIT, Gert : *Der deutsche Geheimdienst. Geschichte der militärischen Abwehr*, Munich, 1966.
— *Hitler der Feldherr. Die Zerstörung einer Legende*, Rastatt, 1958.

BUCHNER, Eberhard : *Revolutionsdokumente*, vol. 1, Berlin, 1921.

BUCHRUCKER : *Im Schatten Seeckts*, Berlin, 1928.

BULLOCK, Alan : *Hitler. Eine Studie über Tyrannei*, Düsseldorf, 1953. 56e-70e mille, 1962. (En 1964, édition de poche non abrégée dans « Fischer-Bücherei », vol. 583/4.) Cette nouvelle édition tient compte des écrits de Jetzinger et de Kubizek, mais elle ne diverge guère de la première édition dans les chapitres sur l'époque viennoise d'Hitler, au sujet de laquelle Jetzinger et Kubizek n'apportent rien de très nouveau.
— *Hitler. A Study in Tyranny*, Londres, 1965. Nous citons cette nouvelle édition anglaise : 1. là où elle se distingue des éditions allemandes ; 2. là où Bullock utilise les recherches plus récentes d'autres auteurs sans toutefois abandonner des positions prises dans son édition (anglaise) de 1952 (première édition). Cité comme : « Bullock : *Hitler. A Study in Tyranny.* »
— *Hitler and the Origins of the Second World War. Raleigh Lecture on History.* Read 22 novembre 1967, pp. 259-287. Londres, Oxford University Press, published for the British Academy, 1968. Cité comme : « Bullock : *Second World War.* »

BURKE, Kenneth : *Die Rhetorik in Hitlers « Mein Kampf » und andere Essays zur Strategie der Uberredung*, Francfort/Mein, 1967.

CARELL, Paul : *Unternehmen Barbarossa. Der Marsch nach Russland*, Francfort, Berlin, Vienne, 1963.

— *Verbrannte Erde. Schlacht zwischen Wolga und Weichsel,* Francfort, Berlin, Vienne, 1966.

CILLER, Aloïs : *Deutscher Sozialismus in den Sudetenländern und in der Ostmark,* Hambourg, 1944.

— *Vorläufer des Nationalsozialismus. Geschichte und Entwicklung der nationalen Arbeiterbewegung im deutschen Grenzland,* Vienne, 1932.

CLASS, Heinrich : *Zum deutschen Kriegsziel,* Munich, 1917.

— *Wenn ich der Kaiser war,* Leipzig, 1912.

CLAUSEWITZ, Karl von : *Vom Kriege* (Livres 1-6 et esquisses pour le septième et huitième livre), édition populaire, Leipzig, 1935.

COMPTON, James V. : *Hitler und die USA. Die Amerikanpolitik des Dritten Reiches und die Ursprünger des Zweiten Weltkrieges,* Oldenbourg et Hambourg, 1968.

CRAIG, Gordon A. : *Die preussisch-deutsche Armee 1940-1945. Staat im Staate,* Düsseldorf, 1960.

DAIM, Wilfried : *Der Mann, der Hitler die Ideen gab,* Munich, 1958.

DALLIN, Alexander : *Deutsche Herrschaft in Russland 1941-1945. Eine Studie über Besatzungspolitik,* Düsseldorf, 1958.

DAMASCHKE, Adolf : *Ein Kampf um Sozialismus und Nation,* Dresde, 1935.

DARRÉ, Walther R. : *Neuadel aus Blut und Boden,* Munich, 1935.

DEAKIN, F.W. : *Die brutale Freundschaft. Hitler, Mussolini und der Untergang des italienischen Faschismus,* Cologne, 1962.

DE MAN, Hendrik : *Sozialismus und National-Faschismus,* Potsdam, 1931.

DEUERLEIN, Ernst : *Hitlers Eintritt in die Politik,* dans : *Vierteljahrshefte für Zeitgeschichte* 7 (1959), cahier 2.

— *Der Hitler-Putsch. Bayerische Doqumente zum 8-9 November 1923,* Stuttgart, 1962 (Quellen und Darstellungen zur Zeitgeschichte, vol. 9).

— *Der Aufstieg der NSDAP 1919-1933 in Augenzeugenberichten,* Düsseldorf, 1968.

— *Hitler-Eine politische Biographie,* List-Taschenb., N° 349. Munich, 1970.

DIETRICH, Otto : *12 Jahre mit Hitler,* Munich, 1955.

— *Mit Hitler in die Macht. Persönliche Erlebnisse mit meinem Führer,* Munich, 1934.

DONITZ, Karl : *Zehn Jahre und zwanzig Tage,* Francfort/Mein et Bonn, 1964.

DOMARUS, Max : *Hitler. Reden und Proklamationen 1932-1945,* Munich, 1965, 4 vol.

DORMANNS, Alfred : *Die Bevölkerung hatte Verluste,* Hambourg, 1947.

DRESSLER, Adolf ; MAIER-HARTMANN, Fritz : *Die Sammlung Rehse. Dok. der Zeitgeschichte,* vol. 1, Munich, 1940. Cité comme : *Sammlung Rehse.*

DREXLER, Anton : *Mein politisches Erwachen,* Munich, 1919.

DUHRING, Engen : *Die Judenfrage,* 6 éditions, Leipzig, 1919.

DWINGER, Erwin Erich : *Die 12 Gespräche 1933-1945,* Velbert et Keittwig, 1966.

ECKART, Dietriche : *Der Bolchewismus von Moses bis Lenin. Zwiegespräche zwischen Adolf Hitler und mir,* Munich, 1925.

EDER, Karl : *Der Liberalismus in Altösterreich. Geisteshaltung, Politik und Kultur,* Vienne, 1955.
1944, Francfort/Mein et Bonn, 1964.

EHLERS, Dieter : *Technik und Moral einer Verschwörung. 20 Juli 1944,* Francfort/Mein et Bonn 1964 .

ERFURTH, Waldemar : *Die Geschichte des deutschen Generalstabes von 1918 bis 1945,* Goettingue, Berlin, Francfort 1957.

EYCK, Erich : *Geschichte der Weimarer Republik,* vol. 1, Erlenbach, Zürich et Stuttgart 1954.

FABRICIUS, Hans : *Dr Wilhelm Frick,* Berlin 1938.

FABY, Philipp W. : *Mutmassunger über Hitler. Urteile von Zeitgenossen,* Düsseldorf 1967.

FECHENBACH, Felix : *Der Revolutionär Kurt Eisner,* Berlin 1929.

FEDER, Gottfried : *Der deutsche Staat auf nationaler und sozialer Grundlage,* Munich 1923.
— *Das Manifest zur Brechung der Zinsknechtschaft,* Munich 1926.
— *Der Staatsbankerott die Rettung,* Diessen près de Munich 1924.

FEIL, Jenny : *Bayerischer Separatismus zur Eisner-Zeit,* Diss. Munich 1939.

FEST, Joachim G. : *Das Gesicht des Dritten Reiches. Profile einer totalitären Herrschaft,* Munich 1963.

FISCHER, Ruth : *Stalin und der deutsche Kommunismus,* 2e édition, Francfort/Mein 1948.

FISHMANN, Jack et Hutton, BERNHARD, J. : *Das Privatleben des Josef Stalin,* Vienne et Hambourg, 1964.

FLECHTHEIM, Ossip : *Die K.P.D. in der Weimarer Republik,* Offenbach/Mein, 1948.

FOCH, maréchal : *Mémoires pour servir à l'histoire de la guerre de 1914-1918,* 2e vol., Paris, 1931.

FRANÇOIS-PONCET, André : *Von Versailles bis Potsdam,* Mayence et Berlin, 1949.

FRANK, Hans : *Im Angesicht des Galgens,* Munich-Gräfelfing, 1953.

FRANZ-WILLING, Georg : *Die Hitler bewegung. Der Ursprung 1919-1922,* Hambourg et Berlin, 1962.

FREUD, Arthur : *Zur Gemeinde und Organisation. Zur Haltung der Juden in Osterreich* dans : Publikationen des Leo-Baeck-Instituts, Bulletin für die Mitglieder der Gesellschaft der Freunde des Leo-Baeck-Instituts, Tel-Aviv, juillet 1960.

FREUD, Sigmund : *Massenpsychologie und Ich-Analyse*, Leipzig, Vienne et Zürich, 1921.

FREUND, Michael : *Deutschland unterm Hakenkreuz. Die Geschichte der Jahre 1933-1945*, Gütersloh, 1965.

FRIEDENSBURG, Ferdinand : *Die Weimarer Republik*, Berlin, 1946.

FRIEDLANDER, Saul : *Auftakt zum Untergang. Hitler und die Vereinigten Staaten von Amerika 1939-1941*, Stuttgart, 1965.

FUNDER, Friedrich : *Vom Gestern ins Heute. Aus dem Kaiserreich in die Republik*, Vienne, 1952.

GALÉRA, Kurt Siegmar, baron von : *Geschichte unserer Zeit*, 4 vol., Leipzig, 1932.

GELLERT, Wilhelm : *Der Zusammenbruch der Demokratie*, Berlin, 1922.

GENGLER, Ludwig Franz : *Die deutschen Monarchisten 1919-1925*, Kulmbach, 1932 (en même temps Diss. Erlangen).

GENSCHEL, Helmut : *Die Verdrängung der Juden aus der Wirtschaft im Dritten Reich*, Goettingue, 1966.

GESSLER, Otto : *Reichswehrpolitik in der Weimarer Zeit*, Stuttgart, 1958.

GEYER, Kurt : *Drei Verderber Deutschlands*, Berlin, 1924.

GILBERT, G.M. : *Nürnberger Tagebuch*, Francfort/Mein, 1962.

GISEVIUS, Hans-Bernd : *Adolf Hitler. Versuch einer Deutung*, Munich, 1963.

GLUM, Friedrich : *Der Nationalsozialismus. Werden und Vergehen*, Munich, 1962.

GOEBBELS, Joseph : *Tagebücher aus den Jahren 1942-43 mit anderen Dokumenten*, Zürich, 1948.

GÖRING, Hermann : *Aufbau einer Nation*, Berlin, 1934.

GÖRLITZ, Walter, et QUINT, Herbert : *Adolf Hitler. Eine Biographie*, Stuttgart, 1952.

GÖRLITZ, Walter : *Generalfeldmarschall Keitel. Verbrecher oder Offizier ? Erinnerungen, Briefe, Dokumente des Chefs O.K.W.*, Goettingue, Berlin, Francfort/Mein, 1961.

GORDON, Harold J. : *Die Reichswehr und die Weimarer Republik 1913 bis 1926*, Francfort/Mein, 1959.

GREBING, Helga : *Der Nationalsozialismus. Ursprung und Wesen*, Munich, 1959.

GREINER, Josef : *Das Ende des Hitler-Mythos*, Zürich, Leipzig et Vienne, 1947.

GREINER, Helmuth : *Die Oberste Wehrmachtführung 1939-1943*, Weisbaden, 1951.

GROENER, Wilhelm : *Lebenseinnrerungen*, éditeur Freiherr Hiller v. Gaertringen, Goettingue, 1957.

GRÜN, Wilhelm : *Dietrich Eckart als Publizist*, première partie : Introduction. Avec un tableau généalogique et une bibliographie de Dietrich Eckart de 1868 à 1938. Munich, 1941.

GUDERIAN, Heinz : *Erinnerungen eines Soldaten*, Heidelberg, 1951.

GUMBEL, Emil Julius : *Vier Jahre politischer Mord*, Berlin, 1923.
— *Verräter verfallen der Feme. Opfer/Mörder/Richter 1919-1929*,
Berlin, 1929.

GUN, Nerin E. : *Eva Braun-Hitler. Leben und Schicksal*, Velbert et
Kettwig, 1968.
— *Gutachten des Instituts für Zeitgeschichte* (Préface : Paul
Kluke). Munich : Selbstverlag des Instituts für Zeitgeschichte
1958 (= Veröffentl. des Instituts für Zeitgeschichte).

HALDER, Generaloberst : *Kriegstagebuch. Tägliche Aufzeichnungen des
Chefs des Generalstabes des Heeres 1939-1942*, édité par l'Arbeits-
kreis für Wehrforschung Stuttgart, 3 vol., Stuttgart, 1962, 1963 et
1964.

HALLGARTEN, George W.F. : *Hitler, Reichswehr und Industrie. Zur Geschichte der Jahre 1918-1933*, Francfort/Mein, 1962.

HAMMANN, Otto : *Der neue Kurs*, Berlin, 1918.

HAMMER, Hermann : *Die deutschen Ausgaben von Hitlers « Mein
Kampf »*, dans : *Vierteljahrshefte für Zeitgeschichte 4* (1956), p.
161-178.

HAMMER, Wolfgang : *Adolf Hitler — ein deutscher Messias ?* Munich,
1970.

HANFSTAENGL, Ernst : *Hitler. The Missing Years*, Londres, 1957.
— *Zwischen Weissem und Braunem Haus. Erinnerungen eines politischen Aussenseiters*, Munich, 1970.

HANNOVER, Heinrich et Elisabeth : *Politische Justiz 1918-1933*, Franc-
fort/Mein, 1966.

HANSEN, Reimer : *Albert Speers Konflikt mit Hitler* dans : *Geschichte
in Wissenschaft und Unterricht 10/196b*, p. 596-621.

HARAND, Irene : *Sein Kampf. Antwort an Hitler*, Vienne, 1935.

HART, F. Th. : *Alfred Rosenberg. Der Mann und sein Werk*, 5° édition,
Munich et Berlin, 1942.

HARTUNG, Fritz : *Zur Geschichte der Weimarer Republik*, dans : *Historische Zeitschrift*, 181 (1956).

HASSE, Ernst : *Deutsche Weltpolitik*, Munich, 1897.

HASSELBACH, Ulrich von : *Die Entstehung der nationalsozialistischen
deutschen Arbeiterpartei 1919-1923*, Diss. Leipzig, 1931.

HAUSSER, Paul : *Soldaten wie andere auch. Der Weg der Waffen-S.S.*,
Osnabrück, 1966.

HEER, Friedrich : *Gottes erste Liebe. 2000 Jahre Judentum und Chris-
tentum. Genesis des österreichischen Katholiken Adolf Hitler*, Munich et Esslingen, 1967.
— *Der Glaube des Adolf Hitler. Anatomie einer politischen Reli-
giosität*, Munich et Esslingen, 1968.

HEIBER, Helmut : *Adolf Hitler. Eine Biographie*, Berlin, 1960.
— (Edit.) : *Hitlers Lagebesprechungen*, Stuttgart, 1962.

— *Walter Funk und sein Reichsinstitut für Geschichte des neuen Deutschlands*, Stuttgart, 1967.

— (Edit.) : *Reichsführer ! Briefe an und von Himmler*, Stuttgart, 1968.

HEIDEN, Konrad : *Adolf Hitler*, 2 vol., Zürich 1936.

— *Geschichte des Nationalsozialismus*, Hambourg, 1932.

— *Geburt des Dritten Reiches*, 2ᵉ édition, Zürich 1934.

HEROLD, Emil : *Ein Jahr bayerische Revolution im Bilde*, Munich, 1919, 3ᵉ édition non modifiée, 1937.

HERRE, Paul : *Die Südtiroler Frage*, Munich, 1927.

HERZFELD, Hans : *Die deutsche Kriegspolitik im Ersten Weltkrieg*, dans : *Vierteljahrshefte für Zeitgeschichte 3* (1961), p. 224 et s.

HESS, Ilse : *Gefangener des Friedens*, Leoni am Starnberger See, 1962.

HEUSS, Theodor : *Hitlers Weg*, Stuttgart, Berlin et Leipzig, 1932.

HILLGRUBER, Andreas : *Südost-Europa im Zweiten Weltkrieg. Literaturbericht und Bibliographie*, dans : *Schriftreihe der Bibliothek für Zeitgeschichte* Stuttgart, cahier 1, Francfort/Mein, 1962.

— *Hitlers Strategie, Politik und Kriegsführung 1940-41*, Francfort/Mein, 1965.

— *Chronik des Zweiten Weltkrieges* (en collaboration avec Gerhard Hümmelchen), Francfort/Mein, 1966.

— *Deutschlands Rolle in der Vorgeschichte der beiden Weltkriege*, dans : *Die deutsche Frage in der Welt* (édit. entre autres W. Conze, P. Kluke et Th. Schieder), vol. 7, Goettingue, 1967.

— *Probleme des Zweiten Weltkrieges*, (édit.), *Neue Wissenschaftliche Bibliothek*, vol. 20, Cologne et Berlin, 1967.

— *Staatsmänner und Diplomaten bei Hitler. Vertrauliche Aufzeichnungen über Unterredungen mit Vertrtern des Auslands*, vol. 1 : 1939-1941. Edité et commenté par Hillgruber, Francfort/Mein, 1967. Vol. II : 1942-1944. Edité et commenté par Hillgruber, Francfort/Mein, 1970.

HILPERT, Friedrich : *Die Grundlagen der bayerischen Zentrumspolitik 1918-1921*, Munich et Berlin, 1941 (Diss.).

HITLER, Adolf : *Mein Kampf*, 469ᵉ-473ᵉ édition, Munich, 1939. Nous avons utilisé les éditions de *Mein Kampf* de 1925 (1ᵉʳ vol.), 1927 (2ᵉ vol.), 1930 et 1939 (2 vol. en un seul tome, édition populaire non abrégée). Nous l'avons comparée avec les éditions de 1928, 1933 et 1943. Nous citons toujours l'édition de 1939. Quand elle comporte des divergences par rapport aux éditions de 1925 (1ᵉʳ vol.) et 1927 (2ᵉ vol.), nous l'avons indiqué dans le texte ou dans les notes au bas de la page. Cité comme : « Hitler. »

— *Adolf Hitler in Franken. Reden aus der Kampfzeit*, réunis et édités par Heinz Preiss par ordre de Julius Streicher. Sans indication d'année ou de lieu. (Introduction de Pâques, 1939.)

— *Hitlers Zweites Buch. Dokument aus dem Jahre 1928*. Edité par l'Institut für Zeitgeschichte (Institut d'histoire contemporaine),

préfacé et commenté par Gerhard L. Weinberg. Stuttgart, 1961.

HITLER, William Patrick : *Mein Onkel Adolf Hitler*, dans : *Paris-Soir* du 5-8-1939.

HOEGNER, Wilhelm : *Die verratene Republik*, Munich, 1958.
— *Der schwierige Aussenseiter*, Munich, 1959.

HÖHNE, Heinz : *Der Orden unter dem Totenkopf. Die Geschichte der SS.* Hambourg, 1966 et Gütersloh, 1967.

HÖRBIGER-FAUTH : *Glazial = Kosmogonie*, Leipzig 1912 (on a utilisé la nouvelle édition non modifiée de 1925).

HÖSS, Rudolf : *Kommandant in Auschwitz. Autobiographische Aufzeichnungen*, édit. par Martin Broszat, Munich, 1965.

HOFFMANN, Heinrich : *Hitler was my Friend*, Londres, 1955.

HOFFMANN, Peter : *Widerstand — Staatsstreich — Attentat*, 2ᵉ édition, Munich, 1970.

HOFMANN, Hanns Hubert : *Der Hitler-Putsch, Krisenjahre deutscher Geschichte, 1920-1924*, Munich, 1961.

HOFMILLER, Josef : *Revolutionstagebuch 1918-19. Aus den Tagen der Münchener Revolution*, Leipzig, 1938.

HOSSBACH, Friedrich : *Zwischen Wehrmacht und Hitler 1934-1938*, 2ᵉ édit. Goettingue, 1965.

HUBATSCH, Walter : *Die deutsche Besetzung von Dänemark und Norwegen 1940*, Goettingue, 1952.

HUBATSCH, Walter (édit.) : *Hitlers Weisungen für die Kriegsführung 1939 bis 1945*, Francfort, 1962.

HUMBERT, Manuel : *Hitlers « Mein Kampf », Dichtung und Wahrheit*, Paris, 1936.

HUNDHAMMER, Aloïs : *Geschichte des bayerischen Bauernbundes*, Diss. Munich, 1924.

IRVING, David : *Die Geheimwaffen des Dritten Reiches*, Gütersloh, 1965.

JACOBSEN, Hans-Adolf : *Fall « Gelb ». Der Kampf um den deutschen Operationsplan zur Westoffensive*, Wiesbaden, 1957.
— *Dünkirchen*, Neckargemünd, 1958.
— *1939-1945. Der Zweite Weltkrieg in Chronik und Dokumenten*, Darmstadt, 1959 et suivants.
— *Deutsche Kriegsführung 1939-1945*, Hanovre, 1961.
— *The Diplomacy of the Winter War. An Account of the Russo-Finnish War 1939-40*, Cambridge (Mass.), 1961.
— et DOLLINGER, H. : *Der Zweite Weltkrieg in Bildern und Dokumenten*, 3 vol., Munich-Vienne-Bâle, 1962-1963.
— *Der Zweite Weltkrieg. Grundzüge der Politik und Strategie in Dokumenten*, Francfort/Mein, 1964.
— *Der Zweite Weltkrieg in Dokumenten*, Francfort/Mein, 1965.
— *Nationalsozialistische Aussenpolitik, 1933-1938*, Francfort/Mein, 1968.

JACKEL, Eberhard : *Frankreich in Hitlers Europa*, Stuttgart, 1966.
— *Hitlers Weltanschauung. Entwurf einer Herrschaft*, Tübingen, 1969.

JETZINGER, Franz : *Hitlers Jugend. Phantasien, Lügen — und die Wahrheit*, Vienne, 1956.

JOCHMANN, Werner : *Im Kampf um die Macht. Hitlers Rede vor dem Hamburger Nationalklub von 1919*, Francfort/Mein, 1960.
— *Nationalsozialismus und Revolution. Ursprung und Geschichte der N.S.D.A.P. in Hamburg 1922-1933*, Francfort/Mein, 1963.

JUNG, Rudolf : *Der nationale Sozialismus — Seine Grundlagen, sein Werdegang und seine Ziele*, Munich, 1922.

KANDL, Eleonore : *Hitlers Osterreichbild*, Vienne, 1963, Diss.

KANZLER, Rudolf : *Bayerns Kampf gegen den Bolschewismus. Geschichte der bayerischen Einwohnerwehren*, Munich, 1931.

KELLEY, Douglas, M. : *22 Männer um Hitler*, Olten et Berne, 1947.

KEMPNER, Robert M.W. : *Eichmann und Komplizen*, Zürich, Stuttgart, Vienne, 1961.
— *SS im Kruezverhör*, Munich, 1964.
— *Das Dritte Reich im Kreuzverhör*, Munich, 1964.

KERSTEN, Felix : *Totenkopf und Treue. Heinrich Himmler ohne Uniform. Aus den Tagebüchern des finnischen Medizinalrates*, Hambourg, 1952.

KESSEL, Eberhard : *Zur Geschichte und Deutung des Nationalsozialismus. Literaturbericht und Stellungnahme*, dans : *Archiv für Kulturgeschichte*, 45 vol., Cologne et Graz, 1963, p. 357-394.

KESSEL, Gerhard : *Die Familiennamen der Juden in Deutschland*, Leipzig, 1935.

KLAGES, Ludwig : *Rythmen und Runen. Nachlass*, Leipzig, 1944.
— *Der Geist als Widersacher der Seele*, vol. 3, Leipzig, 1932.
— *Der Geist als Widersacher der Seele*, vol. 2, 3e édition revue, Bonn, 1954.

KLAMPFER, Josef : *Das Eisenstädter Ghetto*, Eisenstadt, 1965.

KLEIST, Peter : *Zwischen Hitler und Stalin 1939-1945*, Bonn, 1950.

KLEMMT, Alfred : *Volk und Staat*, Berlin, 1936.

KLEMFERER, Klemens von : *Konservative Bewegungen zwischen Kaiserreich und Nationalsozialismus*, Munich et Vienne, 1962.

KLUKE, Paul : *Nationalsozialistische Europaideologie*, dans : *Vierteljahrshefte für Zeitgeschichte*, Stuttgart, 1955.

KOELLREUTER, Otto : *Grundfragen unserer Volks- und Staatsgestaltung*, Berlin, 1936.

KOERBER, Viktor von : *Hitler, sein Leben und seine Reden*, Munich, 1923.

KOGON, Eugen : *Der SS-Staat. Das System der deutschen Konzentrationslager*, 1-100 mille, Berlin, 1947, 211-224 mille, Francfort/Mein, 1965.

KOTZE, Hildegard ; KRUMMACHER, F.A. et d'autres : *Es spricht der Führer*, Sieben exemplarische Hitler-Reden, Gütersloh, 1966.

KOPPENSTEINER, Rudolf : *Die Ahnentafel des Führers*, Leipzig, 1937.

KRAMARZ, Joachim : *Claus Graf Stauffenberg. Das Leben eines Offiziers*, Francfort/Mein, 1965.

KRAUSE, Karl Wilhelm : *Zehn Jahre Kammerdiener bei Hitler*, Hambourg (1949).

KREBS, Albert : *Tendenzen und Gestalten der N.S.D.A.P. Einnerungen an die Frühzeit der Partei*, avec une introduction de Hans Buchheim, Stuttgart, 1959 (= Publications de l'Institut für Zeitgeschichte — Institut d'Histoire contemporaine), à Munich. Sources et rapports concernant l'histoire contemporaine, vol. 6.

KREBS, Albert : *Fritz-Dietlof Graf von der Chulenburg. Zwischen Staats räson und Hochverrat*, Hambourg, 1964.

KROKOW, Martin : *Vom Novemberstaat zum Grossdeutschen Reich*, Breslau, 1942.

KRUCK, Alfred : *Geschichte des Alldeutschen Verbandes*, Wiesbaden, 1954.

KRUMM, Paul : *Der Sozialismus der Hitlerbewegung im Lichte der Spenglerschen Geschichtsforschung oder die tiefste Ursache für den Aufstieg des Nationalsozialismus in Deutschland*, Geldern, 1932.

KRUMMACHER, F.A. (en collaboration avec SCHEURIG, Bodo ; BRACHER, Karl Dietrich ; JACOBSEN, Hans Adolf et JACKEL, Eberhard) : *Die totale Verführung. Propaganda und Wirklichkeit im Dritten Reich*, émission télévisée par la TV allemande, deuxième chaîne (Z.D.F.) les 4, 8 et 10 mai 1970. Scénario en possession de l'auteur.

KRUMMACHER, F.A. et LANGE, Helmut : *Krieg und Frieden. Von Brest-Litowsk zum Unternehmen Barbarossa*, Munich et Esslingen, 1970.

KUBIZEK, August : *Adolf Hitler — Mein Jugendfreund*, Graz et Goettingue, 1953.

KÜHNL, Reinhard : *Das Dritte Reich in der Presse der Bundesrepublik*, Francfort/Mein, 1966.

LANG, Serge et SCHENCK, Ernst von : *Porträt eines Menschheitsverbrechers*, St. Gall, 1947.

LANGBEIN, Hermann : *Im Namen des deutschen Volkes. Zwischenbilanz der Prozesse wegen nationalsozialistischer Verbrechen*, Vienne, Cologne, Stuttgart et Zürich, 1963.

LANGE, Karl : *Hitlers unbeachtete Maximen.* « *Mein Kampf* » *und die Offentlichkeit*, Stuttgart, 1968.

LANGE-EICHBAUM, Wilhelm : *Genie. Irrsinn und Ruhm* (3e édition), Munich, 1942.

LE BON, Gustave : *Psychologie der Massen*, trad. Rudolf Eisner. 2e édit., 1912 (édit. récente : Stuttgart, 1951).

LEHMANN-RUSSBÜLDT : *Der Kampf der Liga für Menschenrechte, vorm. Bund Neues Vaterland für den Weltfrieden 1924*, Berlin, 1927.

LEISER, Erwin : *Mein Kampf, Eine Dokumentation*. Francfort/Mein et Hambourg, 1961.

LEVERKUEHN, Paul : *Posten auf ewiger Wache. Aus dem abenteuerlichen Leben des Max von Scheubner-Richter*, Essen, 1938.

LITTNANSKI, Eugen : *Hochverrat in Revolutionszeiten*, Bamberg et Greifswald, 1926.

LÖWITH, Karl : *Von Hegel zu Nietzsche*, 2e édition, Stuttgart, 1950.

LUDENDORFF, Erich : *Der totale Krieg*, Munich, 1936.

LUEDECKE, Kurt : *I knew Hitler*, Londres, 1938.

LURKER, Otto : *Hitler hinter Festungsmauren. Ein Bild aus trüben Tagen*, 2e édition, Berlin, 1933.

McDOUGALL, William : *The Group Mind. A Sketch of the principles of collective Psychology*, Cambridge, 1920.

MALANOWSKI, Wolfgang : *Der Widerspruch von Tradition und Doktrin in der deutschen Aussenpolitik von der Revisionspolitik zur einseitigen Liquidierung des Vertrages von Versailles*, Phil. Diss., Hambourg, 1955-1956.

MANN, Viktor : *Wir waren fünf*, Constance, 1949.

MANSTEIN, Erich von : *Verlorene Siege*, Bonn, 1958.

MANVELL, Roger et FRAENKEL, Heinrich : *Heinrich Himmler*, Londres, Melbourne, Toronto, Cape Town et Auckland, 1965.

MARTIN, Bernd : *Deutschland und Japan im Zweiten Weltkrieg*, Zürich et Francfort/Mein, 1969.

MASER, Werner : *Die Organisierung der Führerlegende. Studien zur Frühgeschichte der N.S.D.A.P. bis 1924*, Diss. Erlangen, 1954.
— *Die Frühgeschichte der N.S.D.A.P. Hitlers Weg bis 1924*, Francfort/Mein et Bonn, 1965.
— *Hitlers Mein Kampf*, Munich et Esslingen, 1966.
— *Hitlers Mein Kampf : An analysis*, Londres, 1970. Cette édition comporte des différences de style mais non de contenu par rapport à l'édition allemande de 1966.

MATZERATH, Horst : *Nationalsozialismus und kommunale Selbstverwaltung*. Tome 29 des publications du « Verein für Kommunalwissenschaften e.V. » (Association pour les sciences administratives), Stuttgart, 1970.

MAX, Prinz von Baden : *Erinnerungen und Dokumente*, Stuttgart, Berlin et Leipzig, 1927.

MEIER-BENNECKENSTEIN, Paul (édit.) : *Grundfragen der deutschen Politik*, Berlin, 1939, vol. 1.

MEINECKE, Friedrich : *Die deutsche Katastrophe*, Wiesbaden, 1947.

MEISSNER, Otto : *Staatssekretär unter Ebert-Hindenburg-Hitler. Der Schicksalsweg des deutschen Volkes von 1918 bis 1945, wie ich ihn erlebte*, 3e édition. Hambourg, 1950.

MEND, Hans : *Adolf Hitler im Felde 1941-1918*, Diessen près Munich, 1931.

MEYER, Adolf : *Mit Adolf Hitler im Bayerischen Reserve-Infanterie-Regiment 16 List*, Neustadt/Aisch, 1934.

MILTENBERG, Weigand von : *Adolf Hitler-Wilhelm III*, Berlin, 1930-1931.

MÖHL, Wolfgang : *Bayern in Deutschland*, Diss. Erlangen, 1928.

MOELLER van den BRUCK : *Das Dritte Reich*, Hambourg, 1931.

MOHLER, Arnim : *Die konservative Revolution in Deutschland 1918-1932. Grundriss ihrer Weltanschauungen*, Stuttgart, 1950.

MOSER, Jonny : *Von der Emanzipation zur antisemitischen Bewegung. Die Stellung Georg Ritter von Schönerers und Heinrich Friedjungs in der Entwicklungsgeschichte des Antisemitismus in Oesterreich (1848-1896)*. Diss. Vienne (Autriche), 1962.

MÜLLER, Karl Alexander von : *Deutsche Geschichte und Deutscher Charakter*. Berlin et Leipzig, 1927.
— *Mars und Venus*. Erinnerungen 1914-1919, Stuttgart, 1954.

MÜLLER-MEININGEN, Ernst : *Aus Bayerns schwersten Tagen*, Berlin et Leipzig, 1927.

NAUMANN, Friedrich : *Demokratie und Kaisertum*, 4e édit., Berlin, 1905.

NIEKISCH, Ernst : *Das Reich der niederen Dämonen*, Hambourg, 1953.
— *Bayern*, dans *Die Weltbühne*, 5-4-1923.
— *Gewagtes Leben. Begegnungen und Begebnisse*, Cologne et Berlin, 1958.
— *Hitler — ein deutsches Verhängnis*, Berlin, 1932.
— *Notes inédites*. Citées comme : « Niekisch, manuscrit. »

NOLLER, Sonja et KOTZE, Hildegard von : *Facsimile-Querschnitt durch den Völkischen Beobachter*, Munich, Berne et Vienne, 1967.

NOLTE, Ernst : *Eine frühe Quelle zu Hitlers Antisemitismus*, dans *Historische Zeitschrift*, t. 192 (1961), p. 584-606.
— *Der Faschismus in seiner Epoche. Die Action Française. Der italienische Faschismus. Der Nationalsozialismus*, Munich, 1963.
— *Der Faschismus. Von Mussolini bis zu Hitler*. Munich, 1968.

NORDEN, Albert : *Hinter den Kulissen des ersten westdeutschen Separatstaates*, dans : *Neue Welt*, Berlin (-Est), 7 (1952), cahier 4.

NOSKE, Gustav : *Erlebtes aus Aufstieg und Niedergang einer Demokratie*, Offenbach/Mein, 1947.

OERTZEN, F.W. von : *Die deutschen Freikorps 1918-1923*, Munich, 1936.

OLDEN, Rudolf : *Hitler the Pawn*, 1936.

ORR, Thomas : *Das was Hitler*, suite d'articles dans la *Revue*, journal illustré, 1952.

PAULUS, Günter : *Reichswehr und Freikorps*, dans : *Geschichte in der Schule*, Berlin (-Est) 3 (1950), cahier 1.

PECHEL, Rudolf : *Deutscher Widerstand*, Erlenbach-Zürich, 1947.

PESE, Walter Werner : *Hitler und Italien 1920-1926*, dans : *Vierteljahrshefte für Zeitgeschichte 3* (1955), p. 113-126.

PHELPS, Reginald : *Aus den Groenerdokumenten*, dans : *Deutsche Rundschau*, 76 (1950).
— *Dokumente aus der « Kampfzeit » der N.S.D.A.P.* — *1923*, dans : *Deutsche Rundschau 84* (1958), p. 459 et s. et 1034 et s.
— *Before Hitler came, Thule Society and German Order*, dans : *Journal of Modern History*, 1936.

PICKER, Henry und HOFFMANN, Heinrich : *Hitlers Tischgespräche im Bild*, Ed. Par Jochen von Lang, Oldenbourg, 1969.

PITROF, Ritter von : *Gegen Spartakus in München und im Allgäu. Erinnerungsblätter des Freikorps Schwaben*. Munich, 1937.

PLÜMER, Friedrich : *Die Wahreit über Hitler und seinen Kreis*, Munich, 1925.

POLIAKOV, Léon und WULF, Josef : *Das Dritte Reich und seine Diener*, Berlin-Grunewald, 1956.
— *Das Dritte Reich und seine Denker*, Berlin-Grunewald, 1959.
— *Das Dritte Reich und die Juden*, Berlin-Grunewald, 1959.

PRANCKH, Hans Freiherr von : *Der Prozess gegen den Grafen Anton Arco-Valey*, Munich, 1920.

PROEBST, Hermann éd. Karl Ude: *Denk' ich an München. Ein Buch der Erinnerungen*, Munich, 1966.

PROSS, Harry : *Die Zerstörung der deutschen Politik. Dokumente 1871 bis 1933*, Francfort/Mein, 1959.

PULZER, F.G.J. : *The Rise of political Anti-Semitism in Germany and Austria*, New York, 1964.

RABENAU, Friedrich von : *Seeckt. Aus seinem Leben 1918-1936*, Leipzig, 1940.

RABITSCH, H. : *Aus Adolf Hitlers Jugendzeit*, Munich, 1938.

RADEK, Karl : *Rosa Luxemburg, Karl Liebknecht, Leo Jogiches*, Hambourg, 1921.

RAUSCHNING, Hermann : *Gespräche mit Hitler*, Zürich, Vienne et New York, 1940.
— *Die Revolution des Nihilismus. Kulisse und Wirklichkeit im Dritten Reich*, 5e édition, Zürich, New York, 1938.
— *Die Revolution des Nihilismus*, Zürich, 1938.

RECKTENWALD, Jogann : *Woran hat Adolf Hitler gelitten ?* Munich et Bâle, 1963.

REDLICH, J. : *Das österreichische Staats- und Reichsproblem. Geschichtliche Darstellung der inneren Politik der Habsburger Monarchie von 1848 bis zum Untergang des Reiches*, 2 vol., Leipzig, 1920-1926.

REICH, Albert : *Dietrich Eckart*, Munich, 1934.

REITLINGER, Gerald : *Ein Haus auf Sand gebaut. Hitlers Gewaltpolitik in Russland 1941-1944*, Hambourg, 1962.

— *Die Endlösung. Hitlers Versuch der Ausrottung der Juden Europas 1939-1945*, Berlin, 1961.
— *Die SS — Tragödie einer deutschen Epoche*, Vienne, Munich, Bâle, 1957.

RIBBENTROP, Joachim von : *Zwischen London und Moskau. Erinnerungen und letzte Aufzeichnungen*, documents posthumes édités par Annelies von Ribbentrop. Leoni am Starnberger See, 1961.

RIEHL, Walter : *Die deutsche nationalsozialistische Partei in Oesterreich und der Tschechoslowakei*, dans : *Deutschlands Erneuerung*, cahier 3, 1920.

RITTER, Gerhard : *Europa und die deutsche Frage*, Munich, 1948.
— *Carl Goerdeler und die deutsche Widerstandsbewegung*, Stuttgart, 1956.

RÖHRS, Hans-Dietrich : *Hitler — die Zerstörung einer Persönlichkeit. Grundlagen der Feststellungen zum Krankheitsbild*, Neckargemünd, 1965.

ROEPKE, Fritz : *Von Gambetta bis Clemenceau*, Stuttgart et Berlin, 1922.

RÖHM, Ernst : *Die Geschichte eines Hochverräters*, Munich, 1933.

ROSEN, Edgar R. : *Mussolini und Deutschland 1922-1923*, dans : *Vierteljahrshefte für Zeitgeschichte* 5 (1957), p. 17-41.

ROSENBERG, Alfred : *Der Mythus des 20.Jahrhunderst*, Munich, 1930.
— *Wesen, Grundsätze und Ziele der Nationalsozialistischen Deutschen Arbeiterpartei*, Munich, janvier 1923.
— *Letzte Aufzeichnungen, Ideale und Idole der nationalsozialistischen Revolution*, Goettingue, 1955.

ROSSBACH, Gerhard : *Mein Weg durch die Zeit*, Weilburg/Lahn, 1950.

ROTHENBÜCHER, Karl : *Der Fall Kahr*, Tübingen 1924 (= Recht und Staat in Geschichte und Genewart. Eine Sammlung von Vorträgen und Schriften aus dem Gebiet der gesamten Staatswissenschaften. Cahier 29).

ROTHFELS, Hans : *Die deutsche Opposition gegen Hitler. Eine Würdigung*, Krefeld, 1949.

RUPPRECHT, Kronprinz von Bayern : *Mein Kriegstagebuch*, 2 vol. Munich, 1929.

SAGIZ, Walter : *Bibliographie des Nationalsozialismus*, Cottbus, 1933.

SAILER, J.B. : *Des Bayernkönigs Revolutionstage*, Munich, 1919.

SALOMON, Ernst von : *Der Fragebogen*, Hambourg, 1951.

SALOMON, F. : *Die deutschen Parteiprogramme*, Berlin, 1932.

SANDVOSS, F. : *Hitler und Nietzsche. Eine bewusstseinsgeschichtliche Studie*, Goettingue 1969. Cité d'après les placards de l'éditeur (1967).

SCHAFER, Wolfgang : *NSDAP. Entwicklung und Struktur der Staatspartei des Dritten Reiches*, Hanovre et Frankfort/Mein, 1956.

SCHEIDEMANN, Philipp : *Memoiren eines Sozialdemokraten*, 2 vol., Dresde, 1928.

SCHELLENBERG, Walter : *Memoiren*, Cologne, 1956.

SCHILLING, Alexander : *Dr. Walter Riehl und die Geschichte des Nationalsozialismus*, Leipzig 1933.

SCHLABRENDORFF, Fabian von : *Offiziere Gegen Hitler. Nach einem Erlebnisbericht*, Remanié et édité par Gero von S. Gaevernitz, Zürich 1946.

SCHLOTTNER, Erich Heinz : *Stresemann, der Kapp-Putsch und die Erreignisse in Mitteldeutschland und in Bayern im Herbst 1923*, Diss. Francfort/Mein 1948.

SCHMALFIX, Adolf : *Gerechtigkeit für Kapitän Ehrhardt*, Leipzig 1923.

SCHMIDT, Paul : *Statist auf diplomatischer Bühne, 1923-1945. Erlebnisse des Chefdolmetschers im Auswärtigen Amt mit den Staatsmännern Europas*, Francfort/Mein, 1949. Cité d'après la 10ᵉ éd. (1964).

SCHMITT, Franz August : *Die neue Zeit in Bayern*, Munich 1919.

SCHRAMM, Percy Ernst : *Hitler als militärischer Führer. Erkenntnisse und Erfahrungen aus dem Kriegstagebuch des Oberkommandos der Wehrmacht*, Francfort/Mein, 1962.

SCHRICKER, Rudolf : *Rotmord über München*, Berlin, sans indication de l'année.

SCHUBERT, Günter : *Anfänge nationalsozialistischer Aussenpolitik*, Cologne 1963.

SCHNÜDDEKOPF, Otto-Ernst : *Linke Leute von rechts — Die nationalrevolutionären Minderheiten und der Kommunismus in der Weimarer Republik*, Stuttgart 1960.

SCHÜRER, Heinz : *Die politische Arbeiterbewegung Deutschlands in der Nachkriegszeit 1918-1923*, **Diss. Leipzig 1933.**

SCHULER, Alfred : *Fragmente und Vorträge. Aus dem Nachlass ;* avec une introduction de Ludwig Klages. Leipzig 1940.

— *Einige Gedanken über Ibsens neuestes Werk « Baumeister Solnes »* in *Die Gesellschaft*. Revue mensuelle de littérature, art et politique sociale, fondée et éditée par M.G. Conrad, 9ᵉ année, Leipzig 1893.

SCHWARZ, Georg : *Völker höret die Zentrale : KPD bankerott*, Berlin 1933.

SCHWARZ, Hermann : *Zur philosophischen Grundlegung des Nationalsozialismus*, Berlin 1936.

SCHWEND, Karl : *Bayern zwischen Monarchie und Diktatur. Beiträge zur Bayerischen Frage in der Zeit von 1918 bis 1933*, Munich 1954.

SCHWEYER, Franz : *Rudolf Kanzler, Bayerns Kampf gegen den Bolschewismus* (Compte rendu dans la revue :) *Zeitschrift für bayerische Landesgeschichte*, Munich, année 1932.

SEBOTTENDORFF, Rudolf von : *Bevor Hitler kam*, Munich 1934.

SENDTNER, Kurt : *Rupprecht von Wittelsbach, Kronprinz von Bayern*, Munich 1954.

SERAPHIM, Hans-Günther (éd.) : *Das politische Tagebuch Alfred*

Rosenbergs aus den Jahren 1934/35 und 1939/40, Goettingue, Berlin et Francfort/Mein, 1956, dtv, Munich 1964.

SHIRER, William L. : *Aufstieg und Fall des Dritten Reiches* vol. 1, Munich et Zürich 1963.

SKORZENY, Otto : *Geheimkommando Skorzeny*, Hamburg 1950.

SMITH, Bradley F. : *Adolf Hitler. His Family, Childhood und Youth*, Stanford Californie 1967.

SONTHEIMER, Kurt : *Antidemokratisches Denken in der Weimarer Republik. Die politischen Ideen des deutschen Nationalismus zwischen 1918 und 1933*, Munich, 1962.

SPECKNER, Herbert : *Die Ordnungszelle Bayern. Studien zur Politik des bayerischen Bürgertums, insbesondere der bayerischen Volkspartei, von der Revolution bis zum Ende des Kabinetts Dr von Kahr*. Diss. Erlangen 1955.

SPEER, Albert : *Erinnerungen*, Francfort/Mein et Berlin 1969.

SPEIDEL, Hans : *Invasion 1944. Ein Beitrag zu Rommels und des Reiches Schicksal*, Tübingen et Stuttgart 1961.

SPENGLER, Oswald : *Politische Schriften*, Munich 1924.

STADTLER, Eduard : *Weltrevolution = Krieg*, Düsseldorf 1937.

STAFF, Ilse : *Justiz im Dritten Reich. Eine Dokumentation*, Fischer-Bücherei, fevrier 1964.

STAMPFER, Friedrich : *Die ersten 14 Jahre der Deutschen Republik*, Offenbach 1947.

STEIN, Alexander : *Adolf Hitler, Schüler der « Weisen von Zion »*, Karlsbad 1936.

STEIN, George H. : *Geschichte der Waffen-SS* (traduite de l'américain), Düsseldorf 1967.

STEINER, Felix : *Die Armee der Geächteten*, Goettingue 1963.
— *Von Clausewitz bis Bulganin. Erkenntnisse und Lehren der Wehrepoche*, Bielefeld 1956.

STRASSER, Otto : *Hitler und ich*, Buenos Aires, sans indication d'année.

TAYLOR, Telford : *Die Nürnberger Prozesse. Kriegsverbrechen und Völkerrecht*, Zürich 1951.

TOBIAS, Fritz : *Der Reichstagsbrand. Legende und Wirklichkeit*, Tastatt 1962.

TOLLET, Ernst : *Deutsche Revolution*, Berlin 1933.
— *Eine Jugend in Deutschland*, Amsterdam 1933.

TORMIN, Walter : *Zwischen Rätediktatur und sozialer Demokratie*, Düsseldorf 1954.

TREVOR-ROPER, H.R. : *The Bormann Letters. The private Correspondence between Martin Bormann and his Wife from Januaury 1943 to April 1945*, Londres 1954.
— *Hitlers letzte Tage*, Ullstein Bücher, vol. 525, Francfort/Mein 1965.

UNGER, Erich : *Das Schrifttum zum Aufbau des neuen Reiches*, Berlin 1934.

VALENTIN, Veit : *Geschichte der Deutschen*, Berlin et Stuttgart 1947.

VOGELSANG, Thilo : *Reichswehr, Staat und NSDAP. Beiträge zur Deutschen Geschichte 1930-1932*, Stuttgart 1962.

VOLKMANN, E.O. : *Revolution über Deutschland*, Oldenbourg 1930.

VOLZ, Hans : *Die Geschichte der NSDAP*, Leipzig et Berlin sans indication de l'année.
— *Daten der Geschichte der NSDAP*, Berlin et Leipzig 1943.

WARLIMONT, Walter : *Im Hauptquartier der deutschen Wehrmacht 1939 bis 1945. Grundlagen, Formen und Gestalten*. Francfort/Mein et Bonn 1964.

WEDEL, Hasso von : *Das grossdeutsche Heer*, Berlin 1939.

WERNER, Lothar : *Der Alldeutsche Verband. Historische Studien*, Berlin 1939.

WHEELER-BENNETT, John W. : *Die Nemesis der Macht. Die deutsche Armée in der Politik 1918-1945*, Düsseldorf 1954.

WIEDEMANN, Fritz : *Der Mann, der Feldherr werden wollte. Erlebnisse und Erfahrungen des Vorgesetzten Hitlers im Ernsten Weltkrieg und seines späteren persönlichen Adjudanten*, Velbert et Kettwig 1964.

WIESER, Friedrich : *Das Gesetz der Macht*, Vienne (Autriche) 1926.

WILLI, M. : *Hakenkreuz und Rutenbündel*, Berlin 1924.

WOLF, Dieter : *Die Doriot-Bewegung. Ein Beitrag zur Geschichte des französischen Faschismus*, Stuttargt 1967.

WULF, Joseph : *Literatur und Dichtung im Dritten Reich*, Gütersloh 1963.
— *Theater und Film im Dritten Reich*, Gütersloh 1963.
— *Musik im Dritten Reich*, ibidem 1963.
— *Presse und Funk im Dritten Reich*, ibidem 1964.

WULZ, Gustav : *Die Familie Kahr*, tiré à part de *Archiv für Rassen- und Gesellschaftsbiologie* vol. 18, cahier 3.
— *Zidé a zidovské abee v Ceehách v minulosti a v pritomnosti. V dubnu 1934*. Cité comme : « Les Juifs et les communautés juives en Bohème dans le passé et dans le présent », avril 1934.

ZIEGLER, Hans Severus : *Hitler aus dem Erlebten dargestellt*, Goettingue 1964.
— *Wer war Hitler ?* Tübingen 1970.

ZIMMERMANN, Werner Gabriel : *Bayern und das Reich 1918-1923*, Munich 1953.

ZINK, Adolf von : *Gustav Ritter von Kahr, Dr. med. h. c. Festschrift*

zur Feier des fünfzigjährigen Bestehens des Bayerischen Verwaltungsgerichtshofes, Munich, Berlin et Leipzig 1929.

ZITTEL, Bernhard : *Rätemodell München 1918-19*, dans *Stimmen der Zeit*, 165 (1919).

ZOLLER, Albert : *Hitler privat. Erlebnisbericht seiner Geheimsekretärin*, Düsseldorf 1949.

Sources et rapports d'histoire contemporaine publiés sous les auspices de l'Institut d'Histoire Contemporaine :

BÖHME, Hermann : *Der deutsch-französische Waffenstillstand im Zweiten Weltkrieg.* 1ʳᵉ partie, Stuttgart 1966.

ECHTERHÖLTER, Rudolf : *Das öffentliche Recht im nationalsozialistischen Staat*, vol. 2. Stuttgart 1970.

GROSSCURTH, Helmuth : *Tagebücher eines Abwehroffiziers 1938-1940* (édités ensemble avec d'autres documents par Harold Deutsch et Helmut Krausnick avec la collaboration de Hildegard von Kotze). Stuttgart 1970.

LOOCK, Hans-Dietrich : *Quisling, Rosenberg und Terboven*, Stuttgart 1970.

WEINKAUFF, Hermann et WAGNER, Albrecht : *Die Umgestaltung der Gerichtsverfassung und des Verfahrens-und Richterrechts im nationalsozialistischen Staat*, vol. 1, Stuttgart 1968.

Publications dans le cadre des « Vierteljahrshefte für Zeitgeschichte » :

BOTT, Hermann : *Die Volksfeind-Ideologie.* Cahier 18, 1969.

GEISSLER, Rolf : *Dekadenz und Heroismus*, cahier 9, 1964.

GEORG, Enno : *Die wirtschaftlichen Unternehmungen der SS.* Cahier 7, 1963.

GROSS, Babette : *Willi Münzenberg*, cahier 14/15, 1967.

HÜTTENBERGER, Peter : *Die Gauleiter*, Cahier 19, 1970.

— *Komintern und Faschismus* (éd. par Theo Pirker), Cahier 10, 1966.

KWIET, Konrad : *Reichskommissariat Niederlande*, Cahier 17, 1968.

LATOUR, C.F. : *Südtirol und die Achse Berlin-Rom*, Cahier 15, 1962.

MILWARD, Alan S. : *Die deutsche Kriegswirtschaft 1939-1945*, Cahier 12, 1966.

MOMMSEN, Hans : *Beamtentum im Dritten Reich*, Cahier 13, 1967.

PETZINA, Dieter : *Autarkiepolitik im Dritten Reich*, Cahier 16, 1968.

PÜNDER, Hermann : *Politik in der Reichskanzlei*, Cahier 3, 1968.

SCHUBERT, Klaus von : *Wiederbewaffnung und Westintegration,* Cahier 20, 1970.

Studien zur Geschichte der Konzentrationslager (ouvrage collectif), Cahier 21, 1970.

Essais (et comptes rendus d'ouvrages importants), de caractère scientifique, parus dans différentes revues :

VHfZ = *Vierteljahrshefte für Zeitgeschichte* (Revue trimestrielle d'Histoire Contemporaine).

HZ = *Historische Zeitschrift* (Revue Historique).

ADLER, H.G. : *Selbstverwaltung und Widerstand in den Konzentrationslagern der SS,* dans VHfZ, Cahier 3, 1960.

AUER, Johann : *Zwei Aufenthalte Hitlers in Wien,* dans VHfZ, année 14, 1966.

AUERBACH, Hellmuth : *Eine nationalsozialistische Stimme zum Wiener Putsch vom 25. Juli 1934,* dans VHfZ, Cahier 2, 1964.

BAUM, Walter sur Deuerlein, Ernst : *Der Hitler-Putsch, Bayerische Dokumente zum 8/9. November 1923,* dans HZ, vol. 201 (1965).

BAUM, Walter sur Hofmann, Hans Hubert : *Der Hitler-Putsch. Krisenjahre deutscher Geschichte 1920-1941,* dans HZ, vol. 201 (1965).

BAUM, Walter sur Hillgruber, Andreas : *Hitlers Strategie, Politik und Kriegsführung 1940-1941,* dans HZ, vol. 205 (1967).

BAUMGART, Winfried : *Zur Ansprache Hitlers vor den Führern der Wehrmacht am 22. August 1939. Eine quellenkritische Untersuchung,* dans VHfZ, 16e année, 1968.

BRACHER, Karl Dietrich : *Adolf Hitler, Bern, München und Wien 1964.* (Archives d'Histoire universelle).

BROSZAT, Martin : *Die Anfänge der Berliner NSDAP 1925/27,* dans VHfZ, Cahier 4, 1958.

— *Zur Perversion der Strafjustiz im Dritten Reich,* dans VHfZ, Cahier 4, 1958.

BUSSMANN, Walter : *Zur Entstehung und Uberlieferung der « Hossbach-Niederschrift »,* dans VHfZ, 16e année 1968.

DEUERLEIN, Ernst : *Hitlers Eintritt in die Politik und Reichswehr,* dans VHfZ, Cahier 2, 1959.

DICKMANN, Fritz : *Die Regierungsbildung in Thüringen als Modell der Machtergreifung. Ein Brief Hitlers aus dem Jahre 1930,* dans VHfZ, 14e année, 1966.

E., T. : *Die Rede Himmlers vor den Gauleitern am 3. August 1944,* dans VHfZ, Cahier 4, 1953.

EPSTEIN, Klaus : *Der Nationalsozialismus in amerikanischer und englischer Sicht,* Supplément de l'hebdomadaire *Das Parlament,* 30-1-1963.

GOLLWITZER, Heinz : *Gedanken zum 30. Januar,* supplément de l'hebdomadaire *Das Parlament,* 30-1-1963.

HEIBER, Helmut : *Zur Justiz im Dritten Reich. Der Fall Elias,* dans VHfZ, Cahier 4, 1955.

— *Aus den Akten des Gauleiters Kube,* dans VHfZ, Cahier 1, 1956.

— *Der Generalplan Ost,* dans VHfZ, Cahier 3, 1958.

HERZFELD, Hans : *Machtergreifung und Kontinuität des Imperialismus,* Supplément de l'hebdomadaire *Das Parlament,* 30-1-1963.

HERZFELD, Hans sur PICKER, Henry : *Hitlers Tischgespräche im Führer hauptquartier 1941-1942,* édit. P.E. Schramm, collaborateurs Andreas Hillgruber et Martin Vogt. Dans HZ, vol. 205 (1967).

HILLGRUBER, Andreas : *Räumung der Krim 1944,* dans : *Wehrwissenschaftliche Rundschau...,* Berlin et Francfort/Mein, jan. 1959.

HORN, Wolfgang : *Ein unbekannter Aufsatz Hitlers aus dem Frühjahr 1924,* dans VHfZ, 16ᵉ année 1968.

KRAUSNICK, Helmut : *Denkschrift über die Behandlung der Fremdvölkischen im Osten,* dans VHfZ, Cahier 4, 1957.

— *Hitler und die Morde in Polen,* dans VHfZ, Cahier A, 1963.

— *Legenden um Hitlers Aussenpolitik,* dans VHfZ, 16ᵉ année, 1968

— (Editeur de) : *Ein Brief Thomas Manns vor der Machtergreifung,* dans VHfZ, 6ᵉ année 1958.

— *Wehrmacht und Nationalsozialismus* dans : *Das Parlament,* 9-11-1955.

LÖSENER, Bernhard : *Als Rassereferent im Reichsministerium des Innern,* dans VHfZ., cahier 3, 1961.

MAU, Hermann : *Die « Zweite Revolution » — der 30 Juni 1934,* dans VHfZ., Cahier 2, 1958.

MOMMSEN, Hans sur Jäckel, Eberhard : *Frankreich in Hitlers Europa. Die deutsche Frankreichpolitik im Zweiten Weltkrieg,* dans HZ, vol. 207 (1968).

MORSEY, Rudolf : *Hitler als braunschweigischer Regierungsrat,* dans VHfZ, 8ᵉ année 1960.

NOLTE, Ernst : *Eine frühe Quelle zu Hitlers Antisemitismus,* dans HZ, vol. 192, 1961.

PHELPS, Reginald H. : *Hitler als Parteiredner im Jahre 1920,* dans VHfZ., 11ᵉ année 1963.

— *Hitlers « grundlegende » Rede über den Antisemitismus,* dans VHfZ., 16ᵉ année 1968.

RONNEFAHRT, Helmut K.G. sur Hubatsch, Walther : *Hitlers Weisungen für die Kriegsführung 1939-1945. Dokumente des Oberkommandos der Wehrmacht,* dans HZ, vol. 205 (1967).

ROTHFELS, Hans : *Zur 25. Wiederkehr des 20. Juli 1944,* 17ᵉ année 1969.

SCHIEDER, Theordor : *Zum Problem der historischen Wurzeln des Nationalsozialismus,* supplément de l'hebdomadaire *Das Parlament,* 30-1-1963.

SCHRAMM, Percy Ernst sur Heiber, Helmut : *Hitlers Lagebesprechun-*

gen. *Die Protokollfragmente seiner militärischen Konferenzen 1942-1945*, dans HZ, vol. 201 (1961).

SNELL, John L. : *Hitlers Erfolg. Rückblick nach 30 Jahren*. Suppl. de l'hebd. *Das Parlament*, 30-1-1963.

WIESMAYER, Peter : *Mit dem Führer auf der Schulbank*, dans *Die Zeit* du 26-6-1938.

Recueil d'essais sur la Deuxième Guerre mondiale dans : *Bilanz des Zweiten Weltkrieges*, Oldenbourg 1953. Contributions de :

TIPPELSKIRCH, Kurtvon : *Operative Führungsentschlüsse in Höhepunkten des Landkrieges*, p. 47 et s.

KESSELRING, Albert : *Der Krieg im Mittelmeerraum*, p. 65 et ss.

GUDERIAN, Heinz : *Erfahrungen im Russlandkrieg*, p. 81 et ss.

RENDULIC, Lothar : *Der Partisanenkrieg*, p. 99 et ss.

ASSMANN, Kurt : *Die deutsche Seekriegsführung*, p. 115 et ss.

GODT, Eberhard : *Der U-Boot-Krieg*, p. 133 et ss.

KESSELRING, Albert : *Die deutsche Luftwaffe*, p. 145 et ss..

RUMPF, Hans : *Luftkrieg über Deutschland*, p. 159 et ss.

WEIDEMANN, Alfred : *Der rechte Mann am rechten Platz*, p. 213 et ss.

SCHNEIDER, Erich : *Technik und Waffenentwicklung im Kriege*, p. 223 et ss.

KEHRL, Hans : *Kriegswirtschaft und Rüstungsindustrie*, p. 265 et ss.

KUMPF, Walter : *Die Organisation Todt im Kriege*, p. 287 et ss.

KROSIGK, Graf Schwerin von Lutz : *Wie wurde der Zweite Weltkrieg finanziert ?* p. 311 et ss.

RIECKE, Hans-Joachim : *Ernährung und Landwirtschaft im Kriege*, p. 329 et ss.

PFEFFER, Karl Heinz : *Die Deutschen und die anderen Völker im Zweiten Weltkrieg*, p. 365 et ss.

SULZMANN, Rudolf : *Die Propaganda als Waffe im Kriege*, p. 381 et ss.

LATERNSER, Hans : *Der Zweite Weltkrieg und das Recht*, p. 403 et ss.

LÜDDE-NEURATH, Walter : *Das Ende auf deutschem Boden*, p. 421.

ARNTZ, Helmut : *Die Menschenverluste im Zweiten Weltkrieg*, p. 439.

D'autres livres, essais, comptes rendus, etc. sont mentionnés (avec les indications bibliographiques d'usage) dans les notes en bas de page.

INDEX

504

LIEU

TABLE DES MATIÈRES

ANNEXES

Achevé d'imprimer le 11 octobre 1973 sur les presses de la SIMPED
pour Plon, Editeur à Paris.
Numéro d'édition : 10015. Numéro d'impression : 5054. Dépôt légal : 4ᵉ trim. 1973.